올쏘 내신强자

고등 **사회·문화**

Structure | 구성과 특징

올쏘 내신强자의 효과적인 학습법

1단계 핵심 개념 정리

2단계 빈출 특강

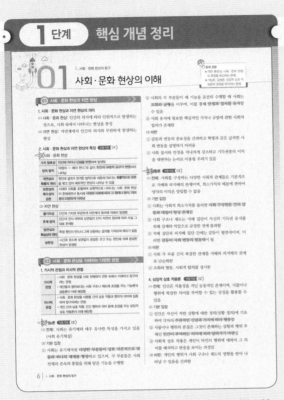

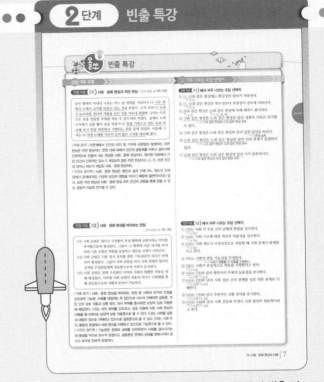

▲ 학교 시험에 자주 나오는 핵심 개념을 강별로 일목요연하게 정리하였습니다. 출제 빈도가 가장 높은 **빈출 자료**와 연계된 중요한 핵심 개념은 유심히 학습하되, 빈출 특강의 자료와 함께 보는 것을 잊지 마세요!

▲ 시험에 자주 출제되는 지도, 도표, 제시문 등의 **빈출 자료**를 꼼꼼하게 분석하여 정리하였습니다. 빈출 자료와 연계하여 **자주 나오는 오답 선택지**를 제시하였으니 빈출 개념과 자료의 출제 패턴을 익히도록 하세요!

올쏘 내신강자의 4단계 학습 시스템으로
시험을 대비하면 내신 1등급을 달성할 수 있습니다!

3단계 · 시험에 꼭 나오는 문제

▲ 학교 시험의 출제 유형을 분석하여 시험에 꼭 나오는 빈출 문제로만 구성하였습니다. 빈출 자료를 활용한 **빈출 문제**는 꼭 풀어 보고 실전 감각을 키우도록 하세요!

4단계 · 상위 4% 문제

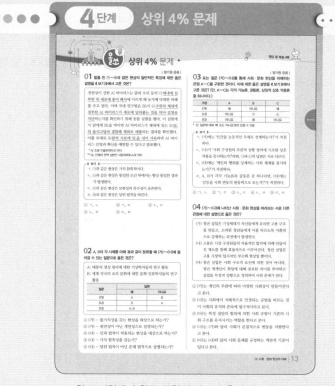

▲ 학교 시험에서 한두 문항씩 반드시 출제되는 고난도 문제를 풀지 못하면 내신 1등급을 받을 수 없습니다. 변별력 높은 **상위 4% 문제**를 통해 내신 1등급을 꼭 달성하세요!

정답 및 해설

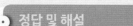

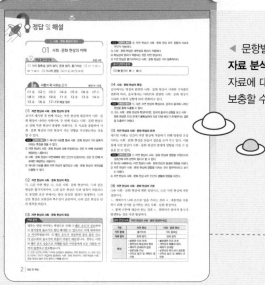

◀ 문항별로 자세하고 친절한 해설을 제공하였고, **자료 분석**과 올쏘 만점 노트를 통해 문제에 제시된 자료에 대한 이해와 꼭 알아야 하는 핵심 개념들을 보충할 수 있습니다.

Contents | 차례

Comparison Table | 교과서 단원 비교

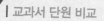

올쏘 내신强자와 내 교과서 단원 찾기

01 사회·문화 현상의 이해

01 사회·문화 현상과 자연 현상

1. 사회·문화 현상과 자연 현상의 의미

(1) 사회·문화 현상: 인간의 의지에 따라 인위적으로 발생하는 것으로, 사회 속에서 나타나는 현상을 총칭

(2) 자연 현상: 자연계에서 인간의 의지와 무관하게 발생하는 현상

2. 사회·문화 현상과 자연 현상의 특징 빈출 자료 (01)

(1) 사회·문화 현상

가치 함축성	인간의 가치나 신념을 반영하여 발생함
당위 법칙	'마땅히 ~ 해야 한다.'와 같이 인간의 규범적 요구가 반영되어 나타남
개연성과 확률의 원리	원인과 결과가 엄격한 법칙으로 대응하기보다는 확률적으로 관련을 맺고 있어 예외적인 현상이 나타날 수 있음
보편성과 특수성의 공존	시대와 사회를 초월하여 보편적으로 나타나는 사회·문화 현상이 존재하면서 동시에 시대와 사회에 따라 그 형태나 방식, 의미 등이 다양하게 나타남

(2) 자연 현상

몰가치성	인간의 가치와 무관하게 자연계의 원리에 의해서 발생함
존재 법칙	인간의 인식 여부와 상관없이 단지 자연의 원리에 따라 사실 그대로 존재함
필연성과 확실성의 원리	특정 원인이 반드시 그에 상응하는 결과를 가져오며 예외가 없음
보편성	시간과 장소에 상관없이 동일한 조건 또는 원인에 의해 동일한 현상이 발생함

02 사회·문화 현상을 이해하는 다양한 관점

1. 거시적 관점과 미시적 관점

거시적 관점	• 사회·문화 현상을 사회 전체와의 관련 속에서 이해하고 탐구하려는 관점 • 개인들의 행위보다는 사회 구조나 제도에 초점을 두는 기능론과 갈등론이 이에 해당함
미시적 관점	• 사회·문화 현상을 사람들 간의 상호 작용과 행위의 의미에 집중하여 탐구하려는 관점 • 개인 간의 상호 작용, 인간 행위의 의미 등에 초점을 두는 상징적 상호 작용론이 이에 해당함

2. 기능론 빈출 자료 (02)

(1) 전제: 사회는 유기체와 매우 유사한 특성을 가지고 있음 (사회 유기체설)

(2) 기본 입장

① 사회는 유기체처럼 다양한 부분들이 상호 의존적으로 맞물려 하나의 체계를 형성하고 있으며, 각 부분들은 사회 전체의 존속과 통합을 위해 맡은 기능을 수행함

② 사회의 각 부분들이 제 기능을 온전히 수행할 때 사회는 조화와 균형을 이루며, 이를 통해 안정과 질서를 유지할 수 있음

③ 사회 유지에 필요한 핵심적인 가치나 규범에 관한 사회적 합의가 존재함

(3) 비판

① 갈등과 변동의 중요성을 간과하고 혁명과 같은 급격한 사회 변동을 설명하기 어려움

② 사회 질서와 안정을 지나치게 강조하고 기득권층의 이익을 대변하는 논리로 이용될 우려가 있음

3. 갈등론 빈출 자료 (02)

(1) 전제: 사회를 구성하는 다양한 사회적 관계들은 기본적으로 지배와 피지배의 관계이며, 희소가치의 배분에 관하여 양자의 이익은 양립할 수 없음

(2) 기본 입장

① 사회는 사회적 희소가치를 둘러싼 사회 구성원들 간의 갈등과 대립이 항상 존재함

② 사회 구조나 제도는 지배 집단이 자신의 기득권 유지를 위해 강제와 억압으로 규정한 것에 불과함

③ 지배 집단과 피지배 집단 간에는 갈등이 필연적이며, 이러한 갈등이 사회 변동의 원동력이 됨

(3) 비판

① 사회 각 부분 간의 복잡한 관계를 지배와 피지배의 관계로 단순화함

② 조화와 협동, 사회적 합의를 경시함

4. 상징적 상호 작용론 빈출 자료 (02)

(1) 전제: 인간은 자율성을 지닌 능동적인 존재이며, 사물이나 행위에 복잡한 의미를 부여할 수 있는 상징을 활용할 수 있음

(2) 기본 입장

① 인간은 자신이 처한 상황에 대한 정의(상황 정의)에 기초하여 각자의 주관적인 신념과 가치에 따라 행동함

② 사물이나 행위의 본질은 그것이 존재하는 상황과 행위 주체인 인간이 부여하는 의미에 따라 달라지기 마련임

③ 사회적 상호 작용은 개인이 타인의 행위에 대하여 그 의미를 해석하고 반응을 보이는 과정임

(3) 비판: 개인의 행위가 사회 구조나 제도의 영향을 받아 나타날 수 있음을 간과함

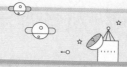

📖 대표 유형

빈출 자료 01 사회·문화 현상과 자연 현상 | 연계 문제 → 9쪽 03번

중국 황제의 아내인 누조는 어느 날 정원을 거닐다가 ⊙ 나무 위에서 누에가 고치를 만들고 있는 것을 보았다. 고치 속의 ⓛ 누에가 눈보라를 견디며 겨울을 넘긴 것을 겨우내 관찰한 그녀는 이것으로 옷을 만들면 추위를 막을 수 있으리라 여겼다. 실제로 누에 고치에서 실을 뽑아 옷을 만들어 ⓒ 동물 가죽으로 만든 옷과 비교해 보니 한결 따뜻하고 가볍다는 것을 알게 되었다. 이듬해 그녀는 ⓔ 야생 누에를 거두어 길러 많은 고치를 생산해 냈다.

| 자료 분석 | 자연계에서 인간의 의지 및 가치와 상관없이 발생하는 모든 현상은 자연 현상이다. 반면 사회 내에서 인간이 공동체를 이루고 살아가며 인위적으로 만들어 내는 현상은 사회·문화 현상이다. 제시된 자료에서 ⊙은 인간의 인위적인 요소가 개입되지 않은 자연 현상이고, ⓛ, ⓒ, ⓔ은 인간의 의지나 의도가 개입된 사회·문화 현상이다.

| 이것도 알아둬 | 사회·문화 현상은 원인과 결과 간에 어느 정도의 인과 관계가 존재하지만, 다양한 요인이 영향을 미치기 때문에 필연적이지는 않다. 또한 자연 현상과 사회·문화 현상 모두 인간이 경험을 통해 얻을 수 있는 경험적 자료로 연구할 수 있다.

📜 자주 나오는 오답 선택지

빈출 자료 01 에서 자주 나오는 오답 선택지

① ⊙, ⓒ과 같은 현상에는 확실성의 원리가 적용된다.
  └→⊙

② ⊙, ⓔ과 같은 현상은 특수성보다 보편성이 강하게 나타난다.
  └→⊙

③ ⓔ과 같은 현상은 ⓒ과 같은 현상에 비해 예측이 용이하다.

④ ⊙과 같은 현상은 ⓛ과 같은 현상과 달리 경험적 자료로 연구할
  └→⊙과 같은 현상과 ⓛ과 같은 현상 모두
수 있다.

⑤ ⊙과 같은 현상은 ⓒ과 같은 현상과 달리 당위 법칙을 따른다.
  └→ 존재 법칙

⑥ ⓒ과 같은 현상은 ⓛ과 같은 현상과 달리 인과 관계가 분명하지
  └→ ⓛ과 같은 현상과 ⓒ과 같은 현상 모두
않다.

⑦ ⓒ과 같은 현상은 ⓔ과 같은 현상과 달리 가치 함축적이다.
  └→ ⓒ과 같은 현상과 ⓔ과 같은 현상 모두

빈출 자료 02 사회·문화 현상을 바라보는 관점

| 연계 문제 → 11쪽 13번

(가) 사회 규범은 대다수 구성원이 특정 행위에 규범이라는 의미를 부여함으로써 형성된다. 그들이 그 행위에 다른 의미를 부여하면 기존 규범은 역할을 상실하고 새로운 규범이 나타난다.

(나) 사회 규범은 기본 질서 유지를 위한 기득권층의 의지가 반영되어 형성된다. 그들이 사회 규범을 마치 사회 전체의 합의인 것처럼 구성원들에게 강요함으로써 사회가 유지된다.

(다) 사회 규범은 전체 구성원의 이익과 사회의 원활한 작동을 위해 형성된다. 이러한 사회 규범의 내용과 의미가 사회화를 통해 전승됨으로써 사회의 존속이 가능하다.

| 자료 분석 | 사회·문화 현상을 바라보는 관점 중 사회의 유지와 안정을 강조하면 기능론, 사회를 대립하는 두 집단으로 나누어 이해하면 갈등론, 개인 간의 상호 작용과 상황 정의, 의미 부여를 중시하면 상징적 상호 작용론에 해당한다. (가)는 의미 부여를 강조하고, 상호 작용에 의한 사회 현상의 이해를 중시하므로 상징적 상호 작용론으로 볼 수 있다. (나)는 사회를 갈등과 대립의 장으로 이해하고 있으므로 갈등론으로 볼 수 있고, (다)는 사회 유지, 통합의 관점에서 사회 현상을 이해하고 있으므로 기능론으로 볼 수 있다.

| 이것도 알아둬 | 기능론은 현재의 상태를 보전하면서 사회를 결속시키는 데 중점을 두므로 보수적 관점이고, 갈등론은 현재의 상태를 변화시켜야 한다고 보므로 진보적 관점이다.

빈출 자료 02 에서 자주 나오는 오답 선택지

① (가)는 사회 각 부분 간의 균형과 통합을 강조한다.
  └→ (다)

② (나)는 사회 구조에 대한 개인의 자율성을 강조한다.
  └→ (가)

③ (나)는 사회 제도가 비정상적으로 작동할 때 사회 문제가 발생한
  └→ (다)
다고 본다.

④ (다)는 사회의 변동 가능성을 부정한다.
  └→ 사회가 변동할 수 있음을 인정한다.

⑤ (다)는 사회가 본질적으로 변동을 지향한다고 본다.
  └→ (나)

⑥ (나)는 (가)와 달리 행위자의 주체적 능동성을 중시한다.
  └→ (가) └→ (나)

⑦ (나)는 (다)와 달리 사회 집단 간의 관계를 상호 의존 관계로 이
  └→ (다) └→ (나)
해한다.

⑧ (다)는 (가)와 달리 주관적인 상황 정의를 중시한다.
  └→ (가) └→ (다)

⑨ (다)는 (나)와 달리 사회 갈등과 투쟁이 사회 발전의 원동력이라
  └→ (나) └→ (다)
고 본다.

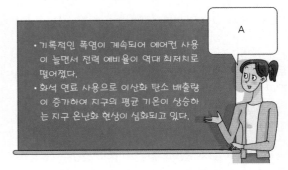

시험에 꼭 나오는 문제

01 빈칸에 들어갈 알맞은 말을 쓰시오.

사회·문화 현상	• 의미: 인간의 의지에 따라 인위적으로 발생하는 것으로 사회 속에서 나타나는 현상을 총칭 • ( ): 인간의 가치나 신념을 반영하여 발생함 • ( ): '마땅히 ~ 해야 한다.'와 같이 사회의 규범적 요구가 반영되어 나타남
자연 현상	• 의미: 자연계에서 인간의 의지와 무관하게 발생하는 현상 • ( ): 인간의 인식 여부와 상관없이 단지 자연의 원리에 따라 사실 그대로 존재함 • ( ): 인간의 의지나 가치와 무관하게 자연계의 원리에 의해서 발생함

02 다음 내용에 해당하는 사회·문화 현상을 이해하는 관점을 【보기】에서 골라 쓰시오.

┤ 보기 ├
ㄱ. 기능론   ㄴ. 갈등론   ㄷ. 상징적 상호 작용론

(1) 사회가 유기체와 유사한 특성을 지니고 있다고 보는 관점은?
(2) 사회 규범이 지배 집단의 합의를 통해 형성된다고 보는 관점은?
(3) 사회가 스스로 균형을 유지하려는 속성을 지닌다고 보는 관점은?
(4) 개인이 상황에 부여한 의미에 기초하여 각자의 주관적인 신념과 가치에 따라 행동한다고 보는 관점은?

03 다음 글은 실업 문제를 거시적 관점과 미시적 관점 중 어떤 관점으로 보고 있는지 쓰시오.

실업은 산업 구조의 변화와 경기 침체에 그 원인이 있다. 산업 구조의 중심이 섬유, 건설 등에서 반도체, 정보 기술(IT) 등과 같이 고용 창출 효과가 작은 산업으로 옮겨 갔기 때문이다. 또한 경기 침체로 노동의 공급보다 노동의 수요가 적어 실업률이 증가하였다.

04 사회·문화 현상을 이해하는 관점과 그 내용을 바르게 연결하시오.

(1) 갈등론 •   • ㉠ 조화와 균형 중시
(2) 기능론 •   • ㉡ 지배·피지배 관계 중시
(3) 상징적 상호 작용론 •   • ㉢ 개인 간 상호 작용 중시

---

01 사회·문화 현상과 자연 현상

01 그림의 수업 장면에서 교사가 제시한 자료를 종합하여 말하고자 하는 내용으로 A에 들어갈 가장 적절한 것은?

> • 기록적인 폭염이 계속되어 에어컨 사용이 늘면서 전력 예비율이 역대 최저치로 떨어졌다.
> • 화석 연료 사용으로 이산화 탄소 배출량이 증가하여 지구의 평균 기온이 상승하는 지구 온난화 현상이 심화되고 있다.

① 사회·문화 현상은 가치 함축적입니다.
② 자연 현상은 사회·문화 현상에 의해 유발됩니다.
③ 사회·문화 현상은 자연재해에 대한 인간의 반응입니다.
④ 사회·문화 현상과 자연 현상은 서로 영향을 주고받습니다.
⑤ 자연 현상은 필연성, 사회·문화 현상은 개연성을 특징으로 합니다.

02 밑줄 친 ㉠~㉣과 같은 현상의 일반적인 특징에 대한 질문에 모두 옳게 응답한 학생은?

> 항구를 벗어난 지 20여 분이 지나자, 자욱한 안개 너머로 ㉠섬 하나가 자태를 드러냈다. '나무 섬'으로 불리는 ○○도이다. 옥빛의 물색과 갈색빛 암벽 위를 솜이불처럼 뒤덮은 ㉡풀잎들이 파란 하늘과 맞물려 풍경화 한 폭을 그려내고 있다. 암벽 주변에는 뭍에서 건너온 ㉢강태공들이 고기 낚는 재미에 한창 빠져 있다. 허술해 보이는 접안 시설에 배를 대고 ㉣등대를 향해 올랐다.

질문＼학생	갑	을	병	정	무
㉠과 같은 현상은 가치 함축적인가?	×	○	×	×	○
㉡과 같은 현상은 동일한 조건 하에서는 항상 동일한 결과가 발생하는가?	○	×	×	○	×
㉢과 같은 현상은 보편성과 특수성이 공존하는가?	○	○	○	○	×
㉣과 같은 현상은 당위 법칙을 따르는가?	○	×	○	×	○

(○: 예, ×: 아니오)

① 갑   ② 을   ③ 병
④ 정   ⑤ 무

빈출 문제 연계 자료 → 7쪽 빈출 자료 01

03 밑줄 친 ㉠~㉣과 같은 현상의 일반적인 특징에 대한 설명으로 옳은 것은?

> 정부는 연일 이어지는 폭염으로 인해 ㉠해수 온도가 상승하여 ㉡양식장의 물고기가 집단 폐사할 수 있으므로 이에 대비하라고 지시하였습니다. ㉢해수 온도가 상승하면 물 속 용존 산소가 감소하여 물고기의 호흡이 어렵기 때문입니다. 정부는 이번 ㉣해수 온도 상승으로 피해를 입은 어민들에게 모든 지원을 아끼지 않겠다고 발표했습니다.

① ㉠과 같은 현상은 ㉡과 같은 현상과 달리 존재 법칙의 지배를 받는다.
② ㉡과 같은 현상은 ㉢과 같은 현상과 달리 경험적 자료로 연구가 가능하다.
③ ㉢과 같은 현상은 ㉣과 같은 현상과 달리 개연성의 원리가 적용된다.
④ ㉣과 같은 현상은 ㉠과 같은 현상과 달리 확실성의 원리가 적용된다.
⑤ ㉢, ㉣과 같은 현상은 ㉠과 같은 현상과 달리 가치 함축적이다.

유사 선택지 문제

03_❶ ㉠과 같은 현상은 인간의 의지나 가치 판단과 무관하게 존재하므로 (   )적이다.
03_❷ ㉡과 같은 현상은 개연성과 확률의 원리가 적용된다. (○ / ×)
03_❸ (㉡ / ㉢ / ㉣)과 같은 현상은 같은 조건에 따른 결과가 언제, 어디에서나 똑같이 나타난다.

04 다음 두 사례에서 공통적으로 도출할 수 있는 사회·문화 현상의 특징으로 가장 적절한 것은?

> • 갑국에서 과거에는 명절에 성묘를 가는 차량이 많아 교통 체증이 심했으나 최근에는 해외여행객이 증가하면서 공항으로 가는 길이 막히는 현상이 나타난다.
> • 을국에서 도시화 초기에 아파트는 빈민의 주거 형태였으나, 점차 중산층의 보편적인 주거 형태가 되었다가 최근에는 고급화 경향과 함께 상류층의 부를 과시하는 수단이 되고 있다.

① 같은 조건에서는 항상 동일한 결과가 발생한다.
② 개연적 성격을 가지며 확률의 원리가 적용된다.
③ 규칙 발견을 통해 상황에 대한 예측이 용이하다.
④ 사회적 상황과 시대에 따라 변화하는 특성이 있다.
⑤ 사회적 규칙성에 예외가 존재하는 특수성이 나타난다.

05 다음 사례를 통해 도출할 수 있는 결론으로 가장 적절한 것은?

> 바람이 세게 부는 지역에서는 사람들이 방풍림을 조성한다. 바람을 막아 농사를 짓는 데 적합한 환경을 만들기 위해서이다. 방풍림 덕분에 그 지역 사람들은 농작물이 쓰러질 것에 대한 걱정을 줄일 수 있다.

① 자연 현상과 사회·문화 현상은 상호간에 아무 관련이 없다.
② 사회·문화 현상이 자연 현상을 초래하는 원인이 되기도 한다.
③ 자연 현상의 변화는 필연적으로 사회·문화 현상의 변화를 초래한다.
④ 자연 현상과 달리 사회·문화 현상은 인간의 생활에 영향을 미친다.
⑤ 사회·문화 현상은 자연 현상에 적응하는 과정에서 나타나기도 한다.

06 밑줄 친 ㉠, ㉡에 해당하는 현상을 〈보기〉에서 골라 바르게 연결한 것은?

> 사람들이 경험할 수 있는 현상은 ㉠사회라는 공동체를 이루고 살아가면서 인위적으로 만들어 내는 현상과 ㉡자연의 세계에서 인간의 의지와 상관없이 자연의 원리에 따라 발생하는 현상으로 구분할 수 있다.

보기

ㄱ. 봄이 와 나무에 새순이 돋았다.
ㄴ. 재채기가 나와 손으로 입을 가렸다.
ㄷ. 장맛비가 쏟아져 홍수가 발생하였다.
ㄹ. 대통령을 선출하기 위한 선거가 실시되었다.

	㉠	㉡
①	ㄱ, ㄴ	ㄷ, ㄹ
②	ㄱ, ㄷ	ㄴ, ㄹ
③	ㄴ, ㄹ	ㄱ, ㄷ
④	ㄱ, ㄴ, ㄷ	ㄹ
⑤	ㄴ	ㄱ, ㄷ, ㄹ

07 (가)~(다)에 대한 옳은 설명만을 《보기》에서 있는 대로 고른 것은?

> (가) 갑국 정부는 저소득층의 소득 증대를 위해 최저 임금 인상 정책을 시행하였다.
> (나) 을국 정부의 통화량 확대로 물가가 상승할 것이라는 일반적인 전망과 달리 실제로는 물가가 거의 오르지 않았다.
> (다) 범죄 증가에 대비하기 위해 병국 정부가 경찰력 확대 정책을 추진한 것과 달리, 정국 정부는 준법 캠페인 활동을 강화하는 정책을 실시하였다.

《보기》
ㄱ. (가)는 사회·문화 현상의 가치 함축성을 보여 준다.
ㄴ. (나)는 사회·문화 현상에 예외가 나타날 수 있음을 보여 준다.
ㄷ. (다)는 사회·문화 현상에서 특수성보다 보편성이 두드러지게 나타나는 경향이 있음을 보여 준다.
ㄹ. (가)~(다)에 따르면 사회·문화 현상에 대한 과학적 검증은 불가능하다.

① ㄱ, ㄴ ② ㄱ, ㄷ ③ ㄷ, ㄹ
④ ㄱ, ㄴ, ㄹ ⑤ ㄴ, ㄷ, ㄹ

08 밑줄 친 ㉠~㉢과 같은 현상에 대한 옳은 설명을 《보기》에서 고른 것은?

> 갑: ㉠폭염으로 인해 모기 개체수가 적어져서 올해 말라리아 발생이 줄었대.
> 을: ㉡말라리아 예방 백신을 많이 준비했다던데 쓸모가 없겠네. 하지만 ㉢폭염으로 가뭄이 심하다고 해. 어서 비가 왔으면 좋겠어.

《보기》
ㄱ. ㉠과 같은 현상은 확실성으로 설명된다.
ㄴ. ㉡과 같은 현상은 개연성으로 설명된다.
ㄷ. ㉢과 같은 현상은 당위 법칙에 따라 나타난다.
ㄹ. ㉢과 같은 현상과 달리 ㉠, ㉡과 같은 현상은 가치 함축성을 가진다.

① ㄱ, ㄴ ② ㄱ, ㄷ ③ ㄴ, ㄷ
④ ㄴ, ㄹ ⑤ ㄷ, ㄹ

09 사회·문화 현상을 보는 다음 글의 관점에 부합하는 진술만을 《보기》에서 있는 대로 고른 것은?

> 회식은 직장 동료 간의 사회적 관계를 형성·유지시켜 주는 기능을 한다. 직장 상사와 부하 직원은 회식을 하면서 사무실에서 나누지 못한 사적인 대화를 나누고 서로에 대해 좀 더 이해하게 되며, 이는 공적인 관계에도 긍정적인 영향을 준다.

《보기》
ㄱ. 사회적 긴장이나 갈등은 일시적이고 병리적인 현상이다.
ㄴ. 사회적 규범과 가치는 전체 사회의 유지와 발전에 기여한다.
ㄷ. 사회는 상호 유기적인 관계를 맺는 구성 요소들의 결합체이다.
ㄹ. 사회적 희소가치의 분배 기준은 지배 집단의 이해관계에 기초한다.

① ㄱ, ㄴ ② ㄱ, ㄹ ③ ㄷ, ㄹ
④ ㄱ, ㄴ, ㄷ ⑤ ㄴ, ㄷ, ㄹ

10 사회·문화 현상을 보는 다음 글의 관점에 대한 설명으로 옳지 않은 것은?

> 지배 계급은 기득권을 보호하고, 피지배 계급의 도전을 억압·통제하기 위한 수단으로서 사회 규범을 필요로 한다. 이러한 사회 규범은 지배 계급의 의지를 반영하여 형성되며, 지배 계급의 이익을 보호한다. 그런데 지배 계급은 피지배 계급의 복종을 이끌어 내기 위해 사회 규범이 사회 전체의 합의이며, 사회 구성원 모두에게 이익을 가져다 주는 것처럼 포장한다. 그리고 피지배 계급에게 사회 규범을 따를 것을 강요함으로써 지배와 피지배의 관계를 유지하고 재생산한다.

① 사회 변동은 필연적인 현상이라고 본다.
② 지배 계급과 피지배 계급 간의 이익은 상충된다고 본다.
③ 사회 구성원이나 집단 간의 권력 관계에 관심을 가진다.
④ 현존하는 사회 체계가 개인의 행위를 강제하는 측면을 간과한다.
⑤ 사회의 각 부분들은 잠재적으로 그 사회의 해체와 변화에 기여한다고 본다.

11 사회·문화 현상을 보는 관점 A의 입장에 부합하는 주장을 [보기]에서 고른 것은?

> A는 사회 구성 요소가 사회 전체의 필요에 의해 존재하고, 사회의 생존 및 발전에 기여하는 역할을 수행한다고 본다. 따라서 사회 규범 역시 사회 구성원 일부가 아닌 전체의 필요에 의해 존재하고, 사회 구성원들의 행동을 통제함으로써 사회에 유익한 역할을 수행한다.

┌─ 보기 ┐
ㄱ. 사회는 유기체와 유사한 속성을 가진다.
ㄴ. 사회의 각 구성 요소 간에는 상호 갈등 관계가 존재한다.
ㄷ. 사회 규범은 사회 구성원 전체의 합의를 반영하여 형성된다.
ㄹ. 사회는 환경의 변화에도 불구하고 항상 본래의 상태를 유지한다.

① ㄱ, ㄴ   ② ㄱ, ㄷ   ③ ㄴ, ㄷ
④ ㄴ, ㄹ   ⑤ ㄷ, ㄹ

12 사회·문화 현상을 보는 다음 글의 관점에 부합하는 주장으로 적절하지 <u>않은</u> 것은?

> 사회적 합의는 사람들 간의 상호 작용이 반복되면서 각자의 필요에 의해 형성된 상호 작용의 규칙이다. 사회적 합의는 사람들에 의해 만들어지고, 사람들에 의해 언제든지 변화할 수 있는 행위의 약속이다. 따라서 우리가 사회 규범이라고 부르는 것은 사람들이 공유하고 있는 행위의 약속으로서 안정적인 상호 작용을 가능하게 하지만, 사람들의 필요에 의해 끊임없이 변화할 수 있는 약속이다.

① 인간은 자율성을 가진 존재이다.
② 사람들은 상황 정의에 기초하여 행동한다.
③ 사회 제도는 피지배 집단을 통제하기 위한 수단이다.
④ 인간은 상징을 활용하여 타인과 의미를 교환할 수 있다.
⑤ 사회·문화 현상은 행위 주체가 어떻게 평가하느냐에 따라 그 의미가 달라진다.

(빈출 문제) 연계 자료 → 7쪽 빈출 자료 02

13 노인 문제를 바라보는 갑~병의 관점에 대한 설명으로 옳은 것은?

> 갑: 노인 문제는 더 많은 희소 자원을 차지하려는 세대 간 경쟁에서 소수 집단인 노인들의 이익이 희생되었기 때문에 발생하였어.
> 을: 노인의 빈곤, 소외, 학대 등의 문제는 노인이 현대 사회에서 필요로 하는 지식과 기술에 발맞추지 못하기 때문에 발생한 거야.
> 병: 대중 매체의 광고나 드라마 등에서 노인들을 사회적으로 쓸모없는 존재로 묘사하고 있으며, 이러한 이미지를 노인들이 받아들여 노인 문제가 나타나고 있어.

① 갑의 관점은 노인 문제에 대해 보수적인 입장이다.
② 을의 관점은 노인 문제의 발생 원인을 불평등한 사회 구조에서 찾는다.
③ 병의 관점은 노인 문제가 인식 주체에 따라 다르게 규정된다고 본다.
④ 을의 관점은 갑의 관점과 달리 노인 문제를 사회 구조적인 문제로 인식한다.
⑤ 을의 관점은 병의 관점과 달리 노인 문제에 대한 상황 정의를 중시한다.

유사 선택지 문제

13_❶ 갑의 관점은 을의 관점과 달리 사회 제도의 기능 약화가 노인 문제의 원인이라고 본다. (○ / ×)
13_❷ 병의 관점은 갑, 을의 관점과 달리 노인 문제를 규정하는 객관적 기준이 없다고 본다. (○ / ×)

14 다음 글에 나타난 사회·문화 현상을 보는 관점에 대한 설명으로 가장 적절한 것은?

> 인간의 행동은 단순히 외부 환경으로부터의 자극에 대한 수동적 반응 이상의 의미를 내포하고 있다. 인간은 서로 의미 있는 내용을 주고받으면서 사회적 관계를 맺고 발전시켜 나간다. 단순한 생물학적 반응이 아닌 한 인간의 행동에는 자아가 반영되어 있으므로 인간의 행동을 이해하기 위해서는 그들 사이에서 세밀하게 탐구할 필요가 있다.

① 생득적 행동을 주요한 연구 대상으로 한다.
② 사회 구조적인 측면의 분석과 대책을 선호한다.
③ 사회 구조가 개인에게 큰 영향을 끼친다고 본다.
④ 인간을 자율성과 능동성을 지닌 존재로 이해한다.
⑤ 인간의 신체적 요인을 심리적 요인보다 중시한다.

15 교사의 질문에 대해 옳은 답변을 한 학생을 고른 것은?

> 교사: 스펜서의 '사회 유기체설'의 관점에 부합한 진술을 해 보세요.
>
> 갑: '법은 지배 계급이 피지배 계급을 지배하기 위한 수단이므로 지킬 필요가 없다.'입니다.
>
> 을: '사회 유지에 필요한 규범이나 핵심적인 가치에 관하여 사회적 합의가 존재한다.'입니다.
>
> 병: '남성들이 자신들의 기득권을 지키기 위해 여성의 권리를 억압했기 때문에 남녀 차별이 나타난다.'입니다.
>
> 정: '학교는 사회 전체의 합의된 가치를 다음 세대에 전승하는 기능을 한다.'입니다.

① 갑, 을   ② 갑, 병   ③ 을, 병
④ 을, 정   ⑤ 병, 정

16 사회·문화 현상을 보는 관점 A~C를 비교한 표이다. 이에 대한 옳은 설명을 《 보기 》에서 고른 것은? (단, A~C는 각각 기능론, 갈등론, 상징적 상호 작용론 중 하나이다.)

질문	A	B	C
(가)	예	예	아니요
(나)	예	아니요	아니요

◀ 보기 ▶

ㄱ. (가)는 "미시적 관점인가?"가 될 수 있다.

ㄴ. (나)는 "사회 유기체설을 바탕으로 하는가?"가 될 수 있다.

ㄷ. B가 갈등론이면 (나)는 "사회 제도가 지배 집단의 이익을 보호하는 수단이라고 보는가?"가 될 수 있다.

ㄹ. (가)가 "개인보다 사회 구조에 대한 이해를 우선시하는가?"라면 A는 기능론, C는 상징적 상호 작용론이 될 수 있다.

① ㄱ, ㄴ   ② ㄱ, ㄷ   ③ ㄴ, ㄷ
④ ㄴ, ㄹ   ⑤ ㄷ, ㄹ

✎ 서술형 문제

17 다음 글을 읽고 물음에 답하시오.

> 사회·문화 현상에는 인과 관계가 존재하지만 필연적인 것은 아니다. 예를 들어 수요 법칙과는 다르게 가격이 상승하였는데도 수요량이 증가하는 현상이 나타나기도 한다. 따라서 사회·문화 현상은 "그러한 경향성이 있다.", "그러할 확률이 높다."라고 설명할 수밖에 없다.

(1) 윗글에 나타난 사회·문화 현상의 특징을 쓰시오.

(2) 윗글에 나타난 사회·문화 현상의 특징이 나타나는 까닭을 간단히 서술하시오.

18 다음 글을 읽고 물음에 답하시오.

> ☐ (가) ☐ 은/는 사회를 하나의 살아 있는 유기체와 같다고 본다. 즉 인간의 몸을 이루고 있는 여러 장기가 각각 고유의 기능을 하면서 서로 연관되어 전체로서의 몸을 이루고 있는 것처럼, 사회도 다양한 부분들이 사회 전체의 존속과 통합을 위해 맡은 기능을 수행하며 상호 연관되어 있다고 보는 것이다.

(1) (가)에 들어갈 사회·문화 현상을 보는 관점을 쓰시오.

(2) 윗글에 나타난 사회·문화 현상을 보는 관점을 비판하시오.

19 다음 글을 읽고 물음에 답하시오.

> 학교 교육은 지배·피지배 집단 간의 불평등한 권력 관계를 정당한 것으로 받아들이도록 하는 데 이바지합니다. 학교에서 학생들은 교사가 시키는 대로 규칙을 따르고 공부를 합니다. 그리고 그것에 잘 순종하는 것이 성공의 길이라고 배웁니다. 이 과정에서 학생들은 권위에 복종하고 묵묵하게 규칙을 지키며, 수직적인 위계질서를 자연스럽게 받아들이게 됩니다.

(1) 윗글의 필자가 학교 교육을 바라보는 관점을 쓰시오.

(2) 윗글의 필자가 바라보는 법의 역할에 대하여 서술하시오.

| 평가원 응용 |

01 밑줄 친 ⊙~@과 같은 현상의 일반적인 특징에 대한 옳은 설명을 【 보기 】에서 고른 것은?

> 전염성이 강한 AI 바이러스는 닭과 오리 등의 ⊙체내에 침투한 뒤 세포에 붙어 폐사에 이르게 해 농가에 막대한 피해를 주고 있다. 이에 국내 연구팀은 SL이 ⓒ조류의 체내에 침투한 AI 바이러스가 세포에 달라붙는 것을 막아 감염을 차단하는지를 확인하기 위해 동물 실험을 했다. 이 실험에서 닭에게 SL을 먹이면 AI 바이러스가 체내에 있는 ⓒSL의 올리고당과 결합해 체외로 배출되는 결과를 확인했다. 이를 토대로 @닭의 사료에 SL을 섞어 사육하면 AI 바이러스 감염과 확산을 예방할 수 있다고 발표했다.
>
> * AI: 조류 인플루엔자의 약자
> ** SL: 인체의 면역 성분인 시알릭토스의 약자

【 보기 】
ㄱ. ⊙과 같은 현상은 가치 함축적이다.
ㄴ. ⓒ과 같은 현상은 동일한 조건 하에서는 항상 동일한 결과가 발생한다.
ㄷ. ⓒ과 같은 현상은 보편성과 특수성이 공존한다.
ㄹ. @과 같은 현상은 당위 법칙을 따른다.

① ㄱ, ㄴ ② ㄱ, ㄷ ③ ㄴ, ㄷ
④ ㄴ, ㄹ ⑤ ㄷ, ㄹ

02 A, B의 각 사례를 아래 표와 같이 분류할 때 (가)~(다)에 들어갈 수 있는 질문으로 옳은 것은?

> A: 태풍의 생성 원리에 대한 기상학자들의 연구 활동
> B: 세계 각국의 요리 문화에 대한 문화 인류학자들의 연구 활동

질문	답변	
	예	아니요
(가)	A	B
(나)	B	A
(다)	A, B	

① (가) – 몰가치성을 갖는 현상을 대상으로 하는가?
② (가) – 필연성이 아닌 개연성으로 설명되는가?
③ (나) – 인과 법칙이 적용되는 현상을 대상으로 하는가?
④ (나) – 가치 함축성을 갖는가?
⑤ (다) – 당위 법칙이 아닌 존재 법칙으로 설명되는가?

| 평가원 응용 |

03 표는 질문 (가)~(다)를 통해 사회·문화 현상을 이해하는 관점 A~C를 구분한 것이다. 이에 대한 옳은 설명을 【 보기 】에서 고른 것은? (단, A~C는 각각 기능론, 갈등론, 상징적 상호 작용론 중 하나이다.)

구분	A	B	C
(가)	예	아니요	예
(나)	아니요	⊙	ⓒ
(다)	아니요	예	아니요

* 단, 질문에 대해 '예' 또는 '아니요'로만 답할 수 있음

【 보기 】
ㄱ. (가)에는 '인간을 능동적인 주체로 전제하는가?'가 적절하다.
ㄴ. (나)가 '사회 구성원의 주관적 상황 정의에 기초한 상호 작용을 중시하는가?'라면, ⊙과 ⓒ의 답변은 서로 다르다.
ㄷ. (다)에는 '개인의 행위를 강제하는 사회 체계를 중시하는가?'가 적절하다.
ㄹ. A, B가 각각 기능론과 갈등론 중 하나라면, (다)에는 '갈등을 사회 변동의 원동력으로 보는가?'가 적절하다.

① ㄱ, ㄴ ② ㄱ, ㄷ ③ ㄴ, ㄷ ④ ㄴ, ㄹ ⑤ ㄷ, ㄹ

04 (가)~(다)에 나타난 사회·문화 현상을 바라보는 서로 다른 관점에 대한 설명으로 옳은 것은?

> (가) 청년 실업은 기성세대가 자신들에게 유리한 고용 구조를 만들고, 소외된 청년들에게 이를 따르도록 사회적으로 강제하는 과정에서 발생한다.
> (나) 고용은 시장 구성원들의 자율적인 합의에 의해 만들어진 제도를 통해 효율적으로 이루어진다. 청년 실업은 고용 시장의 일시적인 부조화 현상일 뿐이다.
> (다) 청년 실업은 사회 구조적 요인에 의한 것이 아니라, 청년 개개인이 취업에 대해 중요한 의미를 부여하고 실업을 부정적 상황으로 정의하여 사회 문제가 된다.

① (가)는 개인의 주관에 따라 다양한 사회상이 만들어진다고 본다.
② (나)는 사회에서 지배적으로 인정되는 규범을 따르는 것이 사회의 유지와 존속에 필수적이라고 본다.
③ (다)는 특정 집단의 합의에 의한 사회 규범이 기존의 사회 구조를 유지시키는 역할을 한다고 본다.
④ (나)는 (가)와 달리 사회가 본질적으로 변동을 지향한다고 본다.
⑤ (다)는 (나)와 달리 사회 문제를 규정하는 객관적 기준이 있다고 본다.

02 사회·문화 현상의 탐구 방법

01 양적 연구 방법과 질적 연구 방법

1. 양적 연구 방법 빈출 자료 01

(1) 전제: 사회 · 문화 현상은 자연 현상과 본질적으로 다르지 않으므로 자연 현상의 연구 방법과 동일한 연구 방법을 통해 연구가 가능함(방법론적 일원론)

(2) 기본 입장
① 측정과 계량화, 통계적 분석이 가능함
② 사회 · 문화 현상에도 인과 관계가 존재함
③ 사회 · 문화 현상에 대한 일반화나 법칙 발견이 가능함
④ 연구자의 주관적 가치를 배제한 과학적인 연구 방법과 절차를 통해 사회 · 문화 현상의 연구에서 객관성을 확보할 수 있음

(3) 연구 목적: 사회 · 문화 현상에 내재한 규칙성을 발견하여 일반화하거나 법칙 정립 → 사회 · 문화 현상이 발생하게 된 원인을 설명하거나 미래의 결과를 예측하고자 함

(4) 일반적인 연구 과정

2. 질적 연구 방법

(1) 전제: 사회 · 문화 현상은 자연 현상과 본질적으로 다른 특성을 지니고 있으므로 자연 현상의 연구 방법과 다른 연구 방법으로 연구해야 함(방법론적 이원론)

(2) 기본 입장
① 자연 현상과 달리 사회 · 문화 현상은 인간의 의지가 개입되어 있으며, 인간에 의해 의미가 부여됨
② 사회 · 문화 현상에 대한 연구에서는 인과 법칙 발견이 중요한 것이 아니며, 상황 맥락 속에서 규정되는 사회 · 문화 현상의 의미를 해석하는 것이 중요함
③ 연구자도 사회 구성원이며, 연구 행위도 사회 · 문화 현상의 하나이기 때문에 특정 가치를 배제한 연구는 어려움
④ 사회 · 문화 현상은 상황 맥락에 따라 다른 의미를 갖기 때문에 법칙 발견, 일반화를 추구하는 것은 무의미함

(3) 연구 목적: 행위자의 주관적 가치 및 행위 동기, 상황 맥락과 불가분의 관계에 있는 사회 · 문화 현상을 심층적으로 이해하고자 함

02 자료 수집 방법

1. 질문지법 빈출 자료 02

장점	• 다수를 대상으로 대량의 자료를 수집하는 데 유리함 • 시간과 비용 측면에서 효율적임 • 분석 기준이 명확하고 통계 처리가 용이하여 비교 분석에 적합함 • 수량화된 데이터이므로 정확성과 객관성이 높음
단점	• 문자 언어를 이용하므로 문맹자에게 활용하기 곤란함 • 회수율, 응답률이 낮을 수 있음 • 표본의 대표성이 낮을 경우 조사 결과를 일반화하기 곤란함 • 무성의한 응답, 악의적인 응답 가능성을 배제할 수 없음

2. 실험법

장점	• 인과 관계를 파악하여 법칙을 발견하는 데 유리함 • 정밀성, 정확성, 객관성이 높은 결론을 도출할 수 있음 • 양적 자료로서 집단 간 비교 분석이 용이함
단점	• 사회 과학에서는 엄격하게 통제된 실험이 곤란함 • 실험 대상이 인간이므로 윤리적 문제가 발생할 수 있음 • 통제된 상황의 실험 결과를 실제 사회에 적용하는 데 한계가 있음

3. 면접법 빈출 자료 02

장점	• 조사 대상자의 행위 동기나 가치 등 주관적인 세계를 심층적으로 이해하는 데 유리함 • 조사 대상자와 신뢰 관계를 형성하여 응답 거부나 회피, 무성의한 응답, 조사 의도를 훼손하는 악의적인 응답의 문제를 방지할 수 있음 • 대화로 자료를 수집하므로 문맹자에게도 실시할 수 있음 • 자료 수집 과정에서 조사자가 유연성이나 융통성을 발휘할 수 있음
단점	• 다수를 대상으로 할 경우 질문지법에 비해 시간과 비용이 많이 듦 • 조사 주제에 부합하는 소수의 전형적인 조사 대상자를 선정하는 것이 쉽지 않음 • 조사자의 편견이나 주관적 가치가 자료 해석 과정에 개입될 우려가 있음

4. 참여 관찰법 빈출 자료 02

장점	• 자료의 실제성을 확보할 수 있음 • 조사 대상자의 일상생활 세계를 심층적으로 이해할 수 있음 • 이민족, 유아 등 의사소통이 곤란한 집단을 대상으로 조사를 수행할 수 있음
단점	• 관찰하고자 하는 현상이 나타날 때까지 기다려야 하므로 시간과 비용 측면에서 비효율적임 • 예상하지 못한 상황이 발생할 경우 유연하게 대처하기 곤란함 • 관찰자의 편견이나 주관적 가치가 자료 해석 과정에 개입될 우려가 있음

5. 문헌 연구법

장점	• 시간과 비용 측면에서 효율적임 • 시간과 공간의 제약으로부터 자유로움 • 기존 연구 동향이나 성과를 파악하여 참고 자료 수집에 적합함
단점	• 문헌의 정확성과 신뢰성이 확보되지 않을 경우 연구 전반의 신뢰도에 문제가 발생할 우려가 있음 • 문헌 해석 시 연구자의 주관적 가치가 개입될 가능성이 있음

빈출 특강

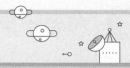

빈출 자료 01 양적 연구 방법 | 연계 문제 → 17쪽 03번

연구자 갑은 주변에 방관자들이 있으면, 곤경에 처한 사람이 낯선 사람으로부터 도움을 받을 가능성이 줄어든다는 '방관자 효과'를 검증하기 위한 연구에 착수하였다. 우선 갑은 접이식 커튼을 쳐, 보이지는 않지만 소리를 들을 수 있는 공간을 만들었다. 그리고 그곳에서 연구 대상자들에게 의자에 오르다 떨어져 도움을 청하는 노인의 녹음된 비명을 듣게 하였다. 연구 대상자들은 두 집단으로 구분되었는데, 한 연구 조건에서는 ㉠연구 대상자만 있게 했고, 다른 연구 조건에서는 의도적으로 노인의 비명에 반응하지 않도록 연구자와 공모한 방관자들을 ㉡연구 대상자와 함께 있게 했다. ㉢방관자들의 존재 여부에 따른 반응을 비교한 결과, '나홀로 조건'에서는 연구 대상자의 70%가 도움을 주려고 한 반면, '방관자 조건'에서는 20%만이 도움을 주려고 하였다.

| 자료 분석 | 양적 연구 방법은 자연 현상과 마찬가지로 사회·문화 현상에도 일정한 법칙이 존재하므로 자연 과학적 연구 방법으로 사회·문화 현상에 내재한 법칙을 발견할 수 있다는 입장이다. 제시된 자료에서 방관자들의 존재 여부가 독립 변수이고, 곤경에 처한 사람이 낯선 사람들로부터 도움을 받을 가능성이 종속 변수이다. ㉠은 방관자들이 없으므로 통제 집단, ㉡은 방관자들이 있으므로 실험 집단에 해당한다.

| 이것도 알아둬 | 양적 연구를 통해 파악할 수 없는 행위자의 주관적 세계는 질적 연구를 통해 보완할 수 있으며, 질적 연구가 안고 있는 객관성 부족의 문제는 양적 연구를 통해 보완할 수 있다.

빈출 자료 02 자료 수집 방법 | 연계 문제 → 19쪽 11번

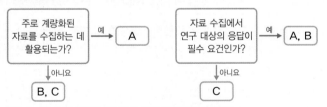

* 단, A∼C는 각각 면접법, 질문지법, 참여 관찰법 중 하나이다.

| 자료 분석 | 질문지법은 계량화된 자료, 즉 양적 자료를 수집하는 데 적절하고, 면접법과 참여 관찰법은 질적 자료를 수집하는 데 적절하다. 따라서 A는 질문지법이고, B와 C는 각각 면접법과 참여 관찰법 중 하나이다. 참여 관찰법은 질문지법이나 면접법과 달리 연구 대상의 응답이 필요하지 않으므로 C는 참여 관찰법이고 B는 면접법이다.

| 이것도 알아둬 | 질문지법과 실험법은 양적 연구에서 주로 사용하고, 면접법과 참여 관찰법은 질적 연구에서 주로 사용한다.

빈출 자료 01 에서 자주 나오는 오답 선택지

① ㉠은 실험 집단, ㉡은 통제 집단에 해당한다.

② 독립 변인과 종속 변인 간에 양(+)의 상관 관계가 있음을 알 수 있다.
　↳ 음(-)

③ 낯선 사람들로부터 도움을 받을 가능성이 독립 변인이고, ㉢은 종속 변인이다.
　↳ 종속 변인　　↳ 독립 변인

④ 방법론적 이원론이라고 불리는 연구 방법을 적용하였다.
　　↳ 방법론적 일원론

⑤ 자연 현상의 연구 방법을 사회·문화 현상에 적용할 수 없다고 여기는 연구 방법을 적용하였다.
　↳ 있다

⑥ 개별적인 사회·문화 현상에 대하여 심층적으로 이해하는 것을
　↳ 사회·문화 현상에 내재한 규칙성을 발견하여 일반화나 법칙을 정립하는 것
목적으로 하는 연구 방법을 적용하였다.

⑦ 연구자의 주관적 가치가 개입될 우려가 크다는 비판을 받는 연
　↳ 계량화하여 분석하기 곤란한 사회·문화 현상의 연구에는 적합하지 않다는
구 방법을 적용하였다.

빈출 자료 02 에서 자주 나오는 오답 선택지

① A는 B보다 문맹자에게 사용하기가 용이하다.
　↳ B는 A보다

② A는 C에 비해 실제성이 높은 자료를 확보하기가 용이하다.
　↳ C는 A에

③ A는 B, C보다 연구자의 주관적 가치 개입 가능성이 높다.
　↳ B, C는 A보다

④ A는 B, C에 비해 연구 대상과 연구자 간 신뢰감 형성의 중요성
　↳ B는 A, C에
이 강조된다.

⑤ B는 A에 비해 다수를 대상으로 자료를 수집하기가 용이하다.
　↳ A는 B에

⑥ C는 A, B와 달리 연구자의 직관적 통찰로 해석해야 하는 자료를
　↳ B, C는 A와
수집할 수 있다.

⑦ C는 A, B보다 시간과 비용 측면에서의 효율성이 높다.
　↳ A는 B, C보다

⑧ B, C는 A와 달리 양적 연구에서 주로 사용된다.
　↳ 질적 연구

⑨ 자료 수집 상황에 대한 통제 수준은 A 〉 C 〉 B이다.
　↳ A 〉 B 〉 C

개념 확인 문제

01 빈칸에 들어갈 사회 · 문화 현상의 탐구 방법을 쓰시오.

( )	자연 현상과 사회·문화 현상이 본질적으로 동일한 특성을 지니기 때문에 자연 과학의 연구 방법을 사회 과학의 연구에 적용하여 연구하는 방법
( )	자연 현상과 사회·문화 현상이 본질적으로 다른 특성을 지니기 때문에 자연 과학의 연구 방법을 사회 과학에 적용할 수 없고, 사회 과학만의 방법을 통해 연구하는 방법

02 다음 내용에 해당하는 자료 수집 방법을 ◀ 보기 ▶에서 골라 쓰시오.

◀ 보기 ▶
ㄱ. 면접법　　　　　ㄴ. 실험법
ㄷ. 질문지법　　　　ㄹ. 참여 관찰법

(1) 조사 대상자와 대면하여 직접 대화를 통해 자료를 수집하는 방법은?

(2) 조사자가 직접 조사 대상자의 행동을 관찰하여 자료를 수집하는 방법은?

(3) 조사 내용을 설문지로 작성하여 조사 대상자에게 응답하게 하는 자료 수집 방법은?

(4) 다른 변수를 통제하고 조사 대상자에게 독립 변수를 조작한 후 종속 변수의 변화를 파악하는 자료 수집 방법은?

03 표는 자료 수집 방법의 특징을 비교한 것이다. 빈칸에 들어갈 자료 수집 방법을 쓰시오.

자료 수집 방법 ＼ 항목	경제성	자료 수집 상황에 대한 통제 수준
( )	낮음	낮음
( )	매우 낮음	매우 낮음
( )	높음	매우 높음
( )	매우 높음	높음

04 다음 내용이 옳으면 ○, 틀리면 ×에 표시하시오.

(1) 질적 연구 방법은 일반적으로 연역적 과정을 거친다.
(○, ×)

(2) 양적 연구 방법에서는 개념의 조작적 정의 과정이 중시된다.
(○, ×)

(3) 양적 연구 방법은 자연 현상과 사회 · 문화 현상이 본질적으로 다르다고 본다.
(○, ×)

(4) 질적 연구 방법은 자연 과학의 연구 방법을 사회 과학에 적용할 수 없다고 본다.
(○, ×)

01 양적 연구 방법과 질적 연구 방법

01 갑이 사용한 연구 방법의 기본 입장을 ◀ 보기 ▶에서 고른 것은?

연구자 갑은 형제자매와의 유대가 높은 청소년일수록 비행 정도가 낮을 것이라는 가설을 세우고, 이를 검증하기 위해 형제자매와의 유대 관계를 하루에 서로 주고받은 연락 횟수와 대화 시간을 통해 측정하였다.

◀ 보기 ▶
ㄱ. 자연 현상과 사회 · 문화 현상은 본질적으로 다르다.
ㄴ. 사회 · 문화 현상에 대한 객관적인 연구는 불가능하다.
ㄷ. 사회 · 문화 현상에 대한 계량화와 통계적 분석이 가능하다.
ㄹ. 사회 과학은 사회 · 문화 현상에 내재한 규칙성 발견을 추구해야 한다.

① ㄱ, ㄴ　　② ㄱ, ㄷ　　③ ㄴ, ㄷ
④ ㄴ, ㄹ　　⑤ ㄷ, ㄹ

02 밑줄 친 'A 연구 방법'에 대한 설명으로 옳은 것은?

A 연구 방법은 인간의 주관적 · 정신적 영역에 관한 현상 연구에는 제약이 따른다. 또한 인간의 자율적이고 역동적인 상호 관계를 수량화함으로써 사회 현상을 지나치게 단순화하여 기계적으로 인식한다는 한계를 지닌다.

① 방법론적 일원론을 바탕으로 한다.
② 객관적인 연구의 가능성이 낮다는 비판을 받는다.
③ 정확하고 정밀한 연구 결과를 얻는 데 한계가 있다.
④ 사회 · 문화 현상에서는 규칙성을 발견할 수 없다고 여긴다.
⑤ 계량화하여 분석하기 곤란한 사회 · 문화 현상을 연구하는 데 적합하다.

빈출 문제 연계 자료 → 15쪽 빈출 자료 01

03 밑줄 친 ㉠~㉯에 대한 설명으로 옳은 것은?

연구자 갑은 청소년의 ㉠인성 발달에 ㉡봉사 활동 참여가 미치는 영향을 분석하기 위한 ㉢연구를 실시하였다. 연구 대상자를 두 집단으로 나누어 연구자가 개발한 인성 발달 지표 측정 질문지를 통해 ㉣사전 검사와 ㉤사후 검사를 하였다. 그 결과 ㉥봉사 활동에 참여하지 않은 집단과 ㉦봉사 활동에 참여한 집단은 사전 검사에서 유의미한 차이가 없었으나, 사후 검사에서는 유의미한 차이를 보였고 봉사 활동 참여의 효과가 입증되었다.

① ㉠은 독립 변인, ㉡은 종속 변인이다.
② ㉢은 방법론적 이원론에 기초한 연구 방법을 사용하였다.
③ ㉣과 ㉤은 모두 ㉠을 측정하는 검사이다.
④ ㉥은 실험 집단, ㉦은 통제 집단이다.
⑤ 갑은 사전 검사와 사후 검사에서 실험법을 통해 자료를 수집하였다.

유사 선택지 문제

03_ ❶ (㉠ / ㉡)은 원인이 되는 변인, (㉠ / ㉡)은 결과가 되는 변인이다.
03_ ❷ ㉢은 (   ) 연구 방법을 사용하였다.
03_ ❸ ㉣과 ㉤에서 종속 변인의 유의미한 변화가 없다면 가설은 수용될 것이다. (○ / ×)

04 가설 설정 요건 (가), (나)에 모두 부합하는 사례를 보기 에서 고른 것은?

(가) 두 변수 간 관계의 방향이 명확해야 한다.
(나) 자료 수집과 분석을 통해 주장의 진위 여부를 확인해 볼 필요성, 즉 검증의 필요성이 있어야 한다.

보기

ㄱ. 학력은 소득과 관련이 있을 것이다.
ㄴ. 스마트폰 사용 시간이 많을수록 사회성 점수가 낮을 것이다.
ㄷ. 여성이 남성보다 스포츠 관련 여가 비용을 많이 지출할 것이다.
ㄹ. 총인구에서 도시 인구 비율이 높아질수록 농촌 인구가 차지하는 비율은 낮아질 것이다.

① ㄱ, ㄴ   ② ㄱ, ㄷ   ③ ㄴ, ㄷ
④ ㄴ, ㄹ   ⑤ ㄷ, ㄹ

05 그림은 질문 (가)를 통해 연구 방법 A, B를 구분한 것이다. 이에 대한 옳은 설명을 보기 에서 고른 것은? (단, A, B는 각각 양적 연구 방법과 질적 연구 방법 중 하나이다.)

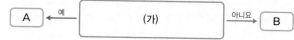

A ← 예 — (가) — 아니요 → B

보기

ㄱ. (가)에는 "방법론적 이원론을 바탕으로 하는가?"가 적절하다.
ㄴ. A가 질적 연구 방법이라면 (가)에는 "일반화의 정립이나 법칙 발견을 추구하는가?"가 적절하다.
ㄷ. B가 양적 연구 방법이라면 (가)에는 "연구자의 직관적 통찰과 감정 이입적 이해를 중시하는가?"가 적절하다.
ㄹ. (가)가 "일반적으로 가설을 검증하기 위한 연구 절차를 거치는가?"라면 A는 질적 연구 방법, B는 양적 연구 방법이다.

① ㄱ, ㄴ   ② ㄱ, ㄷ   ③ ㄴ, ㄷ
④ ㄴ, ㄹ   ⑤ ㄷ, ㄹ

06 사회·문화 현상을 연구하는 방법과 관련하여, 갑의 주장에 대해 을이 제기할 수 있는 반론을 보기 에서 고른 것은?

사회자: A 기업과 B 기업 중에서 어떤 회사가 올해 영업 이익률 1위를 할 것이라고 전망하십니까?
갑: 3분기까지 영업 이익률 1위를 한 A 기업이 유망합니다. 영업망이 잘 갖추어져 있고 매출액도 앞서고 있기 때문입니다.
을: 최근 회사 분위기가 확 달라진 B 기업이 유리합니다. 10년 만에 영업 이익률 1위를 꿈꾸는 회사 구성원들의 절실함과 열망도 무시할 수 없습니다.

보기

ㄱ. 인과 관계의 존재를 밝히려는 노력이 중요합니다.
ㄴ. 계량화하기 어려운 영역이 있음을 고려해야 합니다.
ㄷ. 연구자의 주관적 가치의 개입을 최소화해야 합니다.
ㄹ. 상황 맥락 속에서 규정되는 의미를 이해해야 합니다.

① ㄱ, ㄴ   ② ㄱ, ㄷ   ③ ㄴ, ㄷ
④ ㄴ, ㄹ   ⑤ ㄷ, ㄹ

07 다음 사례에 사용된 연구 방법을 적용할 수 있는 연구 주제로 가장 적절한 것은?

> • 연구 주제: A
> • 연구 대상자: 40세 이상 국민, 1,000명
> • 계층 구분: 연구 대상자들의 월평균 소득을 조사하여 상층, 중층, 하층으로 구분함
> • 삶의 만족도 파악: 10점을 만점으로 하여 연구 대상자들이 표시해 주는 점수를 수집함

① 교사의 칭찬과 학생 자존감 간의 상관관계 연구
② 한국과 중국의 전통 풍속 의미에 대한 비교 연구
③ 우리나라 드라마에 나타난 한국인의 정서에 관한 연구
④ 기우제를 지내는 부족의 의례 행위를 분석하는 참여 관찰 연구
⑤ 결혼 이주민이 겪는 한국 문화 적응의 어려움에 대한 문화 기술지적 연구

08 밑줄 친 '연구 방법'에 대한 옳은 설명을 《보기》에서 고른 것은?

> 이 연구 방법은 연구 대상을 심층적으로 이해할 수 있다는 장점이 있다. 하지만 이러한 과정에서 연구자의 주관이 개입될 소지가 있어 연구의 객관성에 문제가 발생할 우려가 있으며, 연구 결과를 다른 사례에 적용하기에 한계가 있다.

◀ 보기 ▶
ㄱ. 일반적으로 가설을 설정하지 않는다.
ㄴ. 연구 설계에서 개념의 조작적 정의를 중시한다.
ㄷ. 자료 수집 및 해석 단계에서 감정 이입적 이해를 중시한다.
ㄹ. 결론을 도출하는 단계에서는 일반화할 수 있는 결론을 중시한다.

① ㄱ, ㄴ   ② ㄱ, ㄷ   ③ ㄴ, ㄷ
④ ㄴ, ㄹ   ⑤ ㄷ, ㄹ

09 다음 연구에서 사용된 사회·문화 현상의 연구 방법이 지닌 한계로 가장 적절한 것은?

> 이 연구는 여성의 삶을 주제로 한 소설에 나타난 집의 의미를 통해 집이 여성에게 어떤 공간인지, 집이 상징하는 질서가 여성들에게 어떤 영향을 미치는지를 살펴보고자 한다. 집이 설계되는 순간부터 성역할의 분담을 전제로 하였고, 집단의 질서는 그 안에서 태어나 자라고 생활하는 모든 이들에게 내면화된 질서로 자리 잡았다. 여성은 집과 동일시되는 상징적인 존재인 것처럼 여겨지지만, 실제로 집은 남성의 질서로 유지되었고 여성에게는 집안의 관리자로서의 역할이 주어졌을 뿐임을 이해할 수 있었다.

① 규칙성 발견에 집착한다.
② 계량화의 문제점을 경시한다.
③ 연구자의 자의적인 해석의 우려가 크다.
④ 연구 대상자의 행위 동기를 파악할 수 없다.
⑤ 인간이 제각각 주관적 세계를 갖는 존재임을 간과한다.

10 다음 연구에 대한 옳은 설명을 《보기》에서 고른 것은?

> 갑은 학생의 성적이 높을수록 삶에 대한 만족도가 높을 것이라고 보고, 자료를 수집하여 분석을 해 보았다. 그런데 자료 분석 결과 성적과 삶에 대한 만족도 간에는 아무 관련이 없는 것으로 나타났다. 이에 갑은 연구 대상자 중 삶에 대한 만족도가 낮은 성적 우수 학생 5명과 삶에 대한 만족도가 높지만 성적이 낮은 학생 5명을 선정하여 그들의 삶에 대한 만족도를 결정하는 요인을 알아보기 위해 면담을 하였다.

◀ 보기 ▶
ㄱ. 가설을 설정하지 않고 변인 간의 관계를 파악하였다.
ㄴ. 양적 연구 방법과 질적 연구 방법을 모두 활용하였다.
ㄷ. 연구 대상자의 수를 늘려 통계 분석에 필요한 자료를 추가적으로 확보하고자 하였다.
ㄹ. 상황 맥락을 배제한 연구 결과를 보완하기 위해 상황 맥락을 중시하는 연구를 추가적으로 수행하였다.

① ㄱ, ㄴ   ② ㄱ, ㄷ   ③ ㄴ, ㄷ
④ ㄴ, ㄹ   ⑤ ㄷ, ㄹ

02 자료 수집 방법

빈출 문제 연계 자료 → 15쪽 빈출 자료 02

11 자료 수집 방법 A~C의 일반적인 특징에 대한 설명으로 옳은 것은? (단, A~C는 각각 면접법, 문헌 연구법, 질문지법 중 하나이다.)

연구 주제	수감 경험이 재범률에 미치는 영향	교도소 출소자가 사회 적응 과정에서 겪는 어려움	인성 교육이 수감 생활 만족도에 미치는 영향
자료 수집 과정	A를 활용하여 교도소 출소자들의 재범률을 파악하기 위해 관계 기관의 통계 자료를 조사함	B를 활용하여 교도소 출소자들이 사회에서 겪었던 어려움을 파악하기 위해 비구조화된 질문으로 면담을 함	C를 활용하여 인성 교육 시간과 수감 생활 만족도를 측정하기 위해 미리 제작한 문항에 수감자들이 직접 응답하게 함

① A는 C와 달리 1차 자료를 수집하는 데 사용된다.

② B는 C에 비해 변수 간의 관계를 파악하는 데 유리하다.

③ A는 B, C에 비해 시·공간적 제약을 적게 받는다.

④ B는 A, C에 비해 자료 수집 상황에 대한 통제 수준이 높다.

⑤ C는 A, B와 달리 언어적 상호 작용이 필수적이다.

유사 선택지 문제

11_❶ B는 C보다 일상생활을 심층적으로 파악하기 어렵다.
(○ / ×)

11_❷ C는 B보다 대규모 집단을 대상으로 자료를 수집하기가 용이하다. (○ / ×)

12 다음은 자료 수집 방법과 관련한 수업에서 교사가 제시한 주요 내용이다. 이 수업의 주제로 가장 적절한 것은?

- 사회적 삶의 맥락을 좀처럼 반영하기 어렵다. 응답자가 생각하고 영위하는 삶의 전체 상황에 대한 느낌을 얻기 어렵기 때문이다.
- 통통하게 살찐 돼지를 네모난 구멍에 맞추는 결과를 낳을 수 있다. 복잡한 주제를 피상적으로 다루는 꼴이 되기 쉽다.

① 실험법의 장점

② 질문지법의 단점

③ 면접법의 문제점

④ 참여 관찰법의 한계

⑤ 문헌 연구법의 사용법

13 (가)~(다)는 중년층 퇴직과 관련한 문제를 연구하기 위한 자료 수집 방법이다. 이에 대한 설명으로 옳은 것은?

(가) 중년층 퇴직과 관련한 정부 기관의 통계 자료를 찾아 실태를 파악한다.

(나) 기업체를 일정 기준에 따라 분류하고 각 기업별로 중년층 직원 50명씩을 표본으로 삼아 중년층 퇴직 대책 등에 관한 설문 조사를 실시한다.

(다) 중년층 퇴직자들 중 지원자를 모집하여 그들과의 면담을 통해 그들의 상황을 기록한다.

① (가)는 질적 연구에서는 사용할 수 없는 자료 수집 방법이다.

② (나)는 상황에 따른 조사자의 유연한 대처가 가능한 자료 수집 방법이다.

③ (다)는 신뢰 관계를 기반으로 한 허용적인 분위기 형성을 중시한다.

④ (다)는 (나)보다 자료 수집 도구의 구조화 정도가 강하다.

⑤ (다)는 (가), (나)에 비해 통계 처리가 용이하지만, 성의 없는 응답의 가능성을 배제할 수 없다.

14 밑줄 친 ㉠~㉤에 대한 설명으로 옳은 것은?

갑은 무작위로 추출한 학생들을 두 집단으로 나누어 ㉠A집단에는 ㉡1주일 동안 스마트폰 등 디지털 기기를 쓰지 않도록 하고, ㉢B집단에는 이런 제한을 두지 않았다. 그 결과 A집단의 학생들이 ㉣사람들의 감정을 읽어내는 능력이 월등히 높아졌음을 확인했다. 어려서부터 디지털 기기의 화면에 오랜 시간 노출되고 얼굴을 마주 보며 대화하는 시간이 줄어든 요즘에는 학생들이 다른 사람의 감정 변화를 잘 읽어내지 못하는 ㉤경향이 있음을 확인하였다.

① ㉠은 통제 집단이다.

② ㉡은 연구 윤리에 위배되는 조치이다.

③ ㉢은 독립 변인을 처치한 집단이다.

④ ㉣에 대해 조작적 정의가 이루어졌을 것이다.

⑤ ㉤은 가설이 기각되었음을 보여 준다.

15 다음 A, B에 해당하는 자료 수집 방법에 대한 옳은 설명만을 ◀보기▶에서 있는 대로 고른 것은?

- A, B 모두 언어적 상호 작용이 필수적이다.
- A, B 모두 1차 자료를 수집하는 자료 수집 방법이다.
- A와 달리 B는 주로 질적 자료 수집에 활용된다.

◀ 보기 ▶
ㄱ. A보다 B가 시간과 비용 측면에서 효율적이다.
ㄴ. A보다 B가 조사 상황에서 연구자와 조사 대상자 간의 신뢰 관계를 중시한다.
ㄷ. B보다 A가 수집 도구의 정형화 정도가 높다.
ㄹ. B보다 A가 다수의 조사 대상자를 상대로 한 자료 수집에 유리하다.

① ㄱ, ㄴ　　② ㄱ, ㄹ　　③ ㄷ, ㄹ
④ ㄱ, ㄴ, ㄷ　　⑤ ㄴ, ㄷ, ㄹ

16 다음은 고등학생을 대상으로 한 설문 문항의 사례이다. 이에 대한 타당한 평가를 ◀보기▶에서 고른 것은?

[질문 1] 당신은 다음 중 어디에 해당합니까?
① 남자　② 여자　③ 편입생　④ 검정고시 출신
[질문 2] 당신은 여행을 자주 하십니까?
① 예　② 아니요
[질문 3] 동아리 활동이 공동체 의식과 인성 계발에 좋은 영향을 준다고 생각하십니까?
① 예　② 아니요
[질문 4] 올해에는 대학 입시 간소화로 대입 지원에 혼란이 많이 줄었다고 합니다. 교육 당국의 대학 입시 정책이 바람직하다고 보십니까?
① 예　② 아니요　③ 잘 모르겠다

◀ 보기 ▶
ㄱ. [질문 1]은 모호한 용어가 사용되어 응답자가 혼란을 느낄 수 있다.
ㄴ. [질문 2]는 응답지의 배타성이 확보되지 않았다.
ㄷ. [질문 3]은 두 가지 내용을 동시에 묻고 있다는 점에서 적절하지 않은 질문이다.
ㄹ. [질문 4]는 특정 응답을 유도하고 있다는 점에서 바람직하지 않은 질문이다.

① ㄱ, ㄴ　　② ㄱ, ㄷ　　③ ㄴ, ㄷ
④ ㄴ, ㄹ　　⑤ ㄷ, ㄹ

17 자료 수집 방법 A~C의 일반적인 특징에 대한 질문에 모두 옳게 응답한 학생은? (단, A~C는 각각 질문지법, 실험법, 면접법 중 하나이다.)

- A, B는 양적 자료 수집 방법에 해당한다.
- B, C는 언어적 상호 작용이 필수적이다.

질문	갑	을	병	정	무
A는 인위적으로 통제된 상황에서 변수의 효과를 관찰하는 방법인가?	○	○	○	○	×
B는 다수를 대상으로 한 자료 수집에 주로 사용되는가?	○	○	○	×	×
C는 연구자가 현상이 실제로 발생한 현지에 가서 연구해야 하는가?	○	×	×	×	○
C는 B에 비해 연구자와 연구 대상자 사이의 신뢰감 형성이 중요한가?	○	×	×	×	○

(○: 예, ×: 아니오)

① 갑　　② 을　　③ 병
④ 정　　⑤ 무

18 자료 수집 방법 A~C를 비교한 표이다. 이에 대한 옳은 설명만을 ◀보기▶에서 있는 대로 고른 것은? (단, A~C는 각각 질문지법, 면접법, 참여 관찰법 중 하나이다.)

질문	A	B	C
(가)	예	예	아니요
(나)	예	아니요	아니요

◀ 보기 ▶
ㄱ. (가)는 "언어적 상호 작용이 필수적인가?"가 될 수 있다.
ㄴ. (나)는 "질적 자료 수집 방법인가?"가 될 수 있다.
ㄷ. A가 질문지법이면 (나)는 "구조화·표준화된 자료 수집 방법인가?"가 될 수 있다.
ㄹ. (가)가 "심층적인 자료를 수집하는 데 주로 사용되는가?"라면 A는 참여 관찰법, C는 질문지법이 될 수 있다.

① ㄱ, ㄴ　　② ㄴ, ㄷ　　③ ㄷ, ㄹ
④ ㄱ, ㄴ, ㄹ　　⑤ ㄱ, ㄷ, ㄹ

19 (가), (나)의 연구에서 사용된 자료 수집 방법에 대한 설명으로 옳지 <u>않은</u> 것은?

> (가) 이 연구는 원시 부족의 공동체 행사를 살펴보고 그 의미를 탐색하는 것을 목적으로 하였다. 연구 기간은 2017년 1월부터 1년 동안이었으며, A지역의 원시 부족을 대상으로 공동체 행사를 총 40회 관찰하였다.
>
> (나) 본 연구는 2017년 1월~2월에 걸쳐 노숙인 남성 5명, 여성 5명과 면담을 하여 노숙에 이르게 된 과정과 노숙을 계속하게 되는 다양한 요인을 파악하고자 한다.

① (가)는 구조화·표준화된 방법이다.
② (나)는 연구자와 연구 대상자 간의 정서적 교감을 중시한다.
③ (가)보다 (나)가 언어적 상호 작용에 대한 의존도가 높다.
④ (나)보다 (가)가 생생한 자료를 확보하기에 유리하다.
⑤ (가), (나) 모두 질적 연구에서 주로 활용된다.

20 (가), (나)의 연구에서 사용된 자료 수집 방법에 대한 설명으로 옳은 것은?

> (가) 본 연구는 부부 500쌍을 대상으로 그들에게 구조화된 도구를 나누어 주고 기재하도록 하였다. 이렇게 얻은 자료를 분석한 결과, 가정 내에서 부부 간에 의사소통이 원활하게 이루어질 때 가족의 친밀감이 높아지는 것으로 나타났다.
>
> (나) 본 연구를 위해 연구자는 10명의 돌봄 대상 노인들과 종사자들 각각으로부터 자료를 수집하였다. 이들은 서로 일상과 감정을 공유하면서 친밀한 관계를 형성하고 있는 것으로 나타났다.

① (가)보다 (나)에서 사용된 자료 수집 방법이 일반적으로 경제성이 높다.
② (가)보다 (나)에서 사용된 자료 수집 방법이 일반적으로 자료 수집 상황에 대한 통제 정도가 높다.
③ (나)보다 (가)에서 사용된 자료 수집 방법을 통해 얻은 자료가 더 심층적이다.
④ (나)보다 (가)에서 사용된 자료 수집 방법에 연구자의 주관적 가치가 개입될 가능성이 높다.
⑤ (나)보다 (가)에서 사용된 자료 수집 방법이 일반적으로 대상자 선정이나 조사 실행이 용이하다.

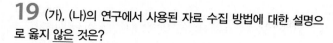

서술형 문제

21 다음 글을 읽고 물음에 답하시오.

> 질적 연구 방법은 <u>사회·문화 현상을 제대로 이해하기 위해서 자연 현상을 연구하는 것과는 다른 방법으로 탐구해야 한다</u>고 본다. 즉 사회·문화 현상을 구성하는 인간의 행위 속에 담긴 주관적 동기와 의미를 해석하고 이해하며, 연구자의 <u>　(가)　</u>을/를 통해 인간의 내면을 심층적으로 이해하고자 한다.

⑴ (가)에 들어갈 수 있는 용어를 쓰시오.

⑵ 밑줄 친 내용과 같이 생각하는 까닭을 사회·문화 현상의 특성과 관련하여 서술하시오.

22 다음 글을 읽고 물음에 답하시오.

> 연구자 갑은 토론식 수업이 고등학생의 논리적 사고력 발달에 효과적인지를 실험으로 알아보고자 하였다. 갑은 ○○ 고등학교의 남학생 학급과 여학생 학급을 각각 한 학급씩 선정하여 남학생 학급에서는 기존의 강의식 수업을 진행하고, 여학생 학급에서는 토론식 수업을 진행하였다. 그리고 나서 학생들의 논리적 사고력을 측정한 결과 토론식 수업을 진행한 여학생들의 논리적 사고력이 더 높은 것으로 측정되었다.

⑴ 갑이 사용한 자료 수집 방법을 쓰시오.

⑵ 갑이 연구를 설계할 때 잘못한 점은 무엇인지 서술하시오.

23 다음 사례를 읽고 물음에 답하시오.

> (가) 아프리카 원주민과 생활을 같이 하면서 그들의 성인식 축제에 대해 기록하며, 원주민들의 세계에서 성인식 축제가 갖는 의미를 이해하였다.
>
> (나) 임진왜란 중에 나타난 충무공의 행위를 깊이 있게 연구하기 위하여 「난중일기」를 읽고 해석하였다.

⑴ (가), (나)에 사용된 자료 수집 방법을 각각 쓰시오.

⑵ (나)에서 사용된 자료 수집 방법의 장점을 서술하시오.

| 평가원 응용 |

01 밑줄 친 ㉠~㉂에 대한 설명으로 옳은 것은?

연구자 갑은 ㉠행복감에 소득 수준과 물질주의 가치관이 미치는 영향을 연구하고자, 전국의 ㉡30세 이상 성인 중 1,000명을 대상으로 설문 조사를 하였다. 분석 결과 삶에 대한 만족도는 ㉢월평균 수입 정도와 정(+)의 관계이지만, ㉣삶에서 돈이 중요하다고 생각하는 정도와는 ㉤부(−)의 관계를 보였다. 연구자 을은 중학교에서 학생들의 생활에 대해 참여 관찰을 실시한 결과 ㉥행복감이 높은 학생이 학교 활동에 더 열심히 참여하는 것을 발견하였다. 두 연구 결과를 종합하여, 병은 ㉦학생의 가계 소득 수준이 높을수록 학교 활동도 열심히 한다고 결론지었다.

① ㉠은 갑의 연구에서, ㉥은 을의 연구에서 종속 변수에 해당한다.
② ㉡은 갑의 연구에서 표본이다.
③ ㉢, ㉣은 갑의 연구에서 독립 변수에 대한 조작적 정의이다.
④ ㉤으로 보아 갑은 가설 검증에 실패하였다.
⑤ ㉦은 병이 연역적 연구 과정을 통해 도출한 타당한 결론이다.

02 다음 연구에 대한 옳은 설명만을 《 보기 》에서 있는 대로 고른 것은?

연구자 갑은 칭찬이 사람의 행동에 변화를 주는지 여부를 조사하는 연구를 수행하였다. 중학생 100명을 두 그룹으로 나누어 간단한 시사 상식 퀴즈를 풀게 한 후 ㉠한 그룹에는 문제를 맞히든 틀리든 칭찬을 아끼지 않았고, ㉡다른 그룹에는 문제를 맞혀도 틀려도 어떠한 칭찬도 하지 않았다. 그 후 두 그룹의 행동 발달 상황에 대한 검사를 실시하여 비교해 보았다.

◀ 보기 ▶
ㄱ. 양적 자료를 수집하는 양적 연구 과정이다.
ㄴ. 갑이 사용한 자료 수집 방법은 실험법이다.
ㄷ. ㉡에는 칭찬 이외에 격려를 해 주어도 연구에 영향을 주지 않는다.
ㄹ. ㉠은 통제 집단, ㉡은 실험 집단이다.

① ㄱ, ㄴ   ② ㄱ, ㄷ   ③ ㄷ, ㄹ
④ ㄱ, ㄴ, ㄹ   ⑤ ㄴ, ㄷ, ㄹ

| 평가원 응용 |

03 다음 연구에 대한 옳은 설명만을 《 보기 》에서 있는 대로 고른 것은?

연구자 갑은 고등학생의 ㉠학교생활 만족도에 ㉡자율 동아리 활동이 미치는 영향을 알아보기 위한 연구를 진행하였다. 먼저 갑은 ㉢A고등학교 전체 학생 중 ㉣600명을 성별, 학년별 비율에 따라 추출하였다. 그리고 이들을 대상으로 구조화된 질문지를 활용하여 교우 관계, 교육 활동, 학업 성적 등에 대한 만족도를 조사한 후, ㉤자율 동아리 활동 참여 집단과 ㉥미참여 집단으로 구분하여 자료를 분석하였다. 그 결과 자율 동아리 활동 참여 집단의 만족도가 더 높게 나타났다.

◀ 보기 ▶
ㄱ. ㉠은 종속 변수, ㉡은 독립 변수이다.
ㄴ. ㉢은 모집단, ㉣은 표본 집단이다.
ㄷ. ㉤은 실험 집단, ㉥은 통제 집단이다.
ㄹ. 연구 대상의 주관적 가치를 측정하여 규칙성을 도출할 수 있는 연구 방법이 사용되었다.

① ㄱ, ㄷ   ② ㄱ, ㄹ   ③ ㄴ, ㄷ
④ ㄱ, ㄴ, ㄹ   ⑤ ㄴ, ㄷ, ㄹ

04 다음 연구에 대한 분석으로 옳은 것은?

연구자 갑은 ㉠"비행 친구와의 교제가 많을수록 비행 경험이 많을 것이다."라는 가설을 검증하기로 하였다. 갑은 전국의 고등학생 중 ㉡도시 지역 남학생 500명과 ㉢농촌 지역 여학생 500명을 무작위로 추출하여 ㉣자신의 비행 횟수, ㉤비행 경험이 있는 친구의 수 등을 포함하는 설문 조사를 실시하였다. 연구 결과, 비행 친구와의 교제가 적은 경우보다 많은 경우에 비행 횟수가 유의미하게 높게 나타났다.

① ㉠의 가설은 인용되었다.
② ㉡, ㉢은 모두 실험 집단이다.
③ ㉣을 알아보기 위해 수집한 자료는 2차 자료이다.
④ ㉣은 ㉠ 가설의 독립 변수, ㉤은 ㉠ 가설의 종속 변수를 조작적으로 정의한 것이다.
⑤ 연구자 갑은 연구의 결과를 모집단을 대상으로 일반화할 수 있다.

05 표에 제시된 자료 수집 방법 A~D의 일반적 특징에 대한 설명으로 옳은 것은? (단, A~D는 각각 면접법, 실험법, 질문지법, 참여 관찰법 중 하나이다.) | 평가원 응용 |

연구 조건	적합한 자료 수집 방법
면대면 대화를 통해 깊이 있는 정보를 수집한다.	A
일상생활에서 나타나는 연구 대상의 행동을 관찰한다.	B
대규모 집단을 대상으로 계량화된 자료를 수집한다.	C
인위적으로 통제된 상황에서 변수의 효과를 관찰한다.	D

① A는 B보다 예상하지 못한 변수의 통제가 어렵다.
② B는 C보다 시간과 비용 측면에서의 효율성이 높다.
③ C는 D보다 문맹자에게 사용하기 어렵다.
④ D는 A보다 연구자의 주관적 가치가 개입될 가능성이 높다.
⑤ A, B는 C, D와 달리 양적 연구에서 주로 사용한다.

06 그림은 자료 수집 방법 A~C를 분류한 것이다. 이에 대한 설명으로 옳은 것은? (단, A~C는 각각 질문지법, 면접법, 참여 관찰법 중 하나이다.)

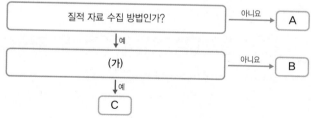

① A는 인위적으로 통제된 상황에서 변수의 효과를 관찰한다.
② (가)가 "연구 대상자와의 언어적 상호 작용이 필수적인가?"라면 B는 C보다 2차 자료 수집이 용이하다.
③ (가)가 "연구 대상자의 반응에 유연한 대처가 가능한가?"라면 B는 C와 달리 연구자의 편견이 개입될 가능성이 크다.
④ (가)가 "조사하려는 현상이 나타날 때까지 기다려야 하는가?"라면 C는 B와 달리 시·공간적 제약에서 자유롭다.
⑤ (가)가 "생생한 자료의 수집이 용이한가?"라면 C는 B와 달리 의사소통이 곤란한 연구 대상자에 대하여 사용할 수 있다.

07 그림은 자료 수집 방법 A, B의 일반적인 특징을 연결한 것이다. 이에 대한 옳은 설명을 [보기]에서 고른 것은? (단, A, B는 각각 면접법과 참여 관찰법 중 하나이다.) | 평가원 응용 |

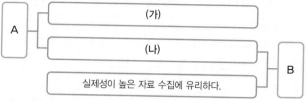

[보기]
ㄱ. A는 B보다 자료 수집 시 조사 대상자와의 친밀한 정서적 교감을 중시한다.
ㄴ. B는 A보다 자료 수집을 위해 언어적 상호 작용이 필수적이다.
ㄷ. (가)에는 '조사 대상자의 반응에 유연하게 대처할 수 있다.'가 적절하다.
ㄹ. (나)에는 '인위적으로 통제된 상황에서 변수의 효과를 관찰하여 자료를 수집한다.'가 적절하다.

① ㄱ, ㄴ   ② ㄱ, ㄷ   ③ ㄴ, ㄷ
④ ㄴ, ㄹ   ⑤ ㄷ, ㄹ

08 다음 사례에서 갑이 선택하게 될 자료 수집 방법에 대한 옳은 설명만을 [보기]에서 있는 대로 고른 것은?

○○국의 대통령인 갑은 A복지 정책을 시행하기 위해 세금을 인상하고자 국민들의 의견을 알아보기로 하였다. 갑은 의견 조사를 위해 ○○국의 인구가 약 100만 명에 달하고, 세금 인상에 대한 '찬성', '반대', '모름'의 의견 분포에 대한 정보가 시급하게 필요하다는 점을 고려하여 자료 수집 방법을 선택하고자 한다.

[보기]
ㄱ. 표본 조사 방식으로 활용되는 경우가 많다.
ㄴ. 조사자의 주관적 편견이 개입될 가능성이 높다.
ㄷ. 집단 간 비교 분석에 적합한 자료를 수집할 수 있다.
ㄹ. 인위적인 조작과 통제로 인해 나타나는 변화를 알아보고자 한다.

① ㄱ, ㄴ   ② ㄱ, ㄷ   ③ ㄷ, ㄹ
④ ㄱ, ㄴ, ㄹ   ⑤ ㄴ, ㄷ, ㄹ

사회·문화 현상의 탐구 절차와 윤리

출제 경향
★양적 연구와 질적 연구의 탐구 절차를 이해하는 문제
★탐구 태도와 연구 윤리를 사례에서 추론하는 문제

01 사회·문화 현상의 탐구 절차

1. 양적 연구의 탐구 절차 [빈출 자료 01]

연구 단계	내용
문제 인식 및 연구 주제 선정	기존에 존재하는 이론이나 가설, 새롭게 등장한 주장 등에 대한 연구자의 관심으로부터 연구 주제가 선정됨
가설 설정	연구 주제에 대한 잠정적인 결론을 제시하는 단계로, 변수와 변수 간의 관계를 논리적으로 설정함
연구 설계	연구 대상, 자료 수집 방법, 자료 분석 방법, 연구 기간, 연구 비용, 연구의 윤리성 확보 방안 등 연구 진행에 필요한 세부적인 계획을 설계함
자료 수집	조작적으로 정의된 개념에 따라 실제 현실에서 존재하는 경험적인 자료를 수집하는 과정으로, 양적 자료 수집을 위해 주로 질문지법이나 실험법 등을 활용함
자료 분석	수집된 자료를 정리하여 분석하는 과정으로, 주로 통계 기법을 활용해 독립 변수와 종속 변수 간의 관계를 파악하기에 편리한 표나 그래프를 작성함
가설 검증	분석 결과에 따라 가설의 타당성을 평가하고 수용 여부를 결정함
결론 도출 및 일반화	가설의 타당성이 인정되면 연구 주제에 대한 결론을 도출하고, 다른 상황에 적용 가능한 일반화를 정립함

2. 질적 연구의 탐구 절차

연구 단계	내용
문제 인식 및 연구 주제 선정	표면적으로 드러나 있지 않은 주관적 세계에 대한 심층적인 이해가 필요한 사회·문화 현상을 연구 주제로 선정함
연구 설계	연구 대상, 자료 수집 방법, 연구 기간, 연구 비용, 연구의 윤리성 확보 방안 등 연구 진행에 필요한 세부적인 계획을 설계함
자료 수집	• 행위 주체의 주관적인 가치나 행위 동기 등 주관적 세계를 해석할 수 있는 경험적인 자료를 수집함 • 주로 오랜 기간에 걸친 일상생활 관찰이나 면접 등을 활용해 질적 자료를 수집하는데, 자료 수집 과정에서 연구자의 직관적 통찰이 활용되며 비공식적 자료의 수집도 중시됨
자료 해석	감정 이입적인 이해 기법 등을 통해 수집된 자료에서 행위자의 주관적 가치나 동기 등 주관적인 의미를 파악함
결론 도출	개별적인 자료로부터 해석된 행위자의 주관적 세계가 갖는 의미를 종합하여 연구 주제에 대한 결론을 도출함

02 사회·문화 현상의 탐구와 가치

1. 사회·문화 현상을 탐구하는 태도

(1) 객관적 태도: 연구자의 주관적 가치나 편견, 이해관계 등을 배제한 중립적인 연구 태도로서 냉정한 제3자적 입장을 유지하는 것을 말하며, 연구자의 주관적 가치가 개입되어 연구 결과가 왜곡되는 것을 방지해야 함

(2) 개방적 태도: 사회·문화 현상은 보는 시각에 따라 다양한 견해가 존재할 수 있으므로 자신의 주장과 다른 주장이 존재할 수 있음을 받아들이고 자신의 주장에 대한 비판을 허용하며, 다른 연구자의 주장이나 결론을 경험적으로 실증될 때까지는 하나의 가설로만 받아들여야 함

(3) 상대주의적 태도: 사회·문화 현상을 그 사회의 역사적·문화적 배경과 사회적 맥락을 고려하여 이해하는 태도로, 동일한 사회·문화 현상이라도 시대와 사회에 따라 다른 의미를 지닐 수 있음을 인정해야 함

(4) 성찰적 태도: 사회·문화 현상을 수동적으로 받아들이지 않고 현상의 내면에 담긴 의미나 인과 관계가 무엇인지를 궁금해 하는 태도로 연구 절차나 방법, 연구 윤리 등을 제대로 지키며 탐구하고 있는지 연구자 스스로 되짚어 봐야 함

2. 연구 단계별 가치 개입과 가치 중립

(1) 문제 제기 및 가설 설정: 연구 주제를 선정하거나 가설을 설정할 때 연구자의 가치와 의도가 개입됨

(2) 자료 수집 및 분석: 연구의 객관성 유지와 사실 왜곡 방지를 위해 엄격한 가치 중립이 요구됨

(3) 가설 검증 및 결론 도출: 연구의 결론을 왜곡하면 그릇된 일반화가 초래될 수 있으므로 엄격한 가치 중립이 필요함

(4) 결론의 적용 및 대안 모색: 연구자의 바람직한 가치 판단에 의해 연구 결과를 적절히 활용하여 사회 발전에 이바지할 수 있음

03 사회·문화 현상의 탐구와 연구 윤리

1. 연구 대상자와 관련된 윤리 문제 [빈출 자료 02]

(1) 연구 대상자의 사생활을 보호하고, 자발적 동의를 얻어야 함

(2) 연구 목적을 사전에 알리고, 개인 정보는 연구 목적 이외의 용도로 활용해서는 안 됨

2. 연구 과정 및 결과 활용과 관련된 윤리 문제

(1) 연구자는 정직한 방법으로 자료를 수집해야 하며, 자료 분석 시 자료를 조작해서는 안 됨

(2) 다른 연구자의 연구물을 활용하는 경우 그 출처를 정확하게 밝혀야 함

(3) 연구 결과가 비윤리적으로 활용될 소지가 있는지 점검하고, 사회적 소수자에게 불이익을 주거나 특정 집단의 명예를 훼손하는 측면이 없는지 살펴야 함

 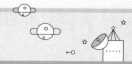
📖 대표 유형

📜 자주 나오는 오답 선택지

빈출 자료 01 양적 연구 방법의 절차 | 연계 문제 → 26쪽 02번

연구자 갑은 부모와의 유대가 높은 청소년일수록 비행 정도가 낮을 것이라는 가설을 세우고 이를 검증하기 위해 다음과 같은 연구를 하였다. 먼저 ○○시에 소재하는 중·고등학교 10개교를 선정하고, 각 학교에서 다시 2학년 2개 학급을 무작위로 추출한 뒤, 조사원들이 학생들과의 대면 접촉을 통해 구조화된 질문지에 직접 기입하게 하는 방법으로 자료를 수집하였다. 분석 결과, 부모와의 유대는 여자 청소년이 남자 청소년보다 유의미하게 높았고, 비행 건수는 남자 청소년이 여자 청소년보다 유의미하게 많았다.

| 자료 분석 | 양적 연구 방법은 '주제 선정 – 가설 설정 – 연구 설계 – 자료 수집 – 자료 분석 – 가설 검증 – 결론 도출'의 단계를 거친다. 제시된 연구에서 질문지와 같은 도구를 통해 개념의 조작화, 즉 개념의 조작적 정의가 이루어졌음을 추론할 수 있다. 고등학교를 선정하고 다시 각 학교에서 2학년 2개 학급을 무작위로 추출하는 과정은 표본 추출 과정에 해당한다.

| 이것도 알아둬 | 연역적 추론 과정은 이론에서 출발하여 경험적으로 관찰 가능한 가설을 도출한 뒤 이를 검증하여 일반화하는 것이다. 귀납적 추론 과정은 다양한 사례에 대한 경험적 관찰을 통해 모든 사례에 적용 가능한 이론을 정립하는 것이다.

빈출 자료 01 에서 자주 나오는 오답 선택지

① 가설은 기각되었을 것이다.
　　　→ 기각되었는지 알 수 없다.
② 표본이 모집단을 대표하고 있다.
　　　　　　　→ 대표한다고 보기 어렵다.
③ 개념의 조작화는 자료 수집 단계에서 이루어졌을 것이다.
　　　　　　　　　　　→ 연구 설계 단계
④ 양적 연구와 질적 연구가 병행되었다.
　　　　　　　　　→ 양적 연구만 진행
⑤ '부모와의 유대'는 종속 변수, '비행 정도'는 독립 변수에 해당한다.
　　　　　　　→ 독립 변수　　　　　　→ 종속 변수
⑥ '○○시에 소재하는 중·고등학교 10개교'는 모집단, '2학년 2개 학급'은 표본 집단에 해당한다.
　　　　　　　　　　　→ 표본 집단
⑦ 갑의 연구는 귀납적 추론 과정으로만 이루어져 있다.
　　　　　　　→ 연역적

빈출 자료 02 사회·문화 현상 연구 윤리 | 연계 문제 → 27쪽 05번

시민 단체의 의뢰를 받아 다문화 가정 학생의 학교생활에 대한 연구에 착수한 갑은 해당 학생의 담임교사에게만 허락을 구한 후 학생과 면담을 하였다. 면담 과정에서 갑은 신뢰 형성을 위해 학생의 이야기에 공감하는 태도를 유지하였다. 연구가 끝난 후 해당 학교가 다문화 교육 계획 수립을 위해 자료를 요청하자 갑은 면담 내용을 학교에 건네주었다.

| 자료 분석 | 사회·문화 현상을 연구할 때에는 연구 윤리를 지켜야 하는데, 연구 윤리에는 연구 대상자와 관련된 윤리 원칙, 연구 과정과 관련된 윤리 원칙, 연구 결과의 공표와 관련된 윤리 원칙이 있다. 갑은 연구 대상자의 동의를 구하지 않고 담임교사에게만 허락을 얻은 점, 연구 대상자의 사적인 정보를 학교에 건네주어 개인 정보를 노출한 점에서 연구 윤리를 위배하였다.

| 이것도 알아둬 | 사회·문화 현상의 탐구 결과가 사회에 유익할지라도 연구 과정에서 연구 대상자들의 인권을 침해하였다면 그 연구는 정당하지 않다. 결과가 과정을 정당화할 수 없기 때문이다.

빈출 자료 02 에서 자주 나오는 오답 선택지

① 연구 대상자로부터 특정한 응답을 유도하였다.
　　　　　　　　　　　→ 유도하지 않았다.
② 연구 대상자의 자발적 동의를 구하였다.
　　　　　　　　　　→ 구하지 않았다.
③ 갑은 수집한 자료에 대한 분석 결과를 왜곡하였다.
　　　　　　　　　　　　　　→ 왜곡하지 않았다.
④ 연구 대상자의 사생활을 보호하였다.
　　　　　　　　→ 사적인 정보를 노출하였다.
⑤ 연구 결과를 목적에 맞게 사용하였다.
　　　　　　→ 학교에 면담 내용을 제공하여 목적 이외에
⑥ 다른 연구자가 수행한 연구를 활용하면서 출처를 밝혔다.
　　　　　　　　　　　　　→ 활용했는지 알 수 없다.
⑦ 원하는 결과를 얻기 위하여 자의적으로 자료를 선별하였다.
　　　　　　　　　　　　→ 자의적으로 자료를 선별하지 않았다.

개념 확인 문제

01 빈칸에 들어갈 알맞은 말을 쓰시오.

연구 대상자와 관련된 윤리 문제	• 연구 대상자의 ( )을/를 보호하고, 자발적 동의를 얻어야 함 • 연구 목적을 사전에 알리고 ( )을/를 연구 목적 이외의 용도로 활용해서는 안 됨
연구 과정 및 결과 활용과 관련된 윤리 문제	• 연구자는 정직한 방법으로 자료를 수집해야 하며, 자료 분석 시 자료를 ( )해서는 안 됨 • 다른 연구자의 연구물을 활용하는 경우 그 ( )을/를 정확하게 밝혀야 함 • 연구 결과를 공표하는 과정에서 조사 대상자나 제3자의 인권을 침해하는 문제가 발생하지 않도록 ( )을/를 보장해야 함

02 다음 내용에 해당하는 사회·문화 현상을 탐구하는 태도를 보기에서 골라 쓰시오.

┌─ 보기 ─────────────────────┐
ㄱ. 객관적 태도   ㄴ. 개방적 태도
ㄷ. 성찰적 태도   ㄹ. 상대주의적 태도
└──────────────────────────┘

(1) 연구자의 주관적 가치나 편견, 이해관계 등을 배제한 중립적인 연구 태도는?
(2) 현상의 이면에 담긴 의미나 인과관계에 대하여 능동적으로 탐구하는 태도는?
(3) 사회·문화 현상을 그 사회의 역사적·문화적 배경과 사회적 맥락을 고려하여 이해하는 태도는?
(4) 다른 연구자의 주장이나 결론을 경험적으로 증명되기 전까지는 하나의 가설로 받아들이는 태도는?

03 다음 글의 빈칸에 들어갈 용어를 고르시오.

> 문제 제기 및 가설 설정, 결론의 적용 및 대안 모색 단계는 연구자의 (가치 개입 / 가치 중립)이 필요한 단계이며 자료 수집 및 분석, 가설 검증 및 결론 도출 단계는 (가치 개입 / 가치 중립)이 필요한 단계이다.

04 다음 내용이 옳으면 ○, 틀리면 ✕에 표시하시오.
(1) 가설 검증 단계에서 가설의 수용 여부가 결정된다.
(○ , ✕)
(2) 양적 연구의 자료 수집 방법으로는 질문지법, 실험법이 주로 활용된다.
(○ , ✕)
(3) 연구 주제에 대한 잠정적인 결론을 제시하는 단계는 연구 주제 선정 단계이다.
(○ , ✕)

---

01 사회·문화 현상의 탐구 절차

01 ㉠~㉢에 들어갈 말을 바르게 나열한 것은?

연구 단계	가치 개입 여부	내용
문제 제기 및 가설 설정	가치 개입	연구자의 의도와 가치가 개입되는 것을 피할 수 없다.
자료 수집 및 분석 (㉠)	가치 중립	가치가 개입되면 연구 결과가 (㉢)될 수 있다.
결론 적용 및 대안 모색	(㉡)	연구의 결론이 현실에 적용되는 양상은 그 연구를 활용하는 사람의 가치가 반영되어 나타나기 마련이다.

	㉠	㉡	㉢
①	일반화	가치 중립	왜곡
②	일반화	가치 개입	이해
③	가설 검증	가치 중립	이해
④	가설 검증	가치 개입	왜곡
⑤	가설 검증	가치 중립	왜곡

(빈출 문제) 연계 자료 → 25쪽 빈출 자료 01

02 다음 연구 과정에 대한 설명으로 옳지 않은 것은?

연구 주제	다문화 가정 자녀들의 학교생활 만족도에 차별 경험 여부가 미치는 영향
(가)	차별 경험과 다문화 가정 자녀들의 학교생활 만족도 사이에 부(−)의 관계가 있을 것이라는 잠정적인 결론을 내림
연구 설계	(나)
자료 수집	○○지역 고등학교 다문화 가정 자녀 중 자발적으로 참여한 100명을 대상으로 설문 조사를 실시함
(다)	5점 만점에 차별 경험이 많은 학생들의 학교생활 만족도는 2.3점, 차별 경험이 적은 학생들은 3.8점으로 나타남
가설 검증	차별 경험이 다문화 가정 자녀들의 학교생활 만족도에 부정적인 영향을 주었음을 확인함

① (가)를 검증하기에 적절한 자료 수집 방법을 채택하였다.
② (나)에서는 학교생활 만족도에 대한 조작적 정의가 이루어졌다.
③ (가)와 달리 (다)에서는 연구자의 가치 중립적 태도가 요구된다.
④ 연구 결과를 모집단 전체에 대해 일반화하기 어렵다.
⑤ 차별 경험에 대한 조사 대상자의 내적 상태를 이해하고자 하였다.

유사 선택지 문제

02_❶ 학교생활 만족도는 (   ) 변수, 차별 경험은 (   ) 변수이다.
02_❷ 제시된 연구 과정은 (연역적 / 귀납적)이다.

02 사회 · 문화 현상의 탐구와 가치

03 다음에서 설명하는 연구자의 태도에 해당하는 것은?

사회 · 문화 현상 속에는 가치와 의도가 내포되어 있고, 연구자 자신이 사회 · 문화 현상의 일부이기 때문에 엄격한 제3자적 태도를 갖기 어렵다. 하지만 연구자가 자신의 선입견, 주관적 가치, 이해관계 등을 연구에 개입시키면 연구 결과가 왜곡될 수 있으므로 제3자적 관점에서 연구하려는 노력을 지속적으로 해야 한다.

① 성찰적 태도
② 객관적 태도
③ 개방적 태도
④ 종합적 태도
⑤ 상대주의적 태도

03 사회 · 문화 현상의 탐구와 연구 윤리

(빈출 문제) 연계 자료 → 25쪽 빈출 자료 02

05 그림의 갑이 강조할 주장을 **◀ 보기 ▶**에서 고른 것은?

과학을 탐구하는 사람은 자신의 연구 주제나 연구 결과가 사회에 미칠 영향에 대해서 책임을 져야 해.

연구자에게 그런 것까지 책임지라고 해서는 안 돼. 연구 결과를 악용하는 사람이 문제인 거야.

◀ 보기 ▶
ㄱ. 자료 수집과 분석 과정에는 엄격한 객관성이 필요하다.
ㄴ. 연구자는 연구가 미칠 수 있는 사회적 악영향을 예측해야 한다.
ㄷ. 과학적 탐구에 따른 연구 결과는 그 자체로는 선악을 가질 수 없다.
ㄹ. 연구 주제나 목적이 인간의 존엄성과 같은 보편적 가치를 벗어나서는 안 된다.

① ㄱ, ㄴ   ② ㄱ, ㄷ   ③ ㄴ, ㄷ   ④ ㄴ, ㄹ   ⑤ ㄷ, ㄹ

유사 선택지 문제

05_❶ (갑 / 을)은 연구가 사회에 미칠 영향에 대한 가치 개입은 필요하지 않다는 입장이다.

05_❷ 을은 연구자가 연구 과정에서 연구자의 윤리를 다했다면 그것으로 충분하다는 입장이다. (○ / ×)

04 갑, 을에게 가장 요구되는 사회 · 문화 현상의 탐구 태도를 바르게 연결한 것은?

• 갑은 자신의 연구 결론에 대한 비판을 허용하지 않고, 자신의 연구 결론만이 무조건 옳다고 주장하였다.
• 을은 서양의 특정 종교를 우수한 것으로 생각하고, 제사를 지내는 동양의 풍습을 우상 숭배로 취급하였다.

	갑	을
①	개방적 태도	객관적 태도
②	개방적 태도	상대주의적 태도
③	성찰적 태도	개방적 태도
④	객관적 태도	상대주의적 태도
⑤	상대주의적 태도	성찰적 태도

06 다음 연구 과정에 나타난 연구 윤리 문제에 대한 비판으로 가장 적절한 것은?

○○연구소는 성매매 실태를 정확하게 파악할 목적으로 경찰의 협조를 얻어 데이터베이스를 구축하였다. 이 과정에서 당사자들의 동의를 받는 절차는 없었다. 또한 ○○연구소가 구축한 데이터베이스에는 성매매 당사자들의 실명이 그대로 기록되어 있었다.

① 연구 대상자의 개인 정보를 보호해야 한다.
② 연구 대상자에게 연구 목적을 밝혀야 한다.
③ 연구자는 경험적인 근거를 가지고 자료를 수집해야 한다.
④ 연구자는 제3자의 가치 중립적인 입장에서 탐구해야 한다.
⑤ 연구자는 정확한 탐구를 통해 사실이 왜곡되는 것을 방지해야 한다.

07 (가), (나)에 해당하는 연구 윤리의 위반 사례를 《보기》에서 골라 바르게 나열한 것은?

> (가) 연구 대상자들의 자발적인 참여를 보장해야 한다.
> (나) 수집한 자료는 연구 목적 이외의 용도로 활용해서는 안 된다.

《 보기 》
> ㄱ. 본인에게 알리지 않고 가족으로부터 본인의 일기나 편지 등 내밀한 정보를 수집하였다.
> ㄴ. 연구에서 파악한 가족 병력이 있는 사람의 명단을 보험 회사에 제공하고 금전적 보상을 받았다.
> ㄷ. 면접 대상자 중 일부는 질문 내용에 불편함을 느끼고 면접 중단을 요구하였으나 면접을 계속하였다.
> ㄹ. 신약의 효능을 알아보기 위하여 상당한 보수를 약속하고 임상 실험 참가자를 모집하였으나 부작용에 대해서는 알리지 않았다.

	(가)	(나)
①	ㄱ, ㄴ	ㄷ, ㄹ
②	ㄱ	ㄴ, ㄷ, ㄹ
③	ㄱ, ㄴ, ㄷ	ㄹ
④	ㄱ, ㄷ, ㄹ	ㄴ
⑤	ㄷ, ㄹ	ㄱ, ㄴ

08 사회·문화 현상에 대한 세 가지 연구 A~C를 평가한 표이다. 이에 대한 옳은 분석을 《보기》에서 고른 것은?

항목	A	B	C
연구 대상자에게 연구 참여를 거부할 수 있다는 사실을 알렸는가?	○	○	○
연구 대상자에게 연구 의도나 과정에 대해 거짓 정보를 제공하였는가?	×	○	×
연구 대상자의 개인 정보나 사생활에 대한 비밀을 보장하였는가?	○	○	×
자료의 수집과 분석에 있어 의도적 누락이나 왜곡이 있는가?	×	○	○
연구 대상자에게 피해를 주지 않고, 적절한 보상과 혜택을 주었는가?	○	×	×

《 보기 》
> ㄱ. 연구 윤리를 가장 잘 지킨 연구는 A이다.
> ㄴ. B는 A에 비해 연구 대상자의 자발적 참여를 끌어내기에 유리하다.
> ㄷ. A와 달리 C의 연구 결과는 신뢰성이 떨어진다.
> ㄹ. C는 A, B에 비해 상대주의적 태도가 부족하다.

① ㄱ, ㄴ ② ㄱ, ㄷ ③ ㄴ, ㄷ ④ ㄴ, ㄹ ⑤ ㄷ, ㄹ

서술형 문제

09 (가)~(라)는 연구 과정을 순서 없이 나열한 것이다. 물음에 답하시오.

> (가) 학업 성취도 향상 방안에 대해 궁금해졌다.
> (나) 중·고등학생 1,000명을 대상으로 자료를 수집하였다.
> (다) 자기 주도 학습 시간이 많은 학생일수록 학업 성취도가 높다는 것이 확인되었다.
> (라) '자기 주도 학습 정도와 학업 성취도는 비례할 것이다.'라는 잠정적인 결론을 내렸다.

(1) (가)~(라)를 연구 과정 순서대로 배열하시오.

(2) 가치 개입과 가치 중립이 필요한 단계를 나누고 그 까닭을 서술하시오.

10 다음 연구에 나타난 문제점을 쓰시오.

> 연구자 갑은 ○○대학교 측의 의뢰로 기숙사 생활 실태에 대한 연구를 수행하였다. 조사를 통해 기숙사생의 60% 정도가 음주 규정을 위반했음이 밝혀졌다. 갑은 연구 결과 공표 시 발생할 학교의 명예 실추를 우려하여 최종 보고서에서 이 내용을 누락시켰다.

11 다음 대화를 읽고 물음에 답하시오.

> 갑: 선진국의 제도는 단점보다 장점이 많아. 따라서 우리 사회의 발전을 위해서는 선진국의 제도를 무조건 수용해야 해.
> 을: ㉠선진국의 제도라 하더라도 장점보다 단점이 많을 수 있다는 비판을 무시하면 안 돼. 또한 ㉡모든 제도는 해당 사회에서 의미를 갖기 때문에 아무리 선진국의 제도라 하더라도 우리 사회에는 적합하지 않을 수 있어.

(1) 밑줄 친 ㉠, ㉡에 해당하는 사회·문화 현상의 탐구 태도를 쓰시오.

(2) ㉠에 해당하는 사회·문화 현상의 탐구 태도가 연구의 객관성 확보에 기여할 수 있는 까닭을 서술하시오.

01 다음 연구에 대한 설명으로 옳은 것은? (단, (가)~(라)는 연구 과정을 순서 없이 나열한 것이다.)

|수능 응용|

> • 연구 주제 설정: 정보 격차 문제를 파악하기 위해 A지역 고등학생의 인터넷 이용 형태에 부모의 경제 수준 및 부모의 인터넷 이용 형태가 미치는 영향을 탐구하기로 하였다.
> (가) ㉠부모의 경제 수준이 높을수록 자녀의 정보 지향적 인터넷 이용 정도가 높아지고, ㉡부모의 정보 지향적 인터넷 이용 정도가 높을수록 자녀의 정보 지향적 인터넷 이용 정도가 높아질 것이라고 가설을 설정하였다.
> (나) A지역에서 선정된 6개 ㉢고등학교 학생 1,000명 중 ㉣부모도 응답 가능한 300명을 대상으로 구조화된 질문지를 통해 자료를 수집하였다.
> (다) 경제 수준은 ㉤월평균 소득으로, 정보 지향적 인터넷 이용 정도는 ㉥인터넷 이용 시간 중 정보 검색 시간 비중으로 측정하기로 하였다.
> (라) 부모의 월평균 소득에 따라 자녀의 정보 검색 시간 비중은 통계적으로 유의미한 차이가 나타나지 않았다. 반면 부모의 정보 검색 시간 비중이 높을수록 자녀의 정보 검색 시간 비중은 통계적으로 유의미하게 높아지는 것으로 나타났다.

① ㉠은 독립 변수, ㉡은 종속 변수이다.
② ㉢은 모집단, ㉣은 표본이다.
③ ㉤은 ㉠의, ㉥은 ㉡의 조작적 정의에 해당한다.
④ (라)로 보아 가설은 검증되었다.
⑤ (다)-(나)-(가)-(라) 순서로 연구가 진행되었다.

02 사회·문화 현상의 연구 태도 A, B에 대한 옳은 설명을 〈보기〉에서 고른 것은?

구분	내용	결여 시 문제점
A	다른 사람에 대하여 연구자가 가져야 할 태도	연구자가 아집과 독선에 빠질 위험
B	연구하려는 사회·문화 현상에 대하여 연구자가 가져야 할 태도	사회·문화 현상을 자의적으로 해석하거나 왜곡할 우려

◀ 보기 ▶
ㄱ. A는 절대적 진리관을 바탕으로 한다.
ㄴ. B는 연구자의 주관적 가치나 이해관계가 연구에 개입되는 것을 방지하려는 자세이다.
ㄷ. A는 B가 부족하여 나타나는 연구의 한계를 보완하는 데 기여할 수 있다.
ㄹ. A와 B는 자연 현상에 대한 연구에서는 필요하지 않다.

① ㄱ, ㄴ ② ㄱ, ㄷ ③ ㄴ, ㄷ ④ ㄴ, ㄹ ⑤ ㄷ, ㄹ

03 다음 연구 사례를 연구 윤리 측면에서 평가한 것으로 가장 적절한 것은?

|수능 응용|

> 연구자 갑은 '클래식 음악이 집중력에 미치는 영향'을 주제로, 다른 연구자가 새롭게 개발한 연구 설계를 활용하여 연구를 진행하였다. 클래식 음악의 효과를 체험하기 원하는 학생들에게 클래식 음원과 플레이어를 제공하였으며 클래식 음악을 듣기 전과 들은 후의 집중력 차이를 집중력 테스트를 통해 기록하였다. 그리고 자신의 예상에 부합하지 않는 기록은 제외하고 자신의 예상에 부합하는 자료만을 분석하였다. 이를 종합하여 보고서를 작성하면서 연구 설계를 마치 자신이 만든 것처럼 기술하였다. 이후 연구 결과가 사회의 관심을 받자 언론사의 요청으로 연구 대상자의 명단과 관련 자료를 제공하였다.

① 연구 대상자의 사적인 정보를 보호하였다.
② 연구 대상자의 자발적 참여 기회를 보장하였다.
③ 수집한 자료를 연구 이외의 목적으로 사용하지 않았다.
④ 다른 연구자가 수행한 연구를 활용하면서 출처를 밝혔다.
⑤ 원하는 결과를 얻기 위한 자의적인 자료 선별을 하지 않았다.

04 다음 연구의 문제점을 〈보기〉에서 고른 것은?

> 갑은 한국인이 사람을 대하는 태도가 옷차림에 따라 달라지는지 알아보기 위한 연구를 수행하였다. 갑은 아름다운 여성 을에게 고급스러운 옷을 입게 하고, 평범한 외모의 남성 병에게 낡고 헤진 옷을 입게 하여 길을 물어보는 실험을 진행하였다. 실험 결과에 따르면 을의 성공률은 80%, 병의 성공률은 20%였다. 이를 통해 갑은 "한국인은 사람의 옷차림에 따라 대하는 태도가 상이하다."라는 결론을 내렸다. 연구와 관련된 내용 일체를 연구 대상자에게 알리지 않은 채, 갑은 연구 결과를 학회에 발표하였다.

◀ 보기 ▶
ㄱ. 연구 대상자에게 연구와 관련된 정보를 제공하지 않았다.
ㄴ. 옷차림 이외에 다른 변수가 미치는 영향을 고려하지 않았다.
ㄷ. 사생활 관련 정보를 연구 목적 이외의 용도로 활용하였다.
ㄹ. 실험 집단과 통제 집단 간의 성별 동질성을 확보하지 않았다.

① ㄱ, ㄴ ② ㄱ, ㄷ ③ ㄴ, ㄷ ④ ㄴ, ㄹ ⑤ ㄷ, ㄹ

04 사회적 존재로서의 인간

출제 경향
★ 개인과 사회의 관계를 보는 관점을 비교하는 문제
★ 다양한 사회학적 개념을 파악하는 문제

01 개인과 사회의 관계

1. 사회 구조

(1) 의미: 한 사회 내에서 개인이나 집단이 사회적 관계를 맺는 방식이 상대적으로 정형화되어 안정된 틀을 이루고 있는 상태

(2) 형성 과정: 사회적 행동의 상호 교환 → 지속적인 사회적 상호 작용의 발생 → 사회적 관계의 형성 → 사회 구조의 형성

(3) 특징

지속성	사회 구성원이 바뀌더라도 사회 구조는 쉽게 달라지지 않고 유지됨
안정성	사회 구성원이 사회 구조에 의해 구조화된 행동을 함으로써 안정적인 사회적 관계가 유지됨
강제성	사회 구조는 사회 구성원의 의지와는 상관없이 특정 행위를 하도록 구속할 수 있음
변동성	사회 구성원의 가치관이나 신념, 사회 정책의 변화에 따라 사회 구조의 성격이 달라질 수 있음

2. 개인과 사회의 관계를 보는 관점 빈출 자료 01

(1) 사회 실재론

주장	• 사회는 개인의 외부에 실제로 존재하며, 독자적인 특성을 지님 → 사회·문화 현상을 인식할 때 사회 구조나 사회 제도를 탐구해야 함 • 사회는 개인의 합 이상이며, 개인은 사회의 구성 요소에 불과함 → 개인적 특성으로 설명하기 어려운 사람들의 행동 이해에 유리 • 개인의 행동은 실제로 존재하는 사회에 의해 규제되고 구속됨
한계	• 개인의 자율성 경시 → 전체주의를 초래할 우려가 있음 • 인간의 주체적이고 능동적인 행위를 설명하기 곤란함
관련 사상	사회 유기체설

(2) 사회 명목론

주장	• 사회는 단지 개인들이 모여 있는 것으로, 실제로 존재하지 않음 → 사회·문화 현상을 분석할 때 개인의 특성과 행동 양식에 초점을 두어야 함 • 사회는 개인들의 집합체에 붙여진 이름에 불과함 → 사회는 개인의 행복과 자유를 추구하기 위한 수단 • 개인의 행동은 사회와 관계없이 개인의 자율적 의지에 의해 나타남 → 개인은 사회를 변화시키는 능동적 존재
한계	• 개인의 이익만 강조 → 극단적 이기주의를 초래할 우려가 있음 • 사회 제도나 사회 구조가 개인의 행위에 미치는 영향력을 간과할 수 있음 • 구성원 개개인의 특성이나 심리 상태만으로는 설명할 수 없는 사회·문화 현상이 존재함
관련 사상	사회 계약설

(3) 바람직한 관점: 사회 실재론과 사회 명목론의 조화를 통한 균형 잡힌 시각

02 인간의 사회화

1. 사회화

(1) 기능과 유형

의미	사회적 상호 작용을 통해 한 사회의 지식, 기능, 가치, 규범 등을 내면화하는 과정
특징	평생에 걸쳐 진행되며, 시대나 사회에 따라 사회화의 내용과 방식이 다양함
기능	• 개인적 차원: 사회생활에 필요한 언어와 지식, 기능 등의 행동 양식 습득, 사회의 기본적 가치와 규범 등의 내면화, 자아 정체성 및 사회적 소속감 형성 • 사회적 차원: 문화의 공유 및 세대 간 전승, 사회의 유지와 존속 및 통합, 발전에 기여
유형	• 재사회화: 사회 변화에 적응하기 위해 새롭게 등장한 정보나 가치 등을 습득하는 과정 • 예기 사회화: 미래에 속하게 될 특정 집단에서 요구되는 행동 양식을 미리 학습하는 과정

(2) 사회화 기관 빈출 자료 02

분류 기준	유형	내용
사회화 내용	1차적 사회화 기관	기초적 수준의 사회화 담당 예 가족, 또래 집단
	2차적 사회화 기관	전문적인 지식과 기능의 사회화 담당 예 학교, 직장, 대중 매체
설립 목적	공식적 사회화 기관	사회화 자체를 목적으로 형성 예 학교, 직업 훈련소
	비공식적 사회화 기관	사회화 이외의 목적으로 형성되었으나 부수적으로 사회화 기능 수행 예 가족, 직장, 대중 매체

2. 사회적 지위와 역할

(1) 지위: 한 개인이 집단이나 사회 속에서 차지하는 위치

귀속 지위	개인의 능력이나 노력과는 관계없이 선천적·자연적으로 주어지는 지위 예 딸, 장남, 노인 등
성취 지위	개인의 의지나 노력에 의해 후천적으로 획득한 지위 예 아버지, 어머니, 남편, 아내, 회사원, 군인 등

(2) 역할과 역할 갈등

① 역할: 일정한 지위에 대해 사회적으로 기대되는 행동 양식

② 역할 행동: 개인이 자신에게 주어진 역할을 수행하는 구체적인 행동 방식 → 역할 행동에 따른 보상과 제재는 사회적으로 바람직한 행동을 하도록 유도함

③ 역할 갈등

의미	한 개인이 동시에 두 가지 이상의 서로 다른 지위에 따른 역할을 수행하고자 할 때, 역할 간에 충돌이 발생하는 것
해결	개인의 합리적 의사 결정, 사회적 합의, 사회 제도적 장치 마련 등

빈출 특강

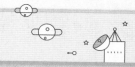

📖 대표 유형

빈출 자료 01 개인과 사회의 관계를 보는 관점

| 연계 문제 → 33쪽 04번

> (가) 에 따르면 결혼, 가족, 종교의 본질은 해당 제도에 대응되는 개인적 욕구인 성적 욕구, 부모의 애정, 종교적 본능 등으로 구성된 것이다. 이 경우 개인의 정신 상태가 유일하게 관찰 가능한 대상이 된다. 그러나 제도란 그 자체로 다양하고 복합적인 역사적 맥락을 가지며 개인의 의식 외부에 실체로서 존재하는 것이다. 실체가 존재하지 않는다면 사회학은 그 자체의 연구 대상을 가질 수가 없기에, (나) 을/를 바탕으로 할 때 사회학이 연구 대상을 가지게 된다.

| 자료 분석 | (가)는 "개인의 정신 상태가 유일하게 관찰 가능한 대상이 된다."라고 주장하므로 사회보다 개인을 우선시하고 있음을 알 수 있다. 따라서 (가)는 사회 명목론에 해당한다. 반면 (나)는 사회 제도가 "개인의 의식 외부에 실체로서 존재하는 것."이라고 주장하므로 개인보다 사회를 우선시하고 있음을 알 수 있다. 그러므로 (나)는 사회 실재론에 해당한다.

| 이것도 알아둬 | 사회 명목론은 사회 계약설과, 사회 실재론은 사회 유기체설과 관련 있다.

빈출 자료 02 사회화 기관의 유형 | 연계 문제 → 36쪽 17번

〈자료 1〉

A국에서 ㉠ 대학을 다니던 갑은 난민 신청 절차를 거쳐 B국으로 입국하였다. B국에서 갑은 경제 및 의료 지원 프로그램을 운영하는 ㉡ '○○ 난민 지원 센터'로부터 정착을 위한 서비스를 제공받고 있다. ㉢ 신문에서 A국과 관련된 기사를 볼 때마다 갑은 고향에 두고 온 ㉣ 가족이 떠올라 잠을 이루지 못한다. 하지만 갑은 낯선 B국에 정착하기 위하여 노력하고 있다.

〈자료 2〉

질문 \ 사회화 기관	(가)	(나)	(다)
사회화를 목적으로 설립되었는가?	예	아니요	아니요
기초적 수준의 사회화를 담당하는가?	아니요	아니요	예

| 자료 분석 | 사회화 기관 중 공식적 사회화 기관은 비공식적 사회화 기관과 달리 사회화를 목적으로 설립되었다. 또한 1차적 사회화 기관은 원초적 수준의 사회화를 담당하는 기관이며, 2차적 사회화 기관은 전문적인 지식과 기능의 사회화를 담당하는 기관이다. 제시된 〈자료 2〉에서 (가)는 공식적 사회화 기관이면서 2차적 사회화 기관, (나)는 비공식적 사회화 기관이면서 2차적 사회화 기관, (다)는 비공식적 사회화 기관이면서 1차적 사회화 기관이다. 〈자료 1〉의 ㉠~㉣을 〈자료 2〉에 적용하면 ㉠은 (가)에, ㉡, ㉢은 (나), ㉣은 (다)에 해당한다.

| 이것도 알아둬 | 가족이나 또래 집단은 1차적 사회화 기관이고, 학교나 직장, 대중 매체는 2차적 사회화 기관이다. 학교나 직업 훈련소는 공식적 사회화 기관이고, 가족이나 직장, 대중 매체는 비공식적 사회화 기관이다.

📋 자주 나오는 오답 선택지

빈출 자료 01 에서 자주 나오는 오답 선택지

① (가)는 사회가 개인의 단순 총합 이상이라고 본다.
　→ (나)
② (가)는 개인의 자유 의지가 허구적 개념이라고 본다.
　→ (나)
③ (가)는 사회가 개개인의 속성으로 환원될 수 없다고 본다.
　→ (나)
④ (나)는 개인의 속성이 사회의 속성을 결정한다고 본다.
　→ (가)
⑤ (나)는 개인들이 옳다고 믿기 때문에 사회 규범이 존재한다고 본다.
　→ (가)
⑥ (가)는 (나)와 달리 사회를 유기체에 비유하여 설명한다.
　→ (나)는 (가)와 달리
⑦ (가)는 (나)와 달리 개인이 사회 속에서만 존재 의미를 갖는다고 본다.
　→ (나)는 (가)와 달리
⑧ (나)는 (가)와 달리 사회가 개개인의 자율적인 의지에 의해 형성된다고 본다.
　→ (가)는 (나)와 달리
⑨ (나)는 (가)와 달리 개인에 대한 사회 구조의 영향력을 간과한다는 비판을 받는다.
　→ (가)는 (나)와 달리

빈출 자료 02 에서 자주 나오는 오답 선택지

① ㉠에서는 기초적인 사회화가 이루어진다.
　→ 전문적인 사회화
② ㉡에서는 사회화가 이루어지지 않는다.
　→ 이루어진다.
③ ㉢은 공식적 사회화 기관이다.
　→ 비공식적
④ ㉣은 2차적 사회화 기관이다.
　→ 1차적
⑤ ㉠, ㉡은 ㉢, ㉣과 달리 공식적 사회화 기관이다.
　→ ㉠은 ㉡, ㉢, ㉣과 달리
⑥ ㉠~㉣ 중 2차적 사회화 기관은 2개이다.
　→ 3개
⑦ ㉠~㉣ 중 공식적 사회화 기관은 2개이다.
　→ 1개
⑧ 회사는 (가)에 해당한다.
　→ (나)
⑨ (나)는 공식적 사회화 기관이면서 2차적 사회화 기관이다.
　→ 비공식적
⑩ 대중 매체는 (다)에 해당한다.
　→ (나)
⑪ (가)는 (나), (다)와 달리 비공식적 사회화 기관이다.
　→ 공식적
⑫ (다)는 (가), (나)와 달리 2차적 사회화 기관이다.
　→ 1차적
⑬ ㉠, ㉡은 (가), ㉢은 (나), ㉣은 (다)에 해당한다.
　→ ㉠은 (가), ㉡, ㉢은 (나)

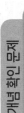

개념확인 문제

01 빈칸에 들어갈 알맞은 말을 쓰시오.

사회 실재론	• 개인보다 (　　　　)의 우월성을 강조함 • 개인의 행동과 의식은 (　　　　)하는 사회에 의해 구속됨 • 사회 문제의 해결책으로 (　　　　)나 제도의 개선을 강조함
사회 명목론	• 사회보다 개인의 우월성을 강조함 • 개인의 행동은 자신의 자율적 (　　　　)에 기초함 • 사회 문제의 해결책으로 개인의 (　　　) 개혁을 강조함

02 다음 내용에 해당하는 개인과 사회의 관계를 보는 관점을 【보기】에서 고르시오.

◀ 보기 ▶
ㄱ. 사회 명목론　　　　ㄴ. 사회 실재론

(1) 개인의 속성이 사회의 속성을 결정한다고 보는 관점은?
(2) 사회의 특성에 따라 개인의 속성이 결정된다고 보는 관점은?
(3) 공익보다 개인의 이익이나 권리 보장이 중요하다고 보는 관점은?
(4) 사회 문제의 해결 방안으로 사회 제도의 개선을 중시하는 관점은?

03 다음 자료를 보고 들어갈 알맞은 말을 쓰고, 고르시오.

비중이 작은 역할만 맡아 오던 ㉠ 영화배우 갑은 생애 첫 주연을 맡게 되었다. 작품에서 매우 중요한 장면의 촬영을 앞두고 ㉡ 아버지가 큰 사고를 당했다는 연락을 받은 갑은 ㉢ 어찌해야 할지 몰라 고민하고 있다.

자료에서 ㉠, ㉡은 (귀속 지위 / 성취 지위)이다. ㉢의 경우 서로 다른 (역할 / 역할 행동)이 동시에 요구되어 발생한 심리적 갈등상태라는 점에서 (　　　　)에 해당한다.

04 다음의 사회 집단이 해당하는 사회화 기관의 유형을 바르게 연결하시오.

(1) 가족　　　　　•　　•㉠ 1차적 사회화 기관
(2) 군대　　　　　•　　•㉡ 공식적 사회화 기관
(3) 연수원　　　　•　　•㉢ 비공식적 사회화 기관

---

01 개인과 사회의 관계

01 밑줄 친 '이것'의 특징으로 적절하지 않은 것은?

사회 속에서 개인과 집단은 상호 작용을 하면서 다양한 사회적 관계를 맺는다. 이러한 사회적 관계가 긴밀하게 조직되어 하나의 안정된 틀을 이루고 있는 상태를 이것이라고 한다.

① 개인의 행동을 구속하는 힘을 갖고 있다.
② 구성원의 의지에 따라 자유롭게 변화한다.
③ 안정된 사회적 관계를 유지할 수 있게 한다.
④ 사회 구성원의 행동을 예측할 수 있게 한다.
⑤ 사회 구성원이 바뀌어도 일정 기간 유지된다.

02 다음 글을 통해 도출할 수 있는 결론으로 가장 적절한 것은?

결혼을 앞둔 남성 갑은 평소 비싼 예물을 주고받으며 호화롭게 치르는 혼인 문화에 대해 거부감을 가지며 반대해 왔다. 그러나 막상 자신이 결혼할 때가 되자 양가 부모님의 입장과 주변 사람들의 시선을 무시할 수 없어 갑은 기존의 혼인 문화를 따르게 되었다.

① 사회 구조는 영속적으로 유지되고 계승된다.
② 사회 구조는 특정 세력의 합의에 의해 형성된다.
③ 사회 구조는 구성원들의 행동을 구속하는 힘을 갖고 있다.
④ 개인은 적극적인 저항과 불복종을 통해 사회 구조를 바꿀 수 있다.
⑤ 사회 구조만으로 개인이나 집단의 행동 양식을 예측할 수는 없다.

03 (가), (나)의 사례로 설명할 수 있는 사회 구조의 특징을 바르게 연결한 것은?

> (가) 한국에서는 여럿이 함께 식당에 가면 대개 나이가 가장 어린 사람이 물을 따르고 숟가락과 젓가락을 챙긴다. 만일 이러한 행동을 하지 않으면 주변 사람들로부터 좋지 못한 평가를 받을 수 있다.
>
> (나) 부모님이 직장을 옮기게 되어 자녀 역시 학교를 옮기게 되더라도 수업을 듣고 하루 일과를 보내는 것에는 큰 차이가 없다. 이는 대부분의 학교가 수업 및 평가, 기타 활동을 운영함에 있어 매우 유사하기 때문이다.

(가)	(나)		(가)	(나)
① 강제성	변동성		② 강제성	안정성
③ 안정성	지속성		④ 지속성	안정성
⑤ 변동성	지속성			

(빈출 문제) 연계 자료 → 31쪽 빈출 자료 01

04 개인과 사회의 관계를 바라보는 다음 글의 관점에 부합하는 진술을 **《보기》**에서 고른 것은?

> 결혼, 가족, 종교의 본질은 각각의 제도에 대응되는 개인의 성적 욕구, 부모의 애정, 종교적 본능 등으로 구성된 것이다. 이 경우 개별 구성원의 심리 상태는 유일하게 관찰 가능한 대상이 된다. 따라서 사회·문화 현상에 대한 연구는 개인의 정신 상태에 집중해야 한다.

《 보기 》
> ㄱ. 개인의 속성이 사회의 속성을 결정한다.
> ㄴ. 사회는 개인의 삶을 규제하고 구속한다.
> ㄷ. 사회 규범은 개인들이 옳다고 믿기에 존재한다.
> ㄹ. 개인은 사회와의 관련 속에서만 존재 의미를 지닌다.

① ㄱ, ㄴ   ② ㄱ, ㄷ   ③ ㄴ, ㄷ
④ ㄴ, ㄹ   ⑤ ㄷ, ㄹ

유사 선택지 문제
04_ ❶ 사회는 개인의 단순한 총합 이상이다. (○ / ×)
04_ ❷ 개인의 행동은 사회 구조에 의해 결정된다. (○ / ×)
04_ ❸ 개인의 의지와 자율성이 사회 구조보다 중요하다. (○ / ×)
04_ ❹ 개인은 사회에 대해 독립적이고 개별적인 존재이다. (○ / ×)

05 개인과 사회의 관계를 바라보는 갑, 을의 관점에 대한 설명으로 옳은 것은?

> 사회자: 사회란 무엇입니까?
> 갑: 사회란 궁극적으로 사회 구성원들의 성질에서 유래하는 것으로, 개개인의 속성으로 환원할 수 있습니다.
> 을: 사회는 외부에서 구성원 개개인의 사고와 행위를 구속하고, 개개인으로 환원할 수 없는 고유한 성격을 가집니다.
> 사회자: 그렇다면 "_____(가)_____"라는 주장에 대해서는 동의하십니까?
> 갑: 네, 동의합니다.
> 을: 아니요, 동의하지 않습니다.

① 갑의 관점은 인간의 능동적인 행위를 설명하기 곤란하다는 비판을 받는다.
② 을의 관점은 개인의 발전이 곧 사회의 발전이라고 본다.
③ 갑의 관점과 달리 을의 관점은 사회·문화 현상을 분석함에 있어 거시적 요인을 중시한다.
④ 을의 관점과 달리 갑의 관점은 개인이 사회 구조 속에서만 존재 의미를 갖는다고 본다.
⑤ (가)에는 '도덕심은 개인적 양심에서 나오는 것이 아니라 사회로부터 주어지는 것이다.'가 들어갈 수 있다.

06 다음 대화에서 빈칸 (가)에 들어갈 내용으로 옳은 것은?

> 갑: 나는 '_____(가)_____'라고 생각해.
> 을: 너는 그렇다면 개인은 사회라는 유기체의 한 부분으로, 사회를 떠나서는 존재할 수 없다고 보는구나.
> 갑: 응, 맞아.

① 사회는 개인 간의 자유로운 계약에 의해 형성된다.
② 학급의 분위기는 학급 학생의 성격을 그대로 반영한다.
③ 공동체의 이익을 위한 개인의 희생은 정당화될 수 없다.
④ 배우자를 선택할 때는 배우자의 인성보다 가문을 보아야 한다.
⑤ 야구 팀의 역량은 선수들 간 조직력보다 개인기에 의해 결정된다.

07 다음 글에 나타난 개인과 사회의 관계를 바라보는 관점에 부합하는 진술로 옳은 것은?

> 국가는 인간의 노력으로 만들어지는 인위적인 산물이다. 사람들은 자연 상태에서 일어날 수 있는 분쟁을 해결하고 자신의 생명과 자유와 재산을 더 안전하게 지키고 누리기 위해 각자가 스스로 동의한 계약에 따라 국가를 형성한다. 이때 사회 구성원 각자가 국가에 양도하는 권력은 국가가 그 역할을 수행하는 정도에 그쳐야 한다.

① 개인의 속성이 사회의 속성을 결정한다.
② 사회적 사실은 개인적 행위로 환원될 수 없다.
③ 사회는 개인의 외부에서 독자적으로 작동한다.
④ 개인은 사회에 의해 구조화된 행동을 하게 된다.
⑤ 개인은 집단 전체와의 관련 속에서만 존재 의미가 있다.

08 그림은 개인과 사회의 관계를 바라보는 관점 A, B를 나타낸 것이다. 이에 대한 옳은 설명을 「보기」에서 고른 것은?

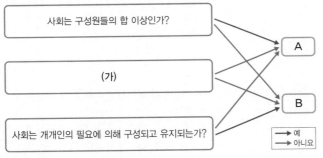

「보기」

ㄱ. A는 개인의 행위로는 설명되지 않는 사회적 실체가 존재한다고 본다.
ㄴ. B는 사회가 성공해야 개인도 성공할 수 있다고 본다.
ㄷ. B와 달리 A는 개인에게 있어 사회 구조가 불가항력적인 존재라고 본다.
ㄹ. (가)에는 '사회 정책으로 인간 행동을 바꿀 수 있다고 보는가?'가 들어갈 수 있다.

① ㄱ, ㄴ   ② ㄱ, ㄷ   ③ ㄴ, ㄷ
④ ㄴ, ㄹ   ⑤ ㄷ, ㄹ

09 개인과 사회의 관계를 바라보는 갑 교수의 관점에 부합하는 주장으로 옳은 것은?

> 사회자: 교수님께서 강조하시는 개념인 '사회적 사실'은 무엇입니까?
> 갑 교수: '사회적 사실'은 개인과 무관할 뿐만 아니라 개인에 외재하면서 개인을 제약하는 객관적 실재입니다. 법이나 관습, 종교 생활, 화폐 체계와 같은 사회적 사실은 개인의 심리에서 발견할 수 없는 특징을 갖고 있습니다.

① 사회는 그것을 구성하는 부분으로 환원할 수 있다.
② 사회는 개인들 간의 자발적인 계약에 의해 형성된다.
③ 사회는 하나의 유기체로 존재하며 개인의 행동을 구속한다.
④ 사회 문제는 구성원 개개인의 노력을 통해 해결할 수 있다.
⑤ 사회 구조보다 개인에 초점을 두고 사회·문화 현상을 이해해야 한다.

10 그림은 개인과 사회의 관계를 바라보는 관점 A, B를 비교한 것이다. (가), (나)에 들어갈 옳은 내용만을 「보기」에서 있는 대로 고른 것은?

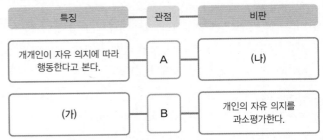

「보기」

ㄱ. (가) – 집합적 속성은 개인적 속성의 총합과 다르다고 본다.
ㄴ. (가) – 개인의 능동성이 사회 규범의 구속성보다 우선한다고 본다.
ㄷ. (나) – 사회가 개인의 행동을 제약할 수 있음을 간과한다.
ㄹ. (나) – 사회·문화 현상의 분석 단위로서 개인의 의식, 심리 상태 등을 간과한다.

① ㄱ, ㄴ   ② ㄱ, ㄷ   ③ ㄷ, ㄹ
④ ㄱ, ㄴ, ㄹ   ⑤ ㄴ, ㄷ, ㄹ

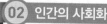

02 인간의 사회화

11 사회화의 유형 A, B에 대한 옳은 설명을 〔보기〕에서 고른 것은?

사람이 살다 보면 사회 변화나 새로운 환경에 적응하기 위해 이전과는 다른 규범이나 가치, 기능 등을 학습하기도 하는데, 이를 A라고 한다. 또한 사람들은 미래에 속하게 될 집단에서 요구되는 행동 양식을 미리 학습하는 경우가 있는데, 이를 B라고 한다.

〔보기〕

ㄱ. A의 사례로는 '정보 사회에 적응하기 위한 노년층의 스마트폰 사용 교육'을 들 수 있다.

ㄴ. B의 사례로는 '이민자 대상 사전 교육'을 들 수 있다.

ㄷ. A는 예기 사회화, B는 재사회화이다.

ㄹ. A와 달리 B는 2차적 사회화 기관에서 이루어진다.

① ㄱ, ㄴ   ② ㄱ, ㄷ   ③ ㄴ, ㄷ

④ ㄴ, ㄹ   ⑤ ㄷ, ㄹ

12 그림 (가), (나)에 대한 설명으로 옳지 <u>않은</u> 것은?

(가)   (나)

① (가)에는 재사회화가 나타나 있다.

② (나)에는 예기 사회화가 나타나 있다.

③ (가)와 달리 (나)에는 공식적이고 체계화된 사회화가 나타나 있다.

④ (가), (나) 모두 2차적 사회화 기관에 의한 사회화가 나타나 있다.

⑤ (가), (나)의 사회화 모두 새로운 역할에 적응하는 데 도움이 된다.

13 A~D에 해당하는 사회화 기관의 유형을 바르게 연결한 것은?

교사: 사회화 기관의 유형 A~D에 대해 발표해 보세요.
갑: A와 B는 사회화의 내용에 따라 분류됩니다.
을: C와 D는 설립 목적에 따라 분류됩니다.
병: 시민 단체는 B와 D에 해당합니다.
교사: 세 학생 모두 정확히 발표했습니다.

	A	B	C	D
①	1차적 사회화 기관	2차적 사회화 기관	공식적 사회화 기관	비공식적 사회화 기관
②	1차적 사회화 기관	2차적 사회화 기관	비공식적 사회화 기관	공식적 사회화 기관
③	2차적 사회화 기관	1차적 사회화 기관	공식적 사회화 기관	비공식적 사회화 기관
④	2차적 사회화 기관	1차적 사회화 기관	비공식적 사회화 기관	공식적 사회화 기관
⑤	공식적 사회화 기관	비공식적 사회화 기관	1차적 사회화 기관	2차적 사회화 기관

14 표는 사회화 기관 (가)~(라)를 분류한 것이다. 이에 대한 옳은 설명을 〔보기〕에서 고른 것은?

구분		전문적인 지식과 기능의 사회화를 담당하는가?	
		예	아니요
사회화를 목적으로 설립되었는가?	예	(가)	(나)
	아니요	(다)	(라)

〔보기〕

ㄱ. 직업 훈련소는 (가)에 해당한다.

ㄴ. 가족은 (나)에 해당한다.

ㄷ. 대중 매체는 (다)에 해당한다.

ㄹ. (라)와 달리 (가)에서는 재사회화가 나타나지 않는다.

① ㄱ, ㄴ   ② ㄱ, ㄷ   ③ ㄴ, ㄷ

④ ㄴ, ㄹ   ⑤ ㄷ, ㄹ

15 1차적 사회화 기관의 사례 A, B에 대한 옳은 설명을 《보기》에서 고른 것은?

개인은 세상에 태어나자마자 A에 소속된다. 한 개인이 속하게 된 A는 아동의 사회화에 지대한 영향력을 행사하며, 아동에게 규범과 가치를 전수해 주는 최초의 사회 집단이 된다. 또한 아동들은 B를 통해 자신과 대등한 위치의 사람들과 관계를 맺는 경험을 한다. 특히 많은 심리적 갈등을 겪는 청소년기에는 B가 사회화 과정에서 보다 중요하게 작용한다.

《보기》
ㄱ. A는 가족, B는 또래 집단이다.
ㄴ. A, B 모두 비공식적 사회화 기관이다.
ㄷ. A는 아동기의 사회화를, B는 청소년기의 재사회화를 주로 담당한다.
ㄹ. B와 달리 A는 개인의 자아 정체성 형성에 큰 영향을 미친다.

① ㄱ, ㄴ   ② ㄱ, ㄷ   ③ ㄴ, ㄷ
④ ㄴ, ㄹ   ⑤ ㄷ, ㄹ

16 다음 자료에 대한 옳은 설명을 《보기》에서 고른 것은?

화가 갑은 이번 국제 전시회에서 가장 촉망받는 서양화 작가로 떠올랐다. 그가 서양화 작가로 인정받고 있는 것은 역할에 대한 보상일까, 역할 행동에 대한 보상일까? 바로 (가) 에 의한 보상이다. (가) 은/는 개인이 (나) 을/를 수행하는 구체적인 방식으로, 사회는 개인의 (가) 에 대한 보상이나 제재를 통해 개인이 사회적 기대에 부응할 수 있도록 유도한다.

《보기》
ㄱ. 하나의 지위에는 하나의 (가)만 요구된다.
ㄴ. 동일한 지위에 대해서도 개인마다 (나)는 다르다.
ㄷ. 역할 갈등은 한 개인에게 요구되는 두 가지 이상의 (나)가 충돌할 때 발생한다.
ㄹ. (가)는 역할 행동, (나)는 역할이다.

① ㄱ, ㄴ   ② ㄱ, ㄷ   ③ ㄴ, ㄷ
④ ㄴ, ㄹ   ⑤ ㄷ, ㄹ

빈출문제 연계 자료 → 31쪽 빈출 자료 02

17 〈자료 1〉의 밑줄 친 ㉠~㉣을 〈자료 2〉의 A~C에 바르게 연결한 것은?

〈자료 1〉
갑은 다니던 ㉠ 대학교를 자퇴하고 ㉡ 직업 교육 훈련원에서 특수 용접 기술을 배우고 있다. 고된 교육과 연습에 지쳐 휴게실에서 쉬고 있던 갑은 ㉢ TV에 나오는 드라마 속 대학생의 모습에 비애를 느끼기도 했다. 그러나 늘 응원해 주는 ㉣ 가족을 생각하며 마음을 다잡았다.

〈자료 2〉
• A~C는 사회화 기관의 유형이다.
• A와 달리 B, C는 사회화를 부수적으로 수행한다.
• C와 달리 A, B는 전문적인 사회화를 담당한다.

	A	B	C
①	㉠	㉡	㉢, ㉣
②	㉡	㉢	㉠, ㉣
③	㉡	㉠, ㉢	㉣
④	㉢	㉠, ㉡	㉣
⑤	㉠, ㉡	㉢	㉣

유사 선택지 문제

17_❶ A는 공식적 사회화 기관이면서 1차적 사회화 기관이다.
(○ / ×)

17_❷ B의 사례로는 회사를 들 수 있다. (○ / ×)

17_❸ C는 비공식적 사회화 기관이면서 2차적 사회화 기관이다.
(○ / ×)

18 다음 두 사례에 공통으로 나타난 사회학적 개념만을 《보기》에서 있는 대로 고른 것은?

• 대학 신입생인 갑은 입학 전 2박 3일에 걸쳐 대학교 학생회 주관의 신입생 오리엔테이션을 받았다.
• 회사원 을은 업무 평가에서 최하위를 받아 좌천되었지만 좌절하지 않고 기업 영업에 필요한 새로운 지식과 경험을 쌓으며 노력한 결과 '올해의 영업왕' 상을 수상하였다.

《보기》
ㄱ. 재사회화   ㄴ. 성취 지위
ㄷ. 역할 행동   ㄹ. 2차적 사회화 기관

① ㄱ, ㄴ   ② ㄱ, ㄷ   ③ ㄴ, ㄹ
④ ㄱ, ㄷ, ㄹ   ⑤ ㄴ, ㄷ, ㄹ

19 밑줄 친 ㉠~㉖에 대한 설명으로 옳은 것은?

> • 대학생 갑은 ㉠ 병역 의무의 이행을 위해 ㉡ 육군에 지원할 것인지 ㉢ 해병대에 지원할 것인지를 놓고 ㉣ 고민하고 있다.
>
> • 고등학생인 을은 교내 ㉤ 축구 동아리 회장을 맡고 있다. 그런데 ㉥ 다른 학교 동아리와의 경기에 출전해야 하는 날 사촌 누나의 결혼식이 있다고 하여 어느 것을 참석할지 ㉖ 고민하고 있다.

① ㉠은 갑의 역할 행동이고, ㉥은 을의 역할 행동이다.
② ㉡, ㉢은 ㉤과 달리 공식적 사회화 기관이다.
③ ㉖은 ㉣과 달리 역할 갈등이다.
④ ㉤에서는 ㉡, ㉢에서와 달리 재사회화가 이루어진다.
⑤ ㉖은 같은 지위에 요구되는 상반되는 역할이 충돌하는 상황이다.

20 다음은 교사가 수업 시간에 제시한 자료이다. 이에 대한 옳은 설명을 《보기》에서 고른 것은?

	[(가)] 의 이해
의미	한 개인에게 요구되는 두 가지 이상의 [(나)] 이/가 충돌하여 나타나는 심리적 갈등
원인	사회가 다원화되어 한 개인이 갖는 지위와 그에 따른 [(나)] 이/가 다양해지면서 증가함
사례	• 가족 행사와 중요한 회사 일정이 겹쳐 고민하고 있는 회사원의 상황 • [(다)]
해결책	• 개인적 차원: [(라)] • 사회적 차원: [(마)]

◀ 보기 ▶

ㄱ. (가)는 역할 갈등, (나)는 역할 행동이다.
ㄴ. (다)에는 '체험 활동을 박물관으로 갈지 고궁으로 갈지 고민하고 있는 교사의 상황'이 들어갈 수 있다.
ㄷ. (라)에는 '역할의 우선순위를 매겨 더 중요하다고 생각하는 역할부터 수행함'이 들어갈 수 있다.
ㄹ. (마)에는 '역할 간 중요성에 대한 사회적 합의 마련'이 들어갈 수 있다.

① ㄱ, ㄴ　　　　② ㄱ, ㄷ　　　　③ ㄴ, ㄷ
④ ㄴ, ㄹ　　　　⑤ ㄷ, ㄹ

21 다음 자료를 보고 물음에 답하시오.

> (가) 날로 심각해지는 도심의 교통 혼잡 문제로 인해 사회적 자원이 낭비되고 있다. 이를 해결하기 위한 방안으로 운전자의 자발적 협조는 기대할 수 없다. 따라서 도심에 진입하는 차량에 대해 고액의 통행료를 부과하고, 홀·짝수로 구분하여 차량을 운행하도록 하는 제도를 실시해야 한다.
>
> (나) 최근 현대인의 무분별한 생활 습관으로 인한 각종 질환의 증가, 사소한 증상으로도 병원을 찾는 경향, 금전적 이익을 위한 위장 입원 등으로 인해 국민 건강 보험의 재정이 악화되고 있다. 이는 개인의 잘못된 행위에서 비롯된 것이므로 개인 스스로의 의식 개선만으로 해결할 수 있다.

(1) (가)에 나타난 개인과 사회의 관계를 바라보는 관점의 특징을 세 가지 서술하시오.

(2) (나)에 나타난 개인과 사회의 관계를 바라보는 관점의 특징을 세 가지 서술하시오.

(3) (가), (나)에 나타난 개인과 사회의 관계를 바라보는 관점의 한계를 각각 한 가지씩 서술하시오.

22 다음 글을 읽고 물음에 답하시오.

> (가) 군인으로서의 꿈을 키울 것인가 연예인으로서의 꿈을 키울 것인가를 둘러싸고 고민하던 갑은 진로 문제로 부모와 말다툼을 하였다.
>
> (나) 병역 의무를 이행하기 위해 입대를 계획하고 있는 가수 을은 이번에 발간한 새 앨범이 수익을 낼 때까지 입대를 미뤄 달라는 소속사의 요구 때문에 고민 중이다.

(1) (가), (나) 중 역할 갈등 사례에 해당하는 것을 고르시오.

(2) (1)의 이유를 (가), (나) 모두와 관련지어 서술하시오.

| 평가원 응용 |

01 개인과 사회의 관계를 바라보는 갑, 을의 관점에 대한 옳은 설명만을 〔보기〕에서 있는 대로 고른 것은?

> 갑: 규범적 통합이 강한 집단에서는 자살률이 낮은 반면, 규범적 통합이 약한 집단에서는 자살률이 높습니다. 이처럼 해당 사회가 지니는 특성에 따라 개인의 행위는 달라집니다.
>
> 을: 자살률의 높고 낮음은 집단의 특성이 아니라 개인의 특성에서 비롯되는 것입니다. 사회·문화 현상에 대한 이해는 개별 인간의 행위에 대한 이해를 통해서만 가능합니다.

〔보기〕
ㄱ. 갑은 사회가 발전해야 개인도 발전한다고 본다.
ㄴ. 을은 개인의 행동이 사회에 의해 구조화된다고 본다.
ㄷ. 갑과 달리 을은 개인의 주체적·능동적 측면을 중시한다.
ㄹ. 을과 달리 갑은 사회를 개인의 외부에 실재하는 것으로 본다.

① ㄱ, ㄴ ② ㄱ, ㄹ ③ ㄴ, ㄷ
④ ㄱ, ㄷ, ㄹ ⑤ ㄴ, ㄷ, ㄹ

02 다음 자료에서 표의 (가)~(라)에 들어갈 대답을 바르게 연결한 것은?

> 개인과 사회의 관계를 바라보는 관점 A, B
> • A: 사회·문화 현상은 개인의 의식이나 사고, 감정 등과는 별개로 그 자체가 독립적으로 존재하면서 개인에게 영향력을 행사한다.
> • B: 사회·문화 현상은 개인 간에 서로 다양한 상호 작용을 하는 과정에서 발생하는 것에 불과하다. 따라서 사회·문화 현상은 개인 간의 상호 작용으로 환원될 수 있다.

질문	대답	
	A	B
개인의 행동이 사회에 의해 구조화된다고 보는가?	(가)	(나)
개인에 대한 사회 구조의 영향력을 간과한다는 비판을 받는가?	(다)	(라)

	(가)	(나)	(다)	(라)
①	예	예	아니요	아니요
②	예	아니요	예	아니요
③	예	아니요	아니요	예
④	아니요	예	예	아니요
⑤	아니요	아니요	예	아니요

03 〈자료 1〉은 개인과 사회의 관계를 바라보는 갑, 을의 관점을 보여 준다. 갑, 을의 관점을 〈자료 2〉와 같이 나타낼 때, A~C에 해당하는 옳은 진술을 〔보기〕에서 고른 것은?

〈자료 1〉	갑: 학교 수업의 질은 수업에 참여하는 구성원 개개인의 특성에 따라 결정된다. 을: 학교 수업에는 교사와 학생 간의 권력 구조를 비롯하여 평가 시스템, 행동 규칙 등이 작용한다.
〈자료 2〉	갑 을 A B C

〔보기〕
ㄱ. A – 사회 규범은 개인들에 의해 형성되고 변화한다.
ㄴ. B – 개인의 행위는 사회 구조에 구속된다.
ㄷ. C – 전체로서의 사회의 특성이 개인의 특성을 형성한다.
ㄹ. C – 사회는 단지 개인들의 집합체를 가리키는 말에 불과하다.

① ㄱ, ㄴ ② ㄱ, ㄷ ③ ㄴ, ㄷ
④ ㄴ, ㄹ ⑤ ㄷ, ㄹ

04 표는 개인과 사회의 관계를 바라보는 관점 A, B를 비교한 것이다. 이에 대한 설명으로 옳은 것은?

질문	대답	
	A	B
(가)	예	아니요
(나)	아니요	예
(다)	예	예

① (가)가 '사회는 이름만 존재할 뿐 실체가 없다고 보는가?'이면, A는 사회 실재론이다.
② (가)가 '사회 문제의 해결을 위해서는 의식 개혁보다 제도 개선이 중요하다고 보는가?'이면, B는 사회·문화 현상이 개인의 자율적 의지에 의해 형성된다고 본다.
③ (나)가 '사회의 이익보다 개인의 이익이 우선한다고 보는가?'이면, B는 사회 유기체설과 관련이 깊다.
④ (나)가 '사회는 개인의 외부에 실제로 존재한다고 보는가?'이면, A는 사회의 구속력이 개인의 자유 의지보다 우위에 있다고 본다.
⑤ (다)에는 '사회는 개인들 간의 계약에 의한 합의로 만들어진다고 보는가?'가 들어갈 수 있다.

05 다음 글에 나타난 개인과 사회의 관계를 바라보는 관점에 대한 옳은 비판을 ◀보기▶에서 고른 것은?

> 아비투스(Habitus)란 특정한 환경에 의해 형성된 성향이나 사고, 인지, 판단과 행동 체계를 의미하는 개념이다. 계급적이고 구조적인 사회 환경에 따라 한 개인의 아비투스가 결정된다. 이렇게 사회 구조에 의해 형성된 취향 등은 인간의 의사 결정에도 영향을 미치게 된다. 현대 사회에서는 자본주의가 발전함에 따라 경제력, 학력 등을 기준으로 개인의 아비투스도 차별화된다. 자본의 소유 정도에 따라 문화적인 개인의 취향마저 결정되는 것이다.

◀ 보기 ▶
ㄱ. 극단적인 이기주의로 흐를 수 있음을 간과한다.
ㄴ. 인간의 주체적이고 능동적인 행위를 설명하기 어렵다.
ㄷ. 개인의 행위나 심리 상태만으로는 설명할 수 없는 사회·문화 현상들이 존재한다.
ㄹ. 개인의 행위에 대해 사회 구조나 사회 제도가 미치는 영향력을 지나치게 강조한다.

① ㄱ, ㄴ   ② ㄱ, ㄷ   ③ ㄴ, ㄷ
④ ㄴ, ㄹ   ⑤ ㄷ, ㄹ

06 다음 자료에 대한 설명으로 옳은 것은?

> • A~D는 각각 공식적 사회화 기관, 비공식적 사회화 기관, 1차적 사회화 기관, 2차적 사회화 기관 중 하나이다.
> • 가족은 A, D에, 연수원은 B, C에, 정당은 B, D에 각각 해당한다.
> • [(가)]를 기준으로 분류할 때 A와 B를 구분할 수 있다.
> • [(나)]를 기준으로 분류할 때 C와 D를 구분할 수 있다.

① B의 사례로는 또래 집단을 들 수 있다.
② C의 사례로는 대중 매체를 들 수 있다.
③ A와 달리 C에서는 새로운 지식과 기술의 습득이 이루어진다.
④ (가)에는 '기초적인 수준의 사회화를 주로 담당하는가?'가 들어갈 수 있다.
⑤ (나)에는 '자아 정체성 및 사회적 소속감 형성에 영향을 미치는가?'가 들어갈 수 있다.

07 다음은 어떤 드라마의 줄거리를 요약한 것이다. 이에 대한 분석으로 옳은 것은?

> Scene #1. 갑은 열심히 공부한 결과 평소 꿈꾸던 회계사가 되어 ○○ 기업에 근무하게 된다.
> Scene #2. 가난한 집안 출신인 을은 노력 끝에 검사가 되어 승승장구하며 갑과 결혼하게 된다.
> Scene #3. ○○ 기업 회장 병은 무리한 해외 투자로 막대한 손실을 입게 되어 고민하던 중 이를 숨기고 거짓 회계 장부를 작성할 것을 갑에게 지시한다.
> Scene #4. 을은 아내인 갑이 불법 회계 장부를 작성하는 것을 보고 모른 척 넘어가야 할지 수사해야 할지 고민한다.

① 갑은 하나의 성취 지위만 갖고 있다.
② 을은 서로 다른 성취 지위에 따른 역할들이 충돌하여 발생하는 역할 갈등을 경험하고 있다.
③ 병은 기업 경영에 있어 역할 갈등을 경험하고 있다.
④ 갑과 달리 을은 역할 행동에 따른 보상을 받았다.
⑤ 갑, 을, 병 모두 공식적 사회화 기관이자 2차적 사회화 기관에 소속되어 있다.

08 다음 사례에 대한 분석으로 옳은 것은?

> • 종합 병원 의사인 갑은 최근 병원장으로 승진하였고, 원장 업무를 잘 수행하고자 조직 관리 연수를 받았다. 그런데 병원 업무가 과중되면서 가족과의 시간을 보내기가 어려워졌고 이에 서운함을 표현하는 남편과 자녀들 때문에 고민이 깊어졌다.
> • 가난한 농촌 마을의 한 가정에서 태어난 을은 '농사를 지을까, 사업을 할까'에 대해 고민하다가 농기계 전문 수리 회사를 창업하였다. 을은 회사를 전국 규모의 기업으로 키웠고, 정부는 을에게 우수 경영인상을 수여하였다.

① 갑은 공식적 사회화 기관의 구성원이다.
② 을은 역할에 대한 보상을 받았다.
③ 갑, 을 모두 재사회화를 경험하였다.
④ 갑과 달리 을은 성취 지위를 갖고 있다.
⑤ 을과 달리 갑은 역할 갈등을 경험하였다.

05 사회 집단과 사회 조직

출제 경향
★사례 속 사회 집단과 사회 조직의 특징을 파악하는 문제
★관료제와 탈관료제의 특징을 비교하는 문제

01 사회 집단과 사회 조직

1. 사회 집단 빈출 자료 01

(1) 의미: 둘 이상의 사람이 모여 소속감과 공동체 의식을 가지고 지속적인 상호 작용을 하는 집단

(2) 성립 요건
① 둘 이상의 사람
② 소속감과 공동체 의식
③ 지속적인 상호 작용

(3) 종류
① 접촉 방식에 따른 분류

1차 집단	• 직접적이고 친밀한 대면 접촉을 바탕으로 형성된 집단 • 인간관계 자체가 목적인 전인격적인 관계 • 개인의 정체성, 인격 형성에 원초적 역할 → 원초 집단 • 비공식적인 통제가 일반적임 • 사례: 가족, 또래 집단 등
2차 집단	• 간접적 접촉과 목적 달성을 위한 수단적 만남을 바탕으로 형성된 집단 • 부분적인 인간관계가 이루어짐 • 공식적 통제가 일반적임 • 사례: 학교, 회사, 정당 등

② 결합 의지에 따른 분류

공동 사회 (= 공동체)	• 구성원의 본질 의지에 따라 자연 발생적으로 형성된 집단 • 공동의 가치관이나 관습이 집단을 구성하는 바탕이 됨 • 구성원 간 관계: 친밀하고 정서적 • 사례: 가족, 친족 등
이익 사회 (= 결사체)	• 구성원의 선택 의지에 따라 인위적으로 형성된 집단 • 이해관계를 바탕으로 한 규칙과 계약이 집단을 구성하는 바탕이 됨 • 현대 사회에서 비중이나 역할이 증대됨 • 구성원 간 관계: 의도적, 이해타산적, 목적 지향적 • 사례: 학교, 회사 등

③ 소속감에 따른 분류

내집단 (= 우리 집단)	• 자신이 소속되어 있으며, 소속감과 공동체 의식을 갖고 있는 집단 • 내집단 의식: 구성원의 결속력 강화, 지나치면 사회 통합 저해 • 사례: 우리 가족, 우리 학교 등
외집단 (= 그들 집단)	• 자신이 소속되어 있지 않으며, 이질감이나 적대감까지도 느낄 수 있는 집단 • 사례: 전쟁 중의 적군, 상대 팀 등

④ 준거 집단

의미	한 개인이 자신의 신념이나 태도 등을 정하는 기준으로 삼거나 행동 또는 판단의 근거로 여기는 집단
특징	• 소속 집단과 준거 집단이 일치하면 소속 집단에 대한 만족감이 높아 안정적 생활 영위 • 소속 집단과 준거 집단이 불일치할 경우 소속 집단에 대한 불만과 상대적 박탈감으로 갈등 발생, 준거 집단으로 옮겨 가려는 동기 부여

2. 사회 조직 빈출 자료 01

(1) 공식 조직과 비공식 조직

구분	공식 조직	비공식 조직
의미	사회 집단 중에서 그 목표와 경계가 뚜렷하고, 구성원의 지위와 역할이 명확하며, 목적 달성을 위한 공식적 규범과 절차가 체계적으로 규정된 집단 → 일반적으로 사회 조직은 공식 조직을 의미함	공식 조직의 구성원이 조직 내 친밀한 인간관계에 바탕을 두고 자발적으로 형성한 사회 집단 → 사기 진작에 기여, 공식 조직의 효율성을 저해하기도 함
사례	회사, 학교, 군대 등	사내 동호회, 사내 동문회, 사내 봉사 모임 등

(2) 자발적 결사체
① 의미: 공통의 관심사나 목표를 가진 사람들이 자발적으로 결성한 집단
② 특징: 가입과 탈퇴가 자유롭고, 조직 운영이 민주적임
③ 유형: 취미와 친목에 관심을 두는 친목 집단, 특정 집단의 이익을 대변하는 이익 집단, 공익을 추구하는 시민 단체 등
④ 기능: 정서적 안정감 제공, 사회의 다원화·민주화에 이바지 → 집단 이기주의에 빠지면 공익과 충돌 우려

02 관료제와 탈관료제 조직

1. 관료제 빈출 자료 02

(1) 의미와 특징

의미	대규모 조직을 효율적으로 관리하기 위해 등장한 조직 체계
특징	• 업무의 세분화·전문화 → 전문적 업무 수행 가능 • 규칙과 절차에 따른 업무 수행 → 업무의 안정성·지속성 확보 • 위계의 서열화: 지위에 따른 권한과 책임 명확화 • 연공서열 중시: 경력에 따른 보상으로 안정적 근로 가능

(2) 문제점
① 목적 전치 현상: 조직의 목적보다 규칙과 절차 준수에 집착
② 경직된 조직 운영: 외부 변화에 유연한 대응 불가
③ 인간 소외 현상: 구성원의 자율성, 창의성 저하
④ 무사 안일주의: 조직의 경쟁력 약화

2. 탈관료제 빈출 자료 02

(1) 의미: 관료제의 한계를 극복하고 급속하게 변화하는 사회 환경에 대처하기 위해 등장한 새로운 조직 형태
(2) 특징: 수평적 조직 체계, 유연한 조직 구조, 개인의 자율성과 창의성 중시, 능력과 업적에 따른 보상
(3) 사례: 전문가로 팀을 구성하고 목표 달성 시 해체되는 팀제 조직, 의사 결정 권한이 분산된 네트워크형 조직 등

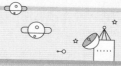 자주 나오는 오답 선택지

대표 유형

빈출 자료 01 사회 집단과 사회 조직 | 연계 문제 → 43쪽 03번

우리 가족 주간 일정

갑(교사)	을(회사원)	병(중학생)
화: 교육청 출장	월: 사내 야구 동호회 경기 참가	수: 청소년 봉사 단체 정기 모임 참석
수: 대학원 수업 참석	수: 노동조합 조합원 총회 참석	금: ㉡ 학급 소풍 참가
금: 지역 ㉠ 시민 단체 대표자 회의 참석	토: 가족 외식	토: 가족 외식
토: 가족 외식		

| **자료 분석** | 제시된 자료에서 갑은 교사로서 재직하고 있는 학교 외에 대학원(2차 집단, 이익 사회, 공식 조직), 시민 단체(2차 집단, 이익 사회, 공식 조직, 자발적 결사체), 가족(1차 집단, 공동 사회)에 소속되어 있다. 을은 회사원으로서 재직하고 있는 어느 기업 외에 사내 야구 동호회(이익 사회, 비공식 조직, 자발적 결사체), 노동조합(2차 집단, 이익 사회, 공식 조직, 자발적 결사체), 가족(1차 집단, 공동 사회)에 소속되어 있다. 마지막으로 병은 어느 중학교의 학생이면서 동시에 청소년 봉사 단체(이익 사회, 자발적 결사체), 학급(이익 사회, 공식 조직), 가족(1차 집단, 공동 사회)에 소속되어 있다.

| **이것도 알아둬** | 갑, 을, 병 모두가 소속된 가족은 대표적인 1차 집단이자 공동 사회이며, 공동체 의식을 가질 경우 그들의 내집단이 된다.

빈출 자료 02 관료제와 탈관료제 | 연계 문제 → 45쪽 12번

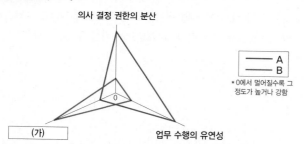

의사 결정 권한의 분산

A
B
*0에서 멀어질수록 그 정도가 높거나 강함

(가)   업무 수행의 유연성

| **자료 분석** | A는 업무 수행의 유연성과 의사 결정 권한의 분산 정도가 높으므로 탈관료제 조직이며, B는 업무 수행의 유연성과 의사 결정 권한의 분산 정도가 낮으므로 관료제 조직이다. 관료제 조직은 효율적인 업무 수행을 위해 전문화된 과업을 수행하는 분화된 조직으로 구성되고, 이들 조직 간에는 서열화된 위계가 존재한다. 이러한 관료제 조직에서 나타나는 문제점을 극복하고자 등장한 탈관료제 조직은 환경 변화에 유연하게 대응하면서 조직의 목표를 효율적으로 달성하도록 한다는 장점이 있다. 제시된 그림의 (가)에는 관료제 조직이 탈관료제 조직에 비해 뚜렷하게 나타나는 특징이 들어가야 한다.

| **이것도 알아둬** | 관료제는 산업 사회의 소품종 대량 생산 체제에 적합한 조직 형태이고, 탈관료제는 지식·정보 사회의 다품종 소량 생산 체제에 적합한 조직 형태이다.

자주 나오는 오답 선택지

빈출 자료 01 에서 자주 나오는 오답 선택지

① ㉠은 친밀한 대면 접촉을 바탕으로 형성된 집단이다.
　→ 목적 달성을 위한 수단적 만남
② ㉡에는 1차 집단적 성격이 나타나지 않는다.
　→ 나타날 수 있다.
③ ㉠과 달리 ㉡은 선택 의지에 의해 형성되는 이익 사회이다.
　→ ㉠, ㉡ 모두
④ ㉡과 달리 ㉠은 가입과 탈퇴의 자유가 제한된다.
　→ ㉠에 비해 ㉡은
⑤ 병에게 ㉡은 외집단이다.
　→ 내집단
⑥ 갑과 달리 을은 이익 사회, 공동 사회, 1차 집단, 2차 집단, 공식적 사회화 기관에 소속되어 있다.
　→ 을과 달리 갑은
⑦ 갑과 달리 을, 병은 자발적 결사체에 소속되어 있다.
　→ 갑, 을, 병 모두
⑧ 갑, 을과 달리 병은 비공식 조직에 소속되어 있다.
　→ 갑, 병과 달리 을은
⑨ 을과 달리 갑, 병은 공동 사회와 공식 조직에 소속되어 있다.
　→ 갑, 을, 병 모두
⑩ 갑, 을, 병 모두 소속 집단이 각각 3개씩이다.
　→ 4개씩

빈출 자료 02 에서 자주 나오는 오답 선택지

① A는 B에 비해 부서 간의 경계가 엄격하다.
　→ B는 A에 비해
② A는 B에 비해 하향식 의사 결정을 중시한다.
　→ 상향식 의사 결정
③ A는 B에 비해 조직의 경직성이 높아 변화에 대한 유연한 대처가 어렵다.
　→ B는 A에 비해
④ A는 B에 비해 연공서열에 따른 보상 체계가 뚜렷해 무사 안일주의가 나타날 가능성이 높다.
　→ B는 A에 비해
⑤ A와 달리 B는 공식적 통제가 지배적이다.
　→ A, B 모두
⑥ A와 달리 B는 정보 사회의 특성을 반영하고 있다.
　→ B와 달리 A는
⑦ B는 A에 비해 환경 변화에 대한 대처가 용이하다.
　→ A는 B에 비해
⑧ B는 A에 비해 구성원이 갖고 있는 재량권의 범위가 넓다.
　→ A는 B에 비해
⑨ (가)에는 '업무의 표준화'가 들어갈 수 없다.
　→ 있다.
⑩ (가)에는 '조직 운영의 유연성'이 들어갈 수 있다.
　→ 없다.
⑪ (가)에는 '구성원 업무의 명확성'이 들어갈 수 없다.
　→ 있다.

개념 확인 문제

01 빈칸에 들어갈 알맞은 말을 쓰시오.

내집단	• ( )을/를 느끼는 집단 • 자아 정체감 형성, 사회생활에 필요한 행동 기준을 습득함 • 한 개인이 실제로 소속하고 있는 집단을 ( )(이)라고 하며, 대부분의 경우 ( )이/가 내집단이 됨
외집단	• 소속감을 느끼지 않는 집단으로, 경우에 따라서는 적대감까지도 느끼는 집단 • ( )와/과의 갈등은 ( ) 의식을 강화하는 요인으로 작용함

02 다음 내용에 해당하는 사회 집단의 유형을 보기 에서 고르시오.

> ◀ 보기 ▶
> ㄱ. 1차 집단　　　　　ㄴ. 2차 집단
> ㄷ. 공동 사회　　　　　ㄹ. 이익 사회

(1) 구성원의 본질 의지에 의해 자연 발생적으로 형성된 집단은?

(2) 구성원 간의 접촉 방식에 따라 분류되며 도덕, 관습 등과 같은 비공식적 제재를 통해 통제되는 집단은?

(3) 특정 목적 달성을 위해 선택 의지에 따라 결합된 집단은?

(4) 수단적 만남과 간접적 접촉이 이루어지며 공식적 통제가 일반적인 집단은?

03 다음 자료를 보고 알맞은 말 모두에 ○표 하시오.

> **회칙**
> 제1조　본 단체는 우리 사회의 경제 정의와 사회 정의를 실현하기 위한 평화적 시민운동을 전개함을 목적으로 한다.
> 제3조　본 단체의 목적에 동의해 본 단체의 사업에 참여하고자 하는 자로서 회원 명부에 등록한 자는 본 단체의 회원이 된다.
> 제6조　본 단체는 총회, 중앙 위원회, 상임 집행 위원회로 구성된다.

이 단체는 사회 집단과 사회 조직의 유형 중 (이익 사회, 공동 사회, 공식 조직, 비공식 조직, 자발적 결사체)에 해당한다.

04 다음 설명에서 알맞은 말에 ○표 하시오.

(1) 관료제 조직에서 목적 달성을 위해 만든 규칙과 절차에 지나치게 집착하여 본래의 목적을 소홀히 하는 현상을 (목적 전치 / 인간 소외) 현상이라고 한다.

(2) (관료제 조직 / 탈관료제 조직)은 보통 수직적으로는 계층화, 수평적으로는 기능상 분업 체계를 이룬다.

(3) 일반적으로 (관료제 조직 / 탈관료제 조직)에서는 근속 연수나 나이가 늘어감에 따라 지위나 임금이 올라간다.

01 사회 집단과 사회 조직

01 (가)~(다)에 대한 옳은 설명을 보기 에서 고른 것은?

(가) 고등학교 학급	(나) 기업 내 자전거 동호회	(다) 지하철 승객들

> ◀ 보기 ▶
> ㄱ. (다)는 특정한 목표 달성과 과업 수행을 위해 만들어진 사회 집단이다.
> ㄴ. '자발적 결사체인가?'의 질문으로 (가)와 (나)를 구분할 수 있다.
> ㄷ. '선택 의지에 따라 인위적으로 형성한 집단인가?'의 질문으로 (가)와 (나)를 구분할 수 있다.
> ㄹ. '소속감과 공동체 의식을 갖고 지속적인 상호 작용을 하는가?'의 질문으로 (가)와 (다)를 구분할 수 있다.

① ㄱ, ㄴ　　　　② ㄱ, ㄷ　　　　③ ㄴ, ㄷ
④ ㄴ, ㄹ　　　　⑤ ㄷ, ㄹ

02 다음은 교사가 수업 시간에 어떤 사회학적 개념을 설명하기 위해 제시한 읽기 자료이다. 이 개념으로 가장 적절한 것은?

> 한국인들은 우리나라, 우리 민족, 우리 사회, 우리 지역, 우리 학교 등 '우리'라는 말을 즐겨 쓴다. 한국인들이 '우리'라는 말을 자주 쓰는 배경에는 자기 자신의 개성보다는 집단을 내세우는 특성이 자리하고 있다. 이는 공동체성을 강화한다는 장점이 있지만, 차이와 다양성을 용인하지 못한다는 단점이 있다. 집단의식은 모든 인간 사회가 공유하는 것이지만, 한국인의 '우리' 의식이 남다른 것은 차별과 배제의 요소 때문이다. 즉 '우리'는 무조건 좋은 것이고 '남'은 무조건 좋지 않은 것이라는 의미를 함축하고 있는 것이다.

① 자발적 결사체
② 내집단과 외집단
③ 1차 집단과 2차 집단
④ 공동 사회와 이익 사회
⑤ 공식 조직과 비공식 조직

(빈출 문제) 연계 자료 → 41쪽 빈출 자료 01

03 표는 갑~정이 소속되어 있는 사회 집단을 나타낸다. 이에 대한 옳은 설명을 **《보기》**에서 고른 것은?

갑(경찰)	을(회사원)	병(대학생)	정(고등학생)
• 경찰청 • 야간 대학원 • ㉠ 향우회 • 가족	• 회사 • 사내 야구 동호회 • ㉡ 노동조합 • 환경 단체 • 가족	• 대학교 • 대학교 동아리 • ㉢ 고등학교 총동문회 • 가족	• 고등학교 • 고등학교 자율동아리 • 가족

◀ 보기 ▶

ㄱ. ㉠은 본질 의지에 의해 형성된다.
ㄴ. ㉡과 달리 ㉢은 비공식 조직이다.
ㄷ. 소속된 자발적 결사체가 제일 많은 사람은 을이다.
ㄹ. 갑, 을, 병, 정 모두 2차 집단과 공식 조직에 소속되어 있다.

① ㄱ, ㄴ   ② ㄱ, ㄷ   ③ ㄴ, ㄷ
④ ㄴ, ㄹ   ⑤ ㄷ, ㄹ

유사 선택지 문제

03_ ❶ ㉠, ㉡ 모두 자발적 결사체이다. (○ / ×)
03_ ❷ 갑, 을, 병, 정 모두 1차 집단과 공동 사회에 소속되어 있다. (○ / ×)
03_ ❸ ㉡과 달리 ㉢은 공식 조직이다. (○ / ×)

04 밑줄 친 부분과 관련 깊은 사회 집단의 유형에 대한 설명으로 옳은 것은?

매년 신학기가 되면 특정 대학교의 학과 점퍼가 인터넷에서 활발하게 거래된다. 명문대로 여겨지는 학교의 학과 점퍼는 10만 원을 웃도는 가격에 팔려 나갈 뿐만 아니라 품귀 현상도 나타난다. 이는 수험생들이 명문대 학과 점퍼를 <u>사 입고 대학생처럼 행동하고 싶어 하는 것</u> 때문으로 분석되고 있다.

① 본질 의지에 의해 형성된다.
② 소속 집단의 범위 안에서 설정된다.
③ 구성원 간 전인격적 관계를 형성한다.
④ 개인의 태도를 결정하는 데 영향을 준다.
⑤ 공식적인 방식을 통해 구성원을 제재한다.

05 그림의 A~C에 들어갈 사례를 바르게 연결한 것은?

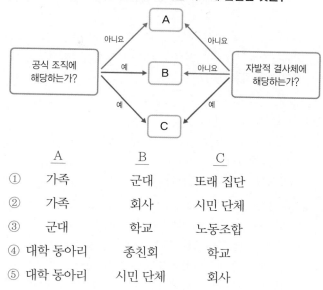

	A	B	C
①	가족	군대	또래 집단
②	가족	회사	시민 단체
③	군대	학교	노동조합
④	대학 동아리	종친회	학교
⑤	대학 동아리	시민 단체	회사

06 그림은 사회 집단과 사회 조직의 유형 A~C의 관계를 나타낸다. 이에 대한 설명으로 옳은 것은? (단, A~C는 각각 이익 사회, 비공식 조직, 자발적 결사체 중 하나이다.)

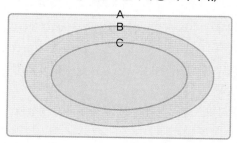

① A는 공식 조직에 포함된다.
② C는 1차 집단보다 2차 집단의 성격이 강하다.
③ B와 달리 A는 구성원의 가입과 탈퇴가 자유롭다.
④ '가족을 사례로 들 수 있는가?'의 질문으로 A와 B를 구분할 수 있다.
⑤ '노동조합을 사례로 들 수 있는가?'의 질문으로 B와 C를 구분할 수 있다.

07 다음 자료에 대한 옳은 설명을 ◀보기▶에서 고른 것은?

- A, B, C는 각각 ○○ 고등학교, ○○ 고등학교 인문 사회부, ○○ 고등학교 교직원 마라톤 동호회 중 하나이다.
- 질문 '비공식 조직에 해당하는가?'에 대해 A의 응답은 B, C의 응답과 다르다.
- 질문 ⎡ (가) ⎤ 에 대해 A, B, C의 응답은 모두 같다.
- 질문 ⎡ (나) ⎤ 에 대해 A의 응답은 B, C의 응답과 다르다.
- 단, 응답은 '예' 또는 '아니요'만 가능하다.

◀ 보기 ▶
ㄱ. A는 ○○ 고등학교 인문 사회부이다.
ㄴ. (가)에는 '공동 사회인가?'가 들어갈 수 있다.
ㄷ. (나)에는 '공식 조직인가?'가 들어갈 수 있다.
ㄹ. (나)가 '자발적 결사체인가?'이면, B는 ○○ 고등학교, C는 ○○ 고등학교 인문 사회부이다.

① ㄱ, ㄴ　　② ㄱ, ㄷ　　③ ㄴ, ㄷ
④ ㄴ, ㄹ　　⑤ ㄷ, ㄹ

08 빈칸 (가)~(다)에 들어갈 숫자를 바르게 연결한 것은?

표는 갑의 주간 일정표이다.

요일	월	화	수	목	금
일정	회사 영업 팀 회의	회사 내 축구단 회원들과 회식	초등학교 총동창회	아버지 생신 기념 가족 모임	환경 시민 연대 회원들과 봉사 활동

일정표에 나타난 사회 집단과 사회 조직의 개수는 다음과 같다.

- 공식 조직 내에서 친밀한 인간관계를 바탕으로 형성된 집단: ⎡ (가) ⎤
- 구성원의 가입과 탈퇴가 자유롭고 자발적 참여가 바탕인 집단: ⎡ (나) ⎤
- 결합 자체를 목적으로 인간의 본질 의지에 따라 형성된 집단: ⎡ (다) ⎤

	(가)	(나)	(다)
①	1	2	1
②	1	3	1
③	2	1	2
④	2	3	1
⑤	3	3	1

09 밑줄 친 사회 조직의 특징으로 적절하지 않은 것은?

우리 △△ 연대 회의는 올해로 창립 20주년입니다. 우리 단체는 시민 사회가 공동으로 협력해야 할 사회 현안에 대해 시민 사회의 공동 입장을 발표하고, 대변하는 역할을 하기 위해 시민들의 자발적 참여로 만들어진 단체입니다. 우리 단체는 시민운동의 지속 가능한 발전과 활동가들의 역량 강화를 위해 다양한 정책, 교육 활동을 진행해 오고 있습니다. 우리 단체는 이사회, 사무국 등의 조직으로 구성되어 있습니다.

① 이익 사회에 해당한다.
② 시민 사회의 다원화에 기여한다.
③ 구성원의 자발성과 신념을 바탕으로 한다.
④ 규칙과 절차보다는 구성원 간 유대가 중시된다.
⑤ 공동의 목표와 이해관계를 가진 사람들을 기반으로 한다.

10 빈칸 (가)~(다)에 들어갈 내용으로 옳은 것은?

⊙ △△ 주식회사에 다니는 갑은 주말마다 ⓒ 사내 산악회에서 주관하는 등산에 참여하고 있으며, 주중에는 ⓒ △△ 주식회사 노동조합의 구성원으로서 틈틈이 활동하고 있다.

- ⊙, ⓒ은 ⓒ보다 ⎡ (가) ⎤ 이 높다.
- ⓒ, ⓒ은 ⊙보다 ⎡ (나) ⎤ 가 낮다.
- ⓒ은 ⊙, ⓒ보다 ⎡ (다) ⎤ 이 낮다.

① (가) – 조직 규범의 공식성
② (가) – 특정한 목적 지향성
③ (나) – 가입과 탈퇴의 자유
④ (다) – 인간관계의 친밀성
⑤ (다) – 집단에 대한 소속감

연계 자료 → 41쪽 빈출 자료 02

02 관료제와 탈관료제 조직

11 표는 A, B 회사의 운영 지침을 나타낸다. A, B 회사의 특징에 대한 비교로 옳은 것은? (단, A, B 회사는 각각 관료제와 탈관료제 중 하나를 적용하여 운영하고 있다.)

A 회사	• 회사 규칙에 지나치게 얽매이지 말고 본인의 재량권을 최대한 사용하여 업무를 처리하세요. • 긴급하다고 판단되는 사안에 대해서는 먼저 자율적으로 처리하고 나중에 보고하세요.
B 회사	• 회사의 규약과 절차를 반드시 준수하세요. • 직무와 관련된 모든 내용은 보고 절차를 엄격히 준수하여 상부에 먼저 보고한 뒤 지시에 따라 처리하세요.

① 부서 간 경계의 명확성: A > B

② 조직 운영의 예측 가능성: A > B

③ 환경 변화에 대한 적응력: A < B

④ 구성원 개인별 업무 세분화 정도: A > B

⑤ 능력과 실적에 따른 보상 중시 정도: A > B

(빈출 문제)

12 그림은 조직의 운영 원리 A, B를 나타낸다. 이에 대한 옳은 설명을 〈보기〉에서 고른 것은? (단, A, B는 각각 관료제와 탈관료제 중 하나이다.)

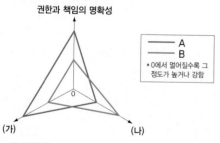

권한과 책임의 명확성

— A
— B

*0에서 멀어질수록 그 정도가 높거나 강함

(가)   (나)

◀ 보기 ▶

ㄱ. (가)에는 '업무의 표준화'가 들어갈 수 있다.

ㄴ. (나)에는 '업무의 효율성'이 들어갈 수 있다.

ㄷ. A는 B에 비해 목적 전치 현상이 나타날 가능성이 낮다.

ㄹ. B는 A에 비해 업적에 따른 보상을 중시한다.

① ㄱ, ㄴ   ② ㄱ, ㄹ   ③ ㄴ, ㄷ

④ ㄴ, ㄹ   ⑤ ㄷ, ㄹ

유사 선택지 문제

12_ ❶ (A / B)는 정보 사회의 특성을 반영하고 있다.

12_ ❷ (A / B)에서는 주로 하향식 의사 결정이 이루어진다.

12_ ❸ B는 A와 달리 소수의 상층부에 권한이 집중된다. (○ / ×)

13 빈칸 (가)에 들어갈 옳은 질문만을 〈보기〉에서 있는 대로 고른 것은? (단, A, B는 각각 관료제와 탈관료제 중 하나이다.)

> 갑: 우리 □□ 기업은 조직 내 각종 규정에 따른 업무 처리를 중시합니다.
>
> 을: 우리 ◇◇ 기업은 외부 환경 변화에 따른 탄력적 업무 처리를 중시합니다.
>
> 병: □□ 기업은 A, ◇◇ 기업은 B에 따라 운영되고 있군요.
>
> 갑, 을: 네, 그렇습니다.
>
> 병: 그렇다면 (가)
>
> 갑: 그렇습니다.
>
> 을: 그렇지 않습니다.

◀ 보기 ▶

ㄱ. 주로 상향식 의사 결정 방식을 따릅니까?

ㄴ. 연공서열에 따른 승진과 보상을 중시합니까?

ㄷ. 대부분의 권한이 조직의 상층부에 집중됩니까?

ㄹ. 지위에 따라 구성원의 권한과 책임이 명확합니까?

① ㄱ, ㄴ   ② ㄱ, ㄷ   ③ ㄷ, ㄹ

④ ㄱ, ㄴ, ㄹ   ⑤ ㄴ, ㄷ, ㄹ

14 다음 대화에서 교사의 질문에 옳은 답변을 한 사람을 고른 것은?

> 교사: 지난 시간에 배운 관료제 조직에서 나타날 수 있는 문제점에 대해 발표해 볼까요?
>
> 갑: 의사 결정 권한이 분산되어 신속한 업무 처리가 곤란할 수 있습니다.
>
> 을: 규약과 절차를 지나치게 강조하여 원래의 목적을 제대로 달성하지 못할 수 있습니다.
>
> 병: 구성원들이 자율성을 발휘하지 못하여 인간 소외 현상이 발생할 수 있습니다.
>
> 정: 과업 수행에 있어 책임 소재가 불분명하여 불필요한 오해와 갈등이 발생할 수 있습니다.

① 갑, 을   ② 갑, 병   ③ 을, 병

④ 을, 정   ⑤ 병, 정

15 표는 조직 운영 원리 A, B를 비교한 것이다. 이에 대한 옳은 설명을 【보기】에서 고른 것은? (단, A, B는 각각 관료제와 탈관료제 중 하나이다.)

구분	A	B
공통점	(가)	
차이점	(나)	중간 관리층의 역할 비중이 높다.

【보기】

ㄱ. A는 B보다 구성원의 재량권 범위가 좁다.
ㄴ. B는 A보다 조직의 안정성 유지에 용이하다.
ㄷ. (가)에는 '효율적인 과업 수행을 지향한다.'가 들어갈 수 있다.
ㄹ. (나)에는 '조직의 외부 환경 변화에 능동적이고 유연하게 대처한다.'가 들어갈 수 없다.

① ㄱ, ㄴ ② ㄱ, ㄷ ③ ㄴ, ㄷ
④ ㄴ, ㄹ ⑤ ㄷ, ㄹ

16 다음과 같은 조직의 일반적인 특징에 대한 옳은 설명만을 【보기】에서 있는 대로 고른 것은?

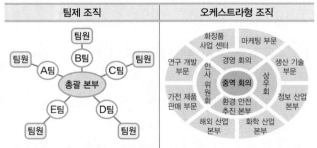

팀제 조직	오케스트라형 조직
일시적인 업무를 위해 신속하게 구성되고 해체되는 조직	동등한 지위와 그에 따른 역할이 주어지며 상호 협력하는 조직

【보기】

ㄱ. 구성원 간의 합의를 통한 의사 결정을 중시한다.
ㄴ. 수직적 계층화, 수평적 분업화를 이룬 조직 형태이다.
ㄷ. 연공서열보다 능력과 성과에 따른 보상 방식을 중시한다.
ㄹ. 조직 운영에 있어 구성원의 자의적 판단을 최대한 배제한다.

① ㄱ, ㄴ ② ㄱ, ㄷ ③ ㄴ, ㄹ
④ ㄱ, ㄷ, ㄹ ⑤ ㄴ, ㄷ, ㄹ

서술형 문제

17 다음 대화의 밑줄 친 '일정 요건'을 두 가지 서술하시오.

갑: 어제 터미널에서 친척을 기다리는데 명절 연휴라 그런지 사람이 무척 많았어.
을: 사회 집단의 규모가 대단했구나.
갑: 응? 그 사람들을 사회 집단이라고 볼 수는 없어. 일정 요건을 충족하지 않거든.

18 다음 글을 읽고 물음에 답하시오.

A는 일반적으로 공식 조직 내에서 자발적으로 형성되는 집단을 의미한다. 그러나 구성원들 간의 사적이고 정서적인 상호 작용을 통해 친밀한 인간관계를 추구한다는 점에서 공식 조직과 다르다. 예를 들어 기업 조직 또는 정부 부처 조직 내에서 취미, 지역 등을 바탕으로 친목을 추구하는 소집단을 A로 볼 수 있다.

(1) A에 해당하는 사회 조직의 유형을 쓰시오.

(2) A의 순기능과 역기능을 각각 두 가지씩 서술하시오.

19 다음 글을 읽고 물음에 답하시오.

현대 사회의 많은 대규모 사회 조직이 A의 성격을 지닌다. A는 책상과 사무실을 의미하는 'bureau'와 지배, 통치를 의미하는 'cracy'가 결합된 말이다. A는 처음에 정부 조직에만 적용되었지만 점차 일반적인 대규모 조직을 가리키는 말로 확장되었다. A는 대규모 조직을 효율적이고 체계적으로 관리할 수 있다는 점에서 현대 사회의 일반적인 조직 형태로 자리 잡았지만, 여러 가지 문제점도 나타나고 있다.

(1) A에 해당하는 개념을 쓰시오.

(2) A의 특징을 세 가지 서술하시오.

(3) A의 역기능을 세 가지 서술하시오.

01

|평가원 응용|

다음은 사회 집단과 사회 조직의 유형 A~E를 정리한 표이다. 이에 대한 설명으로 옳은 것은?

유형	의미
A	구성원의 선택 의지에 따라 인위적으로 형성된 집단
B	구성원의 선택과 무관하게 본질 의지에 따라 자연적으로 형성된 집단
C	공통의 이익이나 목표를 추구하는 사람들이 모여 자발적으로 형성한 사회 집단
D	E 안에서 구성원 간의 친밀한 인간관계에 바탕을 두고 자발적으로 형성한 사회 집단
E	구성원의 지위와 책임이 명확하게 규정되고, 정해진 절차에 의해 특정 목적을 달성하기 위한 조직

① 1차적 사회화 기관이면서 B에 해당하는 사례는 존재하지 않는다.

② 탈관료제로 운영되는 기업 조직은 C에 해당한다.

③ '경주 김씨 종친회'는 A, B 모두에 해당한다.

④ C에 해당하지 않는 D의 사례는 존재하지 않는다.

⑤ 모든 E는 C에 포함된다.

02

그림은 조직의 운영 원리 A, B를 질문 (가), (나)에 따라 구분한 것이다. 이에 대한 설명으로 옳은 것은? (단, A, B는 각각 관료제와 탈관료제 중 하나이다.)

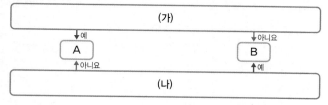

① (가)가 '상황에 따른 유연한 업무 처리보다 표준화된 업무 처리 절차를 중시하는가?'이면, A는 B보다 목적 전치 현상이 나타날 가능성이 높다.

② (가)가 '엄격한 위계질서를 강조하는가?'이면, B는 A보다 구성원의 과업이 세분화된다.

③ (가)가 '규약에 따른 과업 수행보다 창의적인 과업 수행을 중시하는가?'이면, B는 외부 환경 변화에 유연하게 대처하기가 용이하다.

④ (나)가 '능력보다 경력을 중시하는 보상 체계를 따르는가?'이면, B는 주로 상향식 의사 결정 방식을 따른다.

⑤ (나)가 '조직의 운영에서 유연성보다 안정성을 중시하는가?'이면, A와 달리 B는 공식적 통제 방식으로 갈등을 해결한다.

03

다음 자료에 대한 설명으로 옳은 것은?

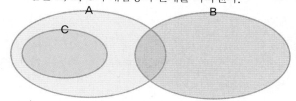

- A, B, C는 각각 공식 조직, 비공식 조직, 자발적 결사체 중 하나이다.
- 그림은 A, B, C의 개념상의 관계를 나타낸다.

- (가)는 A에 해당하지만, C에는 해당하지 않는다.
- (나)는 A, B 모두에 해당한다.

① A는 가입과 탈퇴의 제약이 크다.

② C는 공동 사회의 성격이 강하다.

③ A와 달리 B는 이익 사회에 포함된다.

④ (가)에는 '회사 내 노동조합'이 들어갈 수 있다.

⑤ (나)에는 '시민 단체'가 들어갈 수 없다.

04

그림의 (가), (나)에 들어갈 내용을 바르게 연결한 것은?

- 그림은 A, B를 특성에 따라 구분한 것이다.
- A, B는 각각 관료제와 탈관료제 중 하나이다.
- A는 B에 비해 직무 수행의 자율성이 높다.

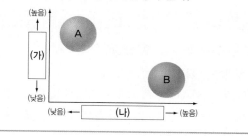

	(가)	(나)
①	조직 운영의 예측 가능성	규정과 절차 중시
②	구성원 개인별 업무의 세분화	조직 운영의 효율성 강조
③	능력과 실적에 따른 보상 중시	연공서열에 따른 보상 중시
④	지위 획득의 공정한 기회 보장	상향식 의사 결정 방식의 중시
⑤	소수에 의한 권력 독점과 남용의 가능성	환경 변화에 대한 유연한 대처

06 일탈 행동의 이해

출제 경향
★ 자료에 나타난 다양한 일탈 이론의 특징을 파악하는 문제
★ 다양한 일탈 이론의 유용성과 한계를 비교하는 문제

01 일탈 행동

1. 일탈 행동의 의미와 특징
(1) 의미: 일반적으로 받아들여지고 있는 사회 규범이나 기대에 어긋나는 행위

(2) 특징
① 시대와 장소, 가치관의 변화에 따라 일탈 행동에 대한 판단 기준은 변화함
② 같은 행동도 상황에 따라 일탈 행동 또는 정상적 행동으로 판단이 달라질 수 있음

2. 일탈 행동의 영향
(1) 부정적 영향
① 개인의 삶이 황폐화되고 사회적 자원이 낭비됨
② 사회 구성원들의 규범 준수 동기나 의지가 약화됨
③ 사회 조직 해체나 사회 질서 붕괴로 사회 불안정이 초래됨

(2) 긍정적 영향
① 사회 변동이나 발전의 원동력으로 작용하기도 함
② 일탈 행동에 대처하는 과정에서 사회적 합의나 대안이 형성될 수 있음
③ 사회 문제를 표출함으로써 이에 대한 대책을 마련할 수 있는 기회를 제공함

02 일탈 행동을 설명하는 다양한 이론

1. 뒤르켐의 아노미 이론 <small>빈출 자료 (01, 02)</small>
(1) 일탈 행동의 발생 원인
① 급격한 사회 변동으로 기존의 지배적인 사회 규범의 약화
② 새로운 가치관이 미처 정립되지 않은 채 기존의 규범과 새로운 규범의 혼재에 따른 혼란
③ 도덕적 혼란이나 무규범 상태, 즉 아노미 상태에서 일탈 행동이 발생함

(2) 대책: 사회 규범의 통제력 회복, 새로운 가치관의 확립 등

2. 머튼의 아노미 이론 <small>빈출 자료 (01, 02)</small>
(1) 일탈 행동의 발생 원인
① 문화적 목표와 제도적 수단이 일치하지 않아 발생하는 혼란 상태, 즉 아노미 상태가 발생
② 비합법적인 수단으로 목표를 달성하려고 할 때 일탈 행동이 발생함 → 기회 구조가 차단된 집단의 범죄 설명에 유용

(2) 대책: 문화적 목표를 이룰 수 있는 적합한 수단의 제공 등

(3) 이론의 한계: 중상류층의 범죄를 설명하지 못함, 문화적 목표에 상관없이 발생하는 일시적 범죄 등을 설명하기 어려움

3. 차별 교제 이론 <small>빈출 자료 (01, 02)</small>
(1) 일탈 행동의 발생 원인
① 일탈 행동은 타인과의 상호 작용 과정에서 학습됨
② 일탈 행동을 빈번하게 일으키는 사람 또는 집단과 접촉하는 과정에서 일탈의 기술과 이에 대한 우호적 가치를 학습하고 일탈 동기를 내면화함
③ 개인이 어떤 사람들과 주로 접촉, 즉 상호 작용을 하느냐에 따라 일탈 행동의 발생 가능성은 달라짐

(2) 대책: 일탈 행동을 하는 사람과의 접촉 차단, 정상적인 사회 집단과의 교류 촉진 등

(3) 이론의 한계: 우연적이고 충동적인 범죄를 설명하지 못함, 일탈 행동을 하는 집단과 교류하는 사람이 모두 일탈자가 되는 것은 아니라는 점을 설명하지 못함

4. 낙인 이론 <small>빈출 자료 (01, 02)</small>
(1) 일탈 행동의 발생
① 원인: 특정 행위에 대해 사회적으로 일탈로 규정하고, 해당 행위를 한 사람을 일탈자로 낙인을 찍기 때문에 일탈 행동이 발생
② 과정: 1차적 일탈의 발생 → 1차적 일탈을 저지른 사람에 대한 주위의 부정적 인식(낙인) → 낙인으로 인해 스스로 일탈자로 인식 → 부정적 자아의 형성 → 2차적 일탈의 발생 및 반복

(2) 특징
① 보편적인 일탈 행동 개념을 부정함
② 특정 개인이나 집단이 일탈자로 규정되는 과정과 사회적 여건에 주목함
③ 일탈 행동을 규정하는 객관적 기준이 없다고 봄

(3) 대책: 사회적 낙인에 대한 신중한 접근 등

(4) 이론의 한계
① 최초의 일탈, 즉 1차적 일탈이나 범죄가 발생하는 원인을 설명하지 못함
② 사회적으로 낙인이 찍히지 않은 사람들의 지속적인 일탈 행동을 설명하기 곤란함
③ 동일하게 일탈자라는 낙인을 받은 두 사람이 이후 지속적 일탈과 일탈 행동의 중단이라는 서로 상반된 행보를 보이는 경우를 설명하지 못함

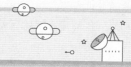
📖 대표 유형

📋 자주 나오는 오답 선택지

빈출 자료 **01** 다양한 일탈 행동 이론 | 연계 문제 → 51쪽 04번

(가) 공식적으로 일탈자라고 규정되면 성공을 위한 합법적 수단으로부터 배제되고 일탈자라는 자아 개념을 가지게 되어, 미래의 일탈 가능성이 증가하게 된다. 결국 일탈자라고 규정짓는 것은 사회적 지위를 부여하는 것과 같다.

(나) 경제적 성공을 강조하는 문화를 구성원 모두가 공유하는 사회에서 제도화된 수단이 부족한 특정 계층은 성공에 어려움을 겪게 된다. 따라서 이들은 불법적인 방법을 통해서라도 성공하려고 시도함으로써 일탈 행동을 하게 된다.

(다) 하층에 속한 사람들이 일탈 행동을 많이 한다는 주장이 있지만, 하층에서도 일부만 일탈 행동을 한다. 이들이 일탈 행동을 하는 것은 일탈자와의 상호 작용을 통해 일탈적 가치와 태도를 수용하기 때문이다.

| 자료 분석 | (가)는 '일탈자'로 규정된 이후 부정적 자아가 형성되고, 그것으로 인해 일탈 행동이 발생한다고 보므로 낙인 이론에 해당한다. (나)는 경제적 성공을 강조하는 문화, 즉 문화적 목표를 이루기 위한 제도적 수단이 부족하여 일탈 행동이 발생한다고 보므로 머튼의 아노미 이론에 해당한다. (다)는 일탈자와의 상호 작용을 통해 일탈적 가치와 태도를 수용, 즉 내면화하여 일탈 행동이 발생한다고 보므로 차별 교제 이론에 해당한다.

| 이것도 알아둬 | 과거에는 일탈 행동이 개인의 신체적 특징이나 심리적 특성에서 비롯되었다는 주장도 있었다. 범죄의 원인이 선천적인 생물학적 특성에 있다고 주장한 롬브로소의 생물학적 범죄 이론이 대표적이다.

빈출 자료 **01** 에서 자주 나오는 오답 선택지

① (가)는 일탈 행동의 발생과 관련해 타인과의 상호 작용을 통한 학습 과정을 강조한다.
  └→ (다)

② (나)는 뒤르켐의 아노미 이론이다.
  └→ 머튼

③ (다)는 일탈이 행동의 속성에 의해서가 아니라 그에 대한 사회적 반응에 의해 규정된다고 본다.
  └→ (가)

④ (가)는 (나)와 달리 사회의 지배적 가치를 사회화하지 못함으로써 일탈 행동이 발생한다고 본다.
  └→ (가), (나) 모두 해당하지 않음

⑤ (가)는 (나), (다)와 달리 일탈자와의 접촉 차단을 일탈에 대한 대책으로 제시한다.
  └→ (다)는 (가), (나)와 달리

⑥ (나)는 (가), (다)와 달리 지배 집단의 기득권 보호를 위한 사회 제도 때문에 일탈 행동이 발생한다고 본다.
  └→ (가), (나), (다) 모두 해당하지 않음

⑦ (다)는 (가), (나)와 달리 타인들과의 상호 작용이 일탈 발생 과정에 미치는 영향을 중시한다.
  └→ (가), (다)는 (나)와 달리

빈출 자료 **02** 다양한 일탈 행동 이론 | 연계 문제 → 51쪽 05번

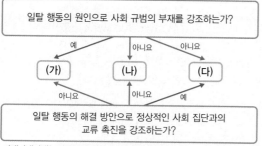

일탈 행동의 원인으로 사회 규범의 부재를 강조하는가?

예 → (가)　아니요 → (나)　아니요 → (다)

아니요　아니요　예

일탈 행동의 해결 방안으로 정상적인 사회 집단과의 교류 촉진을 강조하는가?

* (가), (나), (다)는 각각 낙인 이론, 뒤르켐의 아노미 이론, 차별 교제 이론 중 하나이다.

| 자료 분석 | (가)는 일탈 행동의 원인으로 사회 규범의 부재를 강조하므로 뒤르켐의 아노미 이론에 해당한다. 뒤르켐은 일탈 행동의 해결 방안으로 사회 규범의 확립 또는 통제력 강화를 제시한다. (다)는 일탈 행동의 해결 방안으로 정상적인 사회 집단과의 교류 촉진을 강조하므로 차별 교제 이론에 해당한다. 차별 교제 이론은 일탈 행동의 발생 원인으로 일탈 집단과의 상호 작용을 통한 일탈의 기술과 이에 대한 우호적 가치의 학습 및 내면화를 주장한다. 따라서 (나)는 낙인 이론에 해당한다. 낙인 이론은 일탈을 규정하는 객관적 기준이 존재하지 않는다고 본다.

| 이것도 알아둬 | 낙인 이론은 일탈 행동의 해결 방안으로 사회적 낙인을 신중하게 적용할 것을 강조한다.

빈출 자료 **02** 에서 자주 나오는 오답 선택지

① (가)는 낙인 이론, (나)는 차별 교제 이론, (다)는 뒤르켐의 아노미 이론이다.
  └→ (가)는 뒤르켐의 아노미 이론, (나)는 낙인 이론, (다)는 차별 교제 이론

② (나)는 사회 규범의 통제력 회복을 일탈에 대한 대책으로 제시한다.
  └→ (가)

③ (다)는 일탈의 원인으로 구조적인 요인을 강조한다.
  └→ (가)

④ (가)는 (나)와 달리 일탈 행동을 규정하는 객관적 기준이 없다고 본다.
  └→ (나)는 (가)와 달리

⑤ (나)는 (다)와 달리 일탈 행동이 특정 집단과의 교류를 통해 학습된다고 본다.
  └→ (다)는 (나)와 달리

⑥ (다)는 (나)와 달리 차별적인 제재가 일탈 행동의 원인이라고 본다.
  └→ (나)는 (다)와 달리

⑦ (가)는 (나), (다)와 달리 일탈 행동에 대한 부정적 반응을 일탈의 원인으로 본다.
  └→ (나)는 (가), (다)와 달리

⑧ (나)는 (가), (다)와 달리 일탈 행동의 대책으로 문화적 목표에 도달할 기회의 제공을 주장한다.
  └→ (가), (나), (다) 모두 해당하지 않음

⑨ (다)는 (가), (나)와 달리 일탈자가 되어 가는 내면적 과정에 초점을 둔다.
  └→ (나)는 (가), (다)와 달리

개념 확인 문제

01 빈칸에 들어갈 알맞은 말을 쓰시오.

뒤르켐의 아노미 이론	• 일탈의 발생 원인: 급속한 사회 변동으로 인한 규범의 혼재나 무규범 상태인 (　　　) 상태에서 일탈 행동이 발생함 • 대책: 사회 규범의 통제력 회복, 새로운 가치관의 확립 등
머튼의 아노미 이론	• 일탈의 발생 원인: (　　　) 목표를 달성할 수 있는 (　　　) 수단이 충분하게 제공되지 않은 상태에서 불법적 방법으로 목표를 달성하려고 할 때 일탈 행동 발생 • 대책: (　　　) 목표를 이룰 수 있는 적절한 (　　　) 수단의 제공

02 다음 내용에 해당하는 일탈 이론을 《보기》에서 고르시오.

> ┤ 보기 ├
> ㄱ. 낙인 이론　　　　　ㄴ. 차별 교제 이론
> ㄷ. 머튼의 아노미 이론　ㄹ. 뒤르켐의 아노미 이론

(1) 급격한 사회 변동으로 인해 일탈이 발생한다고 보는 이론은?

(2) 일탈 자체보다 일탈에 대한 사회적 반응을 중시하는 이론은?

(3) 일탈 행동이 발생하는 사회 구조적 요인을 중시하는 이론은?

(4) 정상적인 사회 집단과의 교류 촉진을 일탈 행동의 해결 방안으로 제시하는 이론은?

03 다음 설명에서 알맞은 말에 ○표 하시오.

(1) (낙인 이론 / 차별 교제 이론)은 일탈 행동보다 그에 대한 사회적 반응에 주목한다.

(2) (머튼의 아노미 이론 / 낙인 이론)은 일탈을 규정하는 객관적 기준이 존재하지 않는다고 본다.

(3) (뒤르켐의 아노미 이론 / 차별 교제 이론)은 지배적 규범의 부재가 일탈의 발생 원인이라고 본다.

(4) (낙인 이론 / 뒤르켐의 아노미 이론)은 사회적 합의를 통한 결속력 강화를 일탈 행동의 해결 방안으로 제시한다.

04 일탈 이론과 해당 이론에서 제시하는 일탈 행동의 해결책을 바르게 연결하시오.

(1) 낙인 이론　　　　　• 　• ㉠ 일탈자와의 접촉 차단
(2) 차별 교제 이론　　　• 　• ㉡ 사회 규범의 통제력 회복
(3) 뒤르켐의 아노미 이론 • 　• ㉢ 사회적 낙인에 대한 신중함

---

01 일탈 행동

01 빈칸 (가)에 들어갈 내용으로 가장 적절한 것은?

> 학습 주제: _____(가)_____
>
> • 군인이 전쟁 중에 자신을 공격하는 적군을 향해 총을 쏘는 것은 정상적인 행위로 간주한다. 하지만 군인이 전쟁 중에 무장하지 않은 민간인을 향해 총을 쏜다면 그 행위는 정당한 행위로 여겨질 수 없다.
> • 1980년대까지만 하더라도 우리나라에서는 흡연에 대한 규제가 거의 없었다. 길거리뿐만 아니라 영화관이나 버스에서도 담배를 피우는 사람들을 흔히 볼 수 있었다. 그러나 현재 그러한 행동은 강력한 규제의 대상이 되고 있다.

① 일탈 행동의 상대성
② 일탈 행동의 순기능
③ 일탈 행동의 역기능
④ 일탈 행동의 발생 원인
⑤ 범죄와 일탈 행동의 관계

---

02 일탈 행동을 설명하는 다양한 이론

02 다음은 수업 시간에 일탈 이론 A, B를 설명하기 위해 교사가 제시한 자료이다. A, B를 바르게 연결한 것은?

A를 설명하기 위해 제시한 자료	B를 설명하기 위해 제시한 자료
에드와르도는 보통의 평범한 아이였다. 가끔 물건을 발로 차거나 아이들을 괴롭히면 어른들이 "넌 정말 못된 아이구나"라고 하였고, 이를 들은 에드와르도의 행동은 점점 심해져 '세상에서 가장 못된 아이'라는 평가를 받게 되었다.	공자의 '지란지교'에는 이런 내용이 나온다. "악한 사람과 같이 있으면 마치 악취가 풍기는 절인 어물을 파는 가게에 들어간 것과도 같아서, 그와 함께 오래 지내면 비록 그 악취는 맡지 못하더라도 그에게 동화되어 악한 사람이 된다."

	A	B
①	낙인 이론	차별 교제 이론
②	낙인 이론	뒤르켐의 아노미 이론
③	차별 교제 이론	머튼의 아노미 이론
④	머튼의 아노미 이론	차별 교제 이론
⑤	뒤르켐의 아노미 이론	낙인 이론

03 다음 글에 나타난 일탈 이론에 대한 설명으로 가장 적절한 것은?

> 사람들은 규범이 급변하거나 보편적 규범의 통제력이 약해질 때 규범적 혼란을 겪기 쉽고, 이에 따라 정서적 불안정에 빠지거나 규범적 일관성을 가지기 어려워진다. 바로 이러한 때에 비행과 범죄와 같은 일탈 행동이 발생한다.

① 일탈 행동은 사회화의 결과라고 본다.
② 차별적인 제재가 일탈 행동을 반복시킨다고 본다.
③ 미시적 차원에서 일탈이 발생하는 요인을 분석한다.
④ 일탈 행동의 해결 방안으로 사회 규범의 통제력 회복을 강조한다.
⑤ 일탈 행동을 규정하는 기준은 특정 계층의 가치를 반영하여 만들어진다고 본다.

(빈출 문제) 연계 자료 → 49쪽 빈출 자료 01

04 일탈 이론 (가), (나)가 제시하는 해결책을 바르게 연결한 것은?

> (가) 하층에 속한 사람들이 일탈 행동을 많이 한다는 주장이 있지만, 하층에서도 일부만 일탈 행동을 한다. 이들이 일탈 행동을 하는 것은 일탈자와의 상호 작용을 통해 일탈적 가치와 태도를 수용하기 때문이다.
>
> (나) 경제적 성공을 강조하는 문화를 공유하는 사회에서 제도화된 수단이 부족한 특정 계층은 성공에 어려움을 겪게 되고, 이들은 불법적인 방법을 통해서라도 성공하려고 시도함으로써 일탈 행동을 하게 된다.

	(가)	(나)
①	지배적 규범의 확립	일탈을 규정하는 객관적 기준의 마련
②	일탈자와의 접촉 차단	사회적 낙인의 신중한 부여
③	정상 집단과의 교류 촉진	문화적 목표를 이룰 수 있는 적절한 수단의 제공
④	타인의 부정적 평가 금지	강력한 사회 통제
⑤	일탈자에 대한 사회 통제와 규제 강화 방안의 마련	일탈 행동에 대한 신중한 규정

유사 선택지 문제

04_❶ (가)는 뒤르켐의 아노미 이론이다. (○ / ×)
04_❷ (나)는 머튼의 아노미 이론이다. (○ / ×)
04_❸ (가)는 (나)와 달리 거시적 관점이다. (○ / ×)

(빈출 문제) 연계 자료 → 49쪽 빈출 자료 02

05 자료의 (가), (나)에 들어갈 옳은 질문만을 〈보기〉에서 있는 대로 고른 것은?

- A~C는 각각 낙인 이론, 뒤르켐의 아노미 이론, 차별 교제 이론 중 하나이다.
- A는 B, C와 달리 일탈 행동이 상호 작용을 통해 학습된다고 본다.
- C는 A, B와 달리 부정적 자아의 내면화가 일탈 행동에 미치는 영향을 중시한다.
- 그림은 A~C를 질문 (가), (나)에 따라 구분한 것이다.

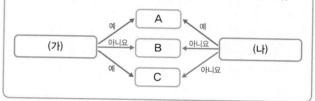

〈보기〉

ㄱ. (가) - 급격한 사회 변동으로 인해 일탈 행동이 발생한다고 보는가?
ㄴ. (가) - 타인들과의 상호 작용이 일탈 발생 과정에 미치는 영향을 중시하는가?
ㄷ. (나) - 일탈 행동의 대책으로 정상 집단과의 교류 촉진을 제시하는가?
ㄹ. (나) - 어떤 행동이 일탈 행동인지보다 어떤 과정으로 일탈 행동이 반복되는지에 초점을 맞추는가?

① ㄱ, ㄴ   ② ㄱ, ㄹ   ③ ㄴ, ㄷ
④ ㄱ, ㄷ, ㄹ   ⑤ ㄴ, ㄷ, ㄹ

06 대화에 나타난 일탈 이론에 대한 설명으로 옳은 것은?

> 갑: 소식 들었어? 모범생이었던 A가 가출해서 또래 가출 청소년들과 어울린 후 큰 사고를 저질렀대. 역시 '까마귀 노는 곳에 백로야 가지 마라.'라는 말처럼 일탈 행동은 사회화의 결과로 나타나.
> 을: 맞아. '근묵자흑'이라는 말이 괜히 있는 게 아니야.

① 사회적 낙인의 신중한 접근을 강조한다.
② 일탈에 대한 보편적인 판단 기준은 없다고 본다.
③ 사회적 기회가 차단된 집단의 일탈을 설명하기 용이하다.
④ 일탈 행동보다 그에 대한 사회 구성원들의 평가를 중시한다.
⑤ 일탈 집단과의 교류를 차단해야 일탈 행동이 감소할 수 있다고 본다.

07 자료의 A 이론에 대한 옳은 설명을 《보기》에서 고른 것은?

> A 이론은 일탈이 그 행위 자체가 갖는 본질적인 특성이 아니라, 그 행위가 발생하는 상황과 여건에 따라 규정된다고 본다. A 이론에 따르면 모든 사람은 일탈 행동을 할 수 있는데, 이때의 일탈 행동은 일시적이며 쉽게 드러나지 않는다. 그러나 이 행동이 세상에 알려지면 그 개인은 일탈자로 규정되고 타인에 의해 이전과는 다른 대우를 받기 시작한다. 이로 인해 그는 새로운 자아의 개념을 발전시켜 그에 따라 일탈 행동을 반복하기 시작한다.

◀ 보기 ▶
ㄱ. 일탈 행동의 객관적 기준이 있다고 본다.
ㄴ. 차별적인 제재가 일탈 행동의 원인이라고 본다.
ㄷ. 일탈 행동 자체보다 그로 인한 사회적 평가를 더 강조한다.
ㄹ. 목표와 수단의 불일치 상태로 인해 일탈 행동이 발생한다고 본다.

① ㄱ, ㄴ ② ㄱ, ㄷ ③ ㄴ, ㄷ
④ ㄴ, ㄹ ⑤ ㄷ, ㄹ

08 〈자료 2〉는 〈자료 1〉의 일탈 이론 A, B를 비교한 것이다. (가)~(다)에 들어갈 수 있는 질문으로 옳은 것은?

〈자료 1〉	A: 일탈자와의 만남 및 교제를 통해 일탈 행동의 기술과 이에 대한 합리화를 내면화함으로써 일탈 행동이 발생한다. B: 특정 행동으로 인해 주위로부터 일탈자로 규정되어 부정적 자아 정체성이 확립되면 일탈 행동을 반복하게 된다.

〈자료 2〉

```
            예  ┌────(가)────┐  예
               │            │
    A ←── 예 ──┤   (나)    ├── 아니요 → B
               │            │
         아니요 └────(다)────┘  예
```

① (가) – 일탈 행동을 정의하는 객관적인 기준이 없다고 보는가?
② (가) – 타인과의 상호 작용이 일탈 행동의 발생 과정에 미치는 영향을 중시하는가?
③ (나) – 거시적 관점에서 일탈 행동을 바라보는가?
④ (다) – 일탈 행동의 해결 방안으로 정상 집단과의 교류 촉진을 중시하는가?
⑤ (다) – 급속한 사회 변동으로 인한 규범 및 가치관의 혼란을 일탈 행동의 원인으로 보는가?

09 다음 글을 읽고 물음에 답하시오.

> 사회 구성원의 행위가 정상적인가 아닌가를 판단하는 기준이 되는 법이나 도덕 법칙 등을 사회 규범이라고 하는데, 이러한 사회 규범에 어긋나는 행위를 A라고 한다. 즉 A는 사회 구성원이 용인할 수 있는 범위를 벗어나는 행동이다.

(1) A에 해당하는 용어를 쓰시오.

(2) A의 긍정적 영향과 부정적 영향을 각각 한 가지씩 서술하시오.

10 다음 글을 읽고 물음에 답하시오.

> 일탈이란 그 행위 자체가 가지는 본질적인 특성에 따라 규정되는 것이 아니다. 즉 어떤 사람의 행위 자체가 비도덕적인 행위가 아님에도 사회가 일탈 행동으로 규정하면 일탈 행동이 될 수 있는 것이다.

(1) 윗글에 나타난 일탈 이론을 쓰시오.

(2) 윗글에 나타난 일탈 이론의 한계를 두 가지 서술하시오.

11 다음 글을 읽고 물음에 답하시오.

> 구성원에게 물질적 성공이라는 가치를 고무시키는 사회에서 모두가 이러한 성공에 도달할 수 있는 합법적 수단을 갖는 것은 아니다. 그래서 제도적 수단이 제한적인 하층에서 범죄를 저지를 가능성이 높다.

(1) 윗글에 나타난 일탈 이론을 쓰시오.

(2) 윗글에 나타난 일탈 이론에서 제시하는 해결책을 한 가지 서술하시오.

상위 4% 문제

| 평가원 응용 |

01 (가), (나)에 나타난 일탈 이론에 대한 옳은 설명만을 ◀보기▶에서 있는 대로 고른 것은?

> (가) 가정에서 주로 생활하던 아이가 성장하여 학교에 가면 다양한 부류의 친구를 접하게 된다. 그 과정에서 흔히 말하는 '문제아'를 친구로 사귀게 되면 일탈을 행하게 된다.
>
> (나) 처음부터 '문제아'가 따로 있는 것이 아니다. 교사나 주변 학생들이 '문제아'라고 손가락질하면 평범한 학생도 '문제아'로 인식되어 정상적인 학교생활에서 소외되고 배제되어 일탈을 행하게 된다.

◀ 보기 ▶
ㄱ. (가)는 일탈이 사회적 접촉을 통해 이루어지는 사회화의 산물임을 강조한다.
ㄴ. (나)는 1차적 일탈이 2차적 일탈로 이어지는 과정에 주목한다.
ㄷ. (가)와 달리 (나)는 특정 행동이 갖고 있는 본질적인 속성에 의해 일탈이 규정된다고 본다.
ㄹ. (나)와 달리 (가)는 타인들과의 상호 작용이 일탈에 미치는 영향을 중시한다.

① ㄱ, ㄴ   ② ㄱ, ㄹ   ③ ㄴ, ㄷ
④ ㄱ, ㄷ, ㄹ   ⑤ ㄴ, ㄷ, ㄹ

02 다음 자료에 대한 설명으로 가장 적절한 것은?

> • A~C는 각각 낙인 이론, 머튼의 아노미 이론, 차별 교제 이론이다.
> • '사회 구성원 대다수의 반응에 의해 일탈 행동이 규정된다고 보는가?'의 질문에 대해 A는 긍정의 대답을, B와 C는 부정의 대답을 한다.
> • 질문 (가)에 대해 A는 ㉠, B는 ㉡, C는 ㉢의 대답을 한다.

① A는 머튼의 아노미 이론이다.
② A, B와 달리 C는 일탈에 대한 규정이 상대적이라고 본다.
③ B, C와 달리 A는 거시적 관점에서 일탈 행동을 분석한다.
④ (가)에 '일탈 행동은 타인과의 상호 작용으로 학습되는가?'가 들어가면 ㉠, ㉡, ㉢ 중 '예'는 하나이다.
⑤ (가)에 '타인과의 상호 작용이 일탈 행동의 발생 과정에 미치는 영향을 강조하는가?'이면 ㉠, ㉡, ㉢ 모두 '아니요'이다.

03 그림은 낙인 이론과 차별 교제 이론을 구분하기 위한 것이다. (가)~(다)에 들어갈 수 있는 내용으로 옳은 것은?

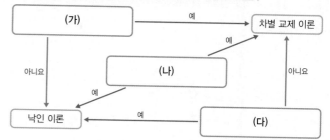

① (가) – 차별적인 제재로 인해 일탈 행동이 발생한다고 보는가?
② (가) – 사회의 지배적인 규범이 약화될 때 일탈 행동이 증가한다고 보는가?
③ (나) – 일탈 행동의 발생 원인으로 사회 구조적 요인을 강조하는가?
④ (다) – 일탈 행동을 규정하는 기준이 상대적이라고 보는가?
⑤ (다) – 일탈 행동의 해결 방법으로 사회 규범의 통제력 강화를 주장하는가?

04 일탈 이론 A~C에 대한 옳은 설명을 ◀보기▶에서 고른 것은? (단, A~C는 각각 낙인 이론, 차별 교제 이론, 뒤르켐의 아노미 이론 중 하나이다.)

> 교사: 일탈 이론 A~C에 대해 발표해 보세요.
> 갑: A는 일탈에 대한 사회적 반응과 이에 대한 당사자의 인식 및 행동에 주목합니다.
> 을: B는 사회의 지배적인 규범이 약화되거나 해체될 때 일탈 행동이 증가한다고 봅니다.
> 병: C는   (가)
> 교사: 갑, 을은 정확히 대답했지만, 병은 C를 A로 착각하고 있습니다.

◀ 보기 ▶
ㄱ. A는 일탈을 규정하는 객관적 기준이 존재한다고 본다.
ㄴ. B는 급속한 사회 변동으로 인한 규범의 부재로 일탈 행동이 발생한다고 본다.
ㄷ. C는 일탈 행동의 해결 방안으로 정상 집단과의 교류 촉진을 중시한다.
ㄹ. (가)에는 '일탈 행동의 해결 방안으로 합법적 목표를 달성할 수 있는 적절한 제도적 수단의 제공을 들 수 있습니다.'가 들어갈 수 있다.

① ㄱ, ㄴ   ② ㄱ, ㄷ   ③ ㄴ, ㄷ
④ ㄴ, ㄹ   ⑤ ㄷ, ㄹ

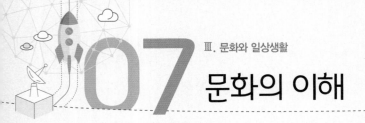

07 문화의 이해

출제 경향
★ 문화의 속성을 파악하는 문제
★ 문화를 바라보는 관점과 문화 이해 태도를 비교·분석하는 문제

01 문화의 의미와 속성

1. 문화의 의미

(1) 좁은 의미의 문화

① 의미: 인간의 사회적이고 후천적인 생활 양식 중에서 예술적이고 교양 있거나 세련된 것

② 사례: 문화 공연, 문화인, 문화 상품 등

(2) 넓은 의미의 문화

① 의미: 한 사회의 의식주, 가치 및 규범, 사고방식 등 인간의 모든 생활 양식

② 사례: 민족 문화, 대중문화, 청소년 문화, 지역 문화 등

2. 문화의 특성

보편성	시대와 공간을 초월해 어느 사회에나 공통으로 나타나는 생활 양식이 있음
특수성	각 사회가 처한 자연환경이나 사회적 상황에 따라 다양하게 나타남

3. 문화의 속성 빈출 자료 01

(1) 학습성

의미	문화는 선천적·유전적으로 나타나는 행동이 아니라 후천적 학습에 의해 형성되는 생활 양식임
특징	개인의 사회적 행동이 문화적 환경 속에서 형성되고 변화될 수 있음을 보여 줌
사례	외국인이라도 한국에서 오랜 시간을 보내면서 한국 문화에 적응하는 것

(2) 공유성

의미	문화는 한 사회의 구성원이 공통으로 가지는 생활 양식임
특징	특정한 상황에서 상대방이 어떻게 행동할 것인지 또는 서로에게 무엇을 기대하는지를 예측할 수 있어 원활한 사회생활의 토대가 됨
사례	'미역국 먹는 날'을 생일과 연관 짓거나 시험 보는 날에 미역국을 잘 먹지 않는 행동 등

(3) 전체성(총체성)

의미	문화는 지식, 가치, 예술, 규범, 제도 등의 문화 요소가 독립적으로 존재하는 것이 아니라 상호 유기적인 관계를 유지하면서 전체로서 의미를 가지는 생활 양식임
특징	한 요소의 변화는 다른 요소의 연쇄적 변화를 가져옴
사례	우리나라의 음식 문화는 우리나라의 기후, 종교적 신념, 다른 지역과의 교류 정도 등과 밀접한 관련이 있음

(4) 변동성

의미	문화는 시간이 흐르면서 그 형태나 내용, 의미가 변화하는 생활 양식임
특징	문화적 특성은 기존의 것을 유지하면서도 새로운 문화 요소가 추가되기도 하고 사라지기도 함
사례	소식을 전하는 주된 방식이 과거 직접 방문이나 편지에서 오늘날 전자 우편, 누리 소통망(SNS) 등으로 변화함

(5) 축적성

의미	문화는 세대 간 전승되면서 새로운 요소가 추가되어 점점 더 풍부해지는 생활 양식임
특징	인간의 학습 능력과 상징체계를 통해 세대 간 전승되면서 문화에 새로운 요소가 추가되어 더욱 복잡하고 다양해짐
사례	우리가 먹는 발효 식품이 언어적·비언어적 상징 수단을 통해 세대 간 전승되면서 새로운 기술이나 재료 등이 가미되어 점점 다양해짐

02 문화를 바라보는 관점과 문화 이해의 태도

1. 문화를 바라보는 관점

(1) 비교론적 관점

① 전제: 문화는 보편성과 특수성을 동시에 가지고 있음

② 특징: 서로 다른 문화를 비교하면서 공통점과 차이점을 파악함

③ 필요성: 자문화를 객관적으로, 타 문화를 폭넓게 이해할 수 있음

(2) 총체론적 관점

① 전제: 한 사회의 문화는 다양한 요소들이 상호 유기적 관련을 맺으면서 전체를 이루고 있음

② 특징: 특정 문화 현상을 이해할 때 전체 문화의 맥락 속에서 의미를 파악함

③ 필요성: 어떤 문화 현상을 제대로 이해할 수 있음

(3) 상대론적 관점

① 의미: 한 사회의 문화는 그 문화가 발생한 사회의 맥락 속에서 의미와 가치를 가짐

② 특징: 한 사회의 문화를 이해할 때 그 사회의 자연환경, 사회적 상황, 역사적 맥락 등을 고려함

③ 필요성: 다른 문화를 편견 없이 이해할 수 있음

2. 문화 이해의 태도 빈출 자료 02

자문화 중심주의	• 자기 문화를 가장 우수한 것으로 여기고 다른 문화를 부정적으로 평가하는 태도 • 구성원의 자부심을 고양해 결속력을 강화함으로써 사회 통합에 이바지할 수 있으나, 국수주의로 연결되면 타 문화와 갈등을 빚을 수 있음
문화 사대주의	• 다른 사회의 문화를 가장 좋은 것으로 여겨 그것을 동경하거나 숭상하고, 자기 문화는 업신여기거나 낮게 평가하는 태도 • 타 문화의 우수한 점을 받아들여 자국의 문화 발전에 기여할 수 있으나, 자기 문화의 정체성이나 주체성을 상실할 우려가 있음
문화 상대주의	• 특정한 사회의 문화를 제대로 이해하기 위해 그 사회의 특수한 환경과 상황 및 역사적 맥락을 고려하는 태도 • 세계의 문화적 다양성을 보존하는 데 이바지할 수 있으나, 극단적 문화 상대주의로 치우칠 경우 보편적 가치의 실현을 저해할 수 있음

 빈출 특강

📖 **대표 유형**

빈출 자료 (01) 문화의 속성 | 연계 문제 → 58쪽 09번

> 뉴기니의 ○○ 부족 사회에서 남자는 아름답고 예술적인 것을 추구하는 존재로서, 여자는 공적인 일을 경영하고 추진하는 존재로서 각각 역할을 수행한다. 만약 ㉠ 그와 반대로 성 역할을 구분하는 사회의 구성원이 ○○ 부족을 만나 함께 생활한다면 어색함을 느낄 것이다. 이것은 성 역할이 하나의 문화로서 사회마다 다르다는 것을 의미한다. 사실 ㉡ 타고난 특성에서 기인한다고 생각하는 성 역할도 사회 속에서 후천적으로 획득된다. 최근 우리 사회에서는 성 역할에 대한 인식의 변화와 함께 성 평등 관련 제도의 도입, 여성의 경제적 지위 향상 등 다양한 요인에 의해 전통적인 성 역할 문화에 큰 변화가 일어나고 있다. ㉢ 이는 결혼 문화와 가족 형태에도 영향을 미치고 있다.

| 자료 분석 | ㉠은 공유성, ㉡은 학습성, ㉢은 전체성이 부각되어 있다. 문화의 공유성은 한 사회의 구성원들이 그들만의 문화를 누리고 있다는 의미로, 우리는 이러한 공유성으로 인해 서로 다른 사회를 구분할 수 있다. 문화의 학습성은 문화란 선천적·유전적으로 나타나는 행동이 아니라 후천적 학습에 의해 형성되는 생활 양식이라는 의미이다. 문화의 전체성은 문화는 여러 구성 요소가 상호 유기적으로 결합한 하나의 총체이므로 문화의 한 부분이나 요소가 변동하면 연쇄적으로 다른 부분에도 영향을 미치게 된다는 것이다.
| 이것도 알아둬 | 자료에 나타난 속성 외에도 환경 변화에 적응하려는 인간의 노력으로 문화의 형태나 의미가 끊임없이 변화하는 변동성, 세대 간 전승되면서 새로운 요소가 추가되어 더욱 복잡해지고 다양해지는 축적성이 있다.

빈출 자료 (02) 문화 이해의 태도 | 연계 문제 → 60쪽 18번

갑

> △△ 지역 ○○ 부족은 가족이 죽으면 장례 비용을 마련할 때까지 몇 년 동안 시신을 집 안에 두었다가 나중에 매장하는 풍습이 있어. 이러한 풍습은 시신이 잘 썩지 않는 △△ 지역의 자연적 조건과 장례를 성대하게 치를수록 내세에 더 좋은 곳으로 간다는 ○○ 부족의 믿음에서 비롯된 것으로 이해할 수 있어.

> 우리나라처럼 조상을 양지바른 곳에 모시고 묘를 잘 관리하는 전통에 비추어 볼 때, 조상의 시신을 방치하는 것은 조상에 대한 모독일 뿐만 아니라 비위생적이라고 생각해. △△ 지역의 장례 문화는 바뀌어야 한다고 봐.
을

병

> 내가 알고 있는 A국에서는 이미 화장(火葬)이 보편적인 장례 풍습으로 정착되었어. 화장은 토지 낭비를 막고 시신을 위생적으로 관리할 수 있는 선진적인 장례 문화야. ○○ 부족이나 우리에게 남아 있는 매장 풍습은 하루빨리 화장으로 완전히 대체되어야 해.

| 자료 분석 | 갑은 문화 상대주의, 을은 자문화 중심주의, 병은 문화 사대주의적 태도이다. 자문화 중심주의와 문화 사대주의는 문화 간에 우열이 존재하므로 특정 사회의 문화를 기준으로 문화를 평가할 수 있다고 본다. 반면 문화 상대주의는 문화를 우열의 평가가 아닌 이해의 대상으로 간주하며, 각 문화가 해당 사회의 맥락에서 갖는 고유한 의미를 존중한다.
| 이것도 알아둬 | 세계의 문화적 다양성 보존에 이바지할 수 있는 문화 이해의 태도는 문화 상대주의이다.

📕 **자주 나오는 오답 선택지**

빈출 자료 (01) 에서 자주 나오는 오답 선택지

① ㉠은 문화가 계승되고 발전하는 현상임을 보여 준다.
　→ 문화의 축적성에 대한 설명임
② ㉠은 문화가 타고나는 것이 아니라 습득되는 것이라는 속성을
　→ ㉡
보여 준다.
③ ㉠은 한 문화 요소의 변화가 다른 문화 요소의 연쇄적 변화를 가
　→ ㉢
져옴을 보여 준다.
④ ㉡은 시간의 흐름에 따라 기존 문화 요소가 사라지거나 변화함
　　　　　　　　　　　　　　　　　　　→ 문화의 변동성에 대한 설명임
을 보여 준다.
⑤ ㉡에 나타난 속성은 서로 다른 사회를 구분하는 기준이 된다.
　→ ㉠
⑥ ㉡은 문화의 각 부분이 상호 연관되어 있음을 보여 준다.
　→ ㉢
⑦ ㉢에 나타난 속성은 사회 구성원 간 원활한 상호 작용의 토대가
　→ ㉠
된다.
⑧ ㉢은 특정 상황에서 상대방의 행동 방식을 예측할 수 있음을 보
　→ ㉠
여 준다.
⑨ ㉢은 개인이 어떤 사회에서 사회화되는지에 따라 향유하는 문화
　→ ㉡
가 달라짐을 보여 준다.

빈출 자료 (02) 에서 자주 나오는 오답 선택지

① 갑의 태도는 자문화의 정체성 보존에 유리하다.
　→ 을
② 병의 태도는 국수주의로 흐르거나 문화 제국주의로 변질될 우려
　→ 을
가 있다.
③ 갑은 을과 달리 문화 간에 우열이 존재한다고 본다.
　→ 을은 갑과 달리
④ 을의 태도는 갑의 태도에 비해 타 문화 수용에 적극적이다.
　　　　　　　　　　　　　　　　　→ 배타적
⑤ 을의 태도는 병의 태도에 비해 문화의 다양성 확보에 유리하다.
　→ 갑의 태도만
⑥ 병의 태도는 을의 태도와 달리 집단 구성원의 결속력을 높이는
　→ 을의 태도는 병의 태도와 달리
데 기여한다.
⑦ 을, 병의 태도는 갑의 태도와 달리 모든 문화가 동등한 가치를
　→ 갑　　　　　　　→ 을, 병
지닌다고 본다.
⑧ 갑, 을, 병의 태도는 모두 특정 사회의 문화를 기준으로 타 문화
　→ 갑의 태도와 달리 을, 병의 태도는
를 평가할 수 있다고 본다.

01 다음 설명에서 알맞은 말에 ○표 하시오.

(1) '문화생활을 한다.'에서의 '문화'는 (좁은 / 넓은) 의미로 사용되었다.

(2) 선천적이고 본능적인 행위나 유전적 요인에 따른 행동은 문화로 (본다 / 보지 않는다).

(3) 시대와 공간을 초월하여 어느 사회에서나 공통으로 나타나는 생활 양식이 있는데, 이를 문화의 (보편성 / 특수성)이라고 한다.

02 ㉠~㉤에 들어갈 알맞은 문화의 속성을 쓰시오.

개념	문화의 속성
문화는 후천적으로 학습된다.	㉠
문화는 시간이 지남에 따라 변화한다.	㉡
문화의 각 요소들은 하나의 전체를 이룬다.	㉢
문화는 한 세대에서 다음 세대로 전승되면서 풍부해진다.	㉣
문화는 한 사회 구성원이 공통으로 가지는 생활 양식이다.	㉤

03 문화를 바라보는 관점과 그에 관한 설명을 바르게 연결하시오.

(1) 총체론적 관점 •

(2) 비교론적 관점 •

(3) 상대론적 관점 •

• ㉠ 그 사회의 자연환경, 사회적 상황, 역사적 맥락 등을 고려

• ㉡ 다른 문화 요소나 전체와의 관련 속에서 문화의 의미를 파악

• ㉢ 문화의 보편성과 특수성에 주목하여 서로 다른 문화 간의 유사성과 차이점을 밝힘

04 다음 내용에 해당하는 문화 이해의 태도를 ◀ 보기 ▶에서 고르시오.

◀ 보기 ▶
ㄱ. 문화 상대주의   ㄴ. 문화 사대주의
ㄷ. 자문화 중심주의   ㄹ. 극단적 문화 상대주의

(1) 문화적 다양성을 보존하는 데 이바지할 수 있는 태도

(2) 인간의 존엄성을 훼손하는 문화까지도 인정하려는 극단적인 태도

(3) 청나라를 세운 만주족이 한족 문화의 우수성을 동경하여 무분별하게 수용한 결과 한족 문화에 동화되어 만주족의 고유문화가 사라진 사례에 해당하는 태도

(4) 이슬람교도가 돼지고기를 먹지 않는 것을 이상하게 생각하거나 어른이 아이를 야단칠 때 꾸중 듣는 아이가 고개를 숙이는 것에 익숙한 사람들이 꾸중 듣는 아이가 고개를 뻣뻣이 들고 쳐다보는 것을 예의 없다고 비난하는 태도

01 (가), (나)에서 사용된 문화의 의미에 대한 설명으로 옳은 것은?

(가)		(나)	
• 문화인	• 문화생활	• 대중문화	• 음식 문화
• 문화 민족	• 문화 시민	• 주거 문화	• 한국 문화
• 문화 행사	• 신문의 문화면	• 다문화 사회	• 청소년 문화

① (가)는 삶의 방식 자체를 의미한다.

② (가)에 따르면 인간의 모든 행위는 문화에 해당한다.

③ (나)는 고급스러운 것 또는 교양 있는 것을 의미한다.

④ (나)는 문화를 발전, 진화와 같은 개념으로 인식한다.

⑤ (가)는 (나)와 달리 평가적 의미가 내포되어 있다.

02 갑과 을의 주장에 대한 분석으로 옳은 것은?

갑: 한국인들이 인간과 긴밀한 관계에 있는 개를 먹는 것은 문화인다운 행동이 아닙니다. 이는 미개하고 야만스러운 것이지요. 개고기를 먹는 것을 절대로 허용해서는 안 됩니다.

을: 한국에서 개를 먹는 것은 과거 단백질을 공급해 줄 고기가 부족한 상황에서 비롯된 한국적 식문화라고 생각합니다.

① 갑은 문화를 평가가 아니라 이해의 대상으로 본다.

② 갑은 문화를 인간의 모든 생활 양식의 총체로 간주한다.

③ 을은 문명과 문화의 의미를 동일시한다.

④ 을은 갑에 비해 문화에 속하는 행위가 다양하다고 본다.

⑤ 을은 갑과 달리 생물학적 본능에 의한 행동은 문화로 보지 않는다.

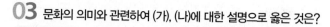
03 문화의 의미와 관련하여 (가), (나)에 대한 설명으로 옳은 것은?

> (가)에서의 문화는 '문화 행사', '문화생활'에서 나타나듯이 공연이나 예술 등 특정 분야만을 가리킨다. 과거 제국주의 시절에는 문화가 '미개'와 대비되는 의미로 사용되어 더 진보한 것을 의미하기도 하였다. (나)에서의 문화에 따르면 학교에 교복을 입고 등교 시간에 맞추어 등교하며, 종소리에 따라 움직이고 질서를 지키는 행위 등은 모두 문화에 해당한다.

① (가)에서의 '문화'는 대중문화에서의 '문화'와 같은 의미로 사용되었다.
② (나)에서의 '문화'는 고급스럽고 세련된 것이다.
③ (가)보다 (나)의 '문화'가 넓은 의미로 사용되었다.
④ (가)에서의 '문화'에 해당하는 것이 (나)에서의 '문화'에 해당하지 않을 수 있다.
⑤ (나)와 달리 (가)의 '문화'는 자연환경에 인위적인 힘을 가한 인간 행위의 결과이다.

04 다음 글에서 부각된 문화의 속성에 대한 설명으로 옳은 것은?

> 1970년대 여학생 교복은 플레어스커트에 흰 옷깃, 허리에 벨트를 한 남색 상·하의, 남학생 교복은 스탠드칼라를 단 검은 상의와 바지였다. 중·고등학교의 교복은 1980년대 초반까지 이러한 형태였다가 1983년 신입생부터 교복 자율화 조치가 시행되어 교복 착용을 폐지하고 자유복을 입는 학교가 증가하였다. 그러나 1986년 2학기 때부터 다시 복장 자율화 보완 조치를 채택해 학교장의 재량에 따라 교복을 입거나 자유복을 입도록 하였다. 이는 교복 자율화로 학생 생활 지도가 어려워지고 옷 구매의 증가로 가계 부담이 늘어나는 것 등을 막기 위해서였다. 그 결과 1990년대 이후에는 대부분 학교에서 교복이 부활하였다. 하지만 예전처럼 일률적인 형태가 아니라 여학생은 치마와 바지를 혼용하기도 하는 등 학교마다 다양한 형태의 교복을 착용하고 있다.

① 학습에 의해 후천적으로 습득되는 생활 양식이다.
② 시간이 지나면서 형태나 의미가 변화하는 생활 양식이다.
③ 한 사회 구성원들이 공통으로 가지고 있는 생활 양식이다.
④ 문화는 세대 간 전승되면서 새로운 요소가 추가되어 점점 더 풍부해진다.
⑤ 문화의 한 부분에서 나타난 변화가 연쇄적인 변화로 이어지는 이유를 설명하는 데 적합하다.

05 다음 사례를 통해 알 수 있는 문화의 속성에 대한 설명으로 가장 적절한 것은?

> 우리나라 사람은 '미역국 먹는 날'이라고 하면 대부분 생일을 떠올린다. 이는 생일에 미역국을 먹는 문화가 우리에게 있기 때문이다. 반면 시험 보는 날에는 미역국을 잘 먹지 않는다. 똑같은 미역국이라도 어떤 날 먹느냐에 따라서 그 의미가 다르다는 것을 알기 때문이다. 하지만 우리 문화를 잘 모르는 외국인은 미역국이 지니는 의미를 알지 못한다.

① 문화는 새로운 문화 요소가 쌓이면서 축적된다.
② 인간은 사회화 과정을 통해 그 사회의 문화를 배우게 된다.
③ 한 사회의 구성원들은 언어나 행동 양식 및 사고방식을 공유한다.
④ 문화는 새로운 특성이 추가되거나 기존의 특성이 소멸되기도 한다.
⑤ 문화의 각 영역들은 상호 밀접한 관련을 맺으면서 전체를 이루고 있다.

06 다음 글에서 부각된 문화의 속성에 대한 내용으로 가장 적절한 것은?

> 분유, 피임약, 세탁기 등의 발명으로 예전보다 가사, 임신 및 육아로부터 자유로워진 여성들이 노동 시장에 활발히 참여하게 되었다. 그에 따라 여성들의 사회적·경제적 지위가 높아지면서 양성평등 의식이 확산하였고, 그 결과 양성평등을 보장하는 제도적 장치가 마련되었다.

① 문화는 후천적으로 학습된다.
② 문화 현상은 고정된 것이 아니다.
③ 하나의 문화 요소는 다른 문화 요소와 긴밀하게 연계되어 있다.
④ 문화는 전승되는 과정에서 새로운 요소가 축적되어 더 풍부해진다.
⑤ 문화는 그 문화를 공유하는 사람들이 일상생활을 안정적으로 영위하는 데 기여한다.

07 빈칸 ㉠~㉢에 들어갈 용어를 바르게 연결한 것은?

수행 평가 과제	
각각의 사례에 부각된 문화의 속성을 쓰시오.	
김치로 알아보는 문화의 속성	

사례	속성
김장에 쓰이는 특별한 방법과 재료는 세대를 통해 전승되어 온 중요한 유산이다. 절인 음식에서 시작된 김치는 구전을 통해 혹은 음식과 관련한 문헌 등을 통해 지역별로 다양하게 계승되었다. 현재의 김치는 조상의 지혜와 경험이 쌓인 산물이면서 시간의 흐름 속에서 발전해 온 우리나라의 대표적인 음식 문화이다.	㉠
우리나라에서 생활하는 외국인 중에는 처음에는 김치를 잘 먹지 못했지만, 점점 익숙해져서 김치를 좋아하게 된 사람이 많다. 더 나아가 김치 담그는 법을 배워서 직접 담가 먹기도 한다.	㉡
우리나라에는 겨울이 오기 전에, 주변의 사람들이 함께 모여 김치를 담그는 김장 문화가 있다. 김장 문화는 사계절 중 겨울에 채소를 구하기 어려운 환경적 특징, 장기간 저장을 통해 음식을 발효시키는 기술, 이웃과 일을 나누어 하는 품앗이가 전통 등과 밀접하게 연관되어 있다.	㉢

	㉠	㉡	㉢
①	전체성	학습성	축적성
②	전체성	학습성	공유성
③	축적성	학습성	전체성
④	축적성	공유성	전체성
⑤	변동성	전체성	공유성

08 갑~병의 대화에서 부각된 문화의 속성을 바르게 연결한 것은?

> 갑: 윷놀이는 놀이 규칙이 쉬워서 어린아이도 몇 번만 설명해 주면 쉽게 이해할 수 있어.
> 을: 윷놀이는 애초에 '도·개·걸·윷' 네 끗수밖에 없었는데 '모'가 나중에 추가되었고, 요즈음에는 '백도'가 추가되어 끗수가 여섯 가지로 늘어났어.
> 병: 윷의 재료도 달라졌어. 예전에는 나무토막을 다듬어서 만들었는데 요즘에는 플라스틱으로 만들기도 하지.

	갑	을	병
①	학습성	축적성	변동성
②	학습성	전체성	축적성
③	축적성	학습성	전체성
④	축적성	공유성	전체성
⑤	변동성	전체성	공유성

빈출 문제 연계 자료 → 55쪽 빈출 자료 01

09 (가), (나)에 부각된 문화의 속성에 관한 옳은 진술을 보기 에서 고른 것은?

> (가) 이탈리아에서 하얀 국화는 조문(弔問)의 의미로 사용된다. 만약 어떤 사람의 집 앞에 순백의 국화 화환이 놓여 있다면, 그것을 본 마을 사람들은 그 집에 사는 누군가가 죽은 것으로 생각할 것이다. 그리고 하얀 국화를 그 집 앞에 놓으며 애도를 표할 것이다.
> (나) 목초지가 넓었던 서유럽에서는 목축업이 발달했으며, 이에 따라 밀, 유제품, 육류를 중심으로 하는 식생활 문화가 형성되었다. 또한 양모를 활용하여 의복을 만들고, 농가 주택에는 치즈를 만들거나 가축을 도축하는 데 사용되는 공간이 있는 주거 문화가 형성되었다.

◀ 보기 ▶
> ㄱ. (가) – 문화는 고정불변의 것이 아니다.
> ㄴ. (가) – 문화를 통해 원활한 사회생활이 가능해진다.
> ㄷ. (나) – 문화는 후천적인 학습에 의해 획득된 결과이다.
> ㄹ. (나) – 문화의 각 요소들은 상호 밀접하게 연관되어 있다.

① ㄱ, ㄴ ② ㄱ, ㄷ ③ ㄴ, ㄷ ④ ㄴ, ㄹ ⑤ ㄷ, ㄹ

유사 선택지 문제

09_❶ (가)는 전승된 문화를 바탕으로 새로운 문화가 창출된다는 것을 보여 준다. (○ / ×)

09_❷ (나)는 문화의 한 부분에서 나타난 변화가 연쇄적인 변화로 이어지는 이유를 설명하는 데 적합하다. (○ / ×)

09_❸ 사고와 행동의 동질성을 형성하여 타인의 행동을 예측할 수 있는 것은 ((가) / (나))로 설명할 수 있다.

10 다음 자료에서 도출할 수 있는 문화의 속성에 대한 진술로 가장 적절한 것은?

> • 중국인들은 한 해를 무탈하게 보내라는 의미로 붉은 내복을 사서 입는다.
> • 캄보디아에서는 행운을 빌어 주는 의미로 신년을 맞아 물을 뿌린다.
> • 한국에서는 어느 집에 함이 들어가면 그 집에 혼사가 있다는 것을 의미한다.

① 비생물학적인 것이고 비유전적인 것이다.
② 문명사회든 미개 사회든 모든 사회에 존재한다.
③ 선천적인 것이 아니고 후천적인 학습의 산물이다.
④ 개인적 특성이 아니라 사회 구성원들이 공유하는 것이다.
⑤ 하나의 전체 속에서 다른 것들과 관련을 맺으며 존재한다.

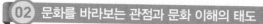

11 모둠 1과 모둠 2의 진술에 나타난 문화 이해의 관점을 바르게 연결한 것은?

> 모둠 1: 우리 모둠은 대학 입시로 인해 나타나는 공교육과 사교육의 실태, 교육 관련 산업의 경제적 효과, 계층 이동 가능성 등이 상호 어떻게 연관되는지 살펴볼 예정입니다.
>
> 모둠 2: 우리 모둠은 한국의 입시 제도와 경제 수준이 비슷한 다른 국가들의 입시 제도를 조사하여 공통점과 차이점을 파악할 예정입니다.

	모둠 1	모둠 2
①	비교론적 관점	상대론적 관점
②	비교론적 관점	총체론적 관점
③	상대론적 관점	비교론적 관점
④	상대론적 관점	총체론적 관점
⑤	총체론적 관점	비교론적 관점

12 자료는 갑과 을의 연구 내용을 요약한 것이다. 갑과 을이 연구를 위해 취한 문화 이해의 관점에 대한 옳은 설명을 《보기》에서 고른 것은?

	주제	우리나라 전통 가옥 구조의 지역별 특징
갑	연구 내용	• 남부 지방: 넓은 대청마루, 창문과 방문이 많음 • 중부 지방: 안방과 건넌방 사이에 마루가 있음 • 북부 지방: 부엌과 안방 사이에 벽이 없이 부뚜막과 방바닥을 잇달아 꾸민 정주간이 있음
	주제	인도 힌두교의 암소 숭배 교리 연구
을	연구 내용	• 소의 노동력 필요 • 소의 배설물조차 연료·비료로 활용 • 농부가 소를 쉽게 잡아먹지 못하게 금지 • 인도의 소규모 농업 체제

《 보기 》
ㄱ. 갑은 각 사회의 문화를 평가하여 발전되고 우수한 문화를 가려내려고 한다.
ㄴ. 갑은 자기 문화에 대한 객관적인 시각을 갖추기 위해서는 문화 간 비교가 필요하다고 본다.
ㄷ. 을은 문화는 보편성과 특수성을 모두 갖출 때 의미와 가치를 지닌다는 점에 주목한다.
ㄹ. 을은 특정 문화 요소를 이해하려면 다른 문화 요소와의 관련 속에서 파악해야 함을 강조한다.

① ㄱ, ㄴ ② ㄱ, ㄷ ③ ㄴ, ㄷ ④ ㄴ, ㄹ ⑤ ㄷ, ㄹ

13 다음 글에 나타난 문화 이해의 관점에 대한 옳은 설명을 《보기》에서 고른 것은?

> 일본과 중국은 숟가락과 젓가락을 따로 쓰는데, 우리나라는 마른 음식과 국물 음식을 동시에 먹기 때문에 세 나라 중 유일하게 숟가락과 젓가락을 함께 쓴다. 그래서 유일하게 금속으로 젓가락을 만든다. 한편 중국은 많은 사람이 한 상에 둘러앉아 음식을 덜어 먹기 때문에 멀리 있는 음식을 집어 먹을 수 있도록 젓가락이 아주 길다. 일본은 생선을 많이 먹기 때문에 가시를 발라내기 위해 젓가락이 짧고 뾰족하다.

《 보기 》
ㄱ. 자기 문화를 객관적으로 이해하는 데 기여한다.
ㄴ. 문화의 보편성과 특수성이 공존하고 있음을 전제로 한다.
ㄷ. 자기 문화의 관점에서 다른 사회의 문화를 이해하고자 한다.
ㄹ. 특정 문화 요소의 의미를 전체와의 관련 속에서 파악하고자 한다.

① ㄱ, ㄴ ② ㄱ, ㄷ ③ ㄴ, ㄷ ④ ㄴ, ㄹ ⑤ ㄷ, ㄹ

14 다음 사례에 나타난 문화 이해의 관점에 부합하는 진술로 옳은 것은?

> 우리나라 기후는 벼농사에 적합하여 우리 민족은 오래 전부터 벼농사를 짓고 살았다. 벼농사를 지으려면 많은 노동력이 필요하여 토지를 중심으로 가족 규모가 커졌고, 대가족을 운영하는 과정에서 가족 내 수직적인 상하 질서가 형성되었다. 상하 질서가 엄격한 가족 문화는 산업화와 핵가족이 일반화된 오늘날에도 여전히 어른이 수저를 들기 전에는 먼저 수저를 들지 않는 식사 예절로 남아 있다. 밥이라는 문화 요소가 기후, 농경 역사, 가족 관계, 식사 예절 등과 관련이 있는 것이다.

① 특정한 기준을 바탕으로 다른 사회의 문화를 파악해야 한다.
② 자기 문화와 다른 문화 간의 보편성과 특수성을 파악해야 한다.
③ 인류가 지켜야 할 보편적 가치를 기준으로 문화를 바라보아야 한다.
④ 다른 문화 요소들 간의 상호 관련성을 고려해서 문화를 이해해야 한다.
⑤ 자기가 속한 사회의 문화를 제3자의 시각에서 객관적으로 파악해야 한다.

15 밑줄 친 부분에 들어갈 내용으로 가장 적절한 것은?

> 산업화와 도시화는 직장 변경이나 근무지의 이동을 빈번하게 만들었다. 이에 따라 많은 수의 가족으로 구성되는 확대 가족보다도 적은 수의 가족이 함께 생활하는 핵가족이 주도적인 가족 제도가 되었다. 또한 여성에게도 직장 선택의 기회를 부여하여 경제적인 독립을 가능하게 만들었다. 이로 인해 기존의 권위주의적 가족 문화와는 달리 가족 구성원 간의 평등을 중시하는 새로운 민주적인 가족 문화가 형성되었다. 이와 같이 문화를 이해할 때에는 _____
> _____

① 특정한 기준을 바탕으로 해서는 안 된다.
② 문화가 지닌 고유한 가치와 의미를 중시해야 한다.
③ 있는 그대로의 모습대로 문화를 객관적으로 인식해야 한다.
④ 각 문화 요소들이 유기적으로 관련되어 있음에 주목해야 한다.
⑤ 서로 다른 사회의 문화가 지닌 공통점과 차이점을 파악해야 한다.

16 밑줄 친 '문화 인식 태도'에 대한 설명으로 옳지 <u>않은</u> 것은?

> 다른 문화를 접하면 그 문화를 이상하게 여기고 혼란을 느낄 수 있다. 그 예로 이슬람교도가 돼지고기를 먹지 않는 것을 이상하게 생각하거나, 어른이 아이를 야단칠 때 꾸중 듣는 아이가 고개를 숙이는 것에 익숙한 사람들이 꾸중 듣는 아이가 고개를 뻣뻣이 들고 쳐다보는 것을 예의 없다고 비난하는 것 등을 들 수 있다. 이는 이러한 <u>문화 인식 태도</u> 때문에 나타나는 현상이다.

① 국수주의의 위험성이 있다.
② 국제적 고립을 초래할 수 있다.
③ 타 문화 요소의 수용이 용이하다.
④ 국가 간 문화적 마찰을 발생시킬 수 있다.
⑤ 자기 문화에 대한 자긍심을 고양할 수 있다.

17 다음 글의 필자가 지닌 문화 이해 태도에 대한 옳은 분석을 ◀ 보기 ▶에서 고른 것은?

> 대중화(大中華), 즉 중국이야말로 세상의 중심 국가입니다. 이에 비해 우리 조선은 소중화(小中華)에 해당하므로 중국과 조선을 제외한 사해의 모든 국가는 오랑캐에 해당합니다.

◀ 보기 ▶
ㄱ. 문화 간에는 우열이 존재할 수 있다고 본다.
ㄴ. 자기 문화에 대한 객관적인 이해를 가능하게 한다.
ㄷ. 선진 문화의 수용으로 문화 발전에 일부 도움을 줄 수 있다.
ㄹ. 한 사회의 문화는 해당 사회의 맥락에서 이해해야 한다고 본다.

① ㄱ, ㄴ
② ㄱ, ㄷ
③ ㄴ, ㄷ
④ ㄴ, ㄹ
⑤ ㄷ, ㄹ

(빈출 문제) 연계 자료 → 55쪽 빈출 자료 02

18 다음 글의 (가)~(다)는 문화 이해의 태도이다. 이에 대한 설명으로 옳은 것은?

> 자신의 문화와 다른 문화를 대할 때 (가)는 자기 사회의 관점을 내세워 다른 사회의 문화가 지닌 가치를 업신여긴다. 이와 달리 (나)는 다른 사회의 관점을 내세워 자기 사회의 문화가 지닌 가치를 평가 절하한다. 한편 (다)는 자기 사회의 관점을 내세우지 않고, 해당 문화가 존재하는 사회의 관점을 통해 문화의 의미를 파악하려고 노력한다.

① (가)는 다른 문화의 수용에 적극적이다.
② (나)는 사회 구성원들의 결속력을 강화시킨다.
③ (다)는 타 문화와 문화적 마찰을 일으킬 가능성이 높다.
④ (다)와 달리 (나)는 문화적 다양성 증진에 기여한다.
⑤ (가)는 (나), (다)와 달리 문화 제국주의로 변질될 가능성이 높다.

유사 선택지 문제

18_❶ (나)는 (   )의 정체성을 유지하는 데 부정적인 요인으로 작용한다.
18_❷ ((가) / (나) / (다))는 특정 사회의 문화를 기준으로 문화의 우열을 판단한다.
18_❸ (가)는 (다)와 달리 문화의 다양성을 저해할 수 있다. (○ / ×)

19 문화를 이해하는 갑~병의 태도에 대한 설명으로 옳은 것은?

> 갑: 한 사회의 문화는 그 자체의 의미와 가치에 따라 이해해야 해.
> 을: 내가 속한 사회의 문화를 기준으로 다른 문화에 대해 판단하는 것은 자연스럽고 바람직한 태도야.
> 병: 우리 문화보다 우월한 선진국의 문화를 적극적으로 수용해서 낙후된 우리 문화의 수준을 향상시켜야 해.

① 갑의 태도는 타 문화에 대한 객관적인 이해를 저해한다.

② 을의 태도는 문화의 다양성을 보존하는 데 기여한다.

③ 병은 자문화 중심주의적 태도를 지니고 있다.

④ 을과 병은 다른 문화를 평가할 수 있는 기준의 존재를 인정한다.

⑤ 을의 태도와 달리 갑의 태도는 자문화의 주체성을 상실할 수 있다.

20 갑, 을의 문화 이해 태도에 대한 설명으로 가장 적절한 것은?

> 남부 아시아, 동남아시아, 남부 유럽 등지에서는 낮잠을 자는 사람들을 쉽게 볼 수 있다. 상점을 운영하는 사람들은 낮잠 자는 동안 아예 가게 문을 닫기도 한다. 상당수의 회사에서는 직원들에게 잠시 낮잠 자는 시간을 주기도 한다.
>
> └ 갑: 시에스타(낮잠 풍습)를 즐기는 에스파냐인들은 역시 문화를 아는 나라 사람들이라 참 낭만적이고 여유로워. 우리나라가 저렇게 되려면 한참 멀었어.
> └ 을: 낮잠 자는 문화가 있다고? 한창 일할 시간에 그렇게 게으름 부려도 되나? 우리나라에서는 상상도 할 수 없어.

① 갑의 태도는 타 문화와 갈등을 유발한다는 비판을 받는다.

② 을의 태도는 자기 문화의 정체성을 약화시킨다.

③ 을은 갑과 달리 문화 간에 우열이 있다고 생각한다.

④ 을은 갑과 달리 국제적 고립을 초래한다는 비판을 받을 수 있다.

⑤ 갑, 을 모두 타 문화의 수용에 대해 긍정적이다.

서술형 문제

21 다음 자료를 보고 물음에 답하시오.

사례	문화의 속성
한국에 온 이주 외국인들이 한국 문화를 배움	㉠
한국 사람들은 함이 들어온 것을 보고 혼인이 있을 것으로 예측함	㉡
우리 민족의 음식 문화는 이 땅의 기후는 물론 조상들의 종교적 신념, 가족에 대한 전통적 관념 등과 밀접하게 관련되어 있음	㉢
한국 사회에서 매장보다 화장을 선호하는 사람이 늘고 있음	㉣
단순히 소금에 절여 먹던 김치에 고춧가루 등의 갖은 양념들이 추가되면서 오늘날 우리나라의 김치 문화가 더욱 풍부해짐	㉤

(1) ㉠~㉤에 해당하는 문화의 속성을 쓰시오.

(2) 한 사회의 문화를 이해하기 위해 ㉢을 고려해야 하는 이유를 서술하시오.

22 다음 글을 읽고 물음에 답하시오.

> 한국과 일본의 장례는 모두 삼일장을 기본으로 하고 부의금을 받는다는 공통점이 있다. 그런데 한국은 곡소리로 슬픔을 표현한다. 특히 부모의 죽음에 곡소리가 작으면 불효라고 생각하여 돈을 받고 대신 울어 주는 대곡제(代哭制)가 있을 정도였다. 하지만 일본은 아무리 슬퍼도 조문객 앞에서 슬픈 표정을 짓지 않고 울음을 속으로 삼키며 대체로 조용하게 장례를 지낸다.

(1) 윗글에 나타난 문화를 이해하는 관점을 쓰시오.

(2) 윗글에 나타난 문화 이해의 관점이 필요한 이유를 서술하시오.

23 다음 글을 읽고 물음에 답하시오.

> 타 문화를 받아들임에 있어서 A는 B에 비해 수용적이지만, 자기 문화의 정체성을 보존하는 데에는 B가 A보다 유리하다. 한편 문화의 다양성 신장을 위해서는 A, B보다 C가 필요하다.

(1) A, B, C에 해당하는 문화 이해의 태도를 쓰시오.

(2) C의 태도로 문화를 이해할 때 유의해야 할 점을 서술하시오.

| 수능 응용 |

01 다음 글을 통해 도출할 수 있는 문화 관련 개념을 〈보기〉에서 고른 것은?

> 일본의 전통 민가를 보면 주로 목조 가옥에 창문이 많은 형태인 데 비해, 우리나라의 경우는 흙집이 많고 창문이 적다. 이는 습도가 높고 비가 많은 일본과 습도가 비교적 낮고 기온이 낮은 우리나라의 기후 조건의 차이 때문에 나타나는 현상으로 볼 수 있다.

〈보기〉

ㄱ. 공유성　　　　　　　ㄴ. 특수성
ㄷ. 비교론적 관점　　　　ㄹ. 좁은 의미의 문화

① ㄱ, ㄴ　　　　② ㄱ, ㄷ　　　　③ ㄴ, ㄷ
④ ㄴ, ㄹ　　　　⑤ ㄷ, ㄹ

02 다음 사례에서 부각된 문화의 속성에 대한 진술로 가장 적절한 것은?

> 뉴기니 고산 지대의 쳄바가족은 이웃 부족과 정기적으로 전쟁을 하는데, 그 전쟁의 준비 단계에서 카이코(kaiko)라는 의례를 행한다. 이 의례는 동맹군으로 참가할 주위의 부족 집단들이 모여서 그동안 길러 온 돼지를 잡아 나누어 먹는 잔치이다. 이 의례에 대한 문화 인류학적 해석은 다음과 같다. 쳄바가족은 고산 지대에서 이동식 원시 농경을 하여 주곡인 고구마와 타로 등 전분질이 많은 작물을 재배한다. 이러한 작물은 주민들에게 단백질을 충분히 공급하지 못하는데, 이를 해결하는 효과적인 방법은 돼지를 사육하여 잡아먹는 것이다. 번식률이 높은 돼지의 급격한 증가는 곧 사료의 부족을 낳게 되고, 이로 인해 사람의 식량이 부족해진다. 결국 사람과 식량 그리고 돼지 사이의 수적 균형 관계가 깨질 때 전쟁과 카이코가 행해진다.

① 문화는 후천적으로 습득된다.
② 문화는 한번 형성되면 절대로 변화하지 않는다.
③ 문화는 경험과 상징을 통해 다음 세대로 전달된다.
④ 문화는 전체 속에서 다른 요소와 관련을 맺으며 형성된다.
⑤ 문화는 전승되면서 새로운 요소가 추가되어 더욱 풍부해진다.

03 (가)~(마)에 들어갈 사례로 옳지 않은 것은?

> • 과제: 모둠별로 주어진 각각의 '문화의 속성'을 설명하는 데 적합한 주제를 조사하시오.
> • 모둠별로 제출한 조사 주제

모둠	문화의 속성	조사 주제
1	전체성	(가)
2	공유성	(나)
3	축적성	(다)
4	변동성	(라)
5	학습성	(마)

> • 교사의 평가: 모든 모둠이 해당 문화의 속성을 설명하는 데 적합한 조사 주제를 선정했음

① (가) – 조선 시대의 음식에 영향을 준 당시의 유교 문화와 농경 문화
② (나) – 우리나라 청소년 특유의 언어에 대한 청소년과 성인 간 이해 양상의 차이
③ (다) – 우리나라의 민간 신앙이 복잡해지고 풍부해진 과정
④ (라) – 서로 다른 나라에서 자란 일란성 쌍둥이 형제의 사고방식 차이 비교
⑤ (마) – 결혼 이주 여성의 거주 지역별 사투리 사용 실태

04 그림 속 상황에서 부각된 문화의 속성과 관련된 진술을 〈보기〉에서 고른 것은?

〈보기〉

ㄱ. 문화는 원활한 상호 작용의 토대가 된다.
ㄴ. 문화는 세대 간 전승되며, 새로운 요소가 추가된다.
ㄷ. 문화는 사회 구성원들의 행동을 예측 가능하게 한다.
ㄹ. 문화를 구성하고 있는 부분들은 유기적으로 연관되어 있다.

① ㄱ, ㄴ　　　　② ㄱ, ㄷ　　　　③ ㄴ, ㄷ
④ ㄴ, ㄹ　　　　⑤ ㄷ, ㄹ

05 밑줄 친 부분에 들어갈 내용으로 가장 적절한 것은?

> 문화 상대주의는 돼지고기를 먹지 않는 이슬람교도나 소고기를 먹지 않는 힌두교도들을 '비합리적'이라거나 '무식하다.'라고 믿었던 기존의 편견을 바로잡는 데 기여하는 등 문화 이해의 올바른 지표를 제공해 주었다. 그러나 문화 상대주의가 극단적으로 나아갈 경우에는 '모든 것은 존재할 만한 이유가 있어서 존재한다. 그러므로 존재하는 것은 모두 유용한 것이다.'라는 결론에 도달할 수 있다. 그러나 이는 문화를 이해하는 바람직한 자세가 아니다. 왜냐하면 _____

① 문화의 우열을 판단해서는 안 되기 때문이다.
② 우리 문화가 이슬람 문화보다 우수하기 때문이다.
③ 인류의 보편적 가치를 훼손할 위험이 있기 때문이다.
④ 각 사회의 문화 요소는 나름대로 존재의 이유가 있기 때문이다.
⑤ 이슬람 문화와 우리 문화와의 공통점을 파악하기 어렵기 때문이다.

06 | 수능 응용 | (가)~(다)에 대한 옳은 설명을 〖보기〗에서 고른 것은? (단, (가)~(다)는 각각 문화 상대주의, 자문화 중심주의, 문화 사대주의 중 하나에 해당한다.)

구분	(가)	(나)	(다)
자기 집단에 대한 자부심을 고양하기 위해 인위적으로 형성되곤 합니까?	예	아니요	아니요
각 사회의 문화를 평가할 수 있다고 전제합니까?	예	아니요	예

〖 보기 〗
ㄱ. (가)는 자신이 소속된 문화에 대해 강한 자부심을 갖는 것이다.
ㄴ. (나)의 사례로 조선의 중화사상을 들 수 있다.
ㄷ. (다)는 자신이 소속되지 않은 사회의 문화적 가치를 인정한다.
ㄹ. (가)의 태도를 가진 사람과 달리 (다)의 태도를 가진 사람에게는 부정적으로 인식되는 문화가 존재한다.

① ㄱ, ㄴ ② ㄱ, ㄷ ③ ㄴ, ㄷ
④ ㄴ, ㄹ ⑤ ㄷ, ㄹ

07 문화 이해의 태도 A~C에 대한 설명으로 옳은 것은?

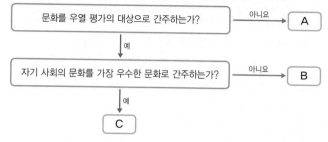

① A와 B는 특정 문화를 기준으로 문화를 평가한다는 공통점이 있다.
② C는 A와 달리 우리 문화로 타 문화를 지배하려는 태도를 가질 가능성이 있다.
③ B는 C와 달리 자문화의 정체성 유지에 유리한 문화 이해 태도이다.
④ 인류 문화의 다양성을 유지하는 데에는 C의 태도가 A, B의 태도보다 유리하다.
⑤ A, B는 C와 달리 우리 문화의 상품화와 해외 진출에 대해 긍정적으로 보고 있다.

08 A, B는 문화 이해의 태도이다. (가)에 들어갈 내용으로 가장 적절한 것은?

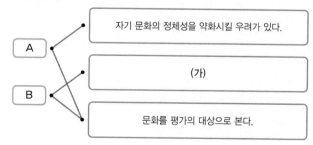

① 다른 문화의 수용에 적극적이다.
② 인류의 보편적 가치를 훼손할 수 있다.
③ 문화의 다양성을 보존하는 데 기여한다.
④ 해당 사회 구성원들의 결속력을 강화시킬 수 있다.
⑤ 모든 문화는 고유한 가치를 지니고 있다고 여긴다.

08 현대 사회의 문화 양상

01 하위문화의 의미와 특징

1. 주류 문화와 하위문화 빈출 자료 01

(1) 의미
① 주류 문화: 한 사회의 구성원 대부분이 공유하는 문화
② 하위문화: 한 사회의 일부 구성원만이 공유하는 문화

(2) 하위문화의 특징
① 하위문화의 범주는 주류 문화의 범주를 어떻게 규정하느냐에 따라 상대적으로 정의됨
② 사회의 다원화·복잡화로 하위문화가 다양하게 나타남
③ 기존 문화에 도전하고 저항하는 성격을 지니기도 함

(3) 하위문화의 기능

순기능	• 사회 전체의 문화를 풍부하고 다양하게 함 • 구성원의 문화 정체성과 소속감 형성에 도움을 줌 • 사회 구성원에게 다양한 욕구 충족의 기회를 제공함
역기능	문화적 갈등이나 충돌이 발생할 수 있음

2. 하위문화의 유형 빈출 자료 01

(1) 지역 문화
① 의미: 일정한 지역에 거주하는 주민이 공유하는 고유한 생활 양식
② 특징: 지역의 자연환경, 역사적 배경, 사회적 상황 등에 따라 지역 문화는 다르게 나타남
③ 기능

순기능	• 지역 주민의 동질감과 유대감을 높여 지역 사회 통합에 기여함 • 사회 전체적으로 문화적 다양성을 높이고, 전통문화 발전에 기여함
역기능	다른 지역 주민들과의 갈등을 유발할 수 있음

(2) 세대 문화
① 의미: 공통의 체험을 토대로 사고방식이나 생활 양식이 비슷한 일정 범위의 연령층이 공유하는 문화
② 특징: 사회 변동의 급격화로 세대 문화가 다양해짐
③ 기능

순기능	친밀감과 결속력을 높여 일체감과 정체성 형성에 이바지
역기능	• 세대 간 이질성을 심화함 • 세대 간 문화 차이로 인한 갈등 유발

④ 청소년 문화

의미	청소년 집단이 공유하는 문화함
특징	• 또래 집단의 영향력이 강함 • 기존 문화에 대해 비판적이고 새로운 것을 추구함 • 대중 매체나 대중문화의 영향을 많이 받고 충동적이며 소비 지향적인 성격을 띠기도 함

(3) 반(反)문화

① 의미: 한 사회의 주류 문화를 거부하거나 저항하는 사람들이 공유하는 문화 예 히피 문화, 범죄 집단의 문화
② 특징: 시대와 사회에 따라 반문화에 대한 규정은 달라짐
③ 기능

순기능	기존 주류 문화에 대한 성찰의 계기를 마련해 주고, 사회 변화의 원동력이 되기도 함
역기능	집단 간 갈등을 조장하여 사회 혼란을 초래하기도 함

02 대중문화의 이해와 비판적 수용

1. 대중문화

(1) 의미: 한 사회 내에 존재하는 다양한 집단을 초월하여 불특정 다수가 누리는 문화
(2) 등장 및 확산 배경
① 산업화로 국민 소득이 증가하면서 사회 구성원들의 물질적 여유와 여가가 증대됨
② 의무 교육의 확대와 보통 선거 제도의 도입으로 대중의 사회적 지위가 향상됨
③ 대중 매체의 발달 및 대량 생산과 대량 소비로 인해 대중문화가 활발하게 생산되고 보급됨
(3) 기능

순기능	• 오락 및 여가 문화로서의 기능 → 삶의 활력소 제공 • 소수 특권층이 누리던 문화적 혜택을 다수가 누릴 수 있게 해 줌 • 사회에 관심을 가지고 참여하게 하여 사회의 민주화에 기여
역기능	• 문화의 상업화와 획일화를 조장할 우려가 있음 • 지나친 상업성 추구로 대중문화의 질적 저하를 초래할 우려가 있음 • 대중 조작이나 대중의 정치적 무관심을 초래할 우려가 있음

(4) 수용하는 바람직한 자세
① 제공되는 정보와 지식을 비판적으로 인식하고 수용해야 함
② 대중문화의 지나친 상업성은 경계하고, 생활에 유익한 방향으로 활용해야 함
③ 건전한 대중문화를 생산하는 역할을 해야 함

2. 대중 매체의 종류 빈출 자료 02

인쇄 매체	신문, 잡지 등과 같이 활자를 통해 정보를 전달하는 매체
음성 매체	라디오와 같이 소리를 통해 정보를 전달하는 매체
영상 매체	텔레비전, 영화와 같이 소리와 영상을 통해 정보를 전달하는 매체
뉴 미디어	• 정보 통신 기술을 바탕으로 시청각적인 정보를 종합적으로 전달하는 정보 사회의 새로운 매체 • 정보의 생산자와 소비자 간 쌍방향 의사소통이 가능하고 신속하게 정보 전달이 이루어지며 정보의 재가공이 용이하나, 기존 매체에 비해 개별 정보에 대한 신뢰성·심층성에 편차가 큼

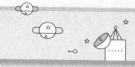
📖 **대표 유형**

📑 **자주 나오는 오답 선택지**

빈출 자료 01) 문화의 유형 | 연계 문제 → 68쪽 08번

구분	A	B	C
한 사회 내에서 일부 구성원들만 공유하는 문화인가?	예	예	아니요
한 사회의 지배적인 문화를 거부하거나 저항하는 문화인가?	예	아니요	아니요

* A~C는 각각 주류 문화, 반문화, 반문화의 성격이 없는 하위문화 중 하나이다.

| 자료 분석 | A는 반문화, B는 반문화의 성격이 없는 하위문화, C는 주류 문화이다. 사회 구성원 대부분이 공유하는 문화를 주류 문화라고 하는데, 한국 사회가 전체 사회라고 할 경우 청소년 문화는 하위문화로 볼 수 있다. 한편 청소년 문화 안에는 중학생 문화, 고등학생 문화와 같은 하위문화가 존재하기 때문에, 이들 문화와의 관계에서 보면 청소년 문화는 주류 문화가 되기도 한다. 즉 어떤 문화가 하위문화에 속하는가에 대한 판단은 상대적이다. 반문화는 하위문화의 한 유형으로, 전체 사회의 지배적인 가치를 따르지 않는 일탈 문화 혹은 범죄 문화로 나타난다. 한편으로는 전체 사회의 지배적인 가치를 거부하면서 새로운 가치를 추구하는 문화로, 대항문화 혹은 대안 문화로 나타나기도 한다. 반문화에 대한 규정 역시 시대와 사회에 따라 변할 수 있다.

| 이것도 알아둬 | 반문화의 성격이 없는 하위문화 B에는 지역 문화, 세대 문화가 해당한다.

빈출 자료 01) 에서 자주 나오는 오답 선택지

① C는 문화적 갈등이나 충돌을 발생시킬 수도 있다.
　↳ A, B
② 히피 문화, 비행 청소년 집단 문화, 급진적인 종교 집단 등의 문화는 B에 해당한다.
　↳ A
③ A는 B와 달리 기존의 지배적인 문화를 대체하기도 한다.
　↳ A와 B 모두
④ B는 A와 달리 주류 집단에 의해 일탈로 규정되기도 한다.
　↳ A는 B와 달리
⑤ A를 공유하는 구성원은 C의 문화 요소를 공유하지 않는다.
　↳ C의 문화 요소 전부를 거부하는 것은 아님
⑥ B 문화의 총합이 C가 된다.
　↳ 하위문화를 모두 합한 것이 주류 문화가 되는 것은 아님
⑦ B, C는 A와 달리 사회에 따라 상대적으로 규정된다.
　↳ A, B, C 모두
⑧ A, B는 C와 달리 해당 문화를 향유하는 구성원 공통의 정체성 형성에 기여한다.
　↳ A, B, C 모두

빈출 자료 02) 대중 매체 | 연계 문제 → 70쪽 15번

'정보의 생산자와 소비자 간 경계가 모호한가?'라는 질문을 통해 A와 B를 구분할 수 있다. 하지만 '시청각 정보 제공이 가능한가?'라는 질문으로는 B와 C를 구분할 수 없다. 표는 대중 매체 A~C를 대중 매체의 특징 (가), (나)를 기준으로 비교한 것이다.

대중 매체의 특징	비교 결과
(가)	A > B
(나)	B > C

* A~C는 각각 인쇄 매체, 영상 매체, 뉴 미디어 중 하나이다.

| 자료 분석 | '정보의 생산자와 소비자 간 경계가 모호한가?'라는 질문은 뉴 미디어를 다른 매체와 구분할 수 있는 질문이므로 A 또는 B 중 하나가 뉴 미디어이다. '시청각 정보 제공이 가능한가?'로 B와 C를 구분할 수 없으므로 B와 C는 각각 영상 매체 혹은 뉴 미디어에 해당한다. 따라서 A는 인쇄 매체, B는 뉴 미디어, C는 영상 매체이다. (가)에는 인쇄 매체가 뉴 미디어보다 더 강하게 갖는 특징이, (나)에는 뉴 미디어가 영상 매체보다 더 강하게 갖는 특징이 들어가야 한다.

| 이것도 알아둬 | 뉴 미디어와 다른 매체를 구분할 수 있는 또 다른 질문으로는 '정보의 생산자와 소비자 간의 쌍방향 소통이 가능한가?'를 들 수 있다.

빈출 자료 02) 에서 자주 나오는 오답 선택지

① B는 활자를 통해 정보를 전달하는 매체이다.
　↳ A
② A는 B보다 정보를 신속하게 전달할 수 있다.
　↳ B는 A보다
③ A는 C보다 문맹자의 정보 접근 가능성이 높다.
　↳ C는 A보다
④ B는 C보다 정보 확산의 시·공간적 제약이 크다.
　↳ C는 B보다
⑤ B는 C보다 정보 전달자와 수용자 간 구분이 명확하다.
　↳ C는 B보다
⑥ C는 B보다 정보 복제와 재가공이 용이하다.
　↳ B는 C보다
⑦ C는 B와 달리 쌍방향 정보 전달이 가능하다.
　↳ B는 C와 달리
⑧ C는 B와 달리 비동시적인 정보 소비가 이루어질 수 있다.
　↳ B는 C와 달리
⑨ (가)에는 '정보의 복제와 재가공의 용이성'이 들어갈 수 있다.
　↳ (나)
⑩ (나)에는 '정보의 심층성'이 들어갈 수 있다.
　↳ (가)

개념 확인 문제

01 빈칸에 들어갈 알맞은 말을 쓰시오.

( ) 문화	• ( ) 문화: 지역 사회에서 나타나는 고유한 생활 양식
	• ( ) 문화: 같은 시대를 살면서 특정한 역사적 경험을 공유한 세대가 보이는 비슷한 사고방식과 생활 양식
	• ( )문화: 주류 구성원들의 가치와 규범에 정면으로 반대하거나 대립하는 문화
( ) 문화	• 의미: 다수의 사람들이 즐기고 누리는 문화
	• 특징: ( )을/를 통해 형성되고 확산됨. 대중의 수준과 욕구를 반영함

02 하위문화의 유형과 그 사례를 바르게 연결하시오.

(1) 반문화 •   • ㉠ 히피 문화
(2) 지역 문화 •   • ㉡ 청소년 문화
(3) 세대 문화 •   • ㉢ 강릉 단오제

03 다음 진술이 옳으면 ○, 옳지 않으면 ×에 표시하시오.

(1) 반문화는 하위문화의 한 유형으로서 지배적인 문화에 저항하는 문화이지만, 기존 주류 문화를 대체하면서 사회 변동을 가져오기도 한다. (○, ×)

(2) 대중문화는 대량으로 생산되고 소비되면서 이윤 추구의 수단이 되기도 한다. (○, ×)

(3) 뉴 미디어는 신속하게 정보를 주고받을 수 있지만 정보의 재가공이 용이하지 않다. (○, ×)

04 빈칸에 들어갈 대중 매체의 유형을 쓰시오.

(1) ( )은/는 신문, 잡지 등이 있으며 시각적 이미지를 활용하여 정보를 전달하는 매체이다.

(2) 인터넷, 스마트폰 등의 ( )은/는 문자, 이미지, 동영상 등의 멀티미디어 정보를 디지털 방식으로 제작해 처리·유통한다.

(3) 텔레비전과 같은 ( )은/는 대중이 이해하기 쉽고, 감각적인 영상 정보 전달 방식을 통해 짧은 시간에 효과적으로 정보를 제공할 수 있다.

05 A~C에 해당하는 대중 매체를 쓰시오. (단, A~C는 각각 인쇄 매체, 영상 매체, 뉴 미디어 중 하나에 해당한다.)

구분	A	B	C
정보 전달의 신속성	++	+++	+
정보 전달의 쌍방향성	+	+++	+
심층 분석적인 정보 전달의 용이성	++	+	+++

* '+'의 수가 많을수록 정도가 강하거나 큼

---

01 하위문화의 의미와 특징

01 A, B에 대한 옳은 설명을 〈보기〉에서 고른 것은?

우리나라 사람들은 우리말을 쓰고 김치를 먹는 한국 문화를 공유하고 있지만, 군대에 가면 엄격한 상하 질서가 적용되는 독특한 생활 방식을 따라야 한다. 또한 인터넷 카페에 들어가 보면 그곳에서만 쓰이는 언어와 규칙이 있다는 것을 발견하고는 한다. 이때 한국 문화는 A로, 군대 문화나 인터넷 카페의 문화는 B로 볼 수 있다.

〈 보기 〉
ㄱ. A는 모든 B의 총합이다.
ㄴ. A와 B가 각각 추구하는 가치가 대립하는 경우도 있다.
ㄷ. B가 A로 변화할 수 있다.
ㄹ. B가 다양해지면 A의 수도 증가한다.

① ㄱ, ㄴ   ② ㄱ, ㄷ   ③ ㄴ, ㄷ
④ ㄴ, ㄹ   ⑤ ㄷ, ㄹ

02 문화 관련 개념 (가)에 대한 설명으로 옳지 않은 것은?

(가)은/는 어떤 사회 내의 개별 집단이 지닌 문화로, 전체 사회의 지배적인 문화와 구별되는 독특한 사고, 가치, 규범, 행위 양식 체계를 말한다. (가)은/는 일반적으로 사회의 일부 집단 구성원 간에 이루어지는 상호 작용 과정을 통해 형성된다. 같은 지역, 비슷한 나이, 동종의 직업, 같은 취미, 같은 이해관계 등을 바탕으로 집단의 구성원이 서로 의사소통하고 상호 작용하는 가운데 그들만의 고유한 (가)을/를 형성한다.

① 문화적 갈등이나 충돌을 유발할 수도 있다.
② 사회 전체의 문화를 풍부하고 다양하게 한다.
③ 범주의 설정에 따라 상대적으로 분류할 수 있다.
④ 주류 사회의 문화적 통일성을 높이는 데 기여한다.
⑤ 같은 문화를 공유하는 사람들 간의 소속감과 결속력을 강화하기도 한다.

03 밑줄 친 '이들'에 대한 옳은 설명을 〈보기〉에서 고른 것은?

팬덤이란 광신자를 뜻하는 퍼내틱(fanatic)의 팬(Fan)과 나라나 사람들을 뜻하는 덤(-dom)의 합성어로, 특정한 인물이나 분야를 열성적으로 좋아하는 사람들 또는 그러한 문화 현상을 말한다. 이들은 10대와 20대들로 구성되어 있는데, 때로는 무분별한 행동과 집단적 이기주의를 보이기도 하지만 무엇인가를 좋아한다는 점에서 서로의 정보를 공유하며 소비를 장려하고 단체로 물품을 구입한다거나 단체로 공연 티켓을 끊어 공연을 관람하기도 한다.

┌ 보기 ┐
ㄱ. 현대 사회의 문화 변동을 이끄는 역할을 하기도 한다.
ㄴ. 대중문화 시장에서 수요를 창출하는 문화 향유자이다.
ㄷ. 주류 문화를 창조하는 능동적인 주체로 변모해 가고 있다.
ㄹ. 사회가 다원화되어도 이들의 문화는 고정되고 안정된 성격을 띤다.

① ㄱ, ㄴ   ② ㄱ, ㄷ   ③ ㄴ, ㄷ
④ ㄴ, ㄹ   ⑤ ㄷ, ㄹ

04 다음 글에서 추론할 수 있는 진술로 가장 적절한 것은?

각 지역 사람들, 특히 청소년이나 젊은이들은 자신들이 누리고 있는 문화보다 상대적으로 수준이 높은 대도시의 문화를 동경하거나 모방한다. 이러한 심리적 현상은 첫 단계로서 언어의 모방으로 나타난다. 그 결과 서울 말씨는 '아름답고, 신분 상승에 도움이 되는 것'으로 학습하게 되고, 사투리는 '투박하고, 유치하고, 촌스럽다.'라는 인식이 자리 잡아 사투리의 사용을 거부하게 된다.

① 지역 문화는 지역 주민에게 일체감과 자부심을 느끼게 한다.
② 지역 간 문화 차이로 인해 다른 지역 주민과의 갈등이 유발된다.
③ 지역 문화는 사회 전체적으로는 문화적 다양성을 높이는 역할을 한다.
④ 지역의 문화적 특성이 약화되고 문화 동질성이 높아지는 특성을 보인다.
⑤ 경제적 이익을 중시하여 지역 문화가 지나치게 상품화되는 경향이 나타난다.

05 다음 신문 기사에서 강조하고 있는 청소년 문화의 특징으로 가장 적절한 것은?

○○ 신문

"삼촌, 생선으로 가방 사 주세요." "뭐? 생선으로 가방을 사 달라고?" 40대 삼촌과 10대 조카와의 대화이다. 기성세대인 삼촌은 조카의 말을 이해하지 못하고 있다. 청소년들 사이에서 '생선'은 '생일 선물'의 준말이다. 그러니까 이 단어를 모르는 삼촌이 생일 선물로 가방을 사 달라는 의미를 이해하지 못하는 것도 무리는 아니다. 이보다 더 어려운 말도 있다. '노(No)잼(재미없다.)'처럼 외국어까지 섞여 들어가면 통역이 필요하다. '낫닝겐'은 영어 'Not'에 일본어로 인간을 뜻하는 '닝겐'을 합해 '인간이 아니다.'를 의미한다.
인터넷과 스마트폰 등의 보급으로 간결하면서도 의미가 함축된 신조어가 쏟아져 나오고 있다.

① 미래 지향적 성격이 강하다.
② 개인보다는 집단을 중시한다.
③ 대중 매체에 대해 비판적이다.
④ 유행에 민감하며 소비 지향적이다.
⑤ 기성세대의 문화에 비해 자유롭고 새로운 것을 추구하는 경향이 강하다.

06 다음 글에 나타난 문화에 대한 설명으로 옳지 않은 것은?

청소년들은 대부분 새롭고 독특한 것에 관심을 가지며 호감을 느낀다. 요즈음 유행하는 랩이나 댄스 음악을 좋아하는 경우도 그것이 주는 새로움 때문인 경우가 많다. 새로움에 대한 추구는 또한 자신의 취향이 남과 다른 독특함을 가지고 있다는 데서 오는 즐거움과도 관련된다. 물론 이러한 '남다름'은 또래 정체성을 부정하는 것이 아니라, 또래 집단의 동질성은 유지하면서 색다르고 새로운 것을 추구하고자 하는 것이다.

① 또래 집단의 영향력이 강하다.
② 충동적인 성격을 띠기도 한다.
③ 기성세대의 문화에 대해 비판적이다.
④ 소비 활동보다 생산 활동의 비중이 크다.
⑤ 세대 간 문화 차이로 인한 갈등을 유발하기도 한다.

07 밑줄 친 '히피 집단'의 문화에 대한 옳은 설명을 〈보기〉에서 고른 것은?

> 1960년대 미국에 나타났던 히피(hippie) 집단은 당시의 주류 사회에 동조하기를 거부하고, 물질적 풍요와 편의성보다는 자연과 공존하는 생활 태도를 가졌다. 정치적으로는 베트남전 참전을 위한 미국 정부의 징집을 거부하는 등 정부 정책에 도전하였으며 평화를 추구하였다.

┤ 보기 ├
- ㄱ. 고급문화의 대중화를 추구하였다.
- ㄴ. 하위문화의 한 유형으로 볼 수 있다.
- ㄷ. 주류 문화와 상호 의존적 관계를 유지하였다.
- ㄹ. 지배적인 문화와 대립하는 경향을 보이며 독자성이 강하다.

① ㄱ, ㄴ   ② ㄱ, ㄷ   ③ ㄴ, ㄷ
④ ㄴ, ㄹ   ⑤ ㄷ, ㄹ

(빈출 문제) 연계 자료 → 65쪽 빈출 자료 01

08 A~C 문화의 일반적인 특징에 대한 설명으로 옳은 것은?

> 한 사회 구성원들이 전반적으로 공유하는 문화를 A 문화라 한다. 반면 사회의 일부 구성원들만 공유하여 다른 구성원들과 구분되는 생활 양식을 B 문화라고 한다. B 문화는 이를 공유하는 구성원들의 정체성을 보여 주는 문화로, 그들에게 중요한 삶의 양식이 된다. B 문화 중에는 그 사회의 지배적 문화에 저항하거나 대립하는 문화가 있는데, 이를 C 문화라 한다.

① A 문화는 집단 간 갈등을 초래하여 사회 통합을 저해할 수 있다.
② 세대 문화, 지역 문화는 A 문화에 해당하는 사례이다.
③ B 문화는 사회 전체의 문화적 다양성을 높이는 기능을 한다.
④ B 문화는 C 문화와 달리 한 사회 내의 특정 집단이 공유하는 문화이다.
⑤ C 문화는 A, B 문화와 달리 사회 구성원에게 다양한 욕구 충족의 기회를 제공한다.

유사 선택지 문제

08_ ❶ B, C 문화는 A 문화에 문화적 (　　　)을/를 제공한다.
08_ ❷ (A / B / C) 문화는 사회의 지배적 문화와 마찰을 일으킬 가능성이 가장 높다.
08_ ❸ B 문화의 총합이 A 문화가 된다. (ㅇ / ✕)

09 밑줄 친 '이 문화'의 일반적인 특징으로 옳지 않은 것은?

> 청소년은 급격한 신체적 변화, 자아의식의 확립, 사회 문화적 정체성 때문에 불안감이나 좌절감을 경험하게 되고 나아가서는 기존 질서에 저항감을 갖게 된다. 이런 이유 때문에 동료 집단에 동조하는 경향을 보이게 되고, 이러한 동조 과정에서 그들은 그들에게만 통용되는 가치, 행동 양식, 규범 등의 이 문화를 만들어 낸다.

① 미래 지향적인 성격이 강하다.
② 또래 집단을 준거 집단으로 설정하는 경향이 있다.
③ 대중문화의 영향을 많이 받아 즉흥성이나 모방성을 띠기도 한다.
④ 대중 매체의 영향에 민감하여 획일성이 강한 문화가 형성될 수도 있다.
⑤ 기성세대의 문화에 대하여 비판하거나 저항하는 성격을 띠어 반문화로 분류된다.

02 대중문화의 이해와 비판적 수용

10 밑줄 친 '이 문화'에 대한 설명으로 옳지 않은 것은?

> 이 문화는 한 사회 내의 불특정 다수가 공유하는 문화를 의미한다. 전통 사회는 특정 계층이나 집단의 영향력이 절대적이었지만, 과거에 특정 계층이 즐겼던 클래식 음악과 같은 문화를 오늘날에는 모든 계층이 누릴 수 있게 되었다. 특히 사람들은 대중 매체를 통하여 영화, 스포츠, 음악, 패션 등의 이 문화를 신속하고 쉽게 접할 수 있게 되었다.

① 문화의 획일화를 초래하기도 한다.
② 대량 생산 체제를 바탕으로 성립하였다.
③ 문화의 생산자와 소비자의 구분을 약화시킨다.
④ 사람들에게 정서적 위안 및 오락 수단을 제공한다.
⑤ 일방향적 특성으로 인해 대중을 수동적 존재로 전락시킨다는 비판을 받는다.

11 빈칸 (가)에 들어갈 내용으로 옳지 <u>않은</u> 것은?

대중 매체의 발달로 인해 생산·유통·보급된 대중문화는 기존의 상류층만 누렸던 문화적 혜택을 일반 대중에게 확산시켜 다수의 사람들이 문화적 삶을 향유할 수 있게 하였다는 점에서 긍정적이다. 반면 서구에서 유입된 대중 매체에 의해 대량 생산된 문화라는 점에서 ___(가)___ 등 부정적 측면으로 인해 비판받기도 한다.

① 문화가 획일화되고 평준화되는

② 대중의 문화적 수준이 떨어지는

③ 대중의 정치적 무관심을 조장하는

④ 정보 왜곡과 여론 조작으로 악용되는

⑤ 쌍방향적인 정보 전달을 통해 대중의 수동적 태도를 조장하는

12 대중문화를 보는 갑과 을의 견해에 대한 설명으로 옳지 <u>않은</u> 것은?

갑: 대중문화는 많은 사람에게 문화적 혜택을 주고, 대중은 그를 기반으로 사회에 관심을 가지고 공동체의 의사 결정에 참여하게 됩니다.

을: 대중문화는 더 많은 소비자를 끌어들이기 위해 용의주도한 홍보 기법이 따라붙는 문화이고, 대중은 그것을 소비하는 역할에 한정됩니다.

① 갑은 대중문화가 다양한 문화적 욕구를 충족할 수 있게 하여 문화의 민주화에 이바지할 수 있다고 본다.

② 갑은 대중문화가 기존의 문화를 혁신하거나 새로운 여가 문화가 확산될 수 있는 기회를 제공한다고 본다.

③ 을은 대중이 획일적이고 정형화된 사고와 행동을 할 것이라고 본다.

④ 을은 기업의 이윤 추구에 따라 대중의 문화적 수준이 떨어질 수 있다고 본다.

⑤ 을은 갑과 달리 동일한 문화가 대량으로 생산되고 확산된다고 본다.

13 다음 글에서 비판하고 있는 대중문화의 문제점으로 가장 적절한 것은?

대학 축제가 젊은이들의 낭만과 젊음을 발산하는 자리라는 것은 이제 옛말이 되었다. 인기 아이돌 초청 가수들이 주인공으로 자리를 잡았고, 이들을 모셔 오기 위해 큰 돈을 쏟아붓고 있기 때문이다. 여기에 학생들마저 축제 입장권에 웃돈을 얹어 판매하는 '암표상' 노릇까지 하면서 대학 축제는 돈에 물들고 있다.

① 문화의 획일화를 초래한다.

② 지나치게 상업성을 추구한다.

③ 문화의 질적 저하를 초래한다.

④ 대중의 정치적 무관심을 유도한다.

⑤ 대중 조작 수단으로 악용될 수 있다.

14 밑줄 친 ㉠, ㉡에 대한 설명으로 옳지 <u>않은</u> 것은?

영어로 ㉠'매스 컬처(mass culture)'에 해당하는 대중문화의 개념에는 대중(mass)이 비합리적이고 열등한 집단이라는 의미가 담겨 있다. 이러한 관점은 대중이 출현한 근대 사회 이전의 문화를 고급문화로, 그 이후 대량 생산된 문화를 열등한 문화로 본다. 한편 대중문화를 ㉡'파퓰러 컬처(popular culture)'라고 보는 관점에서는 대중문화가 다수의 사람들이 누리는 문화로서 사회의 모든 문화를 포함하며, 고급문화 역시 대중문화의 일부분으로 포함된다.

① ㉠은 주로 문화의 생산 과정에 초점을 맞춘 개념이다.

② ㉠은 대중 매체가 등장한 근대 자본주의 이후의 문화 산물로 한정된다.

③ ㉡은 문화의 소비와 수용 과정에 초점을 맞춘 개념이다.

④ ㉡은 자본주의 사회 이전에 서민 사이에서 존재했던 문화까지 포괄하는 개념이다.

⑤ 문화를 넓은 의미로 바라보면 현대 문화 현상을 이해하는 데에는 ㉡보다 ㉠이 적절하다.

시험에 꼭 나오는 문제

(빈출 문제) 연계 자료 → 65쪽 빈출 자료 02

15 그림은 대중 매체 A~C의 특징을 나타낸다. 이에 대한 옳은 설명을 〈보기〉에서 고른 것은? (단, A~C는 각각 영상 매체, 인쇄 매체, 뉴 미디어 중 하나에 해당한다.)

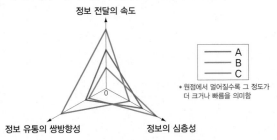

* 원점에서 멀어질수록 그 정도가 더 크거나 빠름을 의미함

◀ 보기 ▶
ㄱ. A는 C와 달리 영상 정보를 제공할 수 있다는 장점이 있다.
ㄴ. B는 A보다 정보 전달의 신속성이 높다.
ㄷ. C는 A보다 정보 제공자와 정보 수용자의 경계가 모호하다.
ㄹ. C는 A와 달리 수용자별 정보 획득의 비동시성이 나타난다.

① ㄱ, ㄴ   ② ㄱ, ㄷ   ③ ㄴ, ㄷ
④ ㄴ, ㄹ   ⑤ ㄷ, ㄹ

유사 선택지 문제

15_❶ B는 복잡하고 (   ) 정보를 제공한다는 점에서 여전히 중요한 대중 매체로 자리 잡고 있다.
15_❷ (A / B / C)는 정보의 생산자와 소비자 간 쌍방향 의사소통이 가능하고 기존 매체보다 신속하게 정보 전달이 이루어진다.
15_❸ B는 C와 함께 시청각 정보를 제공한다. (○ / ×)

16 밑줄 친 부분에 해당하는 내용으로 적절하지 않은 것은?

뉴 미디어란 과거의 대중 매체를 대신하여 새로이 발전하고 있는 다양한 매체들을 총칭하는 개념이다. 과학 기술의 발달은 기존의 매체와 결합되어 기존 매체의 변화를 가져오거나 새로운 매체를 만들어 내며 뉴 미디어의 등장을 가져왔다. 뉴 미디어는 정보의 멀티미디어화로 인해 전통적 매체처럼 인쇄 매체나 영상 매체, 음성 매체 등으로 구분하기는 어렵다. 뉴 미디어는 기존의 전통적 매체와 구별되는 다음과 같은 특징이 있다.

① 정보의 재가공이 용이하다.
② 쌍방향 의사소통이 가능하다.
③ 정보 수용의 시·공간적 제약이 약해진다.
④ 정보의 생산자와 소비자의 경계가 명확하다.
⑤ 수용자별 정보 획득의 비동시성이 나타난다.

서술형 문제

17 다음 글을 읽고 물음에 답하시오.

한 사회 내에서도 지역, 집단, 연령 등에 따라 부분적으로는 서로 다른 문화를 누리며 살아간다. 이처럼 한 사회 내의 일부 구성원들이 공유하는 문화를 ___A___ (이)라고 한다. 한편 한 사회의 주류 문화를 거부하거나 저항하는 사람들이 공유하는 문화를 ___B___ (이)라고 한다.

(1) A와 B에 해당하는 문화를 쓰시오.

(2) B의 순기능과 역기능을 서술하시오.

18 다음 글을 읽고 물음에 답하시오.

인쇄 매체를 시작으로 발달한 대중 매체는 음성 매체를 거쳐 영상 매체로 발달하였다. 오늘날에는 디지털 기술을 이용한 ___(가)___ 이/가 등장하였고, 인터넷에 기반을 둔 쌍방향 텔레비전이 등장하는 등 전통적인 매체들이 ___(가)___ 와/과 융합하는 경향을 보인다.

(1) (가)에 해당하는 매체를 쓰시오.

(2) (가)가 다른 매체와 구별되는 특징 두 가지를 서술하시오.

19 다음 글을 읽고 물음에 답하시오.

정보 시대로 접어들면서 종이 신문을 찾는 사람들이 줄고 인터넷으로 제공되는 무료 기사에 익숙해진 독자들이 늘면서 광고 수입에 대한 의존 경향이 심해지고 있다. 문제는 신문사들이 기업 광고를 유치하기 위해서는 구독률을 높여야 하고, 이 때문에 폭력성과 선정성의 유혹을 거부하기 어렵다는 것이다. 결과적으로 과장되고 자극적인 문구를 자주 사용하게 되고, 폭력적이거나 성적인 그림을 곳곳에 배치하게 된다. 이러한 문제는 대중성이 가장 강한 텔레비전은 물론 근대적인 매체에 대한 대안 매체의 성격을 갖는 뉴 미디어에서도 나타나고 있다.

(1) 대중 매체의 폭력성이나 선정성이 심화되는 이유를 서술하시오.

(2) 대중 매체의 지나친 상업성 추구로 나타날 수 있는 문제점을 서술하시오.

01 자료에 제시된 (가), (나) 문화에 대한 설명으로 옳은 것은?

| 평가원 응용 |

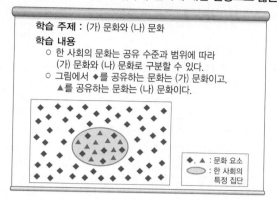

학습 주제 : (가) 문화와 (나) 문화
학습 내용
○ 한 사회의 문화는 공유 수준과 범위에 따라 (가) 문화와 (나) 문화로 구분할 수 있다.
○ 그림에서 ◆를 공유하는 문화는 (가) 문화이고, ▲를 공유하는 문화는 (나) 문화이다.

◆, ▲ : 문화 요소
◯ : 한 사회의 특정 집단

① 세대 문화와 지역 문화는 (가) 문화에 해당한다.
② (나) 문화는 전체 사회 구성원의 문화 공유성을 높인다.
③ (나) 문화는 지배 집단에 의해 반문화로 규정되기도 한다.
④ (나) 문화의 발달에 따라 (가) 문화는 획일화된다.
⑤ 한 사회 내에 있는 모든 (나) 문화의 총합이 (가) 문화이다.

02 A~C 문화에 대한 설명으로 가장 적절한 것은? (단, A~C는 각각 주류 문화, 하위문화, 반문화 중 하나에 해당한다.)

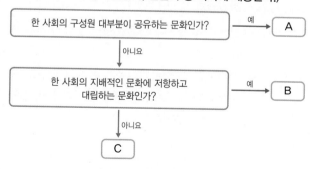

한 사회의 구성원 대부분이 공유하는 문화인가? → 예 → A
↓ 아니요
한 사회의 지배적인 문화에 저항하고 대립하는 문화인가? → 예 → B
↓ 아니요
C

① A는 B에 비해 대중 매체의 영향을 더 많이 받는다.
② B에는 기성세대 문화, C에는 청소년 문화가 포함된다.
③ C보다 A가 한 사회 내부에서 나타나는 문화의 특수성을 설명하기에 적합하다.
④ B, C는 A의 변동을 초래하기도 한다.
⑤ C와 달리 B는 사회 변화에 따라 A가 되기도 한다.

03 대중문화를 바라보는 갑과 을의 관점에 대한 옳은 설명을 《보기》에서 고른 것은?

갑: 여러 방송사에서 요리와 여행을 예능 프로그램의 소재로 삼고 있어. 여행을 소재로 한 프로그램은 다양한 국내 여행지를 알려 주었고, 자녀와 함께 캠핑을 가는 프로그램은 캠핑 문화의 대중화를 이끌었지. 그리고 냉장고 속 재료만으로 요리하는 프로그램과 집밥 요리법을 알려 주는 프로그램을 보고 시청자들이 이를 따라 했어.
을: 여행 예능 프로그램에서 출연자들이 자연스럽게 먹고 쓰고 마시는 것들은 대부분 광고를 위한 협찬이야. 여가 활동용 의류나 캠핑 도구는 물론 외국 유명 여행지에 가서 마시는 음료까지 광고를 위한 것이지. 그리고 요즘 넘쳐 나는 음식 프로그램은 당면한 현실의 어려움과 문제점은 외면한 채 먹는 즐거움과 같은 순간적인 만족을 줌으로써 현실 도피를 유도하기도 해.

◀ 보기 ▶
ㄱ. 갑은 간접 광고가 대중문화의 질적 하락을 초래했다고 본다.
ㄴ. 갑은 대중문화가 새로운 여가 문화나 놀이 문화를 제공하여 기존의 문화에 변동을 가져올 수 있다고 본다.
ㄷ. 을은 간접 광고로 인한 대중문화의 상업화를 우려하고 있다.
ㄹ. 을은 대중문화가 여론을 왜곡하여 대중의 정치적 의견을 조작한다고 본다.

① ㄱ, ㄴ   ② ㄱ, ㄷ   ③ ㄴ, ㄷ
④ ㄴ, ㄹ   ⑤ ㄷ, ㄹ

04 표는 대중 매체의 유형별 특징을 비교한 것이다. 이에 대한 설명으로 옳은 것은? (단, A~C는 각각 영상 매체, 인쇄 매체, 뉴미디어 중 하나이다.)

정보 전달의 신속성	A<B, A<C
정보 전달자와 수용자 간의 상호 작용성	C>A, C>B
(가)	A<B

① A는 다른 매체보다 생동감 있는 정보 전달이 가능하다.
② B는 문맹자의 활용 가능성이 가장 낮다.
③ C는 정보의 복제와 재가공이 용이하다.
④ A는 B보다 다수에 대한 정보 전달의 동시성이 강하다.
⑤ (가)에는 정보의 심층성이 들어갈 수 있다.

09 문화 변동의 이해

01 문화 변동의 요인과 양상

1. 문화 변동의 의미와 요인

(1) 의미: 새로운 문화 요소의 등장이나 다른 문화와의 접촉을 통해 기존의 문화 요소가 변화하는 현상

(2) 발생 요인 `빈출 자료 01`

① 내재적 요인: 한 사회 내부에서 새롭게 등장하여 문화 변동을 초래하는 것

발명	1차적 발명	이전에 존재하지 않았던 새로운 문화 요소나 원리를 만들어 내는 것 예 텔레비전, 전화기 등
	2차적 발명	이미 존재하는 문화 요소나 원리를 조합하거나 응용하여 새로운 문화 요소를 만들어 내는 것 예 활을 이용한 현악기, 바퀴를 이용한 수레 등
발견		이미 존재하고 있었지만 알려지지 않았던 사물이나 원리 등을 찾아내는 행위 또는 그 결과물 예 불, 전기 등

② 외재적 요인(문화 전파): 한 사회의 문화 요소가 다른 사회에 전해져 그 사회의 문화 체계에 변동을 초래하는 것

③ 문화 전파의 유형

직접 전파	• 의미: 서로 다른 사회 구성원 간의 직접적인 접촉을 통해 문화 요소가 전파되는 현상 • 사례: 전쟁, 정복, 국가 간 교역
간접 전파	• 의미: 인쇄물이나 텔레비전, 인터넷과 같은 매개체를 통해 문화 요소가 전파되는 현상 • 사례: 드라마를 통해 한국 문화가 동남아시아에 전파되는 것
자극 전파	• 의미: 다른 사회의 문화 요소에서 아이디어를 얻어 새로운 문화 요소가 만들어지는 현상 • 사례: 신라 시대 중국 한자의 영향을 받아 만든 이두 문자

2. 문화 변동의 양상과 결과

(1) 문화 변동의 양상

① 내재적 변동: 한 사회 내부에서 발명, 발견 등을 통해 일어나는 문화 변동

② 외재적 변동(문화 접변): 서로 다른 사회가 장기간에 걸쳐 전면적으로 접촉하는 과정에서 어느 한쪽 또는 양쪽 사회에서 발생하는 문화 변동

③ 문화 접변의 유형

강제적 문화 접변	• 의미: 정복이나 식민 지배 상황에서 강력력을 사용하여 지배 사회의 문화 요소를 피지배 사회에 이식함으로써 나타나는 문화 변동 • 사례: 우리나라가 일제 강점기에 겪은 일본식 성명 강요 • 특징: 강제적 문화 접변 과정에서 피지배 집단은 새로운 문화에 저항하기도 하고 순응하여 동화되기도 함
자발적 문화 접변	• 의미: 문화 수용자가 스스로 다른 사회의 문화 요소를 수용하여 나타나는 문화 변동 • 사례: 이민이나 유학을 간 한국인들이 그 나라의 문화를 받아들이는 것

02 문화 접변의 결과 `빈출 자료 02`

문화 동화	• 의미: 한 사회의 문화가 다른 사회의 문화 체계 속에 흡수되어 정체성을 상실하는 현상 • 사례: 아메리카 원주민들이 유럽의 백인 문화와 접촉하면서 자기 문화를 상실한 경우
문화 공존	• 의미: 서로 다른 사회의 문화가 한 사회의 문화 체계 속에서 나란히 존재하는 현상 • 사례: 서양 의학이 국내에 전파된 후에도 여전히 한의원과 서양식 병원이 함께 존재하는 것
문화 융합	• 의미: 서로 다른 문화 요소가 결합하여 두 문화 요소의 성격을 지니면서도 기존 문화 요소와 다른 성격을 지닌 제3의 문화가 형성되는 현상 • 사례: 미국에 노예로 잡혀간 아프리카 흑인들 고유의 음악이 유럽식 악기 등과 결합하여 생겨난 재즈

02 문화 변동에 따른 문제와 대처 방안

1. 문화 변동에 대한 대응

(1) 수용 및 확산

① 전파되거나 새롭게 등장한 문화 요소를 긍정적으로 평가하거나 필요하다고 인식하여 자기 사회의 문화 체계 속에 토착화함

② 비물질문화보다 물질문화의 전파나 발명, 발견의 경우에 나타나기 쉬움

(2) 거부 및 문화 복고 운동

① 새로운 문화 요소가 자기 문화의 정체성을 훼손한다고 인식할 경우 그것을 거부함으로써 전통문화를 유지하려 함

② 일반적으로 강제적 문화 접변이 시도되는 경우에 나타남

2. 문화 변동에 따른 문제점

(1) 문화 지체: 물질문화의 변동 속도를 비물질문화가 따라가지 못해 나타나는 문화 요소 간의 부조화 및 괴리 현상

(2) 아노미 현상: 급격한 문화 변동 과정에서 기존의 전통적 규범과 가치관이 무너졌으나 새로운 규범과 가치관이 미처 정립되지 못하여 혼란이 발생하는 상황

(3) 문화 정체성 약화: 이질적인 문화 요소가 유입되고 확산됨으로써 고유문화의 정체성 혼란이 나타남

3. 문화 변동의 문제점에 대한 대응

문화 지체	물질문화의 변동에 대한 비판적인 검토를 바탕으로 뒤처진 의식과 규범 및 제도 개선
아노미 현상	변화된 사회에 부합하는 새로운 규범 정립
문화 정체성 약화	외래문화의 주체적·비판적 수용, 우리 문화에 대한 자부심과 긍지를 지니고 문화 변동에 대처

빈출 특강

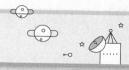

📖 대표 유형

빈출 자료 01) 문화 변동의 요인 | 연계 문제 → 74쪽 01번

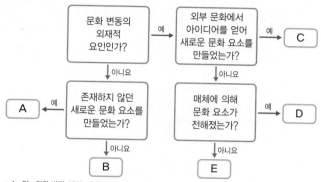

* A~E는 각각 발견, 발명, 간접 전파, 자극 전파, 직접 전파 중 하나이다.

| 자료 분석 | 문화 변동의 내재적 요인에는 발명, 발견이 있는데, A는 내재적 요인 중 새로운 문화 요소를 창조하는 것이므로 발명이고, B는 발견이다. 문화 변동의 외재적 요인에는 문화 전파(직접 전파, 간접 전파, 자극 전파)가 있으며, C는 외재적 요인(문화 전파) 중 외부 문화에서 아이디어를 얻어 새로운 문화 요소를 만들었으므로 자극 전파이다. 매체에 의해 문화 요소가 전해진 D는 간접 전파이고, 나머지 E는 직접 전파이다.

| 이것도 알아둬 | 발명, 발견으로 인한 새로운 문화 요소의 등장이 반드시 문화 변동으로 이어지는 것은 아니다. 그 사회 내에서 새로운 문화 요소를 수용할 때에만 문화 변동이 나타난다.

빈출 자료 02) 문화 접변의 결과 | 연계 문제 → 75쪽 05번

질문 \ 양상	(가)	(나)	(다)
기존 문화의 정체성이 남아 있는가?	예	예	아니요
외래문화 요소가 변형되지 않은 상태로 정착되었는가?	예	아니요	예

* (가)~(다)는 각각 문화 공존, 문화 동화, 문화 융합 중 하나이다.

| 자료 분석 | (가)는 문화 공존, (나)는 문화 융합, (다)는 문화 동화이다. 문화 동화는 한 사회의 문화가 다른 사회의 문화 체계 속으로 흡수되거나 대체되어 정체성을 상실하는 현상이다. 문화 공존은 서로 다른 사회의 문화가 한 사회의 문화 체계 속에서 나란히 존재하는 현상이다. 문화 융합은 외래문화와 기존의 문화가 결합하여 새로운 성격을 가진 제3의 문화가 나타나는 현상이다.

| 이것도 알아둬 | 문화 융합의 사례로는 미국의 재즈 외에도 멕시코 토착 인디언의 전통과 에스파냐 정복자의 문화가 혼합되어 생겨난 메스티소 문화, 마케도니아 알렉산드로스 대왕의 동방 원정으로 서양의 문화와 인도의 문화가 만나 생겨난 간다라 미술 등이 있다.

📋 자주 나오는 오답 선택지

빈출 자료 01) 에서 자주 나오는 오답 선택지

① 불을 찾아낸 것과 바이러스를 알아낸 것은 A의 사례이다.
                                    ↳ B

② 특정 종교의 창시는 B의 사례이다.
                ↳ A

③ 물질문화, 비물질문화 모두 B를 통해 만들어질 수 있다.
                             ↳ A

④ 문자가 없었던 북아메리카의 체로키족이 백인과 접촉 후 영어에서 착안하여 체로키 문자를 만든 것은 D의 사례이다.
                                           ↳ C

⑤ 한류 드라마의 인기로 한국어를 배우려는 외국인이 늘어난 사례는 E에 해당한다.
            ↳ D

⑥ D와 달리 E는 C의 원인이 될 수 있다.
           ↳ D와 E 모두

⑦ A, B와 달리 C, D, E는 문화 지체 현상을 초래할 수 있다.
           ↳ A, B, C, D, E 모두

⑧ A, B, C, D, E 모두 내부적 요인에 의해 문화 변동이 일어날 수 있음을 보여 준다.
           ↳ C, D, E와 달리 A, B는

빈출 자료 02) 에서 자주 나오는 오답 선택지

① 외래문화 요소를 결합하여 새로운 문화 요소를 만드는 것은 (가)에 해당한다.
     ↳ (나)

② 우리나라에서 서양 의술이 대중화되었지만 한의원을 찾는 사람들도 여전히 많이 나타나는 것은 (나)에 해당한다.
                              ↳ (가)

③ 이웃 나라의 특정 음료가 교역을 통해 들어와 자국민이 즐겨 마시는 음료 중 하나가 된 사례는 (나)에 해당한다.
                                        ↳ 해당하지 않는다.

④ 자국을 식민 지배한 나라의 언어와 자국의 전통 언어를 공용어로 사용하는 사례는 (다)에 해당한다.
           ↳ (가)

⑤ 케이팝(K-Pop)의 인기로 외국인이 한국어를 배우러 한국에 와서 정착하는 사례는 (다)에 해당한다.
                                 ↳ 해당하지 않는다.

⑥ △△국에서 전통적인 온돌 문화와 외래의 침대 문화가 혼합된 돌침대가 만들어진 것은 (다)에 해당한다.
                           ↳ (나)

⑦ (나)와 (다)의 공통점은 고유문화의 정체성이 남아 있다는 것이다.
           ↳ (가)와 (나)

개념확인문제

01 ㉠~㉤에 들어갈 알맞은 말을 쓰시오.

문화 변동의 내재적 요인	㉠	존재하지 않았던 기술이나 사물 등을 만들어 내는 행위나 그 결과물
	㉡	이미 존재하지만 알려지지 않은 사물이나 원리 등을 찾아내는 행위 또는 그 결과물
문화 변동의 외재적 요인	㉢	문화 요소를 제공하는 사회와 수용하는 사회 구성원들 간에 직접적인 접촉에 의해 문화 요소가 전달되어 정착되는 현상
	㉣	문화 요소를 제공하는 사회와 수용하는 사회 간에 매개체를 통해 간접적으로 문화 요소가 전달되어 정착되는 현상
	㉤	다른 사회의 문화 요소로부터 얻은 아이디어가 새로운 문화 요소의 등장을 자극하는 현상

02 빈칸에 들어갈 알맞은 용어를 **〔보기〕**에서 고르시오.

〔보기〕
ㄱ. 문화 접변   ㄴ. 문화 지체
ㄷ. 강제적 문화 접변   ㄹ. 문화 융합

(1) 물질문화의 빠른 변화 속도에 비해 비물질문화의 발전 속도가 지체되는 현상을 (　　　)(이)라고 한다.
(2) 일제 강점기에 일본이 우리나라 사람들에게 신사 참배나 일본식 성명을 강요한 것은 (　　　)의 사례이다.
(3) 서로 다른 문화 요소가 결합하여 기존의 문화 요소와는 다른 제3의 문화가 형성되는 것을 (　　　)(이)라고 한다.
(4) 서로 다른 문화 체계가 장기간에 걸쳐 접촉함으로써 새로운 양식의 문화로 변화하는 과정이나 그 결과를 (　　　)(이)라고 한다.

03 문화 변동의 결과와 그 사례를 바르게 연결하시오.

(1) 문화 융합 •   • ㉠ 라이스 버거
(2) 문화 동화 •   • ㉡ 우리나라의 차이나타운
(3) 문화 공존 •   • ㉢ 북미 인디언 부족의 문자 소멸과 알파벳 사용

04 (가)~(다) 사례가 해당하는 문화 전파의 유형을 쓰시오.

(가) 신라 시대 설총이 중국의 한자에서 아이디어를 얻어 이두를 발명하였다.
(나) 일본인들은 입으로 씹어서 술을 만들어 먹었으나 백제 사람에 의해 누룩으로 술을 빚는 법이 전파되었다.
(다) 한국의 드라마와 아이돌 그룹들의 노래가 인터넷 등을 통해 퍼지면서 전 세계에 한류 열풍이 불고 있다.

---

01 문화 변동의 요인과 양상

〔빈출 문제〕 연계 자료 → 73쪽 빈출 자료 01

01 그림은 문화 변동의 요인 A~C를 분류한 것이다. 이에 대한 설명으로 옳은 것은? (단, A~C는 각각 발견, 자극 전파, 간접 전파 중 하나이다.)

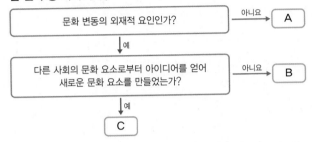

① A는 없었던 문화 요소를 새로 만들어 내는 것이다.
② 중국에서 우리나라로 한자가 전파된 것은 B에 해당한다.
③ 외국 종교의 교리를 응용하여 신흥 종교를 창시한 사례는 C에 해당한다.
④ B와 C는 서로 다른 문화권 구성원들 간의 직접적인 접촉에 의한 것이다.
⑤ B와 달리 C는 물질문화가 아닌 비물질문화의 변동에만 영향을 준다.

유사 선택지 문제

01_❶ 한글 창제는 A의 사례이다. (○ / ×)
01_❷ A와 (　　　)은/는 문화 변동의 내재적 요인이다.
01_❸ B는 C의 원인이 될 수 있다. (○ / ×)

02 다음 사례에 대한 옳은 설명을 **〔보기〕**에서 고른 것은?

한국 전쟁 직후 미군 부대에서 반출된 햄, 베이컨 등은 당시 귀한 음식이었다. 하지만 그냥 먹기에는 우리의 입맛에 맞지 않아 김치나 떡, 신선한 채소 등을 넣어 얼큰하게 끓여 먹었던 것이 부대찌개의 유래이다. 한국을 방문하는 외국인들 중에서도 즐겨 먹는 사람들이 생길 정도로 오늘날 부대찌개는 많은 사람들에게 큰 인기를 얻고 있다.

〔보기〕
ㄱ. 부대찌개의 일부 재료는 직접 전파되었다.
ㄴ. 부대찌개는 문화 융합의 사례로 볼 수 있다.
ㄷ. 부대찌개는 내재적 변동에 의해 나타나게 되었다.
ㄹ. 부대찌개를 즐겨 먹는 외국인의 사례는 문화 동화에 해당한다.

① ㄱ, ㄴ   ② ㄱ, ㄷ   ③ ㄴ, ㄷ
④ ㄴ, ㄹ   ⑤ ㄷ, ㄹ

03 (가)~(다)는 문화 접변의 결과 한 사회에서 나타날 수 있는 변화의 유형이다. 이에 대한 옳은 설명을 【 보기 】에서 고른 것은? (단, (가)~(다)는 각각 문화 공존, 문화 동화, 문화 융합 중 하나이다.)

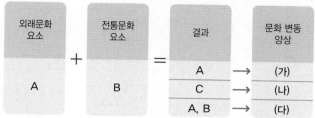

외래문화 요소		전통문화 요소		결과		문화 변동 양상
	+		=	A →		(가)
A		B		C →		(나)
				A, B →		(다)

* A, B, C는 문화 요소, +는 접촉, →는 변화를 의미한다.

【 보기 】

ㄱ. (가)는 환경 변화에 대한 특정 사회의 적응 및 발전을 돕기도 한다.

ㄴ. (나)의 사례로 우리나라 절에 있는 산신각을 들 수 있다.

ㄷ. (다)는 사회 구성원들의 정체성 혼란을 초래하고 문화적 다양성이 훼손되는 문제가 발생한다.

ㄹ. (가)는 (다)와 달리 새로운 문화 요소가 등장하지 않는다.

① ㄱ, ㄴ ② ㄱ, ㄷ ③ ㄴ, ㄷ
④ ㄴ, ㄹ ⑤ ㄷ, ㄹ

04 (가), (나)에 나타난 문화 변동의 결과에 대한 설명으로 옳은 것은?

(가) 호떡은 임오군란 때 청나라 군대를 따라 들어온 중국 상인들이 본국으로 가지 않고 조선에 남아 팔기 시작하면서 등장한 음식이다. 원래 중국의 호떡은 한국식 호떡과는 많이 다른데, 한국에서는 우리나라 사람의 입맛에 맞게 호떡 안에 조청, 꿀, 흑설탕 등을 넣어 만들었다.

(나) 캐나다는 영어를 사용하는 나라이다. 그러나 캐나다 동부의 퀘벡주는 건축물에서부터 사용하는 언어까지 프랑스의 영향을 많이 받았다. 퀘벡은 캐나다에서 유일하게 영어와 프랑스어를 공용어로 사용한다.

① (가)에는 문화 동화가 나타났다.

② (나)에는 문화의 내재적 변동이 나타났다.

③ (가), (나) 모두에서 문화 융합이 나타났다.

④ (가)와 달리 (나)에는 자발적 문화 접변이 나타났다.

⑤ (가)와 달리 (나)에는 외래문화 요소가 변형되지 않고 남아 있다.

빈출 문제 연계 자료 → 73쪽 빈출 자료 02

05 다음 자료에 대한 옳은 분석을 【 보기 】에서 고른 것은?

다음은 문화 변동의 요인을 (가)~(다)로 구분하고, 이를 통해 갑국과 을국의 문화 변동 사례를 분석한 자료이다. 갑국과 을국은 상호 교류 외에 제3의 국가와는 교류를 하지 않았다. (단, (가)~(다)는 각각 발명, 발견, 직접 전파 중 하나이다.)

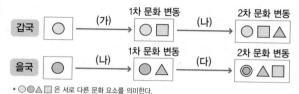

* ○●△▣ 은 서로 다른 문화 요소를 의미한다.
** ◎은 ○와 ●가 결합한 제3의 문화 요소이다.

【 보기 】

ㄱ. 을국에서는 문화 융합이 나타났다.

ㄴ. 갑국에서 발명된 문화 요소가 을국으로 전달되었다.

ㄷ. 갑국과 을국은 내재적 변동으로 동일한 문화 요소가 등장하였다.

ㄹ. 갑국과 을국은 문화 변동 과정에서 서로 영향을 받았다.

① ㄱ, ㄴ ② ㄱ, ㄷ ③ ㄴ, ㄷ
④ ㄴ, ㄹ ⑤ ㄷ, ㄹ

유사 선택지 문제

05_ ❶ 갑국의 문화 요소 △는 을국으로부터 온 것이다. (○ / ×)

05_ ❷ 을국의 문화 요소 □는 갑국으로부터 온 것이다. (○ / ×)

05_ ❸ (다) 이후 을국에는 기존 문화의 정체성이 (남아 있다 / 남아 있지 않다).

06 사례에 나타난 문화 관련 개념을 【 보기 】에서 고른 것은?

아메리카의 나바호 인디언은 18세기에 에스파냐인과의 빈번한 접촉을 통해 의복과 금속 세공술 같은 에스파냐의 문화 요소를 그들 스스로 받아들이고 이를 고유의 문화에 접목하여 기존에 없었던 새로운 문화 요소를 개발하였다.

【 보기 】

ㄱ. 간접 전파 ㄴ. 문화 융합
ㄷ. 문화 지체 ㄹ. 자발적 문화 접변

① ㄱ, ㄴ ② ㄱ, ㄷ ③ ㄴ, ㄷ
④ ㄴ, ㄹ ⑤ ㄷ, ㄹ

07 그림은 갑국과 을국의 문화 교류와 문화 변동을 나타낸 것이다. 이에 대한 옳은 설명을 《보기》에서 고른 것은?

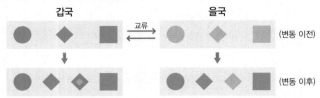

* ●와 ○는 의복 문화, ◆와 ◇는 음식 문화, ■와 □는 주거 문화이다.
** ◈는 ◆와 ◇가 혼합되어 나타난 새로운 음식 문화이다.

《 보기 》
ㄱ. 갑국의 음식 문화에서는 문화 융합이 나타났다.
ㄴ. 을국의 의복 문화와 음식 문화에서는 문화 동화가 나타났다.
ㄷ. 갑국과 을국의 문화 변동은 전파에 의해 나타난 것이다.
ㄹ. 을국의 문화 요소 변동은 갑국과 달리 강제적으로 이루어졌다.

① ㄱ, ㄴ   ② ㄱ, ㄷ   ③ ㄴ, ㄷ
④ ㄴ, ㄹ   ⑤ ㄷ, ㄹ

08 〈자료 1〉의 A~C에 해당하는 사례로 〈자료 2〉의 (가)~(다)를 바르게 연결한 것은? (단, A~C는 각각 문화 공존, 문화 동화, 문화 융합 중 하나이다.)

〈자료 1〉
B는 A, C와 달리 새로운 문화 요소가 나타나게 되고, C는 A와 달리 전통문화의 정체성이 보존된다.

〈자료 2〉
(가) 중국 내에 거주하는 조선족들은 집 밖에서는 중국어를 사용하고, 평상시에는 중국 음식을 즐긴다. 하지만 가족끼리는 한국어를 사용하고, 추석과 같은 명절에는 송편 등 우리의 전통 음식을 먹는다.
(나) 중남미 아메리카의 많은 나라에서는 에스파냐의 식민 지배를 받으면서 그들 고유의 토속 신앙이 사라지고 인구 대다수가 서양 종교인 가톨릭을 믿게 되었다.
(다) 동서양을 잇는 길목이었던 간다라 지방에서 인도의 불교문화와 서양의 미술 문화가 만나서 서양인의 외모를 가진 불상 조각이 만들어졌다.

	A	B	C			A	B	C
①	(가)	(나)	(다)		②	(가)	(다)	(나)
③	(나)	(가)	(다)		④	(나)	(다)	(가)
⑤	(다)	(가)	(나)					

09 그림은 문화 변동의 요인 A, B와 특징 (가)~(다)를 연결한 것이다. 이에 대한 옳은 설명을 《보기》에서 고른 것은?

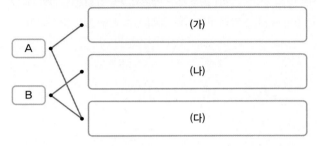

《 보기 》
ㄱ. A가 발명, B가 자극 전파라면, (가)에는 '새로운 문화 요소가 등장한다.'가 들어갈 수 있다.
ㄴ. A가 직접 전파, B가 간접 전파라면, (나)에는 '매개체를 통해 문화 요소가 전달된다.'가 들어갈 수 있다.
ㄷ. A가 발명, B가 발견이라면 (다)에는 '문화 변동의 내재적 요인이다.'가 들어갈 수 있다.
ㄹ. A가 발견, B가 자극 전파라면 (다)에는 '외래문화를 자발적으로 수용했다.'가 들어갈 수 있다.

① ㄱ, ㄴ   ② ㄱ, ㄷ   ③ ㄴ, ㄷ
④ ㄴ, ㄹ   ⑤ ㄷ, ㄹ

10 문화 변동의 양상 (가)와 (나)에 대한 설명으로 옳은 것은?

(가)의 사례	임진왜란 이후 조선 유학자들에게 성리학을 배워 간 사람들에 의해 일본에 성리학의 계통이 확립되면서 유교적 윤리인 충(忠)이 일본 무사들에게 요구되는 규범이 되었다.
(나)의 사례	일본 제국주의는 조선인의 황국 신민화를 위해 1939년 '조선 민사령(일제 강점기에 조선인에게 적용되었던 민사에 관한 사항을 규정한 기본 법규)'을 개정하여 조선인에게 일본식 성명을 강요하였다.

① (가)는 내재적 변동, (나)는 외재적 변동이다.
② (가)는 문화 공존을, (나)는 문화 동화를 초래한다.
③ (나)와 달리 (가)에서 문화 융합이 나타난다.
④ 새로운 문화에 대한 거부나 복고 운동은 (나)보다 (가)에서 나타나기 쉽다.
⑤ (가)는 문화 요소 수용자의 필요와 의지로부터 시작되는 데 반해, (나)는 문화 요소 제공자의 필요와 의지로부터 시작된다.

11 다음 사례에 대한 옳은 설명을 《 보기 》에서 고른 것은?

원나라 간섭기에 고려는 왕조를 유지하였지만, 왕실의 호칭과 격이 낮아졌다. '폐하'를 '전하'로, '태자'를 '세자'로 불렀으며, 국왕은 원나라 황제에게 '충(忠)' 자가 붙은 시호를 받았다. 이 시기 고려와 원나라 사이에 문물 교류가 활발해지면서 고려에서는 몽골식 복장과 머리 모양, 언어, 음식 등 몽골의 풍습(몽골풍)이 유행하였고, 몽골에서는 고려식 의복, 음식, 그릇 등 고려의 풍습(고려양)이 유행하였다.

◀ 보기 ▶
ㄱ. 고려는 자문화의 정체성을 상실하였다.
ㄴ. 고려는 강제적 문화 접변을 경험하였다.
ㄷ. 원나라에서는 고려와 달리 문화 융합이 나타났다.
ㄹ. 고려와 원나라는 모두 외재적 요인에 의한 문화 변동을 경험하였다.

① ㄱ, ㄴ ② ㄱ, ㄷ ③ ㄴ, ㄷ
④ ㄴ, ㄹ ⑤ ㄷ, ㄹ

12 (가)~(다)에 대한 설명으로 옳은 것은?

외재적 요인에 의한 문화 변동의 결과는 크게 (가), (나), (다)로 나타날 수 있다. (가)는 다른 사회로부터 유입된 문화로 인해 문화 수용자 사회에 존재하던 문화가 사라지는 경우이고, (나)는 다른 사회로부터 유입된 문화와 문화 수용자 사회에 존재하던 문화가 함께 존재하는 경우이다. (다)는 다른 사회로부터 유입된 문화와 문화 수용자 사회에 존재하던 문화가 상호 작용을 거치면서 새로운 문화로 재탄생하여 문화 수용자 사회에 정착하는 경우이다.

① 불교문화와 헬레니즘 문화가 만나 간다라 미술이 성립된 것은 (가)의 사례이다.
② 서양 의학이 국내에 전파된 후에도 여전히 한의원과 서양식 병원이 함께 존재하는 것은 (가)의 사례이다.
③ 청소년 문화나 지역 문화와 같이 특정 집단이 공유하는 문화는 (나)의 사례이다.
④ 미국의 지배를 받은 필리핀에서 영어와 타갈로그어를 같이 사용하는 것은 (다)의 사례이다.
⑤ 미국에서 아프리카 흑인 음악의 리듬과 유럽 백인 음악의 악기가 만나 재즈가 탄생한 것은 (다)의 사례이다.

13 다음 자료에 대한 옳은 설명을 《 보기 》에서 고른 것은?

〈자료 1〉
이란에서 한국인이라고 하면 많은 시민은 하나같이 "주몽(드라마 「주몽」)!", "양금(드라마 「대장금」)!"을 외친다고 한다. 둘 다 이란에서 방영되었던 한국의 인기 드라마 제목들이다. 「대장금」이나 「주몽」의 시청률은 각각 90%와 85%라는 경이적인 기록을 세웠다. 이와 같은 한국 드라마의 높은 인기는 이란인들의 한국에 대한 호감도를 높이는 데 큰 역할을 하였고, 나아가 한글을 배우려는 이란 학생들의 증가로 이어졌다.

〈자료 2〉 〈자료 1〉에 나타난 문화 변동 요인의 특징

질문	응답
A	예
B	아니요

◀ 보기 ▶
ㄱ. A에는 '문화 변동의 외재적 요인인가?'가 들어갈 수 있다.
ㄴ. A에는 '물리적 강제력을 통해 이식되었는가?'가 들어갈 수 있다.
ㄷ. B에는 '매개체를 통해 전파되는가?'가 들어갈 수 있다.
ㄹ. B에는 '다른 사회의 문화 요소에서 아이디어를 얻어 새로운 문화 요소가 나타났는가?'가 들어갈 수 있다.

① ㄱ, ㄴ ② ㄱ, ㄹ ③ ㄴ, ㄷ
④ ㄴ, ㄹ ⑤ ㄷ, ㄹ

14 (가), (나)에 해당하는 문화 변동의 요인을 바르게 연결한 것은?

(가) 체로키 인디언들은 백인들과 접촉하기 전까지는 고유의 문자가 없었다. 그런데 이 부족의 한 인디언이 백인들과 접촉하면서 영어에서 아이디어를 얻어 체로키 문자를 고안해 냈다.
(나) 751년 당나라군은 이슬람과의 전투에서 패하였다. 이때 붙잡힌 포로 중에는 종이를 만드는 제지 기술자가 포함되어 있었다. 이렇게 탈라스 전투는 중국의 제지술이 이슬람 세계에 퍼지게 되는 계기가 되었다.

	(가)	(나)
①	발명	간접 전파
②	간접 전파	발명
③	간접 전파	직접 전파
④	자극 전파	간접 전파
⑤	자극 전파	직접 전파

02 문화 변동에 따른 문제와 대처 방안

15 다음 글에 나타난 문화 변동에 대한 옳은 설명을 《보기》에서 고른 것은?

과거 조부모와 부모 그리고 자녀까지 함께 살던 확대 가족 제도에서는 자식이 부모님을 모시는 것이 기본 도리라는 규범이 분명했지만, 핵가족화에 따라 노부모와 별도로 생활하거나 노인 요양 시설 같은 전문적인 곳에 부모님을 모시는 것이 더 낫다고 생각하는 사람이 늘면서 노부모 부양 규범이 불분명해지는 상황이 초래될 수 있다. 즉 전통적인 효에 대한 개념이 무너지고 어떻게 하는 것이 옳은 것인지 몰라 사람들이 혼란스러워하는 상태가 나타날 수 있다.

◀ 보기 ▶
ㄱ. 사회 변동 속도가 빠를수록 발생 가능성은 증가한다.
ㄴ. 급격한 사회 변동으로 가치관의 붕괴 상태가 나타났다.
ㄷ. 비물질문화보다 물질문화의 변동 속도가 빠르기 때문에 나타난다.
ㄹ. 지배 사회의 문화 요소를 피지배 사회의 문화 체계 속에 강제적으로 이식함으로써 나타나는 문화 변동이다.

① ㄱ, ㄴ ② ㄱ, ㄷ ③ ㄴ, ㄷ ④ ㄴ, ㄹ ⑤ ㄷ, ㄹ

16 자료에 나타난 문화 변동에 대한 설명으로 옳은 것은?

한국은 아파트 왕국이다. 아파트가 본격적으로 들어서기 시작한 것은 1970년대 중반으로, 도입된 지 40년도 되지 않아 사람들의 주거지가 온통 아파트로 변했다. 그런데 주거 환경은 이처럼 급격히 바뀌었지만 사람들의 행동이나 생활 태도는 단독 주거 시절에서 크게 벗어나지 못했다. 일반적인 취침 시간에 쿵쿵대며 걸어 다니고 심야 시간에 세탁기를 돌리기도 한다. 빠른 물질문화의 변화 속도를 거주 문화가 따라잡지 못해 일어나는 이와 같은 현상은 쓰레기 배출, 공동 시설 사용, 애완동물 관리 등 많은 부분에서 나타난다.

① 주류 문화와 하위문화 간의 갈등에서 비롯된다.
② 의식 수준에 부합하는 기술 발전을 통해 해결된다.
③ 물질문화와 비물질문화 요소 간의 변동 속도 차이에서 나타나는 부조화 현상이다.
④ 삶의 질에 대한 국민적 관심은 높아졌으나 여가 시설이나 체육 시설이 부족한 경우도 이에 해당한다.
⑤ 기존의 전통적 규범과 가치관이 무너지고 새로운 규범과 가치관이 아직 정립되지 못할 때 발생한다.

서술형 문제

17 다음 자료를 보고 물음에 답하시오.

(가) 돌침대는 우리의 온돌 문화와 서구의 침대 문화가 어우러진 것으로, 많은 사람이 사용하고 있다.
(나) 필리핀은 19세기 말부터 20세기 중반까지 미국의 식민 지배를 받았으며, 이후 필리핀 사람들은 타갈로그어와 함께 영어를 공용어로 사용한다.
(다) 메이지 유신 이후 서구적 생활 방식을 수용한 일본 사람들은 기모노 대신 양복을 입고 머리카락을 잘랐으며, 머리에는 모자를 썼다.

(1) (가)~(다)에 해당하는 문화 접변의 결과를 쓰시오.

(2) (가), (나)가 (다)와 구별되는 특징을 서술하시오.

18 다음 글을 읽고 물음에 답하시오.

원래 대평원에 살던 인디언들이 머리에 새의 깃을 꽂던 풍습을 다른 지역 인디언들이 모방함에 따라 19세기에 이르러서는 많은 아메리카 인디언 부족들 사이에 새의 깃을 꽂는 풍습이 널리 확산되었다.

(1) 윗글에 나타난 문화 접변의 유형을 쓰시오.

(2) (1)의 문화 접변이 일제 강점기에 일본이 우리나라 사람들에게 신사 참배나 일본식 성명을 강요한 것과 다른 점을 서술하시오.

19 다음 글을 읽고 물음에 답하시오.

문화 변동 과정에서 전통적 규범과 가치관을 대체할 새로운 규범과 가치관이 아직 정립되지 못하여 혼란과 무규범 상태에 빠지는 A가 발생할 수 있다. 이 과정에서 구성원은 새로운 가치나 규범을 충분히 인식하거나 수용하지 못한 채 전통문화와 관련한 정체성을 상실할 수 있다. 한편 기술의 발달에 따라 물질문화의 변동은 비교적 빠르게 이루어지는 데 비해, 비물질문화의 변동은 상대적으로 느리게 이루어지면서 B가 나타날 수 있다.

(1) A, B에 해당하는 문화 현상을 쓰시오.

(2) A, B에 대처하기 위한 방안을 각각 서술하시오.

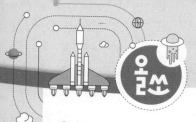

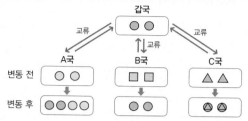 상위 4% 문제

정답 및 해설 35쪽

01 그림은 갑국과 교류한 세 나라의 문화 변동 양상을 나타낸 것이다. 문화 변동 결과에 대한 분석으로 가장 적절한 것은?

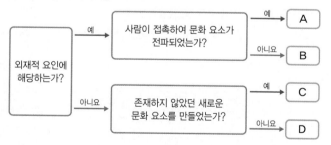

* □ 안의 기호는 각국의 문화 요소이며, 🌑는 ●와 ▲가 혼합되어 나타난 것이다.

① A국에서는 문화 동화가 나타났다.

② 갑국에서 내재적 변동으로 인해 나타난 문화 요소가 B국에 전달되었다.

③ C국에는 갑국의 문화 요소와 C국의 문화 요소가 나란히 존재한다.

④ B국은 A국과 달리 문화 접변을 경험하였다.

⑤ C국은 A국과 함께 자국 문화의 정체성이 남아 있다.

| 수능 응용 |

02 그림은 문화 변동의 요인 A~D를 구분한 것이다. 이에 대한 설명으로 옳은 것은? (단, A~D는 각각 발견, 발명, 간접 전파, 직접 전파 중 하나이다.)

```
외재적 요인에      예    사람이 접촉하여 문화 요소가     예    A
해당하는가?  ──────→  전파되었는가?          ──────→
                                        아니요  B

            아니요  존재하지 않았던 새로운     예    C
          ──────→  문화 요소를 만들었는가?   ──────→
                                        아니요  D
```

① A는 구성원의 자발성에 기초한 문화 접변을 전제로 한다.

② A는 타 문화로부터 아이디어를 얻어 새로운 문화 요소를 추가한 것이다.

③ D의 사례로 새로운 세균을 찾아내는 것을 들 수 있다.

④ A는 B와 달리 서로 다른 문화 간 대중 매체를 통한 접촉에서 나타난다.

⑤ C는 D와 달리 새로운 문화 요소 추가의 원인이 된다.

03 (가), (나)에 해당하는 문화 변동의 차이를 설명할 수 있는 질문으로 가장 적절한 것은?

(가) 신라는 고유의 문자를 가지지 못한 사회였다. 그런데 중국의 한자를 접한 설총은 한자의 음을 빌려 와서 우리말을 표현하는 이두를 개발하였다.

(나) 재즈는 미국 흑인이 즐기던 아프리카 음악의 감각에, 유럽 전통 음악인 행진곡과 같은 멜로디와 금관 악기 연주 기법 등이 결합한 것이다. 그래서 유럽의 전통 음악과 달리 재즈는 리듬감의 활용, 그에 따른 즉흥 연주, 연주자의 개성을 살린 연주 등 흑인 음악의 요소가 나타난다.

① 강제적으로 문화 요소를 수용하였는가?

② 외래문화와 전통문화가 독립성을 갖고 유지되는가?

③ 매개체를 통해 다른 사회의 문화 요소가 전파되었는가?

④ 지배 사회의 문화가 피지배 사회에 이식되어 나타나는가?

⑤ 외부 문화와 상호 작용한 결과 전통문화 요소와 결합한 새로운 문화 요소가 등장하였는가?

04 다음 글의 필자가 지적하는 문화 현상과 관련된 연구 주제로 가장 적절한 것은?

최근 무인 항공기인 '드론'의 대중화로 일반인들 사이에서도 드론을 취미나 여가에 활용하는 사례가 늘고 있다. 드론은 사진·영상 산업뿐만 아니라 군사, 유통, 방범 등 다양한 분야에서 급속히 보급되고 있다. 군사 무기로만 인식되었던 드론이 이제 일상 영역에까지 파고든 것이다. 하지만 드론은 그 인기만큼이나 논란도 뜨겁다. 사람의 머리 위에서 아무런 제한 없이 촬영한다는 점 때문에 사생활 침해 문제가 지적되기도 한다. 각국 정부는 드론의 비행 구역을 제한하는 규제를 마련하고 있다. 우리나라도 관련 법규가 제대로 정리되지 않고 드론 비행 허가 절차가 복잡하다 보니 제도 정비가 필요하다는 지적이 제기되고 있다.

① 강제적 문화 접변의 부작용에는 무엇이 있는가?

② 전통문화의 창조적 계승 방안에는 어떤 것들이 있는가?

③ 정보화 시대의 바람직한 문화 공급자의 자세는 무엇인가?

④ 현대인이 자문화의 정체성을 유지하기 위한 방안은 무엇인가?

⑤ 문화 요소 간의 변동 속도 차이로 인한 부작용을 어떻게 극복할 것인가?

10 사회 불평등 현상과 사회 계층의 이해

출제 경향
★ 사회 불평등 현상을 설명하는 이론을 비교하는 문제
★ 사회 계층 이동에 관한 사례를 분석하는 문제

01 사회 불평등 현상의 이해

1. 사회 불평등 현상의 의미와 유형

(1) 의미: 사회 구성원 간에 사회적 희소가치의 소유 정도나 접근 기회에 차이가 나타나는 현상

(2) 원인: 사람들에게 사회적으로 서로 다른 기회나 조건이 주어지고, 이에 대한 서로 다른 사회적 평가와 차별적 보상이 이루어져 사회 불평등 현상이 발생함

(3) 유형

경제적 불평등	소득 수준이 높은 사람과 낮은 사람, 재산이 많은 사람과 적은 사람 간 불평등은 생활수준의 격차로 이어짐
정치적 불평등	권력이 불평등하게 분배되어 권력을 가진 집단이 권력을 가지지 못한 집단을 지배함
사회·문화적 불평등	명예, 교육 수준, 지식 소유 등 여러 가지 사회·문화적 생활의 기회와 수준의 차이로 불평등이 나타남

2. 사회 불평등 현상을 보는 관점

(1) 기능론과 갈등론

기능론	• 사회 구성원들이 합의한 기준에 의해 개인의 자질과 노력에 따라 희소가치를 차등 분배함 • 사회 불평등은 개인과 사회가 최선의 기능을 하도록 하는 동기 부여 장치가 되고, 인재를 적재적소에 배치하여 사회 발전에 기여함
갈등론	• 지배 집단에 유리한 기준에 의해 희소가치가 강제적으로 배분되어 불평등이 발생하므로 균등 분배를 이루어야 함 • 사회 불평등은 개인과 사회가 최선의 기능을 하는 데 장애 요소가 되고, 상대적 박탈감과 집단 갈등을 유발하여 사회 발전을 저해함

(2) 사회 불평등 현상을 설명하는 이론 【빈출 자료 01】

구분	계급론	다원적 불평등론
학자	마르크스(Marx, K.)	베버(Weber, M.)
의미	생산 수단(토지, 자본 등)의 소유 여부에 따라 지배 계급과 피지배 계급으로 구분함	경제적 계급, 사회적 위신, 정치적 권력 등 다양한 요인으로 집단을 서열화함
특징	• 이분법적·불연속적으로 지배 계급과 피지배 계급을 구분함 • 계급 간의 지배와 피지배 관계로 인해 갈등과 대립이 불가피하다고 여김 • 계급에 대한 개인의 소속감, 즉 연대 의식을 중시하므로 다른 계급에 대한 적대감이 강하게 나타남 • 사회 변혁 운동의 이론적 토대가 됨	• 계층이 연속적·복합적으로 나타나는 서열화임을 강조함 • 경제적·사회적·정치적 요인 등 다양한 요인에 의한 희소가치의 불평등한 분배 상태를 범주화하여 설명함 • 계층 의식이 뚜렷하지 않고, 다른 계층에 대한 적대감이 약함 • 현대 사회의 지위 불일치 현상을 설명하기에 적합함
유용성과 한계	산업화 초기의 불평등 현상을 설명하는 데 유용하나, 계층 현상을 설명하지 못하고 사회 구조를 변혁하는 것을 목적으로 함	다원화된 현대 사회의 불평등 현상을 설명하기에 유용하지만, 대립과 갈등 관계를 설명하기에는 어려움이 있음

02 사회 계층 구조와 사회 이동

1. 사회 계층 구조의 의미와 특징

(1) 의미: 한 사회의 희소한 자원이 차등적으로 분배되고 그러한 불평등 관계가 지속하면서 나타나는 정형화된 구조

(2) 특징
① 한번 형성된 계층 구조는 지속성을 가지고 유지됨
② 구성원들의 가치관이나 삶의 방식뿐만 아니라 사회 통합 및 사회 안정에 큰 영향을 미침

2. 사회 계층 구조의 유형

(1) 계층 간 이동 가능성 여부에 따른 구분

폐쇄적 계층 구조	개인의 노력과 관계없이 다른 계층으로 상승하거나 하강할 가능성이 극히 제한됨
개방적 계층 구조	개인의 능력이나 노력에 따라 다른 계층으로 상승하거나 하강할 가능성이 열려 있음

(2) 각 계층의 구성원 비율에 따른 구분

피라미드형 계층 구조	하층의 비율이 가장 높고, 상층의 비율이 가장 낮은 형태의 계층 구조로, 전근대적인 신분 사회나 오늘날의 저개발국 등에서 주로 나타남
다이아몬드형 계층 구조	상층이나 하층보다 중층의 비율이 높은 형태로, 중층이 완충 역할을 하여 사회가 비교적 안정되어 있음
타원형 계층 구조	세계화와 정보화로 계층 간 격차가 완화되어 중층의 비율이 증가함
모래시계형 계층 구조	중층의 비율이 현저히 낮고 다수가 상층과 하층을 차지하는 계층 구조로, 부의 분배가 양극화되고 계층 간 대립으로 사회적 불안감이 심함

3. 사회 이동의 의미와 유형 【빈출 자료 02】

(1) 의미: 한 사회의 계층 구조 속에서 개인이나 집단의 위치가 변화하는 현상

(2) 유형

기준	유형	특징
이동 방향	수직 이동	상승 이동과 하강 이동
	수평 이동	같은 계층 내에서의 위치 변화
세대 범위	세대 내 이동	한 개인의 생애 동안에 일어나는 계층적 위치의 변화
	세대 간 이동	한 세대와 그 다음 세대 간에 나타나는 계층적 위치의 변화
이동 원인	개인적 이동	한 개인의 능력이나 노력에 따라 나타나는 계층적 위치의 변화
	구조적 이동	혁명, 전쟁, 산업화 등 급격한 사회 변동으로 인해 기존의 계층 구조가 변화함으로써 생기는 위치의 변화

빈출 특강

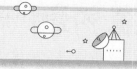

빈출 자료 01 사회 불평등 현상을 설명하는 이론

| 연계 문제 → 84쪽 09번

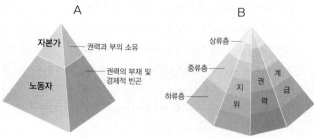

| 자료 분석 | A는 마르크스의 계급론을 나타낸다. 마르크스에 따르면, 계급은 경제적 요인인 생산 수단의 소유 여부에 의해 자본가 계급과 노동자 계급으로 양분된다. 두 계급 간의 관계는 지배·피지배 관계로서 적대적이며, 같은 계급에 속하는 사람들끼리는 강한 연대 의식을 갖는다. B는 베버의 다원적 불평등론을 나타낸다. 베버는 사회 불평등 현상이 경제적 계급, 사회적 위신, 정치적 권력 등 다양한 요인에 따라 나타나는 연속적인 서열화라고 본다. 계층은 다양한 요인에 의해 상류층, 중류층, 하류층과 같이 범주화되어 있다.

| 이것도 알아둬 | 지위 불일치란 계급, 위신, 권력의 각 측면에서 나타나는 계층 서열에 개인의 위치가 서로 다른 현상을 가리킨다. 불평등 현상을 다원적으로 분석하는 다원적 불평등론은 지위 불일치를 설명하기에 적합하다.

빈출 자료 01 에서 자주 나오는 오답 선택지

① <u>A</u>는 지위 불일치 현상을 설명하기에 적합하다.
  └→ B는
② <u>B</u>는 다른 집단에 속한 구성원에 대해 적대감을 가진다.
  └→ A는
③ <u>B</u>는 갈등과 대립이 사회 변혁의 원동력이 된다고 여긴다.
  └→ A는
④ <u>B</u>는 동일 계급에 속한 사람들의 강한 귀속 의식을 강조한다.
  └→ A는
⑤ <u>B</u>는 계층 간의 관계를 지배와 피지배의 관계로 이해한다.
  └→ A는
⑥ A는 <u>다원론</u>으로, B는 <u>일원론</u>으로 사회 불평등 현상을 설명한다.
     └→ 일원론으로 └→ 다원론으로
⑦ A와 달리 B는 사회 불평등에서 경제적 요인을 <u>배제한다.</u>
  └→ A와 B 모두   └→ 포함한다.
⑧ A와 B는 모두 정치적 불평등이 경제적 불평등에 <u>종속된다고 본다.</u>
              └→ A는
⑨ <u>B</u>는 A와 달리 불연속적·이분법적으로 사회 불평등 현상을 파악한다.
  └→ A는 B와 달리

빈출 자료 02 사회 이동의 결과 | 연계 문제 → 86쪽 17번

〈부모와 자녀의 계층 이동 현황〉

구분		부모의 계층			
		상층	중층	하층	계
자녀의 계층	상층	2	8	10	20
	중층	6	14	40	60
	하층	2	8	10	20
	계	10	30	60	100

* 부모와 자녀의 비율은 1 : 10이다.

| 자료 분석 | 부모의 계층은 피라미드형 계층 구조이고 자녀의 계층은 다이아몬드형 계층 구조이므로 부모 세대보다 자녀 세대의 계층 구조가 더 안정적이다. 부모와 자녀의 계층이 일치하는 비율은 26%(2+14+10), 불일치하는 비율은 74%(100−26)이다. 즉, 자녀 세대와 부모 세대 간 계층 이동 비율이 세습한 비율보다 높다. 자녀의 계층이 부모의 계층보다 상승 이동한 비율은 58%(8+10+40), 하강 이동한 비율은 16%(6+2+8)이므로 세대 간 계층의 상승 이동이 하강 이동보다 많다. 부모 계층 대비 부모와 자녀의 계층 일치 비율은 상층이 2/10, 중층이 14/30, 하층이 10/60으로 중층이 가장 높다. 자녀 계층 대비 부모와 자녀의 계층 불일치 비율은 상층이 18/20, 중층이 46/60, 하층이 10/20으로 상층이 가장 높다.

빈출 자료 02 에서 자주 나오는 오답 선택지

① 부모의 계층 구조는 <u>다이아몬드형</u>이다.
         └→ 피라미드형
② 계층 세습률이 계층 이동률보다 <u>높다.</u>
            └→ 낮다.
③ 부모보다 자녀의 계층이 상승 이동한 비율보다 하강 이동한 비율이 더 <u>높다.</u>
                          └→ 낮다.
④ 부모 계층 대비 부모와 자녀의 계층 일치 비율은 중층이 가장 <u>낮다.</u>
                                     └→ 높다.
⑤ 자녀 계층 대비 부모와 자녀의 계층 <u>일치</u> 비율은 상층이 가장 높다.
                        └→ 불일치 비율
⑥ 부모 상층 중에서 자녀 중층과 하층으로 이동한 비율은 <u>같다.</u>
                                    └→ 같지 않다.
⑦ 자녀 하층 중에서 부모의 계층을 세습한 비율은 자녀 계층 대비 <u>10%</u>이다.
                                              └→ 50%
⑧ 부모 세대 계층 구조는 자녀 세대 계층 구조보다 사회 통합에 <u>유리하다.</u>
                                          └→ 불리하다.

개념 확인 문제

01 사회 불평등 현상을 보는 관점을 정리한 표이다. 빈칸에 들어갈 알맞은 말을 쓰시오.

기능론	• 사회 구성원들이 합의한 기준에 의해 개인의 자질과 노력에 따라 희소가치를 배분 → (　　　) 분배 중시 • 사회 불평등은 개인과 사회가 최선의 기능을 하도록 하는 장치 → (　　　) 부여와 인재 충원으로 사회 발전에 기여
갈등론	• 지배 집단에 유리한 기준에 의해 희소가치를 강제적으로 배분 → (　　　) 분배 중시 • 사회 불평등은 개인과 사회가 최선의 기능을 하는 데 장애 요소 → 상대적 박탈감과 집단 갈등을 유발하여 (　　　) 저해

02 다음 내용에 해당하는 계층 구조를 〈보기〉에서 골라 쓰시오.

〈보기〉
ㄱ. 타원형　　　　ㄴ. 피라미드형
ㄷ. 모래시계형　　ㄹ. 다이아몬드형

(1) 중층이 가장 적은 계층 구조로 사회가 몹시 불안정한 모습을 보이는 것은?
(2) 하층이 가장 많은 계층 구조로 전근대적인 사회에서 흔히 볼 수 있는 것은?
(3) 중층이 상층과 하층 사이에서 완충 구조를 형성하여 사회가 안정되는 계층 구조는?
(4) 정보화로 인해 누구나 정보에 쉽게 접근할 수 있어 정보 격차가 거의 없는 계층 구조는?

03 다음 글의 빈칸에 들어갈 알맞은 말을 쓰고, 고르시오.

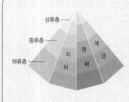

왼쪽 그림은 사회 불평등 현상을 설명하는 이론 중에서 베버의 (　　　)을/를 나타낸다. 이 이론은 사회 불평등 현상을 (경제적 / 다양한) 요인에 따라 나타나는 연속적인 서열화라고 본다. 따라서 오늘날의 지위 불일치 현상을 설명하는 데 적합하다.

04 사회 불평등의 유형과 각각의 사례를 바르게 연결하시오.

(1) 경제적 불평등　　•　　　•㉠ 권력의 차이
(2) 정치적 불평등　　•　　　•㉡ 연봉의 차이
(3) 사회·문화적 불평등 •　　•㉢ 교육 수준의 차이

---

01 사회 불평등 현상의 이해

01 밑줄 친 '이것'에 대한 설명으로 옳은 것은?

> 누구나 부, 권력, 명예 등과 같은 사회적 자원을 가지고 싶어 하지만 그 양은 한정되어 있다. 이에 따라 사회적 자원을 많이 가진 사람과 그렇지 않은 사람이 생기면서 개인이나 집단 간에 수직적인 위계 질서가 형성된다. 이처럼 사회적 자원이 불평등하게 분배되어 개인과 집단이 서열화되어 있는 현상을 이것이라고 한다.

① 사회의 안정과 발전에 기여한다.
② 주로 선천적인 요인에 의해 발생한다.
③ 과거 전통 사회에서는 존재하지 않았다.
④ 사회적 가치의 희소성으로 인해 발생한다.
⑤ 시대와 장소에 관계없이 동일한 양상을 띤다.

02 다음 자료에 나타난 현상에 대한 설명으로 옳지 않은 것은?

왼쪽 그림에는 조선 시대 양반과 상민의 모습이 나타나 있다. 양반은 일하지 않고 편히 쉬지만, 상민은 벼 타작을 하느라 분주하다.

⌃ 김홍도의 '벼타작'

① 사회 구성원 간 갈등을 초래할 수 있다.
② 어느 사회, 어느 시대나 나타나는 현상이다.
③ 사회 구성원의 생활양식에 많은 영향을 준다.
④ 사회적 희소가치가 차등 분배되면서 나타난다.
⑤ 주로 개인의 능력과 노력의 차이에 의해서만 발생한다.

03 (가), (나)에서 각각 부각된 사회 불평등의 유형에 대한 옳은 설명을 【보기】에서 고른 것은?

(가) 고려 시대에는 국가에 공훈을 세운 신하나 임금 친척의 자손 외에도 5품 이상 관료의 아들, 손자, 사위, 동생, 조카 등에게 음서의 혜택을 주어 특별히 등용하였다. 음서로 관직에 진출하는 음직은 실제 벼슬을 주는 것은 아니었지만, 그 등급에 따라 토지를 받아 귀족으로서의 품위를 유지할 수 있었다.

(나) 우리나라 광역시·도 및 시·군·구의 소득 수준별 기대 여명을 살펴보면 소득 수준이 높은 지역에 사는 주민일수록 오래 사는 것으로 나타났다. 또 개인별 소득 수준에 따른 우울증 발생 정도는 저소득층이 고소득층에 비해 높게 나타났다.

◀ 보기 ▶
ㄱ. (가)는 권력의 소유와 행사에서의 불평등이다.
ㄴ. (나)는 경제적 불평등이 사회·문화적 불평등의 영향을 받는 모습을 보여 준다.
ㄷ. (가)는 (나)에 비해 선천적 요인이 강한 영향을 주고 있다.
ㄹ. (가)와 달리 (나)는 사회적 가치의 희소성으로 인해 나타난다.

① ㄱ, ㄴ　　　② ㄱ, ㄷ　　　③ ㄴ, ㄷ
④ ㄴ, ㄹ　　　⑤ ㄷ, ㄹ

04 다음 자료에 나타난 사회 불평등의 유형에 대한 설명으로 옳은 것은?

〈고용 형태별 임금 현황〉

월 임금 총액

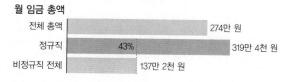

전체 총액	274만 원
정규직 (43%)	319만 4천 원
비정규직 전체	137만 2천 원

시간당 임금 총액

정규직 (65.5%)	1만 7천 480원
비정규직	1만 1천 452원

(고용 노동부, 2015)

① 권력의 소유와 행사의 차이로 나타난다.
② 시간당 임금 수준을 높이면 점차 해소된다.
③ 주로 선천적인 조건의 차이에 의해 발생한다.
④ 사회·문화적 생활의 기회 차이로 이어질 수 있다.
⑤ 구성원 간 경쟁을 유도하여 효율성을 높이기도 한다.

05 사회 불평등 현상을 바라보는 갑, 을 관점의 일반적인 특징에 대한 설명으로 옳은 것은?

갑: 의사는 생명을 다루는 중요한 일을 하고, 의사가 되려면 시간과 노력을 많이 들여야 하므로 그에 합당한 보상을 해야 한다.
을: 의사도 생명을 다루는 중요한 일을 하지만 소방대원도 생명을 구하는 일을 하는데, 소방대원이 의사보다 상대적으로 낮은 보상을 받는 것은 합리적이지 않다.

① 갑은 사회에 기능적으로 중요한 일과 그렇지 않은 일이 존재한다고 본다.
② 을은 사회 불평등 현상을 사회 구성원 모두에 의해 합의된 것으로 본다.
③ 갑은 을과 달리 사회 불평등을 극복해야 할 대상으로 본다.
④ 을은 갑과 달리 사회 불평등 현상이 성취동기를 자극한다고 본다.
⑤ 갑, 을 모두 사회 불평등 현상을 필수 불가결한 것으로 여긴다.

06 사회 불평등 현상과 관련하여 다음 글에 부합하는 입장으로 적절한 것은?

성과급 제도는 자본가가 노동자를 통제하는 하나의 수단에 불과하다. 자본가는 자신의 이익을 크게 해치지 않는 선에서 성과급 보상 기준에 따라 성과급을 지급하고, 성과급을 받기 위해 직원들이 노력할수록 자본가의 이익을 극대화하는 결과만 낳는다. 또한 성과급 제도가 시행되면 개인의 노력과 능력에 상관없이 자본가의 의도에 따라 어떤 사람은 성과가 좋은 부서에 발령을 받아 별다른 노력을 하지 않아도 일정한 성과를 낼 수 있지만, 어떤 사람은 아무리 노력해도 성과를 낼 수 없는 부서에 발령을 받을 수도 있다. 결국 자본가의 의도대로 성과를 내지 못한 노동자는 회사를 그만두게 될 것이다.

① 차등 분배가 사회 구성원의 성취동기를 자극한다.
② 사회 불평등 현상은 보편적이며 필수 불가결하다.
③ 사회에 존재하는 일은 기능적 중요도가 서로 다르다.
④ 사회 불평등 현상은 인재를 적재적소에 배치할 수 있게 한다.
⑤ 희소가치의 배분 기준은 특정 집단의 합의에 의해 결정된다.

IV

07 다음 자료에 대해 갑이 가지고 있는 사회 불평등 현상에 관한 관점에 부합하는 진술을 【보기】에서 고른 것은?

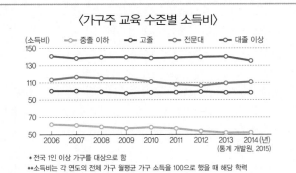

〈가구주 교육 수준별 소득비〉

(소득비) ─○─ 중졸 이하 ─○─ 고졸 ─△─ 전문대 ─◇─ 대졸 이상

* 전국 1인 이상 가구를 대상으로 함
** 소득비는 각 연도의 전체 가구 월평균 가구 소득을 100으로 했을 때 해당 학력 집단의 소득비임

(통계 개발원, 2015)

갑: 교육 수준이 높은 사람은 교육 수준이 낮은 사람보다 전문적인 업무를 담당하기 때문에 더 높은 소득을 얻는 것이 당연해.

◀ 보기 ▶
ㄱ. 사회 불평등 현상은 극복해야 할 대상이다.
ㄴ. 차등적 보상이 개인의 성취동기를 자극한다.
ㄷ. 사회 불평등 현상은 사회가 최적으로 기능하기 위해 필요하다.
ㄹ. 사회적 희소가치의 배분에 대해 지배층이 합의한 기준이 있다.

① ㄱ, ㄴ ② ㄱ, ㄷ ③ ㄴ, ㄷ
④ ㄴ, ㄹ ⑤ ㄷ, ㄹ

08 밑줄 친 'A 이론'에 대한 설명으로 옳은 것은?

사회 불평등 현상을 설명하는 <u>A 이론</u>은 공장, 기계 등과 같은 생산 수단의 소유 여부가 계급을 구분하는 가장 중요한 기준이라고 보았다. 고대 노예제 사회의 귀족과 노예, 중세 봉건 사회의 영주와 농노, 근대 자본주의 사회의 자본가와 노동자라는 계급 간 갈등을 원동력으로 역사는 발전하였고, 결국 자본주의 사회에서도 혁명을 통해 사회주의 체제가 도래할 것이라고 주장하였다.

① 지위 불일치 가능성을 인정한다.
② 중간 계층의 존재를 폭넓게 인정한다.
③ 다차원적 측면에서 사회 불평등 현상을 파악한다.
④ 사회 불평등 현상을 연속적으로 범주화하여 본다.
⑤ 동일 집단 구성원 간의 강한 연대 의식을 강조한다.

(빈출 문제) 연계 자료 → 81쪽 빈출 자료 01

09 A, B에 대한 설명으로 옳은 것은? (단, A와 B는 각각 계급론 또는 다원적 불평등론 중 하나이다.)

갑은 부자이지만 권력은 전혀 없다. 즉, 경제적으로는 상층이지만 정치적으로는 하층이다. 이러한 갑의 계층적 상황을 보다 잘 설명하는 것은 A가 아니라 B이다.

① A는 사회 이동의 가능성이 크다고 여긴다.
② A는 위계 구분 기준으로 경제적 요인만을 적용한다.
③ B는 정치적 불평등이 경제적 불평등에 종속된다고 본다.
④ B는 동일한 계층적 위치에 있는 사람들 사이의 연대 의식을 강조한다.
⑤ A와 B는 모두 사회 불평등 현상을 연속선상에 서열화된 것으로 본다.

유사 선택지 문제
09_ ❶ A는 (   )의 소유 여부로 계급을 구분한다.
09_ ❷ A는 B에 비해 지위 불일치 현상을 설명하는 데 유리하다.
(○ / ×)
09_ ❸ A와 B 모두 (   ) 요인에 의한 사회 불평등 발생 가능성을 인정한다.

10 사회 불평등 현상을 설명하는 두 이론 A, B의 공통점과 차이점을 나타낸 것이다. 이에 대한 설명으로 옳지 <u>않은</u> 것은? (단, A와 B는 각각 계급론과 다원적 불평등론 중 하나이다.)

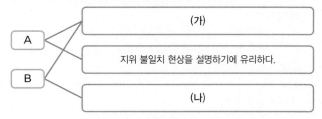

① A는 계층이 연속적으로 서열화되어 있다고 본다.
② B는 사회 불평등 현상을 지배와 피지배의 관계로 설명한다.
③ B에 비해 A는 중간 계층의 존재를 폭넓게 인정한다.
④ (가)에 '계층 간 수직 이동이 극히 제한적이라고 본다.'가 들어갈 수 있다.
⑤ (나)에 '다른 집단에 속한 구성원 간에 적대감이 있다고 본다.'가 들어갈 수 있다.

02 사회 계층 구조와 사회 이동

11 사회 계층과 관련하여 다음 글에서 추론할 수 있는 내용으로 가장 적절한 것은?

> 1,600여 명을 대상으로 21개로 나눈 음악 장르 가운데 좋아하는 음악을 조사한 결과, 비교적 학력이 낮은 사람들은 쉽게 들을 수 있는 컨트리 음악이나 디스코, 예전에 유행한 추억의 노래, 랩 등을 선호하는 경향이 있었다. 반면, 학력이 높고 부유한 사람들은 클래식 음악이나 블루스, 재즈, 오페라, 합창, 뮤지컬 등을 즐겨 듣는 것으로 나타났다.

① 계층은 구성원들의 생활양식에 영향을 미친다.
② 경제적 부와 교육 수준은 정(+)의 관계에 있다.
③ 교육 수준은 계층을 형성하는 중요한 요인이다.
④ 한번 형성된 계층 구조는 비교적 오래 유지된다.
⑤ 상층은 하층에 비해 음악에 관심이 많은 편이다.

12 다음 자료를 분석한 내용으로 옳은 것은?

〈계층 구성 비율〉

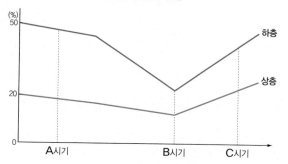

① A시기는 신분제 사회로 타원형 계층 구조가 확고해진다.
② B시기는 하강 이동에 의한 계층 구조의 변화가 활발하게 전개된다.
③ B시기는 중층이 완충 작용을 하여 사회의 안정을 가져올 것이다.
④ C시기는 빈곤의 세대 간 대물림 현상이 점점 약화될 것이다.
⑤ C시기는 상층의 증가로 계층 간 갈등이 해소될 것이다.

13 다음 사례에 나타난 사회 이동 유형을 【보기】에서 고른 것은?

> 게임업체를 운영하며 억대의 매출액을 자랑하던 갑은 최근 사업 실패로 실업자 신세가 되었다. 그는 엎친 데 덮친 격으로 친구의 빚보증을 잘못 서서 집과 예금을 모두 날리고, 가족들은 친척집으로 뿔뿔이 흩어지고 말았다.

【 보기 】
ㄱ. 수평 이동   ㄴ. 수직 이동
ㄷ. 개인적 이동   ㄹ. 구조적 이동

① ㄱ, ㄴ ② ㄱ, ㄷ ③ ㄴ, ㄷ ④ ㄴ, ㄹ ⑤ ㄷ, ㄹ

14 A, B는 계층 간 이동 가능성을 기준으로 구분한 계층 구조의 유형이다. 이에 대한 설명으로 옳은 것은?

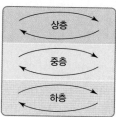
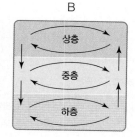

① A에서 부모의 지위는 자녀의 계층 형성에 큰 영향을 준다.
② B는 계층 간의 갈등이 사회 이동의 중요한 요인이다.
③ A는 B에 비해 사회가 비교적 안정되어 있다.
④ A에 비해 B는 수평 이동의 발생 가능성이 훨씬 크다.
⑤ A와 B 모두에서 중층이 상층이나 하층보다 많다.

15 교사의 질문에 대해 옳은 답변을 한 학생을 고른 것은?

> 교사: 사회 계층 구조의 유형에 대해 발표해 볼까요?
> 갑: 폐쇄적 계층 구조는 수직 이동과 수평 이동 모두 불가능합니다.
> 을: 구성원의 비율에서 하층이 다른 계층보다 많으면 안정적인 사회가 됩니다.
> 병: 타원형 계층 구조는 정보화를 낙관적으로 보는 사람이 기대하는 계층 구조입니다.
> 정: 사회 보장 제도가 발달할수록 다이아몬드형 계층 구조가 나타납니다.

① 갑, 을   ② 갑, 병   ③ 을, 병
④ 을, 정   ⑤ 병, 정

16 표는 A국의 계층 구조 변화를 보여 준다. 이를 보고 옳게 진술한 학생은?

(단위: %)

연도 \ 계층	상층	중층	하층
2000	21	70.2	8.8
2010	21.8	68.5	9.7
2018	22.5	63.9	13.6

① 갑: 수평 이동의 가능성이 낮아졌군.
② 을: 피라미드형 계층 구조가 되었군.
③ 병: 계층 대물림 현상이 약화되고 있군.
④ 정: 사회 안전망을 확충할 필요가 있겠군.
⑤ 무: 사회 보장 제도의 효과가 나타나고 있군.

빈출 문제 연계 자료 → 81쪽 빈출 자료 02

17 표는 부모와 자녀의 계층 이동 현황이다. 이에 대한 설명으로 옳은 것은? (단, 모든 부모의 자녀는 1명씩이다.)

(단위: %)

구분		부모의 계층			
		상층	중층	하층	계
자녀의 계층	상층	2	8	10	20
	중층	6	14	40	60
	하층	2	8	10	20
	계	10	30	60	100

① 계층이 상승 이동한 비율보다 하강 이동한 비율이 높다.
② 부모 계층 대비 부모와 자녀의 계층 일치 비율은 중층이 가장 낮다.
③ 자녀 계층 대비 부모와 자녀의 계층 일치 비율은 하층이 가장 높다.
④ 자녀 하층 중에서 부모의 계층을 세습한 비율은 자녀 계층 대비 10%이다.
⑤ 부모 세대 계층 구조는 자녀 세대 계층 구조보다 사회 통합에 유리하다.

유사 선택지 문제

17_❶ 부모 상층 중에서 자녀가 상층인 비율과 하층인 비율은 같다.
(○ / ×)

17_❷ 부모의 계층은 (   ) 계층 구조이고, 자녀의 계층은
(   ) 계층 구조이다.

18 (가)~(다)는 계층을 연구하는 방법이다. 이에 대한 설명으로 옳지 <u>않은</u> 것은?

(가) 조사하고자 하는 사람에게 스스로 어떤 계층에 속한다고 생각하는지 물어본다.
(나) 조사하고자 하는 사람을 잘 아는 주위의 다른 사람들에게 그 사람의 계층적 위치를 물어본다.
(다) 응답자의 주관과 판단에 따르지 않고 객관적 변수를 선정하여 개인의 계층적 위치를 파악한다.

① (가)에 의한 주관적 계층 의식은 사람마다 다르게 나타난다.
② (나)는 자료 수집에 있어 면접법을 활용하기도 한다.
③ (다)에서는 주로 직업, 학력, 수입 등을 변수로 선정한다.
④ (가)보다는 (나)가 계층 연구의 객관성을 확보하는 데 상대적으로 유리하다.
⑤ (나)는 (다)에 비해 대규모 조사에서 자주 활용된다.

19 어느 사회에서 계층 구조가 다음과 같이 변화되었다. 이러한 변화의 원인으로 가장 적절한 것은?

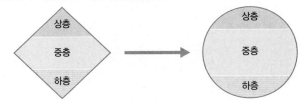

① 급격한 경기 침체로 실업자가 증가하였다.
② 인플레이션이 발생하여 빈부 격차가 크게 벌어졌다.
③ 자녀의 취업에 부모의 경제적 지위가 큰 영향을 주었다.
④ 정보화의 진전으로 누구나 쉽게 정보에 접근하게 되었다.
⑤ 2차 산업의 발달로 사회 전반에 관료제 조직이 발달하였다.

20 사회 이동의 유형에 따른 사례로 적절하지 <u>않은</u> 것은?

① 세대 간 이동 - 가난한 농부의 아들로 태어난 갑은 성장하여 대통령이 되었다.
② 수평 이동 - 도시에서 살던 을은 농촌으로 이사하여 농사를 짓고 있다.
③ 수직 이동 - 회사를 운영하던 사장 병은 부도를 맞아 택배 기사로 취업했다.
④ 세대 내 이동 - ○○회사의 대리 정은 10년 만에 부장으로 승진했다.
⑤ 구조적 이동 - 노비 신분인 무는 신분제가 폐지되자 평민이 되었다.

21

그림은 갑국과 을국의 계층 간 상대적 비율 변화를 나타낸 것이다. 이에 대한 옳은 설명을 〈 보기 〉에서 고른 것은?

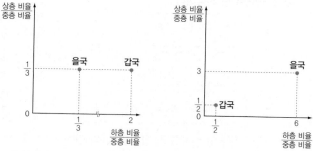

〈2010년〉 〈2015년〉

〈 보기 〉

ㄱ. 갑국의 계층 구조는 2010년에 비해 2015년이 더 안정적이다.

ㄴ. 을국은 다이아몬드형에서 피라미드형으로 계층 구조가 변화하였다.

ㄷ. 2010년의 중층 비율은 갑국이 을국에 비해 더 낮다.

ㄹ. 갑국과 달리 을국은 중층의 상승 이동이 하강 이동보다 많이 나타났다.

① ㄱ, ㄴ ② ㄱ, ㄷ ③ ㄴ, ㄷ

④ ㄴ, ㄹ ⑤ ㄷ, ㄹ

22

다음 자료에 대한 분석으로 옳은 것은?

갑국은 상층, 중층, 하층으로만 계층이 구성된다. A~C는 각각 상층, 중층, 하층 중 하나이다. 갑국의 부모 계층은 피라미드형 계층 구조이며, C는 A보다 높은 계층이다. 갑국의 부모와 자녀의 계층 비율은 다음과 같다.

(단위: %)

부모의 계층 비율	A			B			C		
	30			60			10		
자녀의 계층 비율	A	B	C	A	B	C	A	B	C
	60	30	10	40	50	10	20	10	70

① 세대 간 상승 이동이 하강 이동보다 더 많다.

② 세대 간 수직 이동이 계층을 대물림한 경우보다 더 많다.

③ 자녀 세대 중 부모가 상층이고 자녀가 하층인 비율은 2%이다.

④ 부모 계층 중 세대 간 계층을 대물림한 비율은 하층에서 가장 높다.

⑤ 자녀 세대의 계층 구조는 부모 세대의 계층 구조에 비해 양극화 현상이 심하다.

서술형 문제

23

다음 글을 읽고 물음에 답하시오.

의사는 생명을 다루는 중요한 일을 하고, 의사가 되려면 시간과 노력을 많이 들여야 하므로 그에 합당한 보상을 해야 한다. 만일 의사에게 합당한 보상이 주어지지 않으면 열심히 공부하여 의사가 되려는 사람이 줄어들어 그 사회에서는 의사가 부족해질 것이다.

(1) 윗글에 나타난 사회 불평등 현상을 보는 관점을 쓰시오.

(2) 윗글에서 강조하는 관점의 특징을 분배의 측면에서 서술하시오.

24

다음 글을 읽고 물음에 답하시오.

세계화와 정보화를 낙관적으로 보는 사람은 A 계층 구조에서 중층의 비율이 증가하여 B 계층 구조가 될 것이라고 주장한다. 정보 사회에서는 지식과 정보가 부가가치의 원천으로, 정보화의 진전에 따라 사회 모든 분야에서 지식과 정보가 확산하고 접근이 쉬워지면서 계층 간 격차가 줄어든다는 것이다.

(1) 윗글의 A, B는 무엇인지 각각 쓰시오.

(2) 세계화와 정보화를 비관적으로 보는 사람의 입장을 계층 구조의 변화 과정을 포함하여 서술하시오.

25

사회 이동이 나타난 사례이다. 물음에 답하시오.

• 갑오개혁을 통해 양반과 평민의 법률상 평등이 이루어졌고, 천민들도 신분의 굴레에서 벗어나게 되었다.

• 제3신분으로서 온갖 박해를 받았던 시민들이 시민 혁명으로 사회의 주도권을 갖게 되었다.

(1) 위 사례에 공통적으로 나타난 사회 이동 유형을 쓰시오.

(2) 위 사례에 나타난 사회 이동의 원인을 서술하시오.

01 사회 불평등 현상을 바라보는 갑, 을 관점의 일반적인 특징에 대한 설명으로 옳은 것은?

미국 근로자 연봉, 최고 경영자의 300분의 1

최고 경영자의 높은 연봉은 그들의 역량과는 무관해. 최고 경영자의 생산성이 높아서가 아니라, 연봉을 결정할 때 더 많은 권력을 행사하기 때문에 높은 연봉을 받는 거야.

최고 경영자의 높은 연봉은 급변하는 시장 상황에서 최고 경영자의 역량이 기업의 운명을 좌우할 만큼 중요해졌고, 근로자의 능력으로는 대체할 수 없는 희소성이 있기 때문이야.

갑

을

① 갑은 사회 기여 정도에 따라 희소가치가 분배된다고 본다.

② 을은 차등적인 보상이 사회 발전을 위해 필요하다고 본다.

③ 갑은 을과 달리 사회가 기득권층의 지배를 바탕으로 유지된다고 본다.

④ 갑은 사회 불평등을 극복해야 할 대상이라고 보고, 을은 보편적인 현상이라고 본다.

⑤ 갑은 사회 불평등 현상이 상대적 박탈감을 유발한다고 보고, 을은 성취동기를 자극한다고 본다.

| 평가원 응용 |

02 사회 불평등 현상을 보는 관점, (가), (나)에 대한 설명으로 옳은 것은?

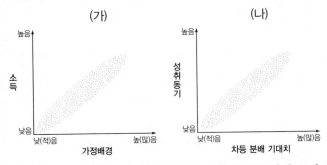

(가)

소득 / 가정배경

(나)

성취동기 / 차등 분배 기대치

① (가)는 사회적 희소가치의 배분에 대해 사회 구성원들 간에 합의된 기준이 있다고 본다.

② (가)는 사회 불평등이 사회가 최적으로 기능하기 위해 필요하다고 본다.

③ (나)는 사회 불평등이 사회의 기능 분화에 따른 합리적 결과라고 본다.

④ (나)는 사회 불평등 현상을 보편적이지만 불가피하지는 않다고 본다.

⑤ (가)는 (나)와 달리 후천적 요인에 의해 계층이 형성될 가능성이 높음을 보여 준다.

03 그림은 사회 불평등 현상을 설명하는 두 이론 A, B를 구분한 것이다. 이에 대한 설명으로 옳은 것은? (단, A, B는 각각 계급론, 다원적 불평등론 중 하나이다.)

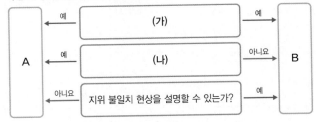

A — 예 → (가) — 예 → B
A — 예 → (나) — 아니요 → B
A — 아니요 → 지위 불일치 현상을 설명할 수 있는가? — 예 → B

① A는 중간 계급의 존재를 설명하기에 용이하다.

② B는 갈등과 대립이 사회 변혁의 원동력이 된다고 본다.

③ A와 달리 B는 정치적 불평등이 경제적 불평등에 종속됨을 강조한다.

④ (가)에는 '사회 불평등 현상을 이분법적으로 구분하는가?'가 들어갈 수 있다.

⑤ (나)에는 '동일 계급에 속한 사람들의 강한 귀속 의식을 강조하는가?'가 들어갈 수 있다.

| 수능 응용 |

04 밑줄 친 'A 이론'의 입장을 고려하여 주어진 질문에 모두 옳게 대답한 학생은?

사회 불평등 현상을 설명하는 A 이론은 생산 수단의 소유 여부와 더불어 소득이나 부의 크기도 계급을 결정하는 요인으로 본다. 그러나 소득이나 부의 크기는 계급 관계의 산물일 뿐, 계급을 구분하는 요인은 아니다. 또한 A 이론에서 사회 불평등을 구성하는 요인으로 보는 지위나 파당도 기본적으로 계급 관계에 의해 규정될 뿐이며, 그 자체로는 독자적인 기원을 가지지 못한다.

질문 \ 학생	갑	을	병	정	무
지위 불일치 가능성을 인정하는가?	×	○	×	×	○
계층 간 수직 이동이 극히 제한적이라고 보는가?	○	×	○	×	×
다차원적 측면에서 사회 불평등 현상을 파악하는가?	×	○	×	○	○
동일 집단 구성원 간에 강한 연대 의식을 강조하는가?	○	×	○	×	×
사회 불평등 현상을 연속적으로 범주화되어 있다고 보는가?	×	○	×	○	×

(○: 예, ×: 아니요)

① 갑　　② 을　　③ 병　　④ 정　　⑤ 무

05
그림은 갑국과 을국의 계층 구조 변화를 나타낸 것이다. 이에 대한 옳은 설명을 【 보기 】에서 고른 것은?

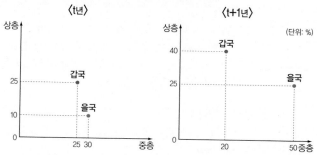

⟨t년⟩ / ⟨t+1년⟩ (단위: %)

【 보기 】

ㄱ. 갑국에서 사회 이동이 가장 활발하게 이루어진 것은 상층이다.

ㄴ. 을국은 중층이 사회 안정을 실현하는 데 중요한 역할을 하고 있다.

ㄷ. 갑국과 달리 을국은 개방적 계층 구조가 나타나고 있다.

ㄹ. t+1년에 을국에 비해 갑국은 사회 안전망 확보가 더 필요하다.

① ㄱ, ㄴ ② ㄱ, ㄷ ③ ㄴ, ㄷ
④ ㄴ, ㄹ ⑤ ㄷ, ㄹ

06
(가)~(다)는 사회 계층 구조의 유형을 나타낸 것이다. 이에 대한 설명으로 옳은 것은?

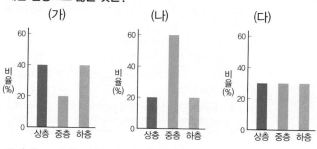

(가) / (나) / (다)

① (가) → (나): 계층의 양극화가 심화되었다.

② (가) → (다): 계층의 대물림 현상이 사라졌다.

③ (나) → (가): 계층 간 정보 격차가 줄어들었다.

④ (다) → (가): 폐쇄적 계층 구조로 변화되었다.

⑤ (다) → (나): 사회가 안정적인 모습을 갖게 되었다.

07
다음 자료에 대한 분석으로 옳은 것은?

다음은 성인 자녀 1명을 둔 가구주 100명을 대상으로 계층 구성 및 계층 이동의 현황을 조사한 결과이다. 사회 계층은 상층, 중층, 하층으로만 구분하며, A~C는 각각 상층, 중층, 하층 중 하나이다.

⟨부모 세대 계층 구성 현황⟩

$$\frac{C}{A+B}=1 \qquad \frac{B}{A+C}=\frac{3}{7}$$

⟨부모 세대와 자녀 세대 간 계층 이동 현황⟩

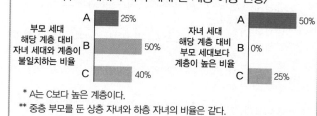

부모 세대 해당 계층 대비 자녀 세대와 계층이 불일치하는 비율: A 25%, B 50%, C 40%

자녀 세대 해당 계층 대비 부모 세대보다 계층이 높은 비율: A 50%, B 0%, C 25%

* A는 C보다 높은 계층이다.
** 중층 부모를 둔 상층 자녀와 하층 자녀의 비율은 같다.

① 부모 세대는 피라미드형, 자녀 세대는 모래시계형 계층 구조이다.

② 상층 부모를 둔 하층 자녀와 하층 부모를 둔 상층 자녀의 비율은 같다.

③ 세대 간 계층을 대물림한 사람보다 세대 간 계층 이동한 사람이 많다.

④ 세대 간 상승 이동한 사람은 세대 간 하강 이동한 사람의 2배를 넘는다.

⑤ 자녀 세대 계층 대비 부모 세대와 계층이 일치하는 비율은 하층이 가장 높다.

08
표에 대한 분석으로 옳지 않은 것은?

⟨갑국의 세대 간 계층 구성비⟩

(단위: %)

구분		부모의 계층			
		상층	중층	하층	계
자녀의 계층	상층	12	3	㉠	㉡
	중층		5	30	50
	하층				30
	계	30	㉢	50	100

① ㉠은 세대 간 상승 이동에 해당한다.

② ㉡과 ㉢의 값은 같다.

③ 계층 대물림 비율이 계층 이동 비율보다 높다.

④ 부모의 계층 구조보다 자녀의 계층 구조가 안정적이다.

⑤ 부모가 하층일 경우 자녀와 계층이 일치하는 비율은 부모 계층 대비 30%이다.

11 IV. 사회 계층과 불평등

다양한 불평등 양상

출제 경향
★ 사회적 소수자의 요건, 성 불평등 양상 등을 분석하는 문제
★ 절대적 빈곤과 상대적 빈곤을 구분하는 문제

01 사회적 소수자 차별 문제

1. 사회적 소수자의 의미와 성립 요건

(1) 의미: 신체적 또는 문화적 특징 때문에 사회의 다른 구성원으로부터 차별받으며, 스스로 차별받는 집단에 속해 있다고 인식하는 사람들 → 사회적 소수자를 규정하는 핵심 기준은 수가 아니라 사회적 영향력의 크기임

(2) 성립 요건

식별 가능성	신체적으로나 문화적으로 다른 집단과 구별되는 뚜렷한 차이가 있음
권력의 열세	정치권력을 포함한 사회적 권한의 행사에서 지배 집단보다 열세에 있음
사회적 차별	사회적 소수자 집단의 구성원이라는 이유만으로 차별의 대상이 됨
집합적 정체성	스스로 차별받는 집단의 구성원이라는 인식 또는 소속감이 있음

2. 사회적 소수자 차별 양상

외국인 노동자	국적, 민족, 인종 등이 다르다는 이유로 낮은 임금을 받거나 열악한 환경 속에서 일하는 등 차별 대우를 받고 있음
장애인	여전히 교육이나 취업에서 불이익을 당하는 사례가 있으며, 일상에서 많은 제약과 불편함을 겪고 있음
다문화 가정	언어 소통 문제와 문화에 대한 이해 부족으로 다문화 가정을 보는 시각이 편향적임
성적 소수자	동성애자를 일종의 일탈 행위자로 간주하여 인권을 무시하는 경향이 있음

3. 사회적 소수자 차별 문제의 해결 방안

개인적 측면	• 나와 다른 사람에 대한 편견을 버리고 공존하려는 자세 • 차이를 그대로 받아들이는 관용의 자세
사회적 측면	• 사회적 소수자에게 불리한 법규 수정 • 장애인 의무 고용제, 여성 비례 대표제와 같은 적극적 우대 조치 시행

02 성 불평등 문제

1. 성 불평등 현상의 의미와 양상

(1) 의미: 사회 또는 가족 내에서 생물학적 성과 사회·문화적으로 만들어지는 사회적 성에 기반을 두어 남성과 여성에 대한 편견과 차별이 존재하는 상태

(2) 양상 빈출 자료 01

① 일상생활에서 이루어지는 성차별적인 생각과 언행

② 대중 매체에서 보이는 왜곡된 여성상과 남성상

③ 취업 기회와 임금 지급에서 성별에 따른 부당한 차별

2. 성 불평등 현상의 원인

가부장제	남성은 주로 지배적·주도적인 일을 하고 여성은 보조하는 업무를 담당하는 식의 차별적인 분업이 지속되어 옴
차별적 사회화	개인은 몸가짐, 말투, 머리 모양, 옷 등에서 성별에 따른 기준을 적용받으며 그 사회가 용인하는 여성다움 혹은 남성다움을 학습하면서 성장함

3. 성 불평등 문제의 해결 방안

개인적 측면	남성과 여성에 대한 고정관념 및 편견을 버리고 양성평등 의식 함양
사회적 측면	• 남녀 차별적인 고용 관행 제거 • 양성평등 원칙에 어긋나는 법과 제도 개선 • 학교 교육과 대중매체를 통해 양성평등 의식 확립

03 빈곤 문제

1. 빈곤의 원인과 영향

의미	인간의 기본적인 욕구를 충족하는 데 필요한 자원이나 소득의 결핍이 지속되는 상태
원인	• 개인적 측면: 근로 능력 상실, 성취동기 부족 등 • 사회적 측면: 사회 보장 제도 미비, 빈부 격차 심화 등
영향	• 개인적 측면: 건강 악화, 상대적 박탈감 유발, 심리적 위축, 빈곤의 대물림 등 • 사회적 측면: 범죄 증가, 사회 불안 및 갈등 유발 등

2. 빈곤에 대한 관점

기능론	가난한 사람들의 개인적 특성을 강조하며, 빈곤층은 가난한 사람들이 갖는 공통의 가치, 태도 및 행동, 즉 빈곤 문화를 형성한다고 봄
갈등론	빈곤을 만들어 내는 사회 구조를 강조하며, 일에 따른 차등 보상과 이윤 추구를 인정하는 사회 구조에서는 저소득과 소득 격차가 발생할 수밖에 없다고 봄

3. 빈곤의 유형 빈출 자료 02

절대적 빈곤	• 인간이 최소한의 생활을 유지하는 데 필요한 자원이나 소득이 절대적으로 부족한 상태 • 우리나라의 경우 가구 소득이 최저 생계비(절대적 빈곤선) 미만인 가구를 절대적 빈곤율로 정하여 측정함
상대적 빈곤	• 사회 구성원 대다수가 누리는 생활수준을 영위하지 못하는 상태 • 우리나라의 경우 가구 소득이 중위 소득의 50%(상대적 빈곤선) 미만인 가구를 상대적 빈곤율로 정하여 측정함

4. 빈곤 문제의 해결 방안

개인적 측면	• 빈곤층 스스로 빈곤에서 벗어나려는 자활 의지와 노력 • 빈곤층을 배려·지원하려는 공동체 의식 및 공존의 가치관 함양
사회적 측면	교육의 기회 균등, 직업 훈련 및 일자리 창출 정책 등으로 빈곤의 악순환 방지

 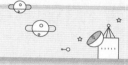

빈출 특강

📖 대표 유형

빈출 자료 01 성 불평등 현상의 양상 | 연계 문제 → 94쪽 09번

 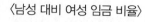

〈가사 노동 시간〉 ※맞벌이 가구, 1일 기준 ■남성 ■여성

2004: 32, 208 / 2009: 37, 200 / 2014(년): 40, 194
(통계청, 2014)

〈남성 대비 여성 임금 비율〉 ※남성 노동자 임금 100을 기준으로 함

2012: 64.4 / 2013: 64 / 2014: 63.1 / 2015(년): 62.8
(고용 노동부, 2015)

| **자료 분석** | 〈가사 노동 시간〉을 보면 맞벌이 부부의 남성보다 여성의 노동 시간이 훨씬 많다. 남성과 여성 모두 소득 활동을 하지만 집에서의 일은 여전히 여성이 많이 한다. 〈남성 대비 여성 임금 비율〉을 보면 남성 노동자 임금을 100으로 했을 때 여성의 임금은 60 정도 수준에 불과하다. 같은 시간에 같은 일을 해도 단지 여성이라는 이유만으로 임금을 적게 받는 것은 성 불평등 현상으로 볼 수 있다.

빈출 자료 02 절대적 빈곤과 상대적 빈곤 | 연계 문제 → 95쪽 11번

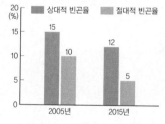

〈갑국의 빈곤율〉 ■상대적 빈곤율 ■절대적 빈곤율

2005년: 15, 10 / 2015년: 12, 5

〈갑국의 중위 소득과 최저 생계비〉 (단위: 달러)

구분 \ 연도	2005년	2015년
중위 소득	2,400	3,000
최저 생계비	800	1,200

* 절대적 빈곤율(%): 전체 가구에서 가구 소득이 최저 생계비 미만인 가구의 비율
** 상대적 빈곤율(%): 전체 가구에서 가구 소득이 중위 소득의 50% 미만인 가구의 비율
*** 중위 소득: 전체 가구를 소득 순으로 일렬로 배열했을 때 한가운데 위치한 가구의 소득
**** 갑국의 전체 가구 수의 변화는 없으며, 모든 가구의 구성원 수는 동일하다.

| **자료 분석** | 갑국은 2005년과 2015년 모두 상대적 빈곤율이 절대적 빈곤율보다 높다. 즉, 갑국의 모든 절대적 빈곤 가구는 상대적 빈곤 가구에 해당한다. 절대적 빈곤율은 최저 생계비로 측정하므로 2005년에 절대적 빈곤율 10%에 해당하는 가구는 모두 800달러 미만의 소득을 얻는 가구이다. 2015년에는 5%의 가구가 1,200달러 미만의 소득을 얻는 가구이다. 상대적 빈곤율은 가구 소득이 중위 소득의 50% 미만인 가구로서 2005년에는 15%의 가구가 중위 소득 2,400달러의 절반인 1,200달러 미만의 소득을 얻고 있었다. 2015년에는 12%의 가구가 1,500달러 미만의 소득을 얻고 있다.
| **이것도 알아둬** | 절대적 빈곤과 상대적 빈곤은 소득을 기준으로 하는 객관적 빈곤 개념이다. 또한 빈곤선은 절대적 빈곤 또는 상대적 빈곤의 기준이 되는 소득을 말하고, 빈곤율은 빈곤선에 미치지 못하는 가구의 비율을 가리킨다.

📄 자주 나오는 오답 선택지

빈출 자료 01 에서 자주 나오는 오답 선택지

① 맞벌이 가구 남성과 여성의 가사 노동 시간 격차는 점차 늘어나고 있다.
→ 줄어들고

② 2013년에 비해 2014년에는 여성 노동자의 임금이 줄어들었다.
→ 줄어들었는지 알 수 없다.

③ 연도별 여성 노동자 임금은 전체 노동자 임금의 60% 정도이다.
→ 남성 노동자

④ 남성 노동자 임금이 100만 원일 때 여성 노동자 임금은 40만 원이 되지 않는다.
→ 60만 원 정도이다.

⑤ 노동자의 임금 차이보다 가사 노동 시간의 격차에서 성 불평등 현상이 점점 심각해지고 있다.
→ 가사 노동 시간의 격차 → 노동자의 임금 차이

⑥ 남성 근로자와 여성 근로자에게 차등적으로 임금이 지급되는 것은 남성과 여성의 능력 차이 때문이다.
→ 남성 중심의 사회 구조

빈출 자료 02 에서 자주 나오는 오답 선택지

① 갑국에서 2005년의 빈곤 가구는 전체의 25%에 해당한다.
→ 15%

② 2005년 전체 가구 중 소득 800달러 미만인 가구의 비율은 15%이다.
→ 10%

③ 2005년 전체 가구 중 2,400달러 미만의 소득을 가진 가구는 15%이다.
→ 1,200달러

④ 2005년 절대적 빈곤 가구이면서 상대적 빈곤 가구는 전체의 15%이다.
→ 10%

⑤ 2015년 1,200달러 미만의 소득을 가진 가구는 전체의 7%이다.
→ 5%

⑥ 2015년에 모든 상대적 빈곤 가구는 절대적 빈곤 가구에 해당한다.
→ 모든 절대적 빈곤 가구는 상대적 빈곤 가구에 해당한다.

⑦ 2015년 전체 가구 중 소득 1,200달러 이상 1,500달러 미만인 가구의 비율은 5% 미만이다.
→ 7%

⑧ 2015년의 절대적 빈곤선은 2005년의 상대적 빈곤선보다 높다.
→ 같다.

⑨ 2005년보다 2015년의 최상위 소득과 최저 생계비 간의 격차가 더 크다.
→ 더 큰지 알 수 없다.

⑩ 2005년 대비 2015년의 절대적 빈곤에 해당하는 갑국 인구의 비율은 2배이다.
→ 1/2배

01 빈칸에 들어갈 알맞은 말을 쓰시오.

절대적 빈곤	• 인간이 최소한의 생활을 유지하는 데 필요한 자원이나 소득이 (　　　)으로 부족한 상태 • 우리나라의 경우 가구 소득이 (　　　) 미만인 가구를 절대적 빈곤율로 정하여 측정함
상대적 빈곤	• 사회 구성원 대다수가 누리는 생활수준을 영위하지 못하는 상태 • 우리나라의 경우 가구 소득이 (　　　)의 (　　　) 미만인 가구를 상대적 빈곤율로 정하여 측정함

02 다음 내용에 해당하는 사회적 소수자의 성립 요건을 〈보기〉에서 골라 쓰시오.

〈 보기 〉
ㄱ. 식별 가능성　　ㄴ. 권력의 열세
ㄷ. 사회적 차별　　ㄹ. 집합적 정체성

(1) 스스로 차별받는 집단의 구성원이라는 인식 또는 소속감이 있다.
(2) 신체적으로나 문화적으로 다른 집단과 구별되는 뚜렷한 차이가 있다.
(3) 사회적 소수자 집단의 구성원이라는 이유만으로 차별의 대상이 된다.
(4) 정치권력을 포함한 사회적 권한의 행사에서 지배 집단보다 열세에 있다.

03 다음 글을 읽고 빈칸에 들어갈 알맞은 말을 고르시오.

가정 내 의사 결정 권한을 남성이 주도하고 지배하는 (가부장제 / 차별적 사회화)는 남성 중심의 지배 구조를 사회 전반으로 확산한다. 이 때문에 가사 노동과 육아 등을 여성의 역할로 한정하거나 직업 세계에서 여성은 주로 남성을 보조하는 업무를 담당하도록 하는 등의 (양성평등 / 성 불평등)을 당연한 것으로 여기게 된다.

04 사회 불평등 양상과 그 근거가 되는 자료를 바르게 연결하시오.

(1) 성 불평등　　　　　•　　　• ㉠ 최저 생계비
(2) 빈곤 문제　　　　　•　　　• ㉡ 남녀 임금 격차
(3) 사회적 소수자 차별　•　　　• ㉢ 외국인 기피 현상

---

01 사회적 소수자 차별 문제

01 갑~병의 공통된 특징으로 가장 적절한 것은?

• 갑은 베트남 농촌 출신 여성으로 최근 한국 농촌 총각과 결혼하였다. 문화적 차이로 인해 시집살이에 많은 어려움을 겪고 있다.
• 을은 북한에서 장교로 근무하다가 한국에 들어온 북한이탈 주민이다. 안정된 직업을 찾지 못해 비정규직 근로자로 일하고 있는데, 주변 사람들의 편견 때문에 마음고생이 심하다.
• 병은 한국인으로 이슬람교를 믿고 있는 평범한 대학생이다. 코란을 읽고 있으면 주변 학생들의 이상한 시선이 느껴져 불편하다.

① 일탈 행위를 하고 있다.
② 사회적 소수자로 분류된다.
③ 사회 계층이 하강 이동하였다.
④ 절대적 빈곤 가구에 해당한다.
⑤ 외모상 다른 특징을 갖고 있다.

02 밑줄 친 'A'가 성립하기 위한 요건으로 볼 수 <u>없는</u> 것은?

A는 신체적 또는 문화적 특징 때문에 사회의 다른 구성원으로부터 차별받으며 스스로 차별받는 집단에 속해 있다고 인식하는 사람들을 의미한다. 이들은 인종, 민족, 국적, 신체 등이 주류 집단과 다르다는 이유로 차별의 대상이 되고 부당한 대우를 받으며 주류 집단보다 권력, 재산 등의 사회적 자원을 획득하는 데 불리한 위치에 있다.

① 구성원의 수가 적어야 한다.
② 정치·경제·사회적 권력에서 열세에 있다.
③ 신체 또는 문화적으로 구별되는 특징이 있다.
④ 그 집단 구성원이라는 이유로 사회적 차별을 받는다.
⑤ 자기가 차별받는 집단의 구성원이라는 점을 느끼고 있다.

정답 및 해설 42쪽

03 다음 글을 통해 추론할 수 있는 진술만을 〈보기〉에서 있는 대로 고른 것은?

> A국의 갑은 어렸을 때부터 시각 장애인이었다. 일상생활에서의 불편뿐만 아니라 장애인에 대한 막연한 편견으로 큰 상처를 입었다. 괴로워하던 갑은 B국으로 이민을 갔는데, 장애인의 비율은 A국과 비슷했다. 그런데 B국에서는 누구도 갑에게 편견을 가지고 대하지 않았다.

◀ 보기 ▶
ㄱ. A국과 달리 B국에서 장애인은 사회적 소수자가 아니다.
ㄴ. 사회적 소수자는 수적으로 열세에 놓인 집단이어야 한다.
ㄷ. 사회에 따라 사회적 소수자로 분류될 수 있는 집단은 다를 수 있다.
ㄹ. 사회적 소수자는 집단의 구성원이라는 이유만으로 차별의 대상이 될 수 있다.

① ㄱ, ㄴ   ② ㄱ, ㄷ   ③ ㄴ, ㄹ
④ ㄱ, ㄷ, ㄹ   ⑤ ㄴ, ㄷ, ㄹ

04 표는 연령별 우리 사회의 소수자 집단에 대한 사회적 거리를 조사한 것이다. 이에 대한 분석 및 해석으로 옳은 것은?

구분	청소년층	청년층	장년층	노년층	평균
장애인	2.83	2.28	2.84	2.83	2.69
탈북 주민	2.91	3.37	3.82	3.91	3.50
개발도상국 출신 이주 노동자	2.82	2.11	2.03	2.01	2.24
선진국 출신 이주 노동자	3.96	3.30	3.08	2.98	3.34
평균	3.14	2.76	2.94	2.93	2.94

* '이웃 주민으로 생각한다.' '친구로서 인정한다.'와 같은 설문 문항 5~6개에 응답하도록 하였으며, 각 문항에 대해 '전혀 아니다(1점)'부터 '매우 그렇다(5점)'까지 5점 척도상에 표시하도록 하였다.

① 청소년층이 소수자 집단에 대한 사회적 거리를 가장 멀게 느낀다.
② 우리 사회에 적응하는 데 어려움을 느낄 가능성은 탈북 주민이 가장 높다.
③ 연령이 높을수록 동일 민족으로 분류되는 소수자 집단에 대해 더 부정적이다.
④ 장애인에 대해 사회적 거리를 멀게 느끼는 사람의 수는 청년층이 노년층보다 많다.
⑤ 이주 노동자의 출신 국가에 따라 호감을 느끼는 정도의 차이는 장년층이 노년층보다 크다.

05 다음 사례가 사회적 소수자 차별 문제 해결과 관련하여 시사하는 바로 가장 적절한 것은?

> 미국 아이오와의 초등학교 교사인 제인 엘리엇은 '차별 수업'을 시도하기로 마음먹는다. 학생들이 모두 백인이었기 때문에 엘리엇은 아이들을 '푸른 눈'과 '갈색 눈' 집단으로 구분하였다. 그리고 첫 수업에서는 '갈색 눈' 집단에 '우월하다'며 특혜를 주었고, '푸른 눈' 집단은 '열등하다'며 차별하였다. 다음 수업에서는 우월한 집단이 '푸른 눈'으로 바뀌었다. 그런데 차별을 먼저 경험한 푸른 눈의 아이들은 '우월한' 집단이 되어서도 '열등한' 갈색 눈의 아이들에게 훨씬 더 너그러웠다. 소수자가 되어 본 경험이 있는 사람들은 자신에게 주어진 특권에 대해 더욱 조심할 줄 알았던 것이다.

① 사회적 소수자의 범위를 법으로 명확히 규정해야 한다.
② 사회적 소수자를 우대해야 할 필요성을 인정해야 한다.
③ 사회적 소수자를 동등한 사회 구성원으로 인정해야 한다.
④ 소수자 우대 정책으로 발생하는 역차별을 경계해야 한다.
⑤ 사회적 소수자 차별을 금지하는 제도적 장치를 마련해야 한다.

06 사회적 소수자 차별을 보여 주는 (가), (나)에 대한 옳은 설명을 〈보기〉에서 고른 것은?

◀ 보기 ▶
ㄱ. (가)는 사회적 소수자에 대한 제도적 차원의 대책이 필요함을 보여 준다.
ㄴ. (나)에서는 사회적 소수자에 대한 배려가 중요함을 보여 준다.
ㄷ. (가)는 권력의 열세, (나)는 문화적 특징 때문에 차별받고 있는 모습이다.
ㄹ. (가)와 달리 (나)는 소수자 우대 정책의 역기능을 보여 주고 있다.

① ㄱ, ㄴ   ② ㄱ, ㄷ   ③ ㄴ, ㄷ
④ ㄴ, ㄹ   ⑤ ㄷ, ㄹ

02 성 불평등 문제

07 다음 자료에서 성 불평등이 발생하는 원인을 옳게 설명한 것은?

남자아이에게는 파란색 옷을 입히고 축구공을 갖고 놀게 하지만, 여자아이에게는 분홍색 옷을 입히고 꽃을 들고 놀도록 하는 것이 가정에서의 일반적인 양육 방식이다.

① 남성 중심적인 가부장제가 왜곡된 성 역할 형성에 기여하였다.
② 남녀의 불평등한 역할 때문에 가족 간에 대립이 발생할 수 있다.
③ 여성 스스로의 소극적인 문제 인식이 성 불평등 현상을 촉발시켰다.
④ 남성과 여성의 가족 내 역할이 모호하여 성 불평등 현상이 나타났다.
⑤ 남성과 여성에 대한 차별적인 사회화가 성 불평등 현상을 촉발시켰다.

08 갑, 을의 대화에 대한 분석으로 옳은 것은?

갑: 여성은 남성에 비해 신체적·정신적 능력이 낮기 때문에 힘들고 중요한 일은 남성이 맡게 돼. 그래야 사회가 안정적으로 유지되거든. 이 과정에서 남성의 임금이 높은 것은 당연한 거야.
을: 남성과 여성의 능력에는 큰 차이가 없어. 여성에게 접근 기회를 제한하려는 사회 구조 때문에 남녀 간 업무 차이와 임금 차이 등이 나타나는 거야.

① 갑은 성 불평등 문제를 부정적으로 본다.
② 갑은 성별 분업 체계가 사회 통합을 저해한다고 본다.
③ 을은 가부장제가 성 불평등을 정당화한다고 본다.
④ 을은 개인의 능력과 임금 수준은 정(+)의 관계를 갖는다고 본다.
⑤ 갑과 달리 을은 남성과 여성 간의 합리적 차이를 인정한다.

빈출 문제 연계 자료 → 91쪽 빈출 자료 01

09 다음 자료에 대한 옳은 분석을 〈보기〉에서 고른 것은?

〈가사 노동 시간〉
※맞벌이 가구, 1일 기준 ■남성 ■여성

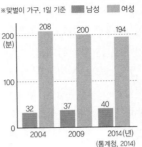

〈남성 대비 여성 임금 비율〉
※남성 노동자 임금 100을 기준으로 함

보기
ㄱ. 맞벌이 가구 남성과 여성의 가사 노동 시간 격차는 점차 줄어들고 있다.
ㄴ. 남성 노동자 임금이 100만 원일 때 여성 노동자 임금은 40만 원이 되지 않는다.
ㄷ. 성별에 따라 차등적으로 임금이 지급되는 것은 남성 중심의 사회 구조 때문이다.
ㄹ. 노동자의 임금 차이보다 가사 노동 시간의 격차에서 성 불평등 현상이 점점 심각해지고 있다.

① ㄱ, ㄴ ② ㄱ, ㄷ ③ ㄴ, ㄷ ④ ㄴ, ㄹ ⑤ ㄷ, ㄹ

유사 선택지 문제

09_❶ 맞벌이 가구의 가사 노동 시간 격차는 (　　　) 현상의 사례로 볼 수 있다.
09_❷ 2013년에 남성 노동자의 임금이 100만 원이라면 여성 노동자의 임금은 (　　　)만 원이다.
09_❸ 2014년에 비해 2015년에는 노동자의 남녀 임금 격차가 줄어들었다. (○ / ×)

10 다음 글에서 강조하는 내용으로 가장 적절한 것은?

전통적으로 남성은 바깥일 등의 공적 영역을, 여성은 가사와 양육 등의 사적 영역을 주로 담당하는 성별 분업이 이루어졌다. 그런데 공적 영역에 더 중요한 가치를 부여함으로써 사회적 위세와 권위가 남성에게 집중되었으며, 여성을 남성에게 의존하는 수동적인 존재로 간주하면서 성 불평등 현상을 야기하였다.

① 성 불평등 문제의 요인은 가부장제 질서 구조이다.
② 성을 차별하는 관행은 사회화 과정을 통해 학습된다.
③ 남녀의 성 역할 차이는 사회 통합에 기여하기도 한다.
④ 성 불평등 문제는 성별 분업 체계를 명확히 구분하면 해소된다.
⑤ 여성에 대한 우대 정책은 남성을 역차별하는 결과를 가져올 수 있다.

03 빈곤 문제

(빈출 문제) 연계 자료 → 91쪽 빈출 자료 02

11 다음 자료에 대한 분석으로 옳은 것은? (단, 갑국 전체 가구 수의 변화는 없으며, 모든 가구의 구성원 수는 동일하다.)

〈갑국의 빈곤율〉　　　〈갑국의 중위 소득과 최저 생계비〉

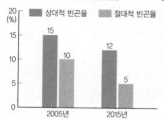

(단위: 달러)

연도 구분	2005	2015
중위 소득	2,400	3,000
최저 생계비	800	1,200

① 2005년 전체 가구 중 소득 800달러 미만인 가구의 비율은 15%이다.

② 2015년 상대적 빈곤 가구가 아닌 절대적 빈곤 가구의 비율은 7%이다.

③ 2005년보다 2015년의 최상위 소득과 최저 생계비 간의 격차가 더 크다.

④ 2015년의 절대적 빈곤선은 2005년의 상대적 빈곤선과 같다.

⑤ 2005년과 달리 2015년에 모든 절대적 빈곤 가구는 상대적 빈곤 가구에 해당한다.

유사 선택지 문제

11_❶ 2005년 (　　　　　　)은 800달러이다.

11_❷ 2005년 대비 2015년의 절대적 빈곤에 해당하는 갑국 인구의 비율은 (　　　)배이다.

11_❸ 2015년 전체 가구 중 소득 1,200달러 이상 1,500달러 미만인 가구의 비율은 5% 미만이다. 　　　　(○ / ×)

12 빈곤 유형 A, B에 대한 설명으로 옳지 <u>않은</u> 것은?

- A는 대부분의 나라에서 가구 소득이 최저 생계비 수준에 미치지 못하는 가구를 빈곤 가구로 파악한다.
- B는 대부분의 나라에서 '중위 소득의 일정 비율'에 미달하는 가구를 빈곤 가구로 파악한다.

① 최저 생계비를 높게 설정하면 A에 따른 빈곤선도 높아진다.

② B에 의한 빈곤율이 높을수록 소득 불평등의 정도가 크다.

③ A는 B와 달리 객관적 기준에 의한 빈곤율을 나타낸다.

④ '중위 소득의 일정 비율'에 해당하는 금액이 최저 생계비보다 높으면 A 가구는 모두 B 가구에 속한다.

⑤ 현대 사회에서는 A, B 모두를 사회 문제로 인식한다.

13 표는 갑국과 을국의 절대적 빈곤 가구 대비 상대적 빈곤 가구의 비율 변화를 나타낸 것이다. 이에 대한 분석으로 옳은 것은? (단, 각 연도에 갑국과 을국의 전체 가구 수는 같다.)

구분	2010년	2018년
갑국	1	0.5
을국	3	2

* 절대적 빈곤 가구: 가구 소득이 최저 생계비 미만인 가구

** 상대적 빈곤 가구: 가구 소득이 중위 소득의 50% 미만인 가구

*** 중위 소득: 전체 가구를 소득 순으로 나열했을 때 한 가운데 위치한 가구의 소득

① 2010년 갑국의 절대적 빈곤선과 상대적 빈곤선은 같다.

② 2018년 갑국의 절대적 빈곤 가구는 모두 상대적 빈곤 가구이다.

③ 2010년 을국의 최저 생계비는 중위 소득의 50%보다 높다.

④ 2018년 을국의 중위 소득은 최저 생계비의 4배이다.

⑤ 2010년에 비해 2018년 을국의 빈곤 가구는 줄어들었다.

14 자료에 나타난 문제를 해결하기 위한 방안으로 적절한 것을 〈보기〉에서 고른 것은?

〈하위 20% 대비 상위 20% 가계의 소득 배율〉

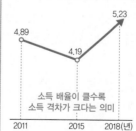

소득 하위 20%의 가구 소득이 급락했다. 이에 따라 저소득 가구와 고소득 가구 간의 소득 격차가 2008년 세계 금융 위기 이후 가장 크게 벌어졌다.

┤ 보기 ├

ㄱ. 소득에 부과하는 세율을 인하한다.

ㄴ. 실업자에 대한 직업 훈련을 확대한다.

ㄷ. 근로 빈곤층에 대한 생계비 지원을 확대한다.

ㄹ. 학업 성적이 우수한 학생에게 장학금 지급을 늘린다.

① ㄱ, ㄴ　　② ㄱ, ㄷ　　③ ㄴ, ㄷ

④ ㄴ, ㄹ　　⑤ ㄷ, ㄹ

ocr 정답 및 해설 42쪽

15 교사의 질문에 대해 옳지 <u>않은</u> 답변을 한 학생은?

빈곤의 유형 A, B에 대해 발표해 볼까요?

〈빈곤의 유형〉
A: 최소한의 생활 수준을 유지하는 데 필요한
자원이나 소득이 절대적으로 부족한 상태
B: 대다수의 사회 구성원들이 누리는 생활수준
에 미치지 못하는 상태

① 갑: 평균 가구 소득이 높아지면 A가 줄어듭니다.
② 을: B는 후진국뿐만 아니라 선진국에서도 나타날 수 있습니다.
③ 병: 상대적 박탈감은 A보다 B를 통해 설명하기에 적합합니다.
④ 정: 국민 기초 생활 보장 제도는 A보다는 B의 대책에 해당합니다.
⑤ 무: A와 B를 판단하는 기준선은 시대에 따라 달라질 수 있습니다.

16 표는 갑국의 빈곤율 변화를 나타낸 것이다. 이에 대한 분석으로 옳은 것은? (단, 갑국 모든 가구의 구성원 수는 동일하고, 전체 가구의 수는 일정하다.)

구분	2010년	2015년	2018년
상대적 빈곤율(%)	5.0	9.0	6.0
절대적 빈곤율(%)	10.0	8.0	6.0

* 절대적 빈곤율(%): 전체 가구에서 소득이 최저 생계비 미만인 가구의 비율
** 상대적 빈곤율(%): 전체 가구에서 소득이 중위 소득의 50% 미만인 가구의 비율

① 2010년 중위 소득의 50%는 최저 생계비의 1/2배이다.
② 2010년 대비 2015년 갑국의 중위 소득은 상승하였다.
③ 2018년 갑국의 최저 생계비는 중위 소득의 50%와 같다.
④ 2010년 이후 갑국의 최저 생계비는 지속적으로 낮아졌다.
⑤ 2015년 갑국의 상대적 빈곤 가구는 모두 절대적 빈곤 가구에 해당한다.

서술형 문제

17 다음 글을 읽고 물음에 답하시오.

우리 사회에서는 여성과 장애인이 오랫동안 차별받아 왔으며, 최근에는 외국인 근로자, 결혼 이민자, 탈북 주민 등 국적·인종·민족이 다르거나 이질적인 문화를 이유로 차별받는 사람들이 증가하고 있다. 더 나아가 성적 지향이 다른 사람들과 종교적인 이유로 병역을 거부하는 사람들을 둘러싼 논란도 제기되고 있다.

(1) 윗글에 언급된 사람들을 지칭하는 용어를 쓰시오.

(2) 윗글에 제시된 문제를 해결하기 위한 개인적 차원의 대책을 서술하시오.

18 다음 글을 읽고 물음에 답하시오.

성 불평등 현상의 발생 원인을 찾아야 그에 따른 해결 방안을 제시할 수 있다. 우리 사회에서 남성은 직장 노동, 여성은 가사 노동이라는 성별 분업을 통해 여성을 차별해 왔으며, 이러한 성별 분업이 직장 구조 안에서도 업무 분담이나 승진 기회에서 여성을 차별하는 배경이 되었다.

(1) 윗글에서 제시하는 성 불평등 현상의 발생 원인을 쓰시오.

(2) 윗글의 필자가 제시할 수 있는 성 불평등 현상의 해결 방안을 예를 들어 서술하시오.

19 다음은 빈곤의 유형에 대한 글이다. 물음에 답하시오.

A는 소득이 인간다운 최저 생활을 유지하는 데 필요한 기준에 미치지 못하는 경우로, 인간의 기본적인 욕구 충족을 위한 자원이 심각하게 부족한 상태를 의미한다. B는 사회의 전반적인 소득 수준과 대비하여 소득 수준이 낮은 상태를 의미한다. 경제가 성장하여 사회의 전반적 생활 수준이 향상되면, (가)

(1) 윗글에서 A, B에 해당하는 용어를 쓰시오.

(2) (가)에 들어갈 내용을 A, B를 활용하여 서술하시오.

 96 | IV. 사회 계층과 불평등

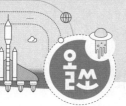

01 다음 자료에 제시된 수행 평가의 활동을 적절하게 수행한 모둠을 고른 것은?

〈수행 평가〉

주어진 사회적 소수자 문제에 관한 연구 가설을 검증하기에 적합한 자료 수집 활동을 제시하시오.

구분	연구 가설	자료 수집 활동
모둠 1	장애인 고용 비율이 높은 직장일수록 직원 개개인의 노동 생산성이 높을 것이다.	사업장별 장애인 수, 전체 직원 수, 사업장 매출액에 대한 통계 자료 조사
모둠 2	외국인 노동자가 많은 직장일수록 이들의 인권 침해 사건도 많을 것이다.	외국인 노동자의 수와 인권 침해 사건에 대한 국적별 통계 자료 조사
모둠 3	정규직과 비정규직 노동자 간 임금 격차가 클수록 비정규직 노동자의 직장 만족도가 낮을 것이다.	정규직·비정규직 노동자 대상 임금 수준 및 직장 만족도에 대한 질문지 조사
모둠 4	차별적 사회화를 겪은 남성일수록 여성에 대한 차별 의식이 강할 것이다.	맞벌이 부부의 가사 노동 시간, 가부장제에 대한 태도에 관한 질문지 조사

① 모둠 1, 모둠 2   ② 모둠 1, 모둠 3   ③ 모둠 2, 모둠 3
④ 모둠 2, 모둠 4   ⑤ 모둠 3, 모둠 4

02 다음 글의 (가)에 들어갈 내용으로 옳지 않은 것은?

'유리 천장(glass ceiling)'이란 여성의 사회 참여나 직장 내 승진을 가로막는 보이지 않는 장벽을 뜻한다. '유리 천장 지수'는 각 나라별 여성들의 고위직 진출을 가로막는 방해 요소를 수치화한 것으로 (가) 등을 조사한다. 영국의 한 경제 전문지가 경제 협력 개발 기구(OECD) 회원국을 대상으로 2016년 유리 천장 지수를 산정하여 발표하였는데, 우리나라는 조사 대상 29개국 가운데 최하위를 기록했다.

① 여성의 출산율
② 남녀 임금 격차
③ 관리자 중 여성의 비율
④ 여성의 경제 활동 참가율
⑤ 여성의 고등 교육 이수율

03 표에 대한 옳은 분석을 〈보기〉에서 고른 것은? (단, 갑국의 총가구 수 및 가구별 구성원에는 변동이 없다.)

〈갑국의 빈곤 탈출률과 빈곤 진입률〉

(단위: %)

구분	2016년	2017년	2018년
빈곤 탈출률	20	15	8
빈곤 진입률	5	10	8

* 빈곤 탈출률: 이전 연도 빈곤층 가구 중 조사 연도에 비빈곤층인 가구의 비율
** 빈곤 진입률: 이전 연도 비빈곤층 가구 중 조사 연도에 빈곤층인 가구의 비율
*** 2015년 빈곤층 가구 수는 총가구수의 20%이다.

◀ 보기 ▶

ㄱ. 2018년에는 2017년에 비해 빈곤층 가구가 증가하였다.
ㄴ. 2017년에는 빈곤층 진입 가구보다 빈곤층 탈출 가구가 많다.
ㄷ. 2016년 빈곤층 가구 중 2015년에는 빈곤층이 아닌 가구는 40%를 넘는다.
ㄹ. 2016년 빈곤층 가구 중 2017년, 2018년에도 모두 빈곤층인 가구는 60% 이상이다.

① ㄱ, ㄴ   ② ㄱ, ㄹ   ③ ㄴ, ㄷ
④ ㄴ, ㄹ   ⑤ ㄷ, ㄹ

| 평가원 응용 |

04 그림은 질문에 따라 빈곤의 유형을 구분한 것이다. 이에 대한 설명으로 옳은 것은? (단, A, B는 각각 절대적 빈곤, 상대적 빈곤 중 하나이다.)

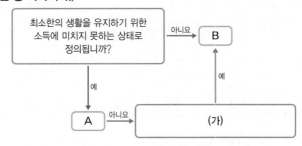

① A는 해당 사회의 소득 분포를 고려하여 파악한다.
② B는 소득 수준이 높은 국가에서는 나타나지 않는다.
③ 우리나라에서 A와 B에 해당하는 빈곤층은 객관화된 기준에 의해 분류된다.
④ A에 따른 빈곤율과 B에 따른 빈곤율을 더한 것이 그 나라의 전체 빈곤율이 된다.
⑤ (가)에는 '실제 소득 규모와 상관없이 개인이 체감하는 빈곤 상태를 의미합니까?'가 적절하다.

12 사회 복지와 복지 제도

01 사회 복지의 의미와 복지 국가의 등장

1. 사회 복지

(1) 의미: 교육, 의료, 주거, 고용 등에서 사회 구성원의 삶의 질을 향상하기 위한 사회적·제도적 노력의 집합체

(2) 복지 이념의 변천

구분	전통 사회	현대 사회
빈곤의 책임	개인	사회
복지의 대상	사회적 약자	모든 국민
복지의 목표	최저 생활 보장	삶의 질 향상

2. 복지 국가의 등장

(1) 근대 자본주의의 문제점: 빈부 격차 심화, 실업 증가, 노동자의 인권 침해, 환경오염 등이 사회 문제로 대두됨

(2) 현대 복지 국가의 등장: 인간다운 삶을 인간의 기본적 권리로 인정하고, 국민들의 인간다운 생활 보장을 위한 복지 정책을 적극적으로 추진하는 복지 국가를 지향함

(3) 복지 제도의 발달 과정

엘리자베스 구빈법(1601년)	자유방임주의 영향을 받아 빈곤이나 질병의 책임이 개인에게 있다고 보고 자치 원칙을 강조함 → 최초로 국가가 입법을 통해 복지에 관여
비스마르크의 사회 보험 제도 (1883년)	자본주의 발달 과정에서 빈곤 등 사회 문제가 심화되자 이를 해결하기 위해 국가가 개입한 사회 보험이 등장함 → 최초의 근대적 사회 보험
미국 사회 보장법(1935년)	대공황을 극복하는 과정에서 뉴딜 정책의 일환으로 사회 보장 제도의 기틀을 마련함 → 본격적인 사회 보장 시대 전개
영국 베버리지 보고서(1942년)	'요람에서 무덤까지' 삶의 질 보장에 대한 국가적 책임을 인식함 → 기본권으로서의 사회권 정립, 현대적 사회 보장의 의미 확립
영국 '제3의 길' (2000년대)	지나친 복지 중심 정책의 문제점에 대한 논란이 확산되자 '복지병'을 극복하기 위해 노력함 → 생산적 복지 추구

02 복지 제도의 유형

1. 사회 보험 빈출 자료 01

의미	국민에게 발생하는 질병, 장애, 노령, 실업, 사망 등의 사회적 위험을 보험 방식으로 대처함으로써 국민이 안전한 삶을 누리는 데 필요한 건강과 소득을 보장하는 제도
특징	• 미래에 직면할 사회적 위험에 대처하는 사전 예방적 성격을 가짐 • 금전적 지원을 원칙으로 함 • 가입자, 사용자, 국가 및 지방 자치 단체가 공동으로 비용을 부담함 • 강제 가입을 원칙으로 하며 상호 부조의 원리에 기반함 • 소득 재분배 효과가 있음
종류	국민 건강 보험, 국민연금, 노인 장기 요양 보험, 고용 보험, 산업 재해 보상 보험 등

2. 공공 부조 빈출 자료 01

의미	생활 유지 능력이 없거나 생활이 어려운 국민의 최저 생활을 보장하고 자립을 지원하기 위해 금전적·물질적 급여를 제공하는 제도
특징	• 빈곤 등 현재 직면한 사회적 위험으로부터 구제하는 사후 처방적 성격을 가짐 • 금전적 지원을 원칙으로 함 • 사회 보험보다 소득 재분배 효과가 큼
종류	국민 기초 생활 보장 제도, 의료 급여 제도, 기초 연금 제도 등

3. 사회 서비스 빈출 자료 01

의미	도움이 필요한 모든 국민에게 복지, 보건 의료, 교육, 고용, 주거, 문화, 환경 등의 분야에서 인간다운 생활을 보장하고 국민의 삶의 질이 향상되도록 서비스를 제공하는 제도
특징	• 국민의 서로 다른 필요에 부합하는 차별화된 지원을 중시함 • 비금전적 지원을 원칙으로 함 • 서비스 제공에 국가가 일정한 지원을 하므로 기업이나 사회봉사 단체 등 민간 부문의 참여가 활발함
종류	노인 돌봄, 산모·신생아 건강 관리 지원, 간병 방문 지원 등

03 사회 복지 제도의 역할과 한계

1. 사회 복지 제도의 역할

개인적 측면	• 현재나 미래의 위험에 대비함 • 어려움을 겪는 사람들에게 최소한의 기본적인 생활수준을 보장함
사회적 측면	• 사회 불평등 현상을 보완함 • 사회 문제에 대한 사회적 책임을 강조함 • 사회 문제의 원인을 제공하거나 지속시키는 사회 구조와 주변 환경을 개선함

2. 사회 복지 제도의 한계와 극복 노력

(1) 복지 제도의 문제점

① 사회 보험: 보험료 부과의 형평성 문제가 제기됨

② 공공 부조: 재정 부담 심화, 근로 의욕 감퇴 등의 문제가 나타나고 복지 사각 지대가 발생함

③ 사회 서비스: 소득 재분배 역할이 미미함

(2) 복지 제도의 문제점 극복 방안

① 생산적 복지 빈출 자료 02

의미	빈곤층이 자활 사업에 참여하거나 노동을 하는 것을 조건으로 지원을 해 주는 새로운 형태의 복지
특징	• 복지 축소 지향: 복지 급여 삭감, 급여 자격 조건 강화 등 • 복지 수급자들의 자립 지원: 직업 교육 실시, 취업 지원 등
종류	근로 장려 세제

② 복지 사각 지대를 해소하기 위해 법률 정비

③ 일자리를 창출하여 일할 수 있는 환경 조성

대표 유형

빈출 자료 01 사회 복지 제도의 유형 | 연계 문제 → 102쪽 09번

유형	사례
A	갑(67세)은 가구 소득 인정액이 선정 기준액 이하로 판정되어 매월 일정 금액을 정부로부터 받고 있다.
B	독거 노인 을(68세)은 노인 돌보미가 주 1회 방문하여 제공하는 가사 지원, 활동 지원을 받고 있다.
C	국민 건강 보험 가입자인 병(64세)은 노인성 질환인 치매로 일상생활에 어려움을 겪고 있어, 정부로부터 장기 요양 급여를 받고 있다.

| 자료 분석 | 갑은 공공 부조의 하나인 국민 기초 생활 보장 제도에 의해 생계 급여를 받고 있으므로 A는 공공 부조이다. 공공 부조는 생활이 어려운 국민의 최저 생활을 보장하기 위해 금전적·물질적 급여를 제공하는 제도이다. 을은 가사 지원, 활동 지원 등의 서비스를 받고 있으므로 B는 사회 서비스이다. 사회 서비스는 도움이 필요한 사람에게 비금전적인 지원을 하는 제도이다. 병은 사회 보험의 하나인 노인 장기 요양 보험에 의한 요양 급여를 받고 있으므로 C는 사회 보험이다. 사회 보험은 질병, 장애, 노령, 실업, 사망 등의 사회적 위험을 보험 방식으로 대처하는 제도이다.

빈출 자료 02 근로 장려 세제 | 연계 문제 → 103쪽 11번

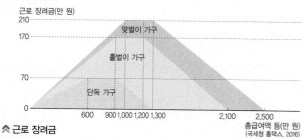

⤒ 근로 장려금

총급여액 등	근로 장려금 지급액
1,000만 원 미만	총급여액×210/1,000
1,000만 원 이상~1,300만 원 미만	210만 원
1,300만 원 이상~2,500만 원 미만	210만 원－(총급여액－1,300만 원)×210/1200

⤒ 맞벌이 가구의 근로 장려금 지급액 예시 (국세청 홈택스, 2016)

| 자료 분석 | 근로 장려 세제는 일정 요건을 충족하는 저소득 근로자 가구에 가구원 구성과 총급여액 등에 따라 산정된 근로 장려금을 지급하여 근로를 장려하고 실질 소득을 지원하는 근로 연계형 소득 지원 제도이다. 근로 소득의 크기에 따라 근로 장려금을 차등 지급함으로써 근로를 유인하는 기능이 있고, 이러한 근로 유인으로 근로 빈곤층이 극빈층으로 가는 것을 막을 수 있다. 또한 저소득 근로자 가구에 현금 급여를 제공하여 실질 소득을 증가시킴으로써 조세 제도를 통한 소득 재분배 효과를 기대할 수 있다.

자주 나오는 오답 선택지

빈출 자료 01 에서 자주 나오는 오답 선택지

① A는 강제 가입을 원칙으로 한다.
　　→ C
② A는 상호 부조의 원리를 바탕으로 한다.
　　→ C
③ B는 금전적 지원을 원칙으로 한다.
　　→ 비금전적 지원
④ 민간 부문은 B에 참여할 수 없다.
　　　　　　→ 있다.
⑤ C에서 재원을 부담하는 자와 수혜자가 일치한다.
　　　　　　　　　　→ 일치하지 않는다.
⑥ A와 달리 C는 국가가 비용을 전액 부담한다.
　　→ C와 달리 A
⑦ A는 사전 예방적, C는 사후 처방적 성격을 가진다.
　　→ 사후 처방적　　→ 사전 예방적
⑧ 수혜 대상자의 범위는 A가 C보다 넓다.
　　　　　　　　　　→ 좁다.
⑨ 소득 재분배 효과는 C ﹥ B ﹥ A의 순으로 나타난다.
　　　　　　　　→ A﹥C﹥B

빈출 자료 02 에서 자주 나오는 오답 선택지

① 근로 장려 세제는 근로 시간에 따라 근로 장려금을 지급하는 생산적 복지 제도이다.
　　　　　　　→ 총급여액
② 근로 장려 세제는 모든 근로자에게 근로 의욕을 고취시키기 위해 마련한 복지 제도이다.
　　　　　　　　→ 저소득 근로자에게
③ 근로 장려 세제는 일정 근로 소득 미만의 근로자에게 근로 장려금을 균등 지급함으로써 근로를 유인하는 기능이 있다.
　　　　　　　→ 차등
④ 맞벌이 가구의 경우 총급여액이 1,000만 원 미만이면 근로 장려금은 210만 원을 지급한다.
　　　　　　→ 210만 원의 범위 내에서 총급여액에 따라 다르게 지급한다.
⑤ 맞벌이 가구로서 총급여액이 1,300만 원인 경우보다 1,500만 원인 경우가 근로 장려금을 더 많이 받는다.
　　　　　　　　　　　　　　→ 더 적게
⑥ 총급여액이 1,000만 원인 경우 홑벌이 가구가 맞벌이 가구보다 근로 장려금을 더 많이 받는다.
　　　　　　　　　　　　→ 더 적게
⑦ 단독 가구가 받을 수 있는 근로 장려금의 최대 액수는 170만 원이다.
　　　　　　　　　　　　→ 70만 원

01 빈칸에 들어갈 알맞은 말을 쓰시오.

엘리자베스 ( )(1601년)	자유방임주의 영향을 받아 빈곤이나 질병의 책임이 개인에게 있다고 보고 자치 원칙을 강조함
( )의 사회 보험 제도 (1883년)	자본주의 발달 과정에서 빈곤 등 사회 문제가 심화되자 국가가 개입한 사회 보험이 등장함
미국 ( ) (1935년)	대공황을 극복하는 과정에서 뉴딜 정책의 일환으로 사회 보장 제도의 기틀을 마련함
영국 ( ) 보고서(1942년)	'요람에서 무덤까지' 삶의 질 보장에 대한 국가적 책임을 인식함
영국 '제3의 길'(2000년대)	지나친 복지 중심 정책의 문제점에 대한 논란이 확산되자 복지병을 극복하려는 노력으로 ( ) 복지를 추구함

02 다음 내용에 해당하는 복지 제도를 〈 보기 〉에서 골라 쓰시오.

〈 보기 〉
ㄱ. 공공 부조   ㄴ. 사회 보험   ㄷ. 사회 서비스

(1) 비금전적 지원을 원칙으로 하는 복지 제도는?
(2) 가입자와 사용자, 국가 및 지방 자치 단체가 공동으로 비용을 부담하는 복지 제도는?
(3) 생활이 어려운 국민의 최저 생활을 보장하고 자립을 지원하기 위해 금전적·물질적 급여를 제공하는 복지 제도는?

03 다음 글을 읽고 빈칸에 들어갈 알맞은 말을 쓰고, 고르시오.

( )은/는 일정 요건을 충족하는 저소득 근로자 가구에 가구원 구성과 총급여액 등에 따라 산정된 근로 장려금을 지급하여 근로를 장려하고 실질 소득을 지원하는 근로 연계형 소득 지원 제도이다. 이것은 근로 소득의 크기에 따라 근로 장려금을 (차등 / 균등) 지급함으로써 근로를 유인하는 기능이 있다. 이러한 근로 유인으로 근로 빈곤층이 극빈층으로 가는 것을 막을 수 있다. 또한 저소득 근로자 가구에 현금 급여를 제공하여 실질 소득을 증가시킴으로써 조세 제도를 통한 소득 재분배 효과를 기대해 볼 수 있다.

04 사회 복지 제도의 유형과 종류를 바르게 연결하시오.

(1) 공공 부조 •   • ㉠ 기초 연금
(2) 사회 보험 •   • ㉡ 국민연금
(3) 사회 서비스 •   • ㉢ 노인 돌봄

---

01 교사의 질문에 옳지 않은 답변을 한 학생은?

교사: 복지 국가의 등장 과정에 대해 발표해 볼까요?
갑: 산업 혁명 이후 빈부 격차 심화, 노동 조건 악화 등이 그 배경입니다.
을: 1601년에 영국에서 제정된 엘리자베스 구빈법은 근대적 사회 보험 제도를 처음 도입했습니다.
병: 1919년 독일 바이마르 헌법에서는 최초로 사회권을 규정하였습니다.
정: 미국에서는 뉴딜 정책의 하나로 1935년에 시행된 사회 보장법에 따라 본격적인 복지 국가를 지향하였습니다.
무: 영국은 1942년에 베버리지 보고서를 채택함으로써 현대적 의미의 사회 보장 제도를 확립하였습니다.

① 갑   ② 을   ③ 병   ④ 정   ⑤ 무

02 다음에 제시한 제도의 공통적인 특징으로 가장 적절한 것은?

• 진대법은 고구려 고국천왕 16년에 재상 을파소가 실시하였는데, 춘궁기에 국가가 백성에게 양곡을 빌려주었다가 수확기에 갚도록 한 제도이다.
• 고려 예종 때 가난한 백성을 돕기 위한 중앙 관서로 구제도감이 처음으로 설립되었고, 일반 서민에게 의약의 혜택을 널리 주기 위해 혜민국을 두었다.
• 조선 시대 의창은 각종 곡물을 비축해 두었다가 재난 시에 사용하는 제도와 시설이었다.

① 사회 보장의 영역을 미래까지 넓히고 있다.
② 빈곤의 원인을 개인의 게으름이라고 보았다.
③ 백성의 여가 활동을 발전시키는 데 기여하였다.
④ 사회 복지의 책임이 국가에 있다고 전제하였다.
⑤ 백성의 도덕적 해이를 예방하기 위한 것이었다.

03 다음 법률 규정에 제시한 복지 제도에 대한 옳은 설명을 ◀보기▶에서 고른 것은?

제1조(목적) 이 법은 국민의 노령, 장애 또는 사망에 대하여 연금 급여를 실시함으로써 국민의 생활 안정과 복지 증진에 이바지하는 것을 목적으로 한다.

제6조(가입 대상) 국내에 거주하는 국민으로서 18세 이상 60세 미만인 자는 국민연금 가입 대상이 된다.

제49조(급여의 종류) 이 법에 따른 급여의 종류는 다음과 같다.

1. 노령연금 2. 장애연금 3. 유족연금 4. 반환일시금

◀ 보기 ▶
ㄱ. 강제 가입을 원칙으로 한다.
ㄴ. 수혜자는 보험료를 부담하지 않는다.
ㄷ. 가입자 간 상호 부조의 성격을 갖는다.
ㄹ. 일정한 기준 이하의 빈곤자를 보호하고자 한다.

① ㄱ, ㄴ   ② ㄱ, ㄷ   ③ ㄴ, ㄷ
④ ㄴ, ㄹ   ⑤ ㄷ, ㄹ

04 A, B는 사회 복지 제도의 유형이다. 이에 대한 설명으로 옳은 것은?

A는 국가나 지방 자치 단체의 책임 하에 생활이 어려운 국민에게 최저 생활을 보장하고 자립을 지원하는 제도이다. B는 수혜자와 국가 또는 기업이 납부하여 마련된 기금에서 노령, 질병, 사망, 실업, 업무 재해 등과 같은 문제가 발생했을 때 급여를 행하는 제도이다.

① 기초 연금은 A에 해당한다.
② B의 수혜자는 자유롭게 가입, 탈퇴할 수 있다.
③ A는 B와 달리 비금전적 지원 방식이다.
④ B는 A에 비해 소득 재분배 효과가 크다.
⑤ A는 보편적 복지, B는 선별적 복지에 해당한다.

05 밑줄 친 ㉠과 ㉡ 복지 제도의 일반적인 특징에 대한 설명으로 적절한 것은?

• 갑은 갑자기 실직을 했지만 ㉠고용 보험 덕분에 일정 기간 실업 급여를 받게 되어 일단 생계 걱정은 덜게 되었다.
• 을은 최근 사고로 부인과 자녀를 모두 잃고 무일푼이 되었지만 행정 기관으로부터 ㉡국민 기초 생활 보장 제도의 수급자로 선정되어 일정한 생계비를 받아 생활하고 있다.

① ㉠은 가입과 탈퇴가 자유롭다.
② ㉡은 수혜자가 비용 일부를 부담한다.
③ ㉠은 ㉡에 비해 상호 부조의 성격이 강하다.
④ ㉠은 ㉡에 비해 사회적 약자 보호의 성격이 강하다.
⑤ ㉡은 ㉠과 달리 소득 분배 개선의 효과가 있다.

06 그림은 국민 기초 생활 보장 제도의 수급자 선정 기준을 개편한 것이다. 이에 대한 설명으로 옳지 <u>않은</u> 것은?

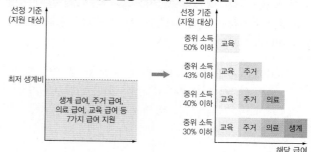

① 주거 급여를 받는 가구가 의료 급여를 받는 가구보다 많다.
② 선정 기준을 절대적 빈곤층에서 상대적 빈곤층으로 바꾸었다.
③ 중위 소득이 200만 원일 경우 80만 원 소득자는 주거 급여를 받는다.
④ 중위 소득이 300만 원일 경우 100만 원 소득자는 생계 급여를 받는다.
⑤ 단일 기준에 의한 포괄적 지원에서 급여별 선정 기준을 다층화하는 것으로 바꾸었다.

07 사회 보장 제도 유형 A~C에 대한 옳은 설명을 《보기》에서 고른 것은?

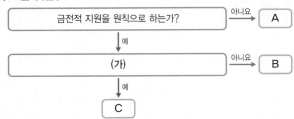

◀ 보기 ▶
ㄱ. (가)에는 '소득 재분배 효과가 있는가?'는 들어갈 수 없다.
ㄴ. A는 B, C와 달리 국가의 재정 부담을 증대시킬 우려가 있다.
ㄷ. B가 강제 가입의 원칙이 적용되는 제도라면, C의 예로는 기초 연금이 있다.
ㄹ. (가)가 '사후 구제적 성격이 강한가?'이면, C는 B보다 수혜 대상자의 범위가 넓다.

① ㄱ, ㄴ   ② ㄱ, ㄷ   ③ ㄴ, ㄷ
④ ㄴ, ㄹ   ⑤ ㄷ, ㄹ

08 A, B는 우리나라 사회 보장 제도이다. 자신에게 주어진 질문에 모두 옳게 응답한 학생은? (단, A, B는 각각 사회 보험, 공공 부조 중 하나이다.)

- 이 제도는 A의 하나로 개인과 회사, 국가 및 지방 자치 단체가 보험료를 분담하여 국가가 기금으로 모아 두었다가 개인이 의료 서비스를 받을 때 저렴하게 이용할 수 있도록 운영한다.
- 이 제도는 B의 하나로 노인의 생활 안정을 지원하고 복지를 증진하기 위해 만 65세 이상 노인 중 소득과 재산이 적은 하위 70% 노인에게 매월 일정액의 연금을 국가가 지급한다.

학생	질문	A	B
갑	소득 재분배 효과가 있는가?	예	예
을	강제 가입을 원칙으로 하는가?	아니요	예
병	금전적 지원을 원칙으로 하는가?	예	아니요
정	국가가 비용을 전부 부담하는가?	아니요	아니요
무	민간 부문이 운영 주체가 될 수 있는가?	아니요	예

① 갑   ② 을   ③ 병   ④ 정   ⑤ 무

(빈출 문제) 연계 자료 → 99쪽 빈출 자료 01

09 A~C는 사회 보장 제도의 유형이다. 이에 대한 설명으로 옳은 것은?

유형	사례
A	갑(67세)은 가구 소득 인정액이 선정 기준액 이하로 판정되어 매월 일정 금액을 정부로부터 받고 있다.
B	독거 노인 을(68세)은 노인 돌보미가 주 1회 방문하여 제공하는 가사 지원, 활동 지원을 받고 있다.
C	국민 건강 보험 가입자인 병(64세)은 노인성 질환인 치매로 일상생활에 어려움을 겪고 있어, 정부로부터 장기 요양 급여를 받고 있다.

① A는 상호 부조의 원리를 바탕으로 한다.
② 민간 부문은 B에 참여할 수 없다.
③ C는 보험료 부담 수준에 비례하여 혜택이 돌아간다.
④ 수혜 대상자의 범위는 A가 C보다 넓다.
⑤ 소득 재분배 효과는 A가 가장 크다.

▎유사 선택지 문제

09_❶ A는 (   ), B는 사회 서비스, C는 사회 보험이다.
09_❷ A, C와 달리 B는 (   )적 지원을 원칙으로 한다.
09_❸ A는 사전 예방적, C는 사후 처방적 성격을 가진다. (○ / ×)

10 표는 우리나라의 사회 보장 제도 A, B와 그 사례를 나타낸 것이다. 이에 대한 설명으로 옳은 것은?

구분	사례
A	(가) , 국민 건강 보험 등
B	국민 기초 생활 보장 제도, (나) 등

① A는 가입자가 비용을 부담하지 않는다.
② B는 사전 예방적 성격보다 사후 처방적 성격을 가진다.
③ A와 B는 모두 비금전적 지원을 원칙으로 한다.
④ (가)에 '의료 급여'가 들어갈 수 있다.
⑤ (나)에 '국민연금'이 들어갈 수 있다.

03 복지 제도의 역할과 한계

(빈출 문제) 연계 자료 → 99쪽 빈출 자료 02

11 다음 자료에 대한 분석으로 옳은 것은?

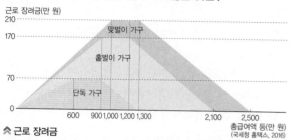

↟ 근로 장려금

총급여액 등	근로 장려금 지급액
1,000만 원 미만	총급여액×210/1,000
1,000만 원 이상~1,300만 원 미만	210만 원
1,300만 원 이상~2,500만 원 미만	210만 원－(총급여액－1,300만 원)×210/1200

↟ 맞벌이 가구의 근로 장려금 지급액 예시 (국세청 홈택스, 2016)

① 근로 시간에 따라 근로 장려금을 지급한다.

② 동일한 액수의 근로 장려금을 지급하여 소득 격차를 줄인다.

③ 단독 가구가 받을 수 있는 근로 장려금의 최대 액수는 170만 원이다.

④ 맞벌이 가구의 경우 총급여액이 1,000만 원과 1,200만 원일 때 받는 근로 장려금은 같다.

⑤ 홑벌이 가구로 총급여액이 1,000만 원인 경우보다 1,300만 원인 경우가 근로 장려금을 더 많이 받는다.

유사 선택지 문제

11_❶ 근로 장려 세제는 근로 소득의 크기에 따라 근로 장려금을 ( ) 지급함으로써 근로를 유인하는 기능이 있다.

11_❷ 총급여액이 1,300만 원인 단독 가구는 근로 장려금을 받지 못한다. (○ / ×)

12 복지 제도의 역할로 적절하지 않은 것은?

① 질병과 실업, 빈곤 등의 사회적 위험에서 개인의 생존권을 보장한다.

② 소득의 재분배를 통해 빈부 격차를 완화함으로써 사회 통합에 기여한다.

③ 부모의 지위에 따른 자녀의 계층 세습을 촉진함으로써 사회 안정을 도모한다.

④ 어려움에 처한 개인들이 자신의 잠재 능력을 최대한 발휘할 수 있도록 돕는다.

⑤ 사회적 위험에 공동으로 대비하도록 함으로써 구성원 간의 연대 의식을 높인다.

13 다음 자료에서 파악할 수 있는 복지 제도의 한계로 볼 수 없는 것은?

① 자유로운 계층 이동을 방해한다.

② 국가의 재정 부담을 심화시킨다.

③ 국민의 조세 부담을 가중시킨다.

④ 빈곤층의 근로 의욕을 감퇴시킨다.

⑤ 빈곤층의 도덕적 해이를 가져온다.

14 다음 글에 나타난 문제를 해결하기 위한 방안으로 가장 적절한 것은?

건강 보험료를 덜 내기 위해 소득이 높거나 재산이 많은 자영업자가 직장에 취업한 것처럼 허위로 신고했다 적발된 건수가 크게 늘었다. 국민 건강 보험 공단은 직장 가입자로 허위 등록해 건강 보험료를 내다 적발된 건수가 지난해 1천 8백여 명으로 지난 2011년 950여 명보다 2배 가까이 늘었다고 밝혔다. 적발된 사례를 보면, 지인의 회사에 취직한 것처럼 꾸미거나 실제 영업하지 않는 '유령 회사'를 만들어 취업한 경우가 많았다.

① 국민 건강 보험의 적용 범위를 대폭 줄인다.

② 국민 건강 보험의 관리를 민간 기업에게 맡긴다.

③ 지역 보험과 직장 보험 간 보험료 격차를 줄인다.

④ 자영업자를 국민 건강 보험의 적용 대상에서 제외한다.

⑤ 국민 건강 보험 재정 관리를 강화하여 흑자로 전환시킨다.

15 다음 사례에서 추론할 수 있는 복지 제도 문제점의 해결 방안으로 가장 적절한 것은?

> ○○광역시에 사는 A(58세) 씨는 ○○ 시내에 번듯한 아파트와 땅까지 있는데도 2년 넘게 기초 생활 보장 급여 4,500만 원을 부정 수급했다. A씨가 생계 급여뿐만 아니라 의료 급여까지 챙길 수 있었던 것은 그가 위장 이혼하는 수법으로 자신의 집과 땅을 아내에게 모두 넘겨서이다. △△도에 사는 B(68세) 씨는 남편이 죽은 뒤 몇 년 안 돼 재혼했지만 유족 연금은 1년 이상 계속 받았다. 재혼하면 유족 연금 수급권이 소멸한다. B씨는 재혼 후 부부가구 수급으로 기초 연금까지 받아놓고도 단순 동거일 뿐인데도 주민센터에서 행정 처리를 잘못한 것이라고 억지를 썼다. 보건 복지부에 따르면 기초 생활 보장 급여 부정 수급 건수는 지난 2015년 1만 6,300건, 2016년 2만 5,427건에 이어 2017년에는 2만 8,748건으로 3년 새 76.3%(1만 2,488건)나 급증했다.

① 수혜자도 비용을 부담하게 해야 한다.
② 복지 제도의 운영을 민간에게 맡겨야 한다.
③ 세금을 더 걷어 복지 비용을 충당해야 한다.
④ 수혜자의 도덕적 해이를 막을 대책을 세워야 한다.
⑤ 금전적 지원을 비금전적 지원 방식으로 대체해야 한다.

16 다음 글의 필자가 강조할 것으로 예상되는 복지 정책으로 가장 적절한 것은?

> 질병, 실업 등 사회적 위험에 대비하는 안전망 중심의 복지 정책은 빈곤 퇴치에 실효성이 없다. 그렇다고 해서 사회적 연대를 무시하고 경제적 효율성만 강조하는 신자유주의가 해결책이 될 수 없다. 경제적 효율성과 사회적 약자 보호를 동시에 지향하는 '제3의 길'을 지향할 필요가 있다.

① 사회 복지에 대한 정부의 개입을 최대한 줄인다.
② 빈곤층에게 여가 생활에 필요한 급여를 제공한다.
③ 모든 사람을 대상으로 한 보편적인 복지를 강화한다.
④ 조세 제도의 개혁을 통해 계층 간 빈부 격차를 완화한다.
⑤ 근로와 연계한 복지 정책을 통해 빈곤층의 자활을 돕는다.

서술형 문제

17 다음은 제2차 세계 대전 이후 영국 정부가 내놓은 사회 복지 관련 보고서의 일부 내용이다. 물음에 답하시오.

> • 사회 보험은 전 국민을 대상으로 한다.
> • 사회 보험의 급여는 국민의 최저 생활을 보장하는 수준이어야 한다.
> • 사회 보험에 가입할 수 없는 저소득층은 국가가 지원한다.
> • 사회 보험이 성공하기 위해서는 아동 수당을 비롯한 가족 수당, 전 국민을 대상으로 하는 무료 의료 체계, 완전 고용이 전제되어야 한다.

(1) 위 보고서의 명칭을 쓰시오.

(2) 위 보고서의 의의를 빈곤의 원인을 중심으로 서술하시오.

18 (가), (나)는 우리나라에서 시행하는 사회 복지 제도의 종류이다. 물음에 답하시오.

> (가) 국민 건강 보험, 국민연금, 고용 보험, 산업 재해 보상 보험, 노인 장기 요양 보험
> (나) 국민 기초 생활 보장 제도, 기초 연금

(1) (가), (나) 복지 제도의 유형을 각각 쓰시오.

(2) (가)와 (나)의 공통점을 두 가지 서술하시오.

19 다음 글을 읽고 물음에 답하시오.

> 오늘날 많은 국가는 복지 제도의 한계를 극복하기 위한 노력으로 A 정책을 펼치고 있다. A는 복지 제도에 따른 효율성 저하와 복지 축소에 따른 형평성 저하를 모두 해결하기 위해 등장한 것으로, 복지와 노동을 연계하는 복지 제도이다. 즉 소외 계층이 자활 사업에 참여하거나 노동하는 것을 조건으로 지원하는 새로운 형태의 복지이다. 이를 통해
> 　　　　　　(가)

(1) 윗글의 A에 해당하는 용어를 쓰시오.

(2) (가)에 들어갈 내용을 '근로 의욕, 경제적 효율성, 사회적 약자'를 포함하여 서술하시오.

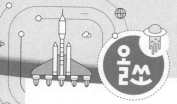
01 | 수능 응용 |
자료는 우리나라 성별 노인 인구 중에서 사회 보장 제도 (가)~(다) 각각의 수급자 비율을 나타낸 것이다. 이에 대한 설명으로 옳은 것은? (단, 남성과 여성의 노인 인구는 모두 같다고 본다.)

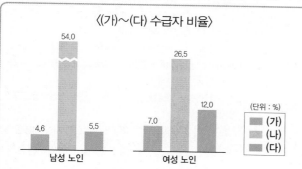

〈(가)~(다) 수급자 비율〉

(가) 국가가 가구 소득 인정액이 기준액 이하인 가구의 기초 생활을 보장하기 위해 급여를 지급하고, 자활을 지원하는 제도

(나) 가입자와 고용주 등이 분담해서 마련한 기금을 통해 노령, 장애 등에 대한 연금 급여를 지급하여 생활 안정을 도모하는 제도

(다) 노인 돌보미가 주 1회 방문하여 제공하는 가사 지원, 활동 지원을 하는 제도

① (가)는 (나)와 달리 상호 부조 원리가 적용된다.

② (나)는 (가)와 달리 사후 처방적 성격을 지닌다.

③ (가)~(다) 중 비금전적 지원이 원칙인 제도의 혜택을 받는 노인은 여성이 남성의 2배가 넘는다.

④ (가)~(다) 중 국가가 비용을 전액 부담하는 제도의 혜택을 보는 노인은 남성이 여성보다 많다.

⑤ (가)~(다) 중 소득 재분배 효과가 있는 제도의 경우 남성 노인 인구 중에서 수급자 비율과 여성 노인 인구 중에서 수급자 비율은 모두 10% 미만이다.

02 그림은 우리나라의 사회 보장 제도 A~C를 구분한 것이다. (가)에 들어갈 수 있는 내용으로 옳은 것은? (단, A~C는 각각 공공 부조, 사회 서비스, 사회 보험 중 하나이다.)

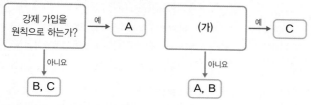

① 금전적 지원을 원칙으로 하는가?

② 상호 부조의 원리를 바탕으로 하는가?

③ 복지 수혜자도 복지 비용을 부담하는가?

④ 민간 부문이 운용 주체가 될 수 있는가?

⑤ 소득을 재분배하는 효과가 나타나는가?

03 다음 글을 통해 파악할 수 있는 사회 복지의 역할로 적절하지 않은 것은?

> 인도의 뭄바이에 있는 한 식당 안에서는 주인이 큰 솥에 카레를 끓이고 있고, 식당 문 앞에는 깡마른 모습의 장애인, 실업자, 병자들이 모여 앉아 있다. 고급 자동차가 들어와 돈만 내고 음식을 받지 않고 가자, 식당 앞에 앉아 있던 사람들이 차례로 식당으로 들어가 카레와 밥을 먹고 나온다. 돈을 내는 사람과 밥을 먹는 사람이 다른 이곳은 '배고픈 이들의 식당'이다. 점심을 든든하게 채운 이들은 삶의 의욕을 회복하고 새로운 일터를 향해 떠난다.

① 최소한의 인간다운 생활을 유지시켜준다.

② 사회적 위험은 스스로 해결해야 함을 말해 준다.

③ 어려움이나 위기 상황에서도 개인의 삶을 지탱해 준다.

④ 계층 간 갈등과 대립을 해소하여 사회 통합을 촉진한다.

⑤ 사회 전체의 연대를 통해 국가를 하나의 공동체로 유지해 준다.

04 | 평가원 응용 |
다음 자료에 대한 분석 및 추론으로 옳지 않은 것은?

> 그림은 갑국과 을국의 저소득층 홑벌이 가구가 근로 소득에 따라 받을 수 있는 근로 장려금 지급 체계를 보여 준다. 단, 근로 소득과 근로 장려금 이외에 다른 소득이나 조건은 고려하지 않는다.

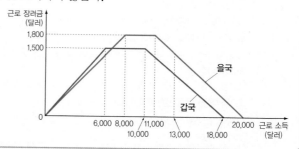

① 갑국은 근로 소득이 6,000달러인 경우가 11,000달러인 경우보다 근로 장려금 지급액이 많다.

② 을국은 근로 소득이 11,000달러인 경우보다 20,000달러인 경우가 근로 장려금을 포함한 가계 소득이 더 많다.

③ 근로 소득이 7,000달러인 경우, 근로 장려금 지급액은 갑국과 을국이 같다.

④ 갑국과 을국 모두 근로 장려금 지급에 따른 소득 재분배 효과가 발생한다.

⑤ 갑국과 을국 모두 근로 의욕을 높이려는 생산적 복지 이념을 반영하고 있다.

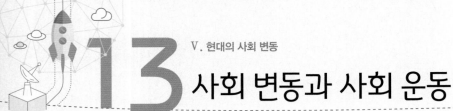

13 사회 변동과 사회 운동

V. 현대의 사회 변동

출제 경향
★ 사회 변동을 설명하는 각 이론의 특징을 파악하는 문제
★ 사회 운동의 유형별 특징을 사례에서 도출하는 문제

01 사회 변동

1. 사회 변동의 특징과 요인

(1) 의미: 시간의 흐름에 따라 사회의 전반적인 의식 구조와 생활 양식 등이 변화하는 과정

(2) 특징
① 과거에 비해 사회 변동의 속도가 빨라짐
② 사회 변동의 속도와 양상은 사회마다 다름
③ 사회 변화가 사회 전반에 걸쳐 동시에 나타남

(3) 요인

요인	사례
기술 발전	• 증기 기관 등의 발명에 따라 산업 사회가 출현함 • 인공 지능 기술이 발달하여 4차 산업 혁명 시대가 도래함
인구의 변동	• 1인 가구 비중이 증가하여 주택 수요가 변화함 • 외국인 이주민이 증가하여 다문화 사회가 됨
집단 갈등	• 독재 정권에 저항하여 민주 사회가 실현됨 • 흑인들이 인종 차별에 저항하여 흑인 인권이 신장됨
가치관 변화	• 결혼에 대한 가치관이 변화하여 비혼이 증가함 • 자유주의와 민주주의가 확산하여 시민의 정치 참여가 증대함
자연환경	지구 온난화로 평균 기온이 상승하여 생활 모습이 변화함

2. 사회 변동을 설명하는 이론

(1) 사회 변동의 방향에 대한 이론

① 진화론 〔빈출 자료〕(01, 02)

내용	• 사회 변동은 발전과 진보를 의미하여, 단순한 사회에서 복잡하고 진화된 사회로 발전함 • 사회 변동은 일정한 방향과 양상으로 나타남
장점	사회의 발전 방향을 예측하고 설명하기에 용이함
한계	• 서구 사회를 진보된 사회로 전제하여 서구 제국주의를 정당화한다는 비판을 받음 • 실제로 모든 사회가 같은 방향으로 변화하지 않으므로 다양한 사회의 발전 양상을 설명하기 어려움
사례	동아시아의 개발 도상국이 근대화 과정을 거쳐 산업화된 선진국으로 발전한 경우

② 순환론 〔빈출 자료〕(01, 02)

내용	• 사회는 진보·발전하기만 하는 것이 아니라 퇴보하거나 붕괴하기도 함 • 사회 변동은 시간의 흐름에 따라 생성 – 성장 – 쇠퇴 – 소멸의 과정이 반복하여 나타남
장점	지난 역사에 나타난 중·장기적 사회 변동을 설명하기에 용이함
한계	• 현 사회가 순환 과정 중 어디에 위치하는지 모르기 때문에 앞으로 나타날 변화 양상을 예측하고 대응하기 어려움 • 단기적으로 나타나는 사회 변동을 설명하기 어려움 • 모든 사회는 언젠가 소멸한다고 전제하므로 운명론적이라는 비판을 받음 • 인간 행위의 역동성과 자율성을 과소평가한다는 비판을 받음
사례	역사 속에 나타난 국가의 흥망성쇠

(2) 사회 변동의 구조에 대한 이론

① 기능론

내용	사회 변동은 사회의 부분이나 전체가 일시적 불균형을 극복하고 균형의 상태를 찾아가는 과정에서 나타나는 현상임
전제	• 사회는 본질적으로 균형과 안정을 추구함 • 사회를 구성하는 수많은 부분들이 각각의 기능을 원활히 수행할 때 균형과 안정이 유지됨
장점	사회의 질서와 안정을 바탕으로 나타나는 점진적 사회 변동 과정을 설명하기에 용이함
한계	혁명과 같은 사회 구조적 변화가 나타나는 급진적 사회 변동을 설명하기 어려움

② 갈등론

내용	불공정하고 불평등한 자원 배분으로 사회적 희소가치를 갖지 못한 피지배 집단이 지배 집단에 저항하는 과정에서 사회 변동이 나타남
전제	사회는 사회적 희소가치를 더 많이 소유하려는 사회 구성원들 간의 경쟁과 투쟁이 나타나는 곳임
장점	사회 질서 이면에 숨어 있는 모순과 갈등을 통해 급격한 사회 변동을 설명하기에 용이함
한계	• 사회 변동을 대립과 갈등의 측면에서만 바라본다는 비판을 받음 • 점진적 사회 변동을 설명하기 어려움

02 사회 운동

1. 사회 운동의 의미와 특징

(1) 의미: 사회 변동을 이끌어 내기 위한 지속적이면서 집단적인 노력

(2) 특징
① 운동의 목표가 뚜렷하고 실천 방안이 구체적임
② 목표와 활동을 정당화하는 구체적 신념과 가치가 있음
③ 목표를 실행에 옮길 수 있는 체계적인 조직이 있음

2. 사회 운동의 유형

개혁적 사회 운동	사회 체제 내에서 제도의 부분적 변화를 추구하는 활동 예 최저 임금제 실시를 요구하는 시민 단체 시위
혁명적 사회 운동	사회 체제 자체의 변화를 추구하는 활동 예 절대 왕정이라는 구제도를 타파한 프랑스 혁명
복고적 사회 운동	기존의 질서를 고수하고 급격한 사회 변동에 저항하는 활동 예 기계화에 반대한 러다이트 운동

3. 사회 운동이 사회 변동에 미치는 영향

(1) 긍정적 영향: 다양한 사회 문제와 사회 갈등을 해소하고 발전적인 방향으로 사회 변동을 일으키는 요인으로 작용함

(2) 부정적 영향: 사회 운동이 바람직하지 않은 목표나 이념을 추구하여 사회 전체의 이익을 저해하거나 공동체의 삶에 위험을 가져오기도 함

빈출 특강

📖 대표 유형

빈출 자료 01 진화론과 순환론 | 연계 문제 → 109쪽 03번

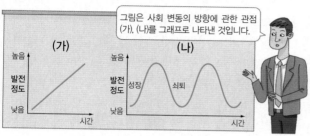

> 그림은 사회 변동의 방향에 관한 관점 (가), (나)를 그래프로 나타낸 것입니다.

| 자료 분석 | (가)는 사회의 발전 정도가 시간이 흐름에 따라 지속적으로 높아진다고 여기는 진화론에 부합한다. 진화론은 사회 변동을 발전과 진보로 이해하고 있으며, 사회 변동이 일정한 양상으로 나타난다고 본다. 따라서 앞으로의 사회 발전 방향을 예측하기에 용이하다. (나)는 사회가 시간의 흐름에 따라 성장과 쇠퇴를 반복한다고 여기는 순환론에 부합한다. 순환론은 사회는 진보·발전하기만 하는 것이 아니라 생성, 성장, 쇠퇴, 소멸의 과정이 반복하여 나타난다고 본다. 그러나 현 사회가 순환 과정 중 어디에 위치하는지 설명하지 못하기 때문에 앞으로의 변동 방향을 예측하거나 대응하기 어렵다.

빈출 자료 02 진화론과 순환론 | 연계 문제 → 109쪽 06번

> 갑: 인류 문명의 성장 과정을 미디어의 발달과 관련지어 설명할 수 있다. 인류 문명은 말[言]의 등장과 수렵·채취 사회, 문자의 등장과 농경 사회, 인쇄술의 등장과 산업 사회, 원격 통신의 등장과 정보 사회의 네 단계를 거쳐 왔다.
>
> 을: 유목민과 정착민 간의 갈등을 통해 120년 주기로 나타나는 문명의 변동 과정을 설명할 수 있다. 유목민은 기회가 오면 도시의 정착민을 공격하고 정복한다. 이렇게 정복에 성공한 유목민은 차츰 도시 생활에 안주하면서 정착민으로 변모한다. 하지만 이들 역시 안일한 삶과 부패가 만연해지면서 또 다른 강력한 유목민에게 정복당한다.

| 자료 분석 | 갑의 관점은 인류의 문명이 수렵·채취 사회 → 농경 사회 → 산업 사회 → 정보 사회의 단계를 거치면서 성장하고 있다고 여긴다. 즉, 사회가 일정한 단계를 거쳐 성장하는 방향으로 변화하고 있음을 강조한다는 점에서 사회 변동을 바라보는 관점 중 진화론에 부합한다. 을의 관점은 일정한 주기로 나타나는 문명의 변동 과정에 주목하고 있다. 유목민이 정착민이 되었다가 다른 유목인에게 정복당하는 사례를 통해 일정한 주기로 문명이 성장하고 쇠퇴하는 과정을 설명하고 있으며, 사회가 단순히 성장만 하는 것이 아니라 주기적으로 성장과 쇠퇴를 반복함을 강조한다는 점에서 사회 변동을 바라보는 관점 중 순환론에 부합한다.

| 이것도 알아둬 | 다윈, 스펜서, 모건, 콩트는 진화론을 주장한 학자이고, 슈펭글러, 파레토, 토인비는 순환론을 주장한 학자이다.

📖 자주 나오는 오답 선택지

빈출 자료 01 에서 자주 나오는 오답 선택지

① (가)는 사회 변동에 일정한 방향이 없다고 본다.
└→ (나)는

② (가)는 사회 발전을 운명론적인 시각으로 바라본다.
└→ (나)는

③ (가)는 미래의 사회 변동에 대한 역동적 대응이 곤란하다는 비판을 받는다.
└→ (나)는

④ (나)는 사회 변동을 사회 발전으로 인식한다.
└→ (가)는

⑤ (나)는 단선적이고 표준화된 발전 경로를 중시한다.
└→ (가)는

⑥ (나)는 사회 변동이 항상 진보를 의미하지 않는다는 점을 간과한다.
└→ (가)는

⑦ (나)는 사회가 이전보다 복잡하고 분화된 모습으로 변동한다고 본다.
└→ (가)는

⑧ (나)는 (가)와 달리 사회 변동을 긍정적으로 본다.
└→ (가)는 (나)와

⑨ (나)는 (가)와 달리 서구 중심적 사고라는 비판을 받는다.
└→ (가)는 (나)와

빈출 자료 02 에서 자주 나오는 오답 선택지

① 갑의 관점은 사회 변동을 비관적으로 바라본다.
└→ 긍정적으로

② 갑의 관점은 과거의 사회 변동만을 설명한다는 비판을 받는다.
└→ 을의 관점

③ 갑의 관점은 사회 변동이 일정한 양상을 반복하며 진행된다고 본다.
└→ 을의 관점

④ 갑의 관점은 사회 변동의 유형이 사회에 관계없이 동일하다고 본다.
└→ 을의 관점

⑤ 을의 관점은 단기적 사회 변동을 설명하기에 용이하다.
└→ 중·장기적

⑥ 을의 관점은 사회 변동을 생물 유기체의 진화 과정에 비유한다.
└→ 갑의 관점

⑦ 을의 관점은 사회가 단순한 상태에서 복잡하고 분화된 상태로 변동한다고 본다.
└→ 갑의 관점

⑧ 을의 관점은 모든 발전은 서구화임을 전제한다는 점에서 제국주의 지배를 정당화한다.
└→ 갑의 관점

⑨ 갑의 관점과 달리 을의 관점은 미래 사회의 변동을 예측하기 용이하다.
└→ 어렵다.

01 빈칸에 들어갈 사회 변동 이론을 쓰시오.

( )	• 내용: 사회는 일정한 방향으로 변화하며, 사회 변동은 발전과 진보를 의미함 • 한계: 서구 사회를 진보된 사회로 전제하여 서구 제국주의 역사를 정당화함
( )	• 내용: 사회는 단선적으로 진보만 하는 것이 아니라 생성–성장–쇠퇴–소멸의 과정을 반복하며 변동함 • 한계: 과거의 사회 변동 설명에는 유용하나 미래의 변동을 예측하고 대응하는 데 한계가 있음
( )	• 내용: 사회 변동은 일시적 마찰을 극복하고 균형의 상태를 찾아가는 과정임 • 한계: 혁명과 같이 급진적 사회 변동을 설명하기 곤란함
( )	• 내용: 피지배 집단이 지배 집단에 저항하는 과정에서 사회 변동이 나타남 • 한계: 사회 변동을 갈등과 대립의 측면에서만 파악한다는 비판을 받음

02 다음 내용에 해당하는 사회 변동을 설명하는 이론을 【보기】에서 골라 쓰시오.

【보기】
ㄱ. 진화론 　　　　　 ㄴ. 순환론
ㄷ. 기능론 　　　　　 ㄹ. 갈등론

(1) 사회 변동을 단선적인 진보의 과정으로 이해한다.
(2) 혁명과 같은 급격한 사회 변동을 설명하기 용이하다.
(3) 일시적인 불균형을 극복하고 균형 상태를 찾아가는 과정에서 사회 변동이 나타난다고 본다.
(4) 모든 사회는 언젠가 소멸한다고 여기므로 운명론적 관점으로 사회 변동을 바라본다는 비판을 받는다.

03 다음 글의 빈칸에 들어갈 알맞은 말을 쓰고, 고르시오.

( )은/는 지난 역사 속에서 반복되는 사회 변동을 설명하고 해석하는 데 유용하나, 지금 사회가 역사적 순환 과정 중 어디에 위치하는지에 대해서는 설명하지 못한다. 이로 인해 앞으로의 사회 변동이 어떻게 나타날 것인지 예측하기 (어렵다 / 용이하다).

04 사회 운동의 유형과 그에 관한 내용을 바르게 연결하시오.

(1) 개혁적 사회 운동 •　　　• ㉠ 제도 내에서의 변화 추구

(2) 혁명적 사회 운동 •　　　• ㉡ 급격한 사회 변화에 저항

(3) 복고적 사회 운동 •　　　• ㉢ 사회 체제 자체의 변화 추구

---

01 사회 변동

01 다음 글에 대한 옳은 설명을 【보기】에서 고른 것은?

인류는 농업 기술의 발전에 의한 농업 혁명으로 '제1의 물결'을 맞이하였다. 이후 인류는 산업 혁명에 의한 기술 혁신을 통해 공업 중심의 대량 생산 및 대량 소비 체제를 가져오게 되며 '제2의 물결'을 겪게 되었다. 그리고 현재 정보 통신 기술 및 인터넷의 발달을 바탕으로 '제3의 물결'을 경험하고 있으며, 이전과는 비교할 수 없을 만큼 생산성이 높아지고 있다.

【보기】
ㄱ. 사회 변동 요인으로 기술을 강조하고 있다.
ㄴ. 진화론의 관점에서 사회 변동을 설명하고 있다.
ㄷ. 사회 변동 속도가 사회마다 다름을 이야기하고 있다.
ㄹ. 인구 변화가 사회 변동의 주요 요인임을 설명하고 있다.

① ㄱ, ㄴ　　　② ㄱ, ㄷ　　　③ ㄴ, ㄷ
④ ㄴ, ㄹ　　　⑤ ㄷ, ㄹ

02 다음 대화의 ㉠~㉣에 대한 옳은 설명을 【보기】에서 고른 것은?

교사: 사회 변동 요인 및 사례에 대해 이야기해 볼까요?
갑: 농기구의 발명에 의한 사회의 변동은 사회 변동 요인 중 (㉠)의 사례에 해당해요.
을: (㉡)은/는 가치관의 변화에 따른 사회 변동 사례예요.
병: ㉢ 기본권에 대한 인식 이후 지배 계급에 대한 저항으로 급진적 사회 변동이 나타나기도 해요.
정: ㉣ 극심한 가뭄이나 이상 기후에 대응하는 과정에서 사회 변동이 나타나기도 해요.

【보기】
ㄱ. ㉠에 적절한 내용은 '갈등'이다.
ㄴ. ㉡에 '노인 인구 증가에 따른 노인 복지 확대'가 들어갈 수 있다.
ㄷ. ㉢은 사회 변동 요인 중 가치관의 변화에 해당한다.
ㄹ. ㉣은 자연환경이 사회 변동 요인이 됨을 보여 준다.

① ㄱ, ㄴ　　　② ㄱ, ㄷ　　　③ ㄴ, ㄷ
④ ㄴ, ㄹ　　　⑤ ㄷ, ㄹ

(빈출 문제) 연계 자료 → 107쪽 빈출 자료 01

03 그림은 사회 변동을 설명하는 이론 A, B를 나타낸 것이다. 이에 대한 옳은 설명을 (보기)에서 고른 것은?

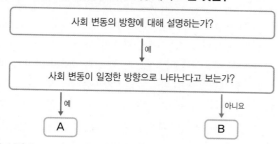

┤ 보기 ├

ㄱ. A는 역사에서 반복되는 변동을 설명하기에 용이하다.

ㄴ. A는 모든 사회가 같은 방향으로 변화한다고 본다.

ㄷ. B는 앞으로의 변동을 예측하는 데 적합하지 않다.

ㄹ. B는 단기적 사회 변동 과정을 설명하기에 적절하다.

① ㄱ, ㄴ 　② ㄱ, ㄷ 　③ ㄴ, ㄷ

④ ㄴ, ㄹ 　⑤ ㄷ, ㄹ

유사 선택지 문제

03_ ❶ (A / B)는 서구 제국주의 역사를 정당화하는 수단으로 악용될 우려가 있다.

03_ ❷ (A / B)는 사회가 단선적으로 진보하기만 하는 것은 아니라고 본다.

03_ ❸ (A / B)는 다양한 경로의 사회 발전 양상을 설명하기 어렵다.

04 그림은 사회 변동을 설명하는 이론 A, B의 공통점과 차이점을 나타낸 것이다. 이에 대한 설명으로 옳은 것은?

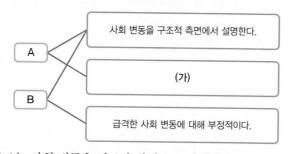

① A는 사회 변동을 진보나 발전으로 이해한다.

② A는 구성원 간의 관계를 협력적으로 바라본다.

③ B는 균형의 회복 과정을 변동으로 이해한다.

④ B는 사회 변동이 단선적으로 나타난다고 본다.

⑤ (가)에는 '사회 변동을 거시적 관점으로 이해한다.'가 적절하다.

05 사회 변동을 설명하는 이론 A, B를 나타낸 표이다. (가)~(라)에 들어갈 적절한 질문을 (보기)에서 고른 것은?

구분	A	B
	사회 변동은 사회가 혼란을 극복하고 균형 상태를 찾아가는 과정이다.	사회 변동은 이해관계가 상호 대립하는 집단 간의 갈등에 의해 발생한다.
(가)	아니요	예
(나)	예	아니요
(다)	아니요	예
(라)	예	아니요

┤ 보기 ├

ㄱ. (가) - 협동과 조화를 중시하는가?

ㄴ. (나) - 구성원 간 대립과 투쟁을 중시하는가?

ㄷ. (다) - 급진적 사회 변동을 설명하기 용이한가?

ㄹ. (라) - 사회가 유기체와 유사한 속성을 지닌다고 보는가?

① ㄱ, ㄴ 　② ㄱ, ㄷ 　③ ㄴ, ㄷ

④ ㄴ, ㄹ 　⑤ ㄷ, ㄹ

(빈출 문제) 연계 자료 → 107쪽 빈출 자료 02

06 그림은 진화론과 순환론의 공통점과 차이점을 도식화한 것이다. (가)~(다)에 해당하는 내용으로 옳은 것은?

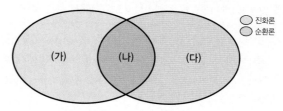

○ 진화론
○ 순환론

① (가) - 사회는 퇴보하거나 멸망하기도 한다.

② (가) - 다양한 경로의 사회 변동 설명에 용이하다.

③ (나) - 사회 변동을 구조적 관점에서 설명한다.

④ (다) - 서구 중심적 사고라는 비판을 받는다.

⑤ (다) - 앞으로의 변동 방향을 예측하기 어렵다.

유사 선택지 문제

06_ ❶ '사회 변동을 진보와 발전으로 이해한다.'는 ((가) / (다))에 적절하다.

06_ ❷ '서구 사회를 진보된 사회로 전제한다.'는 ((가) / (다))에 적절하다.

06_ ❸ '단기적 사회 변동을 설명하기 어렵다.'는 ((가) / (다))에 적절하다.

02 사회 운동

07 다음 두 사례에 공통적으로 해당하는 특징을 **◀보기▶**에서 고른 것은?

> • ○○ 시민 단체는 최저 임금 현실화를 요구하며 대국민 서명 운동을 하고 있다. ○○ 시민 단체는 임금 노동자의 삶의 질 향상을 위해 최저 임금 인상이 필요하다고 주장한다.
> • 학생 및 학부모로 구성된 □□ 모임은 대입 제도 개편을 주장하며 대국민 토론회를 개최하였다. □□ 모임은 공론화 과정을 통해 합의된 개편 방안을 정부에 제시할 계획이다.

◀ 보기 ▶
ㄱ. 운동의 목표와 활동 방법이 구체적이다.
ㄴ. 급격한 사회 변동에 대해 저항하고 있다.
ㄷ. 집단적 차원으로 사회 변동을 도모하고 있다.
ㄹ. 사회 변동을 위한 개인적 차원의 노력에 해당한다.

① ㄱ, ㄴ   ② ㄱ, ㄷ   ③ ㄴ, ㄷ
④ ㄴ, ㄹ   ⑤ ㄷ, ㄹ

08 (가), (나)에 대한 옳은 설명을 **◀보기▶**에서 고른 것은?

> (가) 19세기 초 갑국에서는 방직 기계가 등장하여 일자리를 잃은 직물 노동자들이 기계화라는 사회 변동에 반대하며 방직 기계를 파괴하고 공장을 방화하는 사건이 발생하였다.
> (나) 을국에서는 장기간의 독재에 저항하여 민주주의를 쟁취하고자 하는 시민들의 시위가 1년째 이어졌다. 결국 독재 정권이 붕괴하고 대통령 직선제를 쟁취하여 모든 국민이 민주주의를 누리게 되었다.

◀ 보기 ▶
ㄱ. (가)는 개혁적 사회 운동에 해당한다.
ㄴ. (나)는 사회 체제 자체의 변화를 추구하는 행위이다.
ㄷ. (가), (나) 모두 사회 운동의 사례에 해당한다.
ㄹ. (가)와 달리 (나)는 사회 변화에 저항하고 있다.

① ㄱ, ㄴ   ② ㄱ, ㄷ   ③ ㄴ, ㄷ
④ ㄴ, ㄹ   ⑤ ㄷ, ㄹ

서술형 문제

09 다음 글을 읽고 물음에 답하시오.

> (가) 사회는 생물과 마찬가지로 단순한 상태에서 복잡하고 분화된 상태로 변동하며, 이러한 사회의 진화는 진보 또는 발전을 의미한다. 그러나 서구 사회를 가장 진보된 사회로 전제한다는 점에서 비판을 받는다.
> (나) 역사 과정을 단선적 진화 과정으로 보지 않고 반복적인 순환 과정으로 봄으로써 숙명과 같은 불가사의한 힘을 너무 강조한 나머지 인간의 주체적 행동을 과소평가한다는 비판을 받는다.

(1) (가), (나)에 해당하는 사회 변동 이론을 쓰시오.

(2) 사회 변동을 설명하는 (가), (나) 이론의 한계를 각각 서술하시오. (단, 위 글에 제시된 내용은 제외한다.)

10 다음 글을 읽고 물음에 답하시오.

> ___(가)___ 은/는 사회가 본질적으로 조화와 균형을 이루고 있으며, 일시적으로 불안정한 상태가 발생하더라도 스스로 조화와 균형을 회복할 수 있는 힘을 지니고 있다고 본다. 반면 ___(나)___ 은/는 사회는 기본적으로 구성원들 간 갈등과 대립의 장이라고 바라본다.

(1) (가), (나)에 해당하는 이론을 쓰시오.

(2) 사회 변동의 속도와 관련하여 (가), (나)의 한계를 각각 서술하시오.

11 사회 운동의 유형을 제시한 표이다. 물음에 답하시오.

(가)	사회 체제 자체의 변화를 추구하는 활동
복고적 사회 운동	(나)

(1) (가)에 해당하는 사회 운동의 유형을 쓰시오.

(2) (나)에 들어갈 내용을 쓰고, 그 사례를 한 가지 제시하시오.

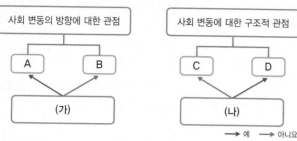 상위 4% 문제

 정답 및 해설 52쪽

01
| 수능 응용 |

그림은 사회 변동에 대한 이론 A∼D를 구분한 것이다. 이에 대한 옳은 설명을 《보기》에서 고른 것은?

```
┌─────────────────────┐        ┌─────────────────────┐
│ 사회 변동의 방향에 대한 관점 │        │ 사회 변동에 대한 구조적 관점 │
└─────────────────────┘        └─────────────────────┘
       ┌────┴────┐                    ┌────┴────┐
    ┌──┐      ┌──┐                 ┌──┐      ┌──┐
    │ A│      │ B│                 │ C│      │ D│
    └──┘      └──┘                 └──┘      └──┘
       └────┬────┘                    └────┬────┘
        ┌───────┐                     ┌───────┐
        │ (가)  │                     │ (나)  │
        └───────┘                     └───────┘
                              ──→ 예   ···→ 아니요
```

◀ 보기 ▶

ㄱ. A가 진화론이라면, (가)에는 '서구 중심적이라는 비판을 받는가?'가 적절하다.

ㄴ. C가 갈등론이라면, (나)에는 '급진적 사회 변동을 설명하기 용이한가?'가 적절하다.

ㄷ. (가)가 '사회 변동을 발전과 진보로 이해하는가?'라면, A는 B에 비해 미래 변동에 대한 예측이 용이하다.

ㄹ. (나)가 '균형의 회복을 변동으로 이해하는가?'라면, D는 C와 달리 집단 간 저항의 과정을 변동으로 바라본다.

① ㄱ, ㄴ   ② ㄱ, ㄷ   ③ ㄴ, ㄷ
④ ㄴ, ㄹ   ⑤ ㄷ, ㄹ

03
| 평가원 응용 |

표는 질문 (가)∼(다)를 활용하여 사회 변동을 바라보는 이론 A, B를 구분한 것이다. 이에 대한 옳은 설명을 《보기》에서 고른 것은?

구분	(가)	(나)	(다)
A	예	아니요	예
B	아니요	예	예

◀ 보기 ▶

ㄱ. A가 진화론이면, (가)에는 '장기적 사회 변동 과정을 설명하기 용이한가?'가 적절하다.

ㄴ. B가 순환론이면, (나)에는 '앞으로의 변동 방향을 예측하기 곤란하다는 비판을 받는가?'가 적절하다.

ㄷ. (다)에는 '모든 사회는 같은 방향으로 변화한다고 보는가?'가 적절하다.

ㄹ. (가)가 '사회는 흥망성쇠를 반복한다고 보는가?'라면, (나)에는 '서구 사회가 진보된 사회임을 전제하고 있는가?'가 적절하다.

① ㄱ, ㄴ   ② ㄱ, ㄷ   ③ ㄴ, ㄷ
④ ㄴ, ㄹ   ⑤ ㄷ, ㄹ

02
(가), (나)에 대한 질문의 대답으로 옳은 것은?

사회 변동 이론 중 하나인 ▢(가)▢ 에 대한 기본적인 착상은 다윈의 '종의 기원'에서 얻어진 것으로, 모든 생명체가 단순한 것에서 복잡한 것으로 진화해 나가는 과정을 인간 사회의 변동 과정에 적용하였다. ▢(나)▢ 또한 사회 변동의 방향에 대한 관점이지만, 인류 역사가 단순한 상태에서 복잡한 상태로 변화한다는 ▢(가)▢ 의 관념을 부정한다는 점에서 차이가 있다.

	질문	대답 (가)	대답 (나)
①	사회는 일정한 양상을 반복하며 변동하는가?	예	예
②	사회 변동은 일정한 방향을 가지고 있는가?	아니요	예
③	중·장기적 사회 변동을 설명하는 데 적절한가?	예	아니요
④	사회 변동 과정에서 문명이 퇴보할 수 있는가?	아니요	아니요
⑤	운명론적 관점에서 사회 변동을 바라보고 있는가?	아니요	예

04
사회 변동을 바라보는 갑, 을의 관점에 대한 설명으로 옳은 것은?

모든 사회는 균형과 안정을 추구하려는 속성이 있어. 따라서 안정이 깨어지더라도 다시 균형이 회복되기 마련이고, 그 과정에서 사회 변동이 나타나는 거야. — 갑

한 사회를 구성하고 있는 지배 집단과 피지배 집단 간의 갈등으로 인해 사회는 안정보다는 변화하려는 속성을 가지고 있어. 즉, 갈등 과정에서 사회 변동이 나타나는 거지. — 을

① 갑의 관점은 사회 안정보다 변화를 중시한다.

② 갑의 관점은 급격한 사회 변동을 설명하기 용이하다.

③ 을의 관점은 지배 계급의 입장을 대변한다는 평가를 받는다.

④ 을의 관점은 불공정한 자원 배분이 사회 변동을 초래한다고 본다.

⑤ 갑과 달리 을의 관점은 사회 구조적 측면에서 사회 변동을 설명한다.

14 현대 사회의 변화와 지속 가능한 사회

01 현대 사회의 변화

1. 세계화

(1) 의미: 전 세계의 상호 의존성이 높아지면서 삶의 공간이 전 지구로 확대되는 현상

(2) 요인: 교통 및 통신 발달, 국가 간 교역 확대

(3) 영향

경제적 영향	수출이 증가하여 경제 활성화, 경쟁력이 부족한 집단 도태, 선진국과 개발도상국 간 빈부 격차 확대
정치적 영향	보편적 가치가 전 세계적으로 확산, 강대국 중심의 의사 결정 구조 형성, 개별 정부의 자율성 침해
사회 · 문화적 영향	다양한 문화 접촉 기회 증가, 새로운 문화 창출 가능성 증대, 선진국 문화 중심으로 획일화되는 현상

2. 정보화 빈출 자료 (01, 02)

(1) 의미: 산업 사회에서 정보 사회로 변화하는 현상

(2) 요인: 정보 통신 기술 발달, 지식 · 정보의 경제적 중요성에 대한 사회적 인식 변화

(3) 영향

경제적 영향	다품종 소량 생산 방식 확대, 전자 상거래 활성화, 재택근무 등 근무 환경 변화
정치적 영향	전자 투표가 발달하여 시민의 참여 기회 확대, 의사 결정 분권화, 관료제 약화, 시민의 자유 및 권리 위축
사회 · 문화적 영향	사회적 관계를 맺는 공간적 범위 확대, 정보 격차 발생, 사생활 침해 등 정보 윤리 문제 발생

3. 저출산 · 고령화

(1) 저출산

의미	합계 출산율이 낮아지는 현상
요인	초혼 연령 상승, 비혼 증가, 자녀 양육비 및 교육비 부담 증가, 육아하기 어려운 사회적 분위기
영향	생산 가능 인구가 감소하여 경기 침체 및 인구 부양 문제 발생, 사회의 지속 가능성 저하
대응 방안	출산과 육아에 대한 지원 강화, 자녀 양육비 및 교육비 부담 경감, 양성평등 실현으로 가족 내 여성 부담 경감, 일과 육아의 양립이 가능하도록 제도 마련

(2) 고령화

의미	전체 인구에서 노인 인구의 비율이 높아지는 현상
요인	의료 기술이 발달하여 평균 수명 상승, 출산율이 저하되어 고령화 가속화
영향	노년 부양비 증가로 국가 재정 악화, 세대 간 갈등 증가, 노인 빈곤과 소외 등의 노인 문제 증가
대응 방안	노인 문제를 해결하기 위해 노인 복지 확대, 정년 연장 등으로 노인 일자리 문제 해결, 개인적 및 제도적 차원의 노후 대비 강화

4. 다문화 사회

(1) 의미: 여러 다른 문화를 가진 사람들이 공존하는 사회

(2) 영향

긍정적 영향	문화 선택의 폭 확대, 문화 창조 능력 향상, 문화 발전 기회 증대, 노동력 부족 해소
부정적 영향	언어와 관습의 차이로 적응이 어려움, 외부 문화가 유입되어 문화 정체성 약화, 문화 간 충돌 및 갈등

(3) 대응 방안: 다른 문화에 대한 상대주의적 태도 및 관용의 자세 함양, 이주민에 대한 지원 방안 마련

02 지속 가능한 사회

1. 전 지구적 수준의 문제

(1) 환경 문제

지구 온난화	• 내용: 지구의 평균 기온이 상승하는 현상 • 원인: 화석 연료 사용으로 온실가스 증가 • 영향: 기상 이변 발생, 온난화로 생태계 교란 및 동물의 서식지 변화 등
사막화	• 내용: 사막 지역이 확대되는 현상 • 원인: 산림 남벌, 목초지 과잉 개발 등 • 영향: 황사 등의 대기 오염, 생물종 감소
열대 우림 파괴	• 내용: 대규모 산림이 파괴되는 현상 • 원인: 개발을 위한 무분별한 벌목 및 방화 • 영향: 온실가스가 증가하여 지구 온난화 가속화

(2) 자원 문제

에너지 부족	• 내용: 석유 등과 같은 에너지 자원의 매장량 감소 • 대안: 대체 에너지 개발, 성장 위주 정책 개선
식량 부족	• 내용: 지역에 따라 식량이 부족하여 기아 문제 발생 • 대안: 식량 분배 방식에 대한 고려
물 부족	• 내용: 산업화로 물 수요가 증가하여 물 부족 • 대안: 수자원의 효율적 활용 방안 마련

(3) 전쟁과 테러

내용	• 전쟁: 국가 간에 전면적으로 발생하는 무력 행위 • 테러: 개인 및 단체가 특정한 목적으로 행사하는 폭력
해결 방안	갈등을 평화적으로 해결하려는 노력, 인류의 보편적 가치를 지향할 수 있는 세계 시민 의식 함양

2. 세계 시민과 지속 가능한 사회

(1) 세계 시민

의미	세계 공동체 의식을 가지고 전 지구적 수준의 문제 해결을 위해 노력하는 사람
역할	전 지구적 수준의 문제에 대해 관심을 가지고 해결 방안 모색, 전 지구적 수준의 문제에 주체적이고 능동적으로 참여

(2) 지속 가능한 사회

의미	현 세대와 미래 세대의 삶이 함께 보장되는 사회
실천 방안	• 개인적 차원: 친환경 제품 사용, 재활용품 분리 수거 등 • 집단적 차원: 시민 단체 등 집단적 차원의 실천 • 의식적 차원: 전 지구적 수준의 문제에 대한 관심 제고

📖 대표 유형

빈출 자료 01) 농업 사회, 산업 사회, 정보 사회의 특징

| 연계 문제 → 115쪽 03번

기준 사회	(가)	(나)	(다)
가정과 일터의 결합 정도	+	++	+++
사회의 다원화 정도	++	+++	+
사회 조직의 관료제화 정도	+++	++	+

* +의 개수가 많을수록 강함 내지 높음을 나타냄

| 자료 분석 | 가정과 일터의 결합 정도는 주거지와 일터인 농경지가 가까이 위치한 농경 사회에서 가장 높게 나타난다. 반면 산업 사회는 주거지와 일터인 공장이 분리되어 있어 가정과 일터의 결합 정도가 가장 낮게 나타난다. 사회의 다원화 정도는 정보 통신 기술의 발전으로 분권화가 이루어지고, 다품종 소량 생산이 용이해진 정보 사회에서 가장 높게 나타난다. 반면 대부분의 구성원이 농업에 종사하는 농업 사회에서 가장 낮게 나타난다. 사회 조직의 관료제화 정도는 대규모 공장의 효율적 운영을 위해 적극적으로 관료제를 도입한 산업 사회에서 가장 높게 나타난다. 반면 탈관료제가 이루어지는 정보 사회에서는 산업 사회에 비해 낮게 나타난다.

빈출 자료 01) 에서 자주 나오는 오답 선택지

① (가)에서는 양방향 의사 소통 구조가 일반적으로 나타난다.
　　└→ 일방향
② (나)에서는 정보 생산자와 소비자 간 구분이 뚜렷하다.
　　└→ 명확하지 않다.
③ (다)에서는 면대면 접촉 가능성이 가장 낮게 나타난다.
④ 지식 산업의 부가가치 총량은 (다)에서 가장 크다.
　　└→ 높게
　　└→ (나)
⑤ 소품종 대량 생산 방식의 비중은 (가)보다 (나)에서 크다.
　　└→ 다품종 소량 생산
⑥ (가)는 (나)에 비해 사회 변동의 속도가 빠르게 나타난다.
　　└→ 느리게
⑦ 확대 가족의 비중은 (가)에 비해 (다)가 낮다.
　　└→ 높다.
⑧ 직업의 이질성 정도는 (가)에 비해 (다)가 높게 나타난다.
　　└→ 동질성
⑨ (나)에 비해 (다)에서는 구성원 간 익명성이 높다.
　　└→ 낮다.
⑩ (나)에서는 2차 산업, (다)에서는 3차 산업의 비중이 가장 크다.
　　└→ 3차 산업　　　└→ 1차 산업

빈출 자료 02) 농업 사회, 산업 사회, 정보 사회의 특징

| 연계 문제 → 116쪽 10번

A~C는 각각 농업 사회, 산업 사회, 정보 사회 중 하나이다. 세 사회를 사회 조직의 관료제화 정도에 따라 비교하면 오른쪽 그래프와 같이 나타낼 수 있다. 마찬가지로 ㉠ 가정과 일터의 결합 정도, ㉡ 구성원 간의 비대면 접촉 정도, ㉢ 직업의 동질성 정도를 이러한 방법으로 비교하여 (가)~(다)와 같이 나타낼 수 있다.

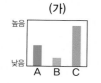 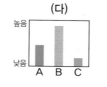

| 자료 분석 | 사회 조직의 관료제화 정도는 산업 사회>정보 사회>농업 사회 순으로 나타나며, 이에 따라 A는 산업 사회, B는 정보 사회, C는 농업 사회임을 알 수 있다. (가)는 농업 사회가 가장 높고 정보 사회가 가장 낮은 것으로, '직업의 동질성 정도'가 이에 해당한다. 농업 사회의 경우 구성원 대다수가 농업에 종사하여 직업의 동질성이 높으며, 정보 사회는 사회의 다원화로 구성원의 직업이 가장 이질적이다. (나)는 농업 사회가 가장 높고, 산업 사회가 가장 낮다는 점에서 '가정과 일터의 결합 정도'임을 알 수 있다. (다)는 정보 사회에서 가장 높고 농업 사회에서 가장 낮은 것으로, '구성원 간의 비대면 접촉 정도'가 이에 해당한다. 정보 사회에서는 통신 기술이 발달하여 비대면 접촉이 일상적으로 이루어지는 반면, 농업 사회에서는 대부분의 접촉이 대면으로 이루어진다.

빈출 자료 02) 에서 자주 나오는 오답 선택지

① A는 1차 산업 중심의 전통적인 사회이다.
　　└→ C
② B는 업무의 표준화 방식이 보편화되기 시작한 사회이다.
　　└→ A
③ C는 양방향 미디어가 보편적으로 사용되는 사회이다.
　　└→ B
④ A는 B에 비해 다품종 소량 생산 방식이 확대된다.
　　└→ B는 A에
⑤ B는 A에 비해 정보 확산의 시공간적 제약이 크다.
　　└→ A는 B에
⑥ B는 C에 비해 구성원 간 익명성의 정도가 낮다.
　　└→ C는 B에
⑦ B는 C에 비해 정보 확산의 속도가 느리다.
　　└→ C는 B에
⑧ B는 C에 비해 부가가치 원천으로 노동을 지식보다 중시한다.
　　└→ C는 B에
⑨ C는 A에 비해 사회의 다원화 정도가 높다.
　　└→ A는 C에
⑩ C는 A에 비해 합리주의적 생활 양식이 강조된다.
　　└→ A는 C에

개념 확인 문제

01 빈칸에 들어갈 알맞은 말을 쓰시오.

( )	• 의미: 전 세계의 상호 의존성이 높아지면서 삶의 공간이 전 지구로 확대되는 현상 • 영향: 수출이 증가하여 경제 활성화, 보편적 가치가 전 세계적으로 확산, 다양한 문화 접촉 기회 증가 등
( )	• 의미: 산업 사회에서 정보 사회로 변화하는 현상 • 영향: 다품종 소량 생산 방식 확대, 전자 상거래 활성화, 재택근무 등 근무 환경 변화 등
( )	• 의미: 합계 출산율이 낮아지는 현상 • 영향: 생산 가능 인구가 감소하여 경기 침체 및 인구 부양 문제 발생, 사회의 지속 가능성 저하 등
( )	• 의미: 전체 인구에서 노인 인구의 비율이 높아지는 현상 • 영향: 노년 부양비 증가, 세대 간 갈등 증가, 노인 문제 증가 등
( )	• 의미: 여러 다른 문화를 가진 사람들이 공존하는 사회 • 영향: 문화 선택의 폭 확대, 문화 창조 능력 향상, 문화 발전 기회 증대, 노동력 부족 해소 등

02 다음 내용과 관련 있는 전 지구적 수준의 문제를 《보기》에서 골라 쓰시오.

┌─ 보기 ┐
ㄱ. 전쟁   ㄴ. 식량 부족
ㄷ. 지구 온난화   ㄹ. 열대 우림 파괴

(1) 국가 간에 전면적으로 발생하는 무력 행위이다.

(2) 화석 연료 사용이 늘어나 온실가스가 증가하여 초래된다.

(3) 문제 해결을 위해 식량 분배 방식에 대한 고려가 필요하다.

(4) 개발을 위해 무분별하게 벌목을 하거나 방화를 하여 발생하였다.

03 다음 글의 빈칸에 들어갈 알맞은 말을 쓰시오.

세계 공동체 의식을 가지고 전 지구적 수준의 문제 해결을 위해 노력하는 사람을 (   )(이)라고 한다. 전 지구적 수준의 문제에 주체적이고 능동적으로 참여할 때 현 세대와 미래 세대의 삶이 함께 보장되는 (   )이/가 가능해진다.

04 현대 사회의 변화 양상과 발생 요인을 바르게 연결하시오.

(1) 세계화 •

(2) 정보화 •

(3) 고령화 •

• ㉠ 지식 · 정보에 대한 사회적 인식 변화

• ㉡ 기술이 발전하여 국가 간 교역 확대

• ㉢ 의료 기술이 발전하여 평균 수명 상승

---

01 현대 사회의 변화

01 다음과 같은 변화가 초래한 현상으로 가장 적절한 것은?

정보 통신 기술과 교통 수단의 발달로 인해 국가 간 교류의 장벽은 지난 수십년 간 아주 빠르게 낮아지고 있다. 이로 인하여 국가 간 인적, 물적, 문화적 교류가 과거에 비해 상상할 수 없을 만큼 크게 확대되고 있다. 이제는 개별 국가 단위의 경제가 아니라, 전 세계가 하나의 단일한 체계와 같이 긴밀하게 통합되어 가고 있다.

① 국제기구의 역할이 중시된다.

② 다국적 기업의 활동이 위축된다.

③ 노동의 국가 간 이동이 제한된다.

④ 약소국의 문화적 정체성이 강화된다.

⑤ 선진국과 개발도상국 간 경제적 격차가 완화된다.

02 다음에서 확인할 수 있는 세계화의 부정적 측면을 《보기》에서 고른 것은?

세계화에 따른 문화 교류 양상은 선진국에서 개발 도상국으로 일방적으로 서구 문화가 전파되는 형태로 나타난다. 특히 세계화를 이끄는 핵심 매체인 인터넷이 영어라는 언어를 바탕으로 하고 있어 언어 측면에서 영어가 개발 도상국에 미치는 영향은 상당히 크다. 일부 언어학자들은 지금과 같은 흐름이라면 100년 후 현재 지구촌에서 사용되는 언어 중 약소국 언어 중심으로 절반 가량은 사라지고, 영어를 중심으로 지구촌 언어가 재편될 것이라고 보고 있다.

┌─ 보기 ┐
ㄱ. 국가 간 경제 격차가 확대된다.
ㄴ. 개별 정부의 자율성이 침해된다.
ㄷ. 문화적 다양성 보장이 어려워진다.
ㄹ. 소수 집단의 문화적 정체성이 상실된다.

① ㄱ, ㄴ   ② ㄱ, ㄷ   ③ ㄴ, ㄷ
④ ㄴ, ㄹ   ⑤ ㄷ, ㄹ

(빈출 문제) 연계 자료 → 113쪽 빈출 자료 01

03 표는 산업 사회와 정보 사회를 비교한 것이다. (가), (나)에 적절한 내용을 바르게 연결한 것은?

기준	정도의 비교
면대면 접촉 비율	A사회>B사회
(가)	A사회<B사회
(나)	A사회>B사회

	(가)	(나)
①	전자 상거래 비중	가정과 일터의 통합 정도
②	사회의 다원화 정도	전자 상거래 비중
③	사회의 관료제화 정도	직업의 이질성 정도
④	구성원 간 익명성 정도	사회의 관료제화 정도
⑤	직업의 이질성 정도	사회의 다원화 정도

유사 선택지 문제

03_❶ (A사회 / B사회)에서는 개인 정보 유출에 따른 사생활 침해 가능성이 높다.

03_❷ (A사회 / B사회)에서는 상대적으로 사회적 관계를 맺는 범위가 좁다.

03_❸ (A사회 / B사회)에서는 타인과의 관계 속에서 익명성을 악용하기 쉽다.

04 다음에서 추론할 수 있는 정보 사회의 특징으로 가장 적절한 것은?

> 과거에는 필요한 물건을 구매하기 위해 차를 이용하여 대형 마트에 들러 장을 보는 모습이 일반적이었다. 그러나 오늘날에는 필요한 물건이 있을 경우 스마트폰의 어플리케이션을 통해 주문하면 집에서 해당 물건을 받아볼 수 있다. 물류 업체들의 경쟁으로 인해 이제는 하루 만에 배달을 해 주는 서비스, 심지어 늦은 밤에 주문을 하더라도 다음날 출근 전에 배달을 해 주는 서비스까지 등장하고 있다.

① 소비자가 제품 생산 과정에 참여한다.

② 사회적 관계를 맺는 범위가 확대된다.

③ 다품종 소량 생산 방식이 일반화된다.

④ 생산자와 소비자 간 양방향 소통이 나타난다.

⑤ 전자 상거래로 시간적·공간적 제약이 극복된다.

05 대화의 ㉠~㉣에 대한 옳은 설명을 〈보기〉에서 고른 것은?

> 교사: 정보 사회의 문제에 대해 이야기해 볼까요?
>
> 갑: 고가의 IT 기기가 등장하여 ㉠ 경제적 계층 간 정보 기기의 접근 및 활용 능력에 차이가 생기는 [㉡]이/가 나타나고 있어요.
>
> 을: ㉢ 기술 발달에도 불구하고 정보 윤리 미확립에 따른 [㉣] 문제가 나타나고 있어요.
>
> 교사: 예, 두 학생 모두 정확하게 이야기하였습니다.

〈 보기 〉

ㄱ. ㉠은 정보 불평등으로 이어지고 있다.

ㄴ. ㉡에는 '정보 격차'가 들어갈 수 있다.

ㄷ. ㉢은 문화 변동의 문제 중 '기술 지체'에 해당한다.

ㄹ. ㉣에는 '피상적 인간 관계 확립'이 적절하다.

① ㄱ, ㄴ ② ㄱ, ㄷ ③ ㄴ, ㄷ

④ ㄴ, ㄹ ⑤ ㄷ, ㄹ

06 그림은 갑국의 인구 구성비 변화를 나타낸 것이다. 이러한 추세가 지속될 경우 초래될 현상에 대한 옳은 설명을 〈보기〉에서 고른 것은?

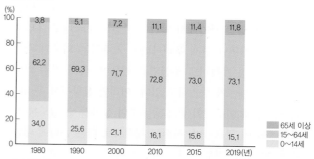

〈 보기 〉

ㄱ. 세대 간 갈등이 완화된다.

ㄴ. 노인 부양 부담이 가중된다.

ㄷ. 경제 활동 인구 규모가 감소한다.

ㄹ. 노인의 정치적 영향력이 증대된다.

① ㄱ, ㄴ ② ㄱ, ㄷ ③ ㄴ, ㄷ

④ ㄴ, ㄹ ⑤ ㄷ, ㄹ

07 표에 나타난 현상을 초래한 적절한 요인을 〔보기〕에서 고른 것은?

연도	출생아 수(천 명)	합계 출산율(명)
2006년	448.2	1.12
2008년	465.9	1.19
2010년	470.2	1.23
2012년	484.6	1.30
2014년	435.4	1.21
2016년	406.3	1.17

〔보기〕
ㄱ. 비혼주의 쇠퇴 및 독신 감소
ㄴ. 초혼 연령 및 첫 출산 연령 상승
ㄷ. 자녀 양육비 및 교육비 부담 감소
ㄹ. 일과 가정을 양립하기 어려운 문화

① ㄱ, ㄴ   ② ㄱ, ㄷ   ③ ㄴ, ㄷ
④ ㄴ, ㄹ   ⑤ ㄷ, ㄹ

08 다음 글의 필자에 대한 설명으로 옳은 것은?

우리나라는 더 이상 단일민족 국가라고 하기 어려울 만큼 전 세계 다양한 국가에서 많은 외국인들이 국내로 유입되고 있다. 2018년 현재 우리나라에 거주하는 외국인 수는 약 200만 명 가까이로 추산되고 있으며, 국내 거주 외국인의 수는 빠르게 증가하고 있다. 이러한 상황에서 우리나라 국민들과 이주민이 함께 공존하며 살아갈 수 있도록 제도와 교육이 필요하며, 사회 전체적으로 다른 문화에 대한 수용성을 높일 경우 우리 사회는 더욱 발전할 것이다.

① 이민자들을 우리 문화로 동화시켜야 한다고 본다.
② 자문화 중심주의적 가치로 이민자를 바라보고 있다.
③ 이민자로 인한 전통문화의 정체성 약화를 우려한다.
④ 이질적 문화에 대해 상대주의적 태도를 견지하고 있다.
⑤ 다문화 사회가 우리 사회의 발전에 장애가 될 것으로 보고 있다.

09 그림과 같은 추이가 지속될 경우 예상되는 현상을 〔보기〕에서 고른 것은?

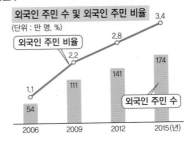

외국인 주민 수 및 외국인 주민 비율
(단위 : 만 명, %)
외국인 주민 비율 — 1.1 / 2.2 / 2.8 / 3.4
외국인 주민 수 — 54 / 111 / 141 / 174
2006 / 2009 / 2012 / 2015(년)

〔보기〕
ㄱ. 문화의 동질성이 강화된다.
ㄴ. 우리 국민의 문화 선택의 기회가 제한된다.
ㄷ. 문화 융합 현상이 나타날 기회가 증가한다.
ㄹ. 전통문화의 정체성 약화가 초래될 수 있다.

① ㄱ, ㄴ   ② ㄱ, ㄷ   ③ ㄴ, ㄷ
④ ㄴ, ㄹ   ⑤ ㄷ, ㄹ

〔빈출 문제〕 연계 자료 → 113쪽 빈출 자료 02

10 밑줄 친 부분에 들어갈 진술로 적절한 것은? (단, (가), (나)는 각각 산업 사회, 정보 사회 중 하나이다.)

　(가)　는 제조업과 관련된 기술이 발달하여 등장하였다. 전체 산업에서 공업이 차지하는 비중이 빠르게 증가하였으며, 그 과정에서 도시화 또한 빠른 속도로 진행되어 많은 사람들이 시골에서 도시로 이동하는 현상이 나타났다. 　(나)　는 정보와 관련된 IT 기술이 발달하여 등장하였다. 정보의 가치가 높아지고 정보의 생산, 유통, 소비가 활발하게 이루어지는 특징을 보인다. 이러한 　(나)　는 　(가)　에 비해 _____

① 관료제 조직의 비중이 더 높다.
② 소품종 대량 생산 방식이 일반적이다.
③ 생산자와 소비자 간 구분이 뚜렷하다.
④ 구성원 간 비대면 접촉 정도가 더 높다.
⑤ 사회 변화의 속도가 상대적으로 느리다.

유사 선택지 문제

10_❶ ((가) / (나))에서는 양방향 미디어가 보편적으로 사용된다.
10_❷ ((가) / (나))에서는 업무의 표준화 방식이 보편화되기 시작했다.
10_❸ ((가) / (나))에서는 지식과 정보가 부가가치 창출의 근원이 된다.

11 다음 교사의 질문에 대한 옳은 응답을 ◀보기▶에서 고른 것은?

> 다음 표와 같은 현상 및 영향에 대해 이야기해 볼까요?

구분	2000년	2010년	2019년
노년 부양비	18.0	25.0	37.3

* 노년 부양비: $\dfrac{65세 이상 인구}{15\sim64세 인구} \times 100$

◀ 보기 ▶
ㄱ. 전체 인구가 급격히 증가하고 있습니다.
ㄴ. 노인 복지에 소요되는 재정이 증가합니다.
ㄷ. 평균 수명 연장 및 저출산에 따른 현상입니다.
ㄹ. 전체 인구에서 65세 이상 인구가 차지하는 비중이 감소하고 있습니다.

① ㄱ, ㄴ ② ㄱ, ㄷ ③ ㄴ, ㄷ
④ ㄴ, ㄹ ⑤ ㄷ, ㄹ

12 다음 사례에서 추론할 수 있는 정보 사회의 문제점으로 가장 적절한 것은?

> • 연인으로 보이는 두 젊은 남녀가 식당에 들어왔으나 대화는 하지 않고 각자 자신의 스마트폰만 들여다보며 만지작거리고 있다. 이러한 모습은 식당 안 다른 테이블에서도 비슷하게 나타나고 있다.
> • SNS를 공유하는 온라인상 친구는 많으나 막상 자신의 생일날 케이크의 촛불을 함께 끄며 축하해 줄 사람이 없다는 SNS상 고백에 대해 많은 사람들이 공감을 표시하였다.

① 경제적 차이에 따른 정보 격차가 확대된다.
② 타인의 창작물에 대한 무단 복제가 증가한다.
③ 정보 윤리 미확립에 따른 일탈 행동이 증가한다.
④ 개인의 사적 생활에 대한 침해 현상이 증가한다.
⑤ 피상적인 인간관계 확대로 인해 인간 소외가 심화된다.

02 지속 가능한 사회

13 다음 사례에서 추론할 수 있는 문제의 특징을 ◀보기▶에서 고른 것은?

> 지구의 평균 기온이 매년 조금씩 상승하고 있으며, 그 상승 속도가 빨라지고 있다. 이로 인해 기상 이변이 발생하고 생태계가 교란되는 등 세계 여러 나라가 피해를 입고 있다. 그런데 지구 온난화 현상에 대응하기는 쉽지 않다. 지구 온난화 현상을 해결하기 위해서는 화석 연료의 사용을 줄여야 하는데, 어느 특정 국가가 화석 연료 사용을 줄인다 하더라도 나머지 국가들이 화석 연료를 종전과 같이 사용한다면 큰 효과가 없기 때문이다.

◀ 보기 ▶
ㄱ. 여러 국가에 걸쳐 문제가 나타나고 있다.
ㄴ. 특정 국가의 잘못으로 인해 문제가 발생하였다.
ㄷ. 문제 해결을 위해 지구적 차원의 노력이 요구된다.
ㄹ. 개별 국가의 노력으로 해결 방안을 강구할 수 있다.

① ㄱ, ㄴ ② ㄱ, ㄷ ③ ㄴ, ㄷ
④ ㄴ, ㄹ ⑤ ㄷ, ㄹ

14 다음 글에 나타난 자원 문제의 특징으로 가장 적절한 것은?

> 전 세계적으로 기아에 직면한 사람의 수는 약 8억 명 수준이며, 매년 천만 명 가까운 사람들이 기아로 목숨을 잃고 있다. 비료 기술이 발달하여 과거에 비해 전 세계적으로 생산되는 식량의 양은 크게 증가하였으나 기아 문제는 여전히 해결되지 않고 있다. 그런데 지구 한 편에서는 사람들이 굶주리고 있는 반면, 선진국에서는 버려지는 음식물 쓰레기로 인해 오히려 환경 오염을 걱정하고 있다.

① 필요량보다 공급량이 적어 발생한다.
② 무절제한 사용으로 인해 초래되었다.
③ 절약하는 소비 습관으로 해결이 가능하다.
④ 해결을 위해 분배 방식에 대한 고려가 요구된다.
⑤ 산업화에 따른 수요 증가로 인해 발생한 문제이다.

15 밑줄 친 ㉠과 같은 사람의 태도로 적절한 사례만을 《보기》에서 있는 대로 고른 것은?

> 지구의 평균 기온이 상승하는 현상은 온실가스층이 두꺼워져 지구에서 방출되는 에너지 양이 감소하여 나타난다. 온실가스층을 형성하여 지구 온난화를 일으키는 주범은 이산화탄소로, 석유 같은 화석 연료가 연소될 때 가장 많이 발생한다. 결국 이산화탄소 발생을 줄여야 하는데, 이를 위해서는 ㉠ 세계 공동체 의식을 가지고 노력하는 사람들이 필요하다.

《 보기 》
ㄱ. 인류 공동체의 일원으로 사고하고 행동한다.
ㄴ. 전 지구적 수준의 문제에 대해 관심을 가진다.
ㄷ. 개별 국가의 입장에서 자국의 이익을 우선한다.
ㄹ. 인류의 일반적 가치를 추구하고 보전하고자 노력한다.

① ㄱ, ㄴ   ② ㄱ, ㄷ   ③ ㄷ, ㄹ
④ ㄱ, ㄴ, ㄹ   ⑤ ㄴ, ㄷ, ㄹ

16 밑줄 친 시민 단체의 주장과 맥락을 같이하는 행동을 《보기》에서 고른 것은?

> ○○ 시민 단체는 '아무 것도 사지 않는 날(Buy Nothing Day)'이라는 캠페인을 실시하고 있다. 이 캠페인은 과도한 소비가 지구를 파괴하고, 미래 세대가 자원을 이용할 권리를 빼앗는 행위가 될 수 있음을 알리기 위한 것이다. ○○ 시민 단체는 매년 하루를 정하여 '아무 것도 사지 않는 날'로 정한 후 소비 행위를 잠시 멈추고 소비와 환경, 지속 가능한 발전에 대해 함께 생각해 보도록 사람들에게 권하고 있다.

《 보기 》
ㄱ. 적정량의 음식물만 조리하여 식사한다.
ㄴ. 비닐봉지 대신 장바구니를 이용하여 쇼핑한다.
ㄷ. 대중교통보다는 자가용을 이용하여 출퇴근한다.
ㄹ. 설거지를 줄이기 위해 플라스틱 일회용품을 사용한다.

① ㄱ, ㄴ   ② ㄱ, ㄷ   ③ ㄴ, ㄷ
④ ㄴ, ㄹ   ⑤ ㄷ, ㄹ

서술형 문제

17 다음 글을 읽고 물음에 답하시오.

> 일반적으로 A는 B보다 산업에서 제조업이 차지하는 비중이 높고, B는 C보다 사회 변동의 속도가 느리며, C는 A보다 다품종 소량 생산 비중이 높다. 단, A~C는 각각 농업 사회, 산업 사회, 정보 사회 중 하나이다.

(1) A~C에 해당하는 사회를 각각 쓰시오.

(2) (가), (나)에 적절한 내용과 까닭을 각각 서술하시오.

분류 기준	비교 결과
(가)	A>C>B
(나)	B>C>A

18 그래프는 인구 구조 변화를 나타낸 것이다. 물음에 답하시오.

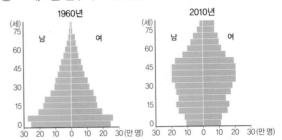

(1) 위와 같은 변화를 초래한 요인을 두 가지 쓰시오.

(2) 위와 같은 변화 양상이 빠르게 지속될 경우 초래될 수 있는 문제점을 두 가지 쓰고, 이를 완화할 수 있는 방안을 한 가지 제시하시오.

19 다음 글을 읽고 물음에 답하시오.

> ┌ (가) ┐ 은/는 경제 발전과 환경 보전의 양립을 위해 새롭게 등장한 개념으로, 미래 세대가 사용할 환경과 자연을 손상시키지 않는 범위 내에서 현재 세대의 필요를 충족시킴으로써 현 세대와 미래 세대의 삶이 함께 보장되는 사회이다.

(1) (가)에 해당하는 개념을 쓰시오.

(2) (가)를 위해 실천할 수 있는 개인적 차원의 방안을 두 가지 제시하시오.

01 그림은 A~C의 특징을 비교한 것이다. 이에 대한 옳은 설명을 **◀보기▶**에서 고른 것은? (단, A~C는 각각 농업 사회, 산업 사회, 정보 사회 중 하나이다.)

| 평가원 응용 |

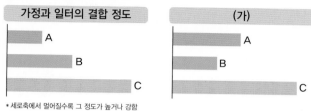

가정과 일터의 결합 정도 / (가)

* 세로축에서 멀어질수록 그 정도가 높거나 강함

◀ 보기 ▶

ㄱ. 사회 변화 속도는 A>B>C 순으로 나타난다.

ㄴ. 면대면 접촉의 가능성은 C>A>B 순으로 나타난다.

ㄷ. 사회의 관료제화 정도는 B>A>C 순으로 나타난다.

ㄹ. (가)에는 '사회의 획일화 정도'가 들어갈 수 있다.

① ㄱ, ㄴ ② ㄱ, ㄷ ③ ㄴ, ㄷ
④ ㄴ, ㄹ ⑤ ㄷ, ㄹ

02 그림에 대한 설명으로 옳은 것은? (단, A~C는 각각 농업 사회, 정보 사회, 산업 사회 중 하나이다.)

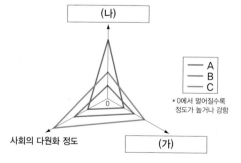

(나) / (가) / 사회의 다원화 정도

— A
— B
— C

*0에서 멀어질수록 정도가 높거나 강함

① A는 B에 비해 직업의 이질성 정도가 높다.

② B는 C에 비해 일방향 의사소통 구조가 중시된다.

③ C는 A에 비해 구성원 간 비대면 접촉 정도가 낮다.

④ (가)에는 '사회 조직의 관료제화 정도'가 들어갈 수 있다.

⑤ (나)에는 '가정과 일터의 분리 정도'가 들어갈 수 있다.

03 표는 갑국의 일반 국민 대비 소외 계층의 정보화 수준 변동 추이를 나타낸 것이다. 이에 대한 옳은 분석을 **◀보기▶**에서 고른 것은? (단, 수치는 일반 국민의 정보화 수준을 100으로 가정하고 나타낸 것이다.)

구분	2005년	2010년	2015년	2019년
종합 지수	65.9	68.0	69.7	71.1
접근 지수	86.5	89.7	91.0	91.8
역량 지수	44.5	45.7	48.9	50.8
활용 지수	51.4	53.1	54.8	56.5

• 접근 지수: 컴퓨터나 인터넷에 접근할 수 있는 정도
• 역량 지수: 컴퓨터나 인터넷을 이용할 수 있는 능력
• 활용 지수: 컴퓨터나 인터넷의 이용 여부 및 일일 평균 이용 시간 등

◀ 보기 ▶

ㄱ. 일반 국민과 소외 계층 간의 정보 격차가 확대되고 있다.

ㄴ. 모든 영역에서 소외 계층의 정보화 수준이 높아지고 있다.

ㄷ. 컴퓨터 보급보다는 컴퓨터 활용 능력에 대한 지원이 필요하다.

ㄹ. 2019년 기준 소외 계층 중 91%가 컴퓨터나 인터넷에 접근할 수 있다.

① ㄱ, ㄴ ② ㄱ, ㄷ ③ ㄴ, ㄷ
④ ㄴ, ㄹ ⑤ ㄷ, ㄹ

04 표는 갑국의 인구 관련 지표를 나타낸 것이다. 이에 대한 옳은 분석을 **◀보기▶**에서 고른 것은? (단, 제시된 기간에서 15~64세 인구는 일정하다.)

구분	노년 부양비	유소년 부양비
2010년	20	20
2015년	25	15
2019년	30	10

* 노년 부양비: (65세 이상 인구/15~64세 인구)×100
** 유소년 부양비: (0~14세 이상 인구/15~64세 인구)×100

◀ 보기 ▶

ㄱ. 2015년 유소년 인구는 2010년의 절반이다.

ㄴ. 갑국의 전체 인구는 제시된 기간에서 일정하다.

ㄷ. 2019년 노인 인구는 2010년의 1.5배 규모이다.

ㄹ. 전체 인구에서 15~64세 인구 비율은 2019년이 가장 높다.

① ㄱ, ㄴ ② ㄱ, ㄷ ③ ㄴ, ㄷ
④ ㄴ, ㄹ ⑤ ㄷ, ㄹ

M e m o

올쏘 내신强자

고등 사회·문화

수능과 내신을 한 번에 잡는
프리미엄 고등 영어
수프림 시리즈

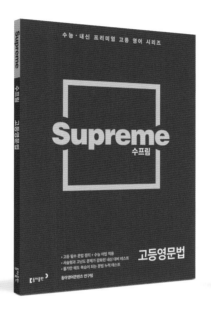

Supreme
고등영문법

고등 내신과 수능을 미리 준비하는 고등영문법!

• 핵심 문법을 마스터하고 수능 어법까지 미리 준비

• 내신 및 서술형, 수능 어법 유형 문제까지 촘촘한 배치로 내신 완벽 대비

• 풀기만 해도 복습이 되는 문법 누적 테스트

Supreme
수능 어법 [기본]

고등 문법 정리, 수능 어법 시작!

• 핵심만 뽑은 문법으로 어법 학습 전 문법 정리

• 최근 수능 기출 어법 문항을 분석하여 정리한 어법 포인트 72개

• 최근 증가 추세인 서술형 어법 문제로 내신 서술형 대비

• 수능 실전 어법 지문으로 실전 감각 기르기

Supreme
수능 영어
듣기 모의고사
20회 [기본]

수능 영어 듣기의 시작!

• 수능 듣기 유형별 특징 분석 및 주요 표현 정리

• 고1-2 학력평가와 수능 기출 듣기 문항을 철저히 분석하여 만든 듣기 모의고사

• 핵심 단어와 표현, 잘 안 들리는 발음에 빈칸을 넣어 듣기 실력을 높여주는 받아쓰기

정답 및 해설

오개념을 바로잡는 친절한 해설

올쏘

내신強자

고등 사회·문화

동아출판

올쏘 내신强자

고등 **사회·문화**

올쏘 내신強자

고등 **사회·문화**

정답 및 해설

01 사회·문화 현상의 이해

개념 확인 문제
본문 8쪽

01 가치 함축성, 당위 법칙, 존재 법칙, 몰가치성 **02** (1) ㄱ (2) ㄴ
(3) ㄱ (4) ㄷ **03** 거시적 관점 **04** (1) ⓒ (2) ㉠ (3) ⓒ

시험에 꼭 나오는 문제
본문 8~12쪽

01 ④	**02** ①	**03** ①	**04** ④	**05** ⑤	**06** ③	**07** ①
08 ①	**09** ④	**10** ④	**11** ②	**12** ③	**13** ③	**14** ④
15 ④	**16** ④	**17~19** 해설 참조				

01 자연 현상과 사회·문화 현상의 관계
교사가 제시한 첫 번째 자료는 자연 현상에 대응하여 사회·문화 현상이 나타난 사례이며, 두 번째 자료는 사회·문화 현상으로 인해 자연 현상이 발생한 사례이다. 두 자료를 종합하여 사회·문화 현상과 자연 현상이 서로 영향을 주고받는다는 것을 알 수 있다.

오답 선택지 풀이 ① 제시된 자료를 통해 사회·문화 현상이 가치 함축적이라는 특징을 찾을 수 없다.
② 자연 현상이 사회·문화 현상에 의해 유발된다는 것은 두 번째 자료에만 해당하는 내용이다.
③ 사회·문화 현상이 자연재해에 대한 인간의 반응이라는 것은 첫 번째 자료에만 해당하는 내용이다.
⑤ 제시된 자료를 통해 자연 현상의 필연성과 사회·문화 현상의 개연성을 도출할 수 없다.

02 자연 현상과 사회·문화 현상의 특징
㉠, ㉡은 자연 현상, ㉢, ㉣은 사회·문화 현상이다. ㉠과 같은 현상은 몰가치적이며, ㉡과 같은 현상은 인과 법칙이 적용되므로 동일한 조건 하에서는 항상 동일한 결과가 발생한다. ㉢과 같은 현상은 보편성과 특수성이 공존하며, ㉣과 같은 현상은 당위 법칙을 따른다.

03 자연 현상과 사회·문화 현상의 특징

자료 분석

정부는 연일 이어지는 폭염으로 인해 ㉠ 해수 온도가 상승하여 ㉡ 양식장의 물고기가 집단 폐사할 수 있으므로 이에 대비하라고 지시하였습니다. ㉢ 해수 온도가 상승하면 물속 용존 산소가 감소하여 물고기의 호흡이 어렵기 때문입니다. 정부는 이번 ㉣ 해수 온도 상승으로 피해를 입은 어민들에게 모든 지원을 아끼지 않겠다고 발표했습니다.
㉠, ㉢은 인간의 의지나 가치와 상관없이 발생하는 자연 현상이고, ㉡, ㉣은 인간의 의지나 가치가 개입하여 발생하는 사회·문화 현상이다. 자연 현상은 사회·문화 현상과 달리 존재 법칙의 지배를 받는다.

오답 선택지 풀이 ② 자연 현상과 사회·문화 현상 모두 경험적 자료로 연구가 가능하다.
③ 사회·문화 현상은 개연성의 원리가 적용된다.
④ 확실성의 원리가 적용되는 것은 자연 현상이다.
⑤ 자연 현상은 몰가치적이고 사회·문화 현상은 가치 함축적이다.

유사 선택지 문제

03 ❶ 몰가치 ❷ ○ ❸ ㉣

04 사회·문화 현상의 특징
갑국에서는 명절과 관련한 사회·문화 현상이 시대와 가치관의 변화에 따라, 을국에서는 아파트와 관련한 사회·문화 현상이 시대와 사회적 상황에 따라 변화하고 있다.

오답 선택지 풀이 ①, ③은 자연 현상의 특징으로, 갑국과 을국에 나타난 현상을 통해 도출할 수 없다.
②, ⑤는 사회·문화 현상의 특징이지만, 갑국과 을국의 상황을 보고 사회·문화 현상은 인과 관계가 불확실하며 이로 인해 예외가 존재한다는 결론을 도출하기 어렵다.

05 자연 현상과 사회·문화 현상의 관계
제시된 사례는 인간이 자연 현상에 적응하기 위해 방풍림 조성이라는 사회·문화 현상을 만들어 냈음을 보여 주고 있다. 이를 통해 자연 현상이 사회·문화 현상의 발생에 영향을 미칠 수 있음을 알 수 있다.

오답 선택지 풀이 ① 자연 현상이 사회·문화 현상에 영향을 미쳤으므로 상호간에 아무 관련이 없다고 할 수 없다.
② 제시된 사례에서는 자연 현상이 사회·문화 현상의 발생에 영향을 미쳤다.
③ 자연 현상이 사회·문화 현상에 영향을 미치는 것이 필연적이라고 보기는 어렵다.
④ 자연 현상과 사회·문화 현상 모두 인간의 생활에 영향을 미친다.

06 자연 현상과 사회·문화 현상의 구분
㉠은 사회·문화 현상에 대한 설명이고, ㉡은 자연 현상에 대한 설명이다.
ㄴ. 재채기가 나와 손으로 입을 가리는 것과 ㄹ. 대통령을 선출하기 위해 선거를 실시하는 것은 사회·문화 현상이다.
ㄱ. 봄에 나무에 새순이 돋는 것과 ㄷ. 장맛비가 쏟아져 홍수가 발생하는 것은 자연 현상이다.

올쏘 만점 노트 자연 현상과 사회·문화 현상의 비교

구분	자연 현상	사회·문화 현상
가치 문제	몰가치성	가치 함축성
지배 법칙	존재 법칙	당위 법칙
특징	• 분명한 인과 관계 • 필연성과 확실성의 원리 • 예외가 존재하지 않음 • 보편성을 지님 • 규칙성 발견 및 예측이 용이함	• 불분명한 인과 관계 • 개연성과 확률의 원리 • 예외가 존재함 • 보편성과 특수성이 공존함 • 규칙성 발견 및 예측이 곤란함

07 사회·문화 현상의 특징

(가)에서 갑국 정부는 저소득층의 소득 증대를 위해 최저 임금 인상 정책을 시행하였는데, 이는 저소득층의 인간다운 생활 보장에 가치를 두었기 때문이다. (나)에서 통화량 확대가 물가 상승을 가져올 것이라는 예상과 달리 물가가 거의 오르지 않은 경우는 사회·문화 현상의 인과 관계가 뚜렷하지 않음을 보여 준다. (다)에서 범죄 증가에 대비하기 위한 병국 정부와 정국 정부의 정책이 다른 것은 사회·문화 현상의 특수성을 보여 준다.

오답 **선택지 풀이** ㄷ. (다)는 사회·문화 현상에서 보편성보다 특수성이 두드러지게 나타나는 경향이 있음을 보여 준다.

ㄹ. 사회·문화 현상이 자연 현상과 다른 특성이 있다고 하더라도 과학적으로 검증할 수 있다.

08 자연 현상과 사회·문화 현상의 특징

㉠, ㉢은 자연 현상, ㉡은 사회·문화 현상이다.

ㄱ. 자연 현상은 확실성으로 설명된다.

ㄴ. 사회·문화 현상은 개연성으로 설명된다.

오답 **선택지 풀이** ㄷ. 자연 현상은 당위 법칙이 아니라 존재 법칙에 따라 나타난다.

ㄹ. 가치 함축성은 사회·문화 현상의 특성이므로 ㉠과 같은 현상에는 해당되지 않는다.

09 기능론

제시문은 회식이 사적 관계나 공적 관계에 긍정적인 기능을 한다고 설명하고 있으므로 사회·문화 현상을 기능론의 관점에서 바라보고 있다.

ㄱ. 기능론은 사회적 긴장이나 갈등을 사회 제도가 제 기능을 하지 못해 나타나는 일시적이고 병리적인 현상이라고 여긴다.

ㄴ. 기능론에서는 사회적 규범과 가치가 사회 전체의 유지와 발전을 위해 기능한다고 본다.

ㄷ. 기능론에서는 사회 구성 요소들이 상호 유기적인 관계를 맺고 있다고 본다.

오답 **선택지 풀이** ㄹ. 지배 집단의 이해관계에 기초하여 사회적 희소가치가 분배된다고 보는 것은 갈등론의 관점이다.

10 갈등론

제시문은 지배 계급이 피지배 계급을 억압하고 통제하기 위한 수단으로 사회 규범을 활용한다는 입장이므로 갈등론에 해당한다. 갈등론은 구조적 모순으로 인해 사회 변동이 필연적이라고 여기며, 사회의 각 부분들은 잠재적으로 그 사회의 변화와 해체에 기여한다고 본다. 또한 개인이나 집단 간 지배·피지배의 권력 관계에 관심을 가지며, 지배 계급과 피지배 계급 간의 이익이 상충된다고 본다.

오답 **선택지 풀이** ④ 갈등론은 거시적 관점이므로 사회 체계가 개인의 행위를 강제하는 측면을 중시한다.

11 기능론

A는 사회·문화 현상을 보는 기능론의 관점이다.

ㄱ. 기능론은 사회를 유기체와 유사하다고 보는 사회 유기체설

을 전제로 한다.

ㄷ. 기능론에서는 사회 규범이 사회 구성원 전체의 합의에 따라 형성된다고 본다.

오답 **선택지 풀이** ㄴ. 사회의 각 구성 요소 간에 갈등 관계가 존재한다고 보는 것은 갈등론이다.

ㄹ. 기능론은 사회가 환경에 맞춰 변화할 수 있다고 본다.

12 상징적 상호 작용론

제시문은 사회 규범이 사람들 간의 상호 작용이 반복되면서 각자의 필요에 의해 형성된 상호 작용의 규칙으로, 언제든지 변화할 수 있는 행위의 약속이라고 하였으므로 상징적 상호 작용론의 관점에 해당한다.

오답 **선택지 풀이** ③ 사회 규범과 같은 사회 제도를 피지배 집단을 통제하기 위한 수단으로 이해하는 것은 갈등론이다.

13 사회·문화 현상을 보는 관점

자료 분석

갑: 노인 문제는 더 많은 희소 자원을 차지하려는 세대 간 경쟁에서 소수 집단인 노인들의 이익이 희생되었기 때문에 발생하였어. └▶ 노인 문제를 갈등론의 관점에서 바라보고 있다.

을: 노인의 빈곤, 소외, 학대 등의 문제는 노인이 현대 사회에서 필요로 하는 지식과 기술에 발맞추지 못하기 때문에 발생한 거야. └▶ 노인 문제를 기능론의 관점에서 바라보고 있다.

병: 대중 매체의 광고나 드라마 등에서 노인들을 사회적으로 쓸모없는 존재로 묘사하고 있으며, 이러한 이미지를 노인들이 받아들여 노인 문제가 나타나고 있어. └▶ 노인 문제를 상징적 상호 작용론의 관점에서 바라보고 있다. 상징적 상호 작용론은 개개인의 가치와 신념에 따라 상황을 다르게 정의하므로 인식 주체에 따라 노인 문제를 다르게 규정한다.

오답 **선택지 풀이** ① 기능론은 사회 문제에 대해 보수적인 입장을 취한다.

② 사회 문제의 발생 원인을 불평등한 사회 구조에서 찾는 것은 갈등론이다.

④ 갑과 을의 관점은 모두 거시적 관점이므로 사회 문제를 사회 구조적인 문제로 인식한다.

⑤ 사회 문제에 대한 상황 정의를 중시하는 것은 상징적 상호 작용론의 관점이다.

유사 선택지 문제

13 ❶ × ❷ ○

14 상징적 상호 작용론

제시문에서 인간의 행동은 단순히 외부의 자극에 대한 수동적 반응이 아니라, 인간 상호 간에 의미 있는 내용을 주고받으면서 사회적 관계를 맺고 발전시켜 나간다고 하였으므로 상징적 상호 작용론의 관점에 해당한다.

④ 인간을 자율성과 능동성을 지닌 존재로 이해하는 것은 상징적 상호 작용론이다.

오답 **선택지 풀이** ① 사회·문화 현상을 보는 관점은 모두 인간의 후천적 행동을 연구 대상으로 한다.

②, ③ 사회 구조적인 측면의 분석과 대책을 선호하고, 사회 구조가 개인에게 큰 영향을 끼친다고 보는 것은 거시적 관점이다. 상징적 상호 작용론

은 미시적 관점으로 분류한다.

⑤ 상징적 상호 작용론의 관점이 신체적 요인을 심리적 요인보다 중시한다고 보기 어렵다.

올쏘 만점 노트 사회·문화 현상을 보는 관점

구분	기능론	갈등론	상징적 상호 작용론
전제	사회와 유기체 간에는 상당히 많은 공통점이 있음	사회적 희소가치의 배분에 관하여 사회 집단 간 갈등이 불가피함	인간은 자율성과 능동성을 지닌 존재임
기본 입장	사회의 각 부분은 사회 전체가 필요로 하는 역할을 수행하여 사회 질서와 안정에 기여함	집단 간 갈등은 정상적인 현상으로서 불평등 상태의 해소와 사회 변동의 원동력이 됨	인간은 상황 정의를 바탕으로 상호 작용을 하여 주관적 의미를 갖는 사회·문화 현상을 만들어 감

15 기능론

스펜서의 '사회 유기체설'은 기능론을 뒷받침하는 이론이다.

을. 사회 유지에 필요한 규범이나 핵심적인 가치에 관한 사회적 합의가 존재한다고 보는 것은 기능론이다.

정. 학교에서 사회 전체의 합의된 가치에 대한 사회화가 이루어진다고 보는 것은 기능론이다.

오답 선택지 풀이 갑. 법을 지배 계급이 피지배 계급을 지배하기 위한 수단이라고 보는 것은 갈등론이다.

병. 남성들이 자신들의 기득권을 지키기 위해 여성의 권리를 억압한다고 보는 것은 갈등론이다.

16 사회·문화 현상을 보는 관점

질문 (가), (나)에 따라 A~C는 기능론, 갈등론, 상징적 상호 작용론 중 하나가 된다.

ㄴ. 사회 유기체설을 바탕으로 하는 관점은 기능론이므로 (나)는 "사회 유기체설을 바탕으로 하는가?"가 될 수 있다.

ㄹ. 개인보다 사회 구조에 대한 이해를 우선시하는 것은 거시적 관점이므로 (가)가 "개인보다 사회 구조에 대한 이해를 우선시하는가?"라면 A, B 중 하나는 기능론이 될 수 있고 C는 상징적 상호 작용론이 된다.

오답 선택지 풀이 ㄱ. 미시적 관점은 상징적 상호 작용론에만 해당되므로 (가)는 "미시적 관점인가?"가 될 수 없다.

ㄷ. B가 갈등론이면 (나)에 "사회 제도가 지배 집단의 이익을 보호하는 수단이라고 보는가?"라는 질문이 들어갈 때 '예'라고 답해야 한다.

17 사회·문화 현상의 특징

(1) 개연성

(2) **| 모범 답안 |** 사회·문화 현상은 복합적인 요인에 의해 발생하며, 인간의 의도와 가치 판단이 개입되어 나타나기 때문이다.

채점 기준	배점
사회·문화 현상이 복합적인 요인에 의해 발생한다는 것과 인간의 의도와 가치 판단이 개입되어 나타난다는 내용을 모두 정확하게 서술한 경우	상
사회·문화 현상이 복합적인 요인에 의해 발생한다는 것과 인간의 의도와 가치 판단이 개입되어 나타난다는 내용 중 한 가지만 적절하게 서술한 경우	중
사회·문화 현상이 복합적인 요인에 의해서 발생한다는 내용만 서술한 경우	하

18 기능론

(1) 기능론

(2) **| 모범 답안 |** 사회 안정과 합의를 지나치게 강조하고, 기득권층의 이익을 대변하는 논리로 이용될 수 있다.

채점 기준	배점
사회의 안정과 합의를 지나치게 강조하는 것과 기득권층의 이익을 대변하는 논리로 이용될 수 있다는 내용을 모두 정확하게 서술한 경우	상
사회의 안정과 합의를 지나치게 강조하는 것과 기득권층의 이익을 대변하는 논리로 이용될 수 있다는 내용 중 한 가지만 정확하게 서술한 경우	중
사회의 안정과 합의를 지나치게 강조한다는 내용만 서술한 경우	하

19 갈등론

(1) 갈등론

(2) **| 모범 답안 |** 법은 지배 집단이 피지배 집단을 억압하고 착취하며 불평등을 정당화하여 기존의 지배 관계를 유지하는 도구의 역할을 한다.

채점 기준	배점
법이 피지배 집단을 억압하고 착취하며 불평등을 정당화한다는 것과 기존의 지배 관계를 유지하는 도구의 역할을 한다는 내용을 모두 정확하게 서술한 경우	상
법이 피지배 집단을 억압하고 착취하며 불평등을 정당화한다는 것과 기존의 지배 관계를 유지하는 도구의 역할을 한다는 내용 중 한 가지만 정확하게 서술한 경우	중
법이 기존의 지배 관계를 유지하는 도구의 역할을 한다는 내용만 서술한 경우	하

상위 4% 문제   본문 13쪽

01 ④   **02** ①   **03** ④   **04** ②

01 자연 현상과 사회·문화 현상의 특징

자료 분석

전염성이 강한 AI 바이러스는 닭과 오리 등의 ㉠체내에 침투한 뒤 세포에 붙어 폐사에 이르게 해 농가에 막대한 피해를 주고
└ AI 바이러스의 특성이므로 자연 현상이다.
있다. 이에 국내 연구팀은 SL이 ㉡조류의 체내에 침투한 AI 바이러스가 세포에 달라붙는 것을 막아 감염을 차단하는지를 확
└ SL의 특성이므로 자연 현상이다.
인하기 위해 동물 실험을 했다. 이 실험에서 닭에게 SL을 먹이면 AI 바이러스가 체내에 있는 ㉢SL의 올리고당과 결합해 체외로 배출되는 결과를 확인했다. 이를 토대로 ㉣닭의 사료에
└ 물질들 간의 상호 작용이므로 자연 현상이다.
SL을 섞어 사육하면 AI 바이러스 감염과 확산을 예방할 수 있다고 발표했다.
└ AI와 SL의 상호 작용을 이용하여 닭의 AI 바이러스 감염과 확산을 막으려는 노력이므로 사회·문화 현상이다.

ㄴ. 자연 현상은 동일한 조건 하에서는 항상 동일한 결과가 발생하는 인과 법칙이 적용된다.

ㄹ. 사회·문화 현상은 당위 법칙을 따른다.

오답 선택지 풀이 ㄱ. 자연 현상은 몰가치적이다.

ㄷ. 자연 현상은 보편성만 나타난다.

02 자연 현상과 사회 · 문화 현상의 특징

A는 몰가치성을 갖는 자연 현상을 연구 대상으로 하고, B는 가치 함축성을 갖는 사회 · 문화 현상을 연구 대상으로 한다.

오답 선택지 풀이 ② A, B는 모두 연구 활동이라는 사회 · 문화 현상이므로 필연성이 아닌 개연성으로 설명된다.

③ A는 인과 법칙이 적용되는 자연 현상을 대상으로 하지만, B는 인과 법칙에 따라 발생하는 현상이 아닌 사회 · 문화 현상을 대상으로 한다.

④ A, B는 모두 사회 · 문화 현상이므로 가치 함축성을 갖는다.

⑤ A, B는 모두 사회 · 문화 현상이므로 존재 법칙이 아닌 당위 법칙으로 설명된다.

03 사회 · 문화 현상을 바라보는 관점

자료 분석

구분	A	B	C
(가)	예	아니요	예
(나)	아니요	㉠	㉡
(다)	아니요	예	아니요

(가)에는 기능론, 갈등론, 상징적 상호 작용론 중 두 개가 '예'라고 답할 수 있는 질문이 들어가야 하고, (다)에는 기능론, 갈등론, 상징적 상호 작용론 중 두 개가 '아니요'라고 답할 수 있는 질문이 들어가야 한다.

ㄴ. '사회 구성원의 주관적 상황 정의에 기초한 상호 작용을 중시하는가?'에 대해 '예'라고 답할 수 있는 것은 상징적 상호 작용론밖에 없으므로 ㉠과 ㉡ 중 하나는 '예', 하나는 '아니요'이다.

ㄹ. A, B가 각각 기능론과 갈등론 중 하나라면 '갈등을 사회 변동의 원동력으로 보는가?'에 대해 '예'라고 답할 수 있는 것은 갈등론이므로 A는 기능론, B는 갈등론에 해당한다.

오답 선택지 풀이 ㄱ. 인간을 능동적인 주체로 전제하는 것은 상징적 상호 작용론 하나뿐이므로 두 개의 '예'가 나올 수 없다.

ㄷ. 개인의 행위를 강제하는 사회 체계를 중시하는 것은 거시적 관점인 기능론과 갈등론이므로 '예'가 두 개 나와야 한다.

04 사회 · 문화 현상을 바라보는 관점

(가)는 기성세대가 자신들에게 유리한 고용 구조를 만들고, 청년들이 이를 따르도록 사회적으로 강제하였다고 보고 있으므로 갈등론, (나)는 청년 실업을 고용 시장의 일시적인 부조화 현상으로 보고 있으므로 기능론, (다)는 청년 실업을 청년들의 상황 정의로 인한 문제로 보고 있으므로 상징적 상호 작용론의 관점에 해당한다.

② 기능론에서는 사회의 유지와 존속을 위해서는 사회의 지배적인 규범을 따르는 것이 필수적이라고 본다.

오답 선택지 풀이 ① 개인의 주관에 따라 다양한 사회상이 만들어진다고 보는 것은 상징적 상호 작용론이다.

③ 특정 집단의 합의에 의한 사회 규범이 기존의 사회 구조를 유지시키는 역할을 한다고 보는 것은 갈등론이다.

④ 사회가 본질적으로 변동을 지향한다고 보는 것은 갈등론이다.

⑤ 상징적 상호 작용론은 사회 문제를 규정하는 객관적 기준이 없다고 본다.

02 사회·문화 현상의 탐구 방법

개념 확인 문제 본문 16쪽

01 양적 연구 방법, 질적 연구 방법 02 (1) ㄱ (2) ㄹ (3) ㄷ (4) ㄴ
03 면접법, 참여 관찰법, 실험법, 질문지법 04 (1) × (2) ○ (3) ×
(4) ○

시험에 꼭 나오는 문제 본문 16~21쪽

01 ⑤	02 ①	03 ③	04 ③	05 ②	06 ④	07 ①
08 ②	09 ③	10 ④	11 ⑤	12 ②	13 ③	14 ④
15 ⑤	16 ⑤	17 ③	18 ⑤	19 ①	20 ⑤	

21~23 해설 참조

01 양적 연구 방법

제시문의 갑은 가설을 설정하고 이를 검증하기 위해 수량화된 자료를 수집하였으므로 양적 연구 방법을 사용하였다.

ㄷ. 양적 연구 방법은 사회 · 문화 현상에 대한 계량화와 이를 통한 통계적 분석이 가능하다고 본다.

ㄹ. 양적 연구 방법은 사회 · 문화 현상에도 일정한 규칙성이 존재하므로 이를 발견하는 것이 사회 과학의 목적이라고 본다.

오답 선택지 풀이 ㄱ. 양적 연구 방법은 자연 현상과 사회 · 문화 현상이 본질적으로 동일하다고 본다.

ㄴ. 양적 연구 방법은 사회 · 문화 현상에 대한 객관적 연구가 가능하다고 여긴다.

02 양적 연구 방법

제시문의 'A 연구 방법'은 양적 연구 방법이다.

① 양적 연구 방법은 자연 현상의 연구 방법을 사회 · 문화 현상의 연구에 적용할 수 있다고 본다.

오답 선택지 풀이 ②, ③, ④, ⑤는 질적 연구 방법에 해당하는 내용이다.

03 양적 연구 방법

자료 분석

연구자 갑은 청소년의 ㉠ 인성 발달에 ㉡ 봉사 활동 참여가 미
└ 종속 변인   └ 독립 변인
치는 영향을 분석하기 위한 ㉢ 연구를 실시하였다. 연구 대상자
└ 법칙 발견을 목적으로 하는 양적
연구 방법을 사용하였다.
를 두 집단으로 나누어 연구자가 개발한 인성 발달 지표 측정
질문지를 통해 ㉣ 사전 검사와 ㉤ 사후 검사를 하였다. 그 결과
㉥ 봉사 활동에 참여하지 않은 집단과 ㉦ 봉사 활동에 참여한
└ 통제 집단   └ 실험 집단
집단은 사전 검사에서 유의미한 차이가 없었으나, 사후 검사에서는 유의미한 차이를 보였고 봉사 활동 참여의 효과가 입증되었다.

갑은 실험법을 통해 자료를 수집하였는데, 실험법은 통제된 상황을 설정하여 독립 변인이 종속 변인에 미치는 영향을 파악하는 자료 수집 방법이다. 실험법에서 수행하는 사전 검사와 사후 검사는 모두 종속 변인을 측정하는 검사이다.

오답 선택지 풀이 ① ㉠은 종속 변인, ㉡은 독립 변인이다.

② 방법론적 일원론에 기초한 양적 연구 방법을 사용하였다.

정답 및 해설

④ 실험 집단은 독립 변인에 해당하는 실험 처치를 하는 집단으로 Ⓐ에 해당하고, 통제 집단은 독립 변인에 해당하는 실험 처치를 하지 않고 비교를 위해 설정한 집단으로 ⓑ에 해당한다.

⑤ 사전 검사와 사후 검사에서는 질문지법이 사용되었다.

유사 선택지 문제

03 ❶ ㉡, ㉠ ❷ 양적 ❸ ×

04 가설 설정 요건

(가)는 가설에서 독립 변수와 종속 변수 간 관계의 명확성, (나)는 가설 검증의 필요성을 제시하고 있다. ㄴ은 스마트폰 사용 시간과 사회성 점수 간에 관계 방향이 명확하고 검증의 필요성이 인정된다. ㄷ은 성별과 스포츠 관련 여가 비용 간에 관계의 방향이 명확하고 검증의 필요성이 인정된다.

오답 선택지 풀이 ㄱ. 학력은 소득과 관련이 있다고만 진술하였을 뿐 학력과 소득 간에 관계의 방향이 명확하지 않다.

ㄹ. 총인구에서 도시 인구 비율이 높아질수록 농촌 인구가 차지하는 비율이 낮아진다는 가설은 검증할 필요성이 크지 않다.

올쏘 만점 노트 가설의 요건

형식적 요건	• 독립 변인과 종속 변인을 갖추고 있어야 함 • 두 변인 간 관계의 방향이 명확해야 함. 즉, 두 변인 간에 정(+)의 관계와 부(−)의 관계 중 하나를 설정하거나 두 변인이 아무 관련이 없다는 식으로 관계의 방향을 명확하게 설정해야 함
내용적 요건	• 측정과 계량화, 통계 분석을 통한 검증 가능성을 지녀야 함 • 진위 여부를 확인해 볼 필요성, 즉 검증의 필요성을 지녀야 함

05 양적 연구 방법과 질적 연구 방법

질문 (가)에 따라 A, B는 각각 양적 연구 방법 또는 질적 연구 방법이 될 수 있다.

ㄱ. (가)가 "방법론적 이원론을 바탕으로 하는가?"라면 A는 질적 연구 방법, B는 양적 연구 방법이 된다.

ㄷ. (가)가 "연구자의 직관적 통찰과 감정 이입적 이해를 중시하는가?"라면 A는 질적 연구 방법, B는 양적 연구 방법이 된다.

오답 선택지 풀이 ㄴ. (가)가 "일반화의 정립이나 법칙 발견을 추구하는가?"라면 A는 양적 연구 방법, B는 질적 연구 방법이 된다.

ㄹ. (가)가 "일반적으로 가설을 검증하기 위한 연구 절차를 거치는가?"라면 A는 양적 연구 방법, B는 질적 연구 방법이 된다.

올쏘 만점 노트 사회·문화 현상의 탐구 방법

구분	양적 연구 방법	질적 연구 방법
의미	자료를 계량화하여 사회·문화 현상을 분석하는 방법	직관적 통찰을 통해 사회·문화 현상을 연구하는 방법
목적	사회·문화 현상에 대한 법칙 발견 및 일반화	사회·문화 현상의 의미 해석을 통한 이해
특징	질문지법이나 실험법 등을 주로 사용, 방법론적 일원론	면접법이나 참여 관찰법 등을 주로 사용, 방법론적 이원론
장점	정확하고 정밀한 연구, 법칙 발견에 유리함	인간 행동의 개인적·사회적 의미를 이해할 수 있음
단점	주관적 영역과 같이 계량화가 어려운 사회·문화 현상 연구와 인간 행위의 심층적 이해가 곤란함	객관적 법칙 발견이 곤란하고, 정확성과 정밀성이 결여됨

06 양적 연구 방법과 질적 연구 방법

갑은 영업 이익률, 영업망, 매출액 등 측정 가능한 지표를 통해 A 기업이 1위를 할 것이라고 예측한 반면, 을은 회사 분위기, 회사 구성원들의 절실함과 열망 등 주관적 세계를 판단의 근거로 B 기업이 1위를 할 것이라고 예측하였다. 따라서 갑은 양적 연구 방법, 을은 질적 연구 방법과 맥락을 같이한다.

ㄴ. 질적 연구는, 사회·문화 현상은 행위 주체인 인간에 의해 의미가 부여되므로 이에 대한 측정과 계량화, 통계적 분석이 어려운 측면이 있음을 고려해야 한다고 주장한다.

ㄹ. 질적 연구는 인과 법칙의 발견보다 상황 맥락 속에서 규정되는 의미를 이해하는 것이 필요하다고 여긴다.

오답 선택지 풀이 ㄱ. 인과 관계의 존재를 밝히려는 노력을 중시하는 것은 양적 연구이다.

ㄷ. 연구자의 주관적 가치 개입을 최소화하여 연구 결과의 객관성을 확보해야 한다는 것은 양적 연구의 입장이다.

07 양적 연구 방법을 적용할 수 있는 연구 주제

제시된 사례에 사용된 연구 방법은 양적 연구 방법이다.

① 교사의 칭찬이라는 변수와 학생 자존감이라는 변수의 상관관계를 연구하는 것은 양적 연구의 주제로 적절하다.

오답 선택지 풀이 ②, ③, ④, ⑤는 질적 연구 방법에 더 적합한 주제이다.

08 질적 연구 방법

연구 대상을 심층적으로 이해할 수 있고, 연구자의 주관이 개입될 가능성이 있는 연구 방법은 질적 연구 방법이다.

ㄱ. 질적 연구 방법은 변인 간의 관계 파악을 목적으로 하지 않으므로 일반적으로 가설을 설정하지 않는다.

ㄷ. 질적 연구는 통계 분석이 아닌 감정 이입적 이해를 통한 자료 해석을 중시한다.

오답 선택지 풀이 ㄴ. 개념의 조작적 정의는 추상적 개념을 측정 가능한 구체적 지표로 바꾸는 것이므로 양적 연구 방법에서 중시한다.

ㄹ. 일반화할 수 있는 결론 도출을 중시하는 것은 양적 연구 방법이다.

09 질적 연구 방법의 한계

제시문에서 집의 의미를 통해 집이 여성에게 어떤 공간인지, 집이 상징하는 질서가 무엇인지를 살펴보고자 하였으므로 질적 연구 방법이 사용되었음을 알 수 있다.

③ 질적 연구 방법은 연구 대상에 대하여 연구자의 주관이 개입될 수 있어 자의적인 해석을 할 우려가 크다는 비판을 받는다.

오답 선택지 풀이 ①, ②, ④, ⑤는 양적 연구 방법이 지닌 한계이다.

10 양적 연구 방법과 질적 연구 방법의 조화

제시된 연구는 양적 연구 방법을 활용하여 얻은 결과에 의문을 품고, 질적 연구 방법을 활용하여 궁금증을 해결하고자 하였다.

ㄴ. 갑은 처음에 양적 연구 방법을 활용하였고, 이후 질적 연구 방법을 활용하였다.

ㄹ. 양적 연구 방법을 활용할 때에는 연구 대상자들이 처한 상황 맥락을 배제하고 표면적으로 드러난 사실만을 분석의 대상으로 삼았다. 이와 달리 질적 연구 방법을 활용할 때에는 연구 대상자들 각자가 처해 있는 상황 맥락을 바탕으로 그들이 가진 행위 동기나 목적 등을 이해하고자 하였다.

오답 선택지 풀이 ㄱ. 성적이 높을수록 삶의 만족도가 높을 것이라는 가설을 설정하고 변인 간의 관계를 파악하였다.

ㄷ. 연구 대상자 중 특별히 관심을 갖게 된 일부 사람들을 선정하여 질적 연구 방법을 적용하였다. 따라서 연구 대상자의 수를 늘려 통계 분석에 필요한 자료를 추가하고자 한 것은 아니다.

올쏘 만점 노트 연역적 연구와 귀납적 연구

연역적 연구	• 가설을 설정하고 이를 구체적 · 경험적인 사실을 통해 검증하는 방법 • 주로 양적 연구 방법에서 과학적 방법을 채택하는 경우에 적용함
귀납적 연구	• 구체적 · 경험적 사실을 바탕으로 이론을 이끌어 내는 방법 • 주로 질적 연구 방법에서 사회 · 문화 현상의 이해에 초점을 맞추는 경우에 적용함

11 자료 수집 방법

A는 문헌 연구법, B는 면접법, C는 질문지법이다.
③ 문헌 연구법은 시 · 공간적 제약을 적게 받는다.

오답 선택지 풀이 ① 문헌 연구법은 주로 2차 자료 수집에 활용된다.
② 변수 간의 관계를 파악하는 데 유리한 자료 수집 방법은 양적 자료 수집 방법인 질문지법이다.
④ 질문지법이 면접법에 비해 자료 수집 상황에 대한 통제 수준이 높다.
⑤ 질문지법과 면접법 모두 언어적 상호 작용이 필수적이다.

유사 선택지 문제

11 ❶ × ❷ ○

12 질문지법의 단점

제시된 내용은 모두 질문지법과 관련되어 있으며, 구체적으로는 질문지법의 단점이 제시되어 있다.

오답 선택지 풀이 ① 제시된 내용들이 실험법의 장점은 아니다.
③, ④ 면접법이나 참여 관찰법은 심층적 이해에 유리하고, 응답자가 처한 사회적 삶의 맥락을 반영하기 쉽다.
⑤ 피상적 이해는 문헌 연구법의 사용 방법과 관련이 없다.

13 자료 수집 방법

(가)는 문헌 연구법, (나)는 질문지법, (다)는 면접법이다.
③ 면접법은 연구자와 응답자 간의 신뢰 관계와 허용적인 분위기 형성이 매우 중요하다.

오답 선택지 풀이 ① 문헌 연구법은 양적 연구, 질적 연구에 모두 사용할 수 있는 자료 수집 방법이다.
② 상황에 따른 조사자의 유연한 대처가 가능한 자료 수집 방법은 면접법이다.
④ 통계로 집계하기 용이한 설문 문항을 통해 구조화된 방식으로 자료를 수집하는 방법은 질문지법이다.
⑤ 질문지법은 통계 처리가 용이하지만 성의 없는 응답이 있을 수 있는 단점이 있다.

14 실험법

제시문에서는 디지털 기기의 사용이 사람들의 감정을 읽어내는 능력에 미치는 영향을 연구하기 위해 실험법이 사용되었다.
④ 사람들의 감정을 읽어내는 능력을 비교하기 위해서는 수치화나 계량화, 즉 개념의 조작적 정의가 이루어졌을 것이다.

오답 선택지 풀이 ①, ③ A집단은 독립 변인이 처치된 실험 집단이고 B집단은 통제 집단이다.
② 디지털 기기 사용을 1주일 동안 금지한 것은 디지털 기기가 사람들의 감정을 읽어내는 능력에 미치는 영향을 연구하기 위한 것이다. 따라서 연구 윤리에 위배된다고 할 수 없다.
⑤ 연구자가 수립한 가설의 내용을 알 수 없으므로 가설이 수용되었는지 기각되었는지 알 수 없다.

15 질문지법과 면접법

A는 질문지법, B는 면접법이다.
ㄴ. 면접법을 실시할 때 연구자와 조사 대상자 간의 신뢰 관계나 정서적 교감이 중요하다.
ㄷ. 질문지법은 수집 도구가 구조화 · 표준화되어 있다. 따라서 수집 도구의 정형화 정도가 높다.
ㄹ. 면접법은 심층적인 조사를 위해 소수를 대상으로 하고, 질문지법은 다수의 조사 대상자를 상대로 자료를 수집한다.

오답 선택지 풀이 ㄱ. 면접법보다 질문지법이 시간과 비용 측면에서 효율적이다.

올쏘 만점 노트 자료 수집 방법의 장단점

구분	장점	단점
질문지법	• 다수를 대상으로 대량의 자료를 수집할 수 있음 • 비교적 시간과 비용 측면에서 효율적임	• 회수율, 응답률이 낮게 나타나는 경우가 있음 • 무성의한 응답, 악의적인 응답 가능성을 배제할 수 없음
면접법	• 조사 대상자의 주관적인 세계를 심층적으로 이해하는 데 유리함 • 응답 거부나 악의적인 응답의 문제를 방지할 수 있음	• 비교적 시간과 비용 측면에서 비효율적임 • 조사자의 편견이나 주관적 가치가 자료 해석 과정에 개입될 우려가 큼
참여 관찰법	• 조사 대상자의 일상생활 세계를 심층적으로 이해하는 데 유리함 • 이민족, 문맹자 등 의사소통이 곤란한 집단을 대상으로 조사를 수행할 수 있음	• 비교적 시간과 비용 측면에서 비효율적임 • 관찰자의 편견이나 주관적 가치가 자료 해석 과정에 개입될 우려가 큼
실험법	• 인과 관계를 파악하여 법칙을 발견하는 데 유리함 • 정확성, 정밀성, 객관성 등이 높은 결론을 도출할 수 있음	• 사회 과학에서는 엄격하게 통제된 실험이 곤란함 • 실험 대상이 인간이라는 점에서 윤리적인 문제가 발생할 수 있음
문헌 연구법	• 공간과 시간의 제약으로부터 자유로움 • 기존 연구 동향이나 성과를 파악하는 등 참고 자료 수집에 적합함	• 문헌의 정확성과 신뢰성을 확보하기 곤란한 경우가 있음 • 문헌 해석 시 연구자의 주관적 가치가 개입될 수 있음

16 질문지 작성 시 유의점

[질문 1] ~ [질문 4]는 모두 자료 수집의 객관성과 정확성을 저해하는 질문이다.
ㄷ. [질문 3]은 공동체 의식과 인성 계발이라는 두 가지 내용을 동시에 묻고 있다는 점에서 적절하지 않은 질문이다.
ㄹ. [질문 4]는 교육 당국의 대학 입시 간소화로 대입 지원에 혼란이 줄었다는 내용을 먼저 제시함으로써 교육 당국의 대학 입시 정책에 대해 긍정적인 응답을 유도하고 있다는 점에서 바람직하지 않은 질문이다.

오답 선택지 풀이 ㄱ. [질문 1]은 응답지의 배타성이 확보되지 못하였다.
ㄴ. [질문 2]에서 '자주'라는 용어는 사람에 따라 다르게 해석될 수 있기 때문에 응답자에게 혼란을 줄 수 있다.

올쏘 만점 노트 질문지 작성 시 유의점

• 응답지가 모든 경우의 수를 포괄해야 한다.
• 한 문항에서는 한 가지 내용만 물어야 한다.
• 간결하고 이해하기 쉬운 용어로 작성해야 한다.
• 특정한 답을 유도하는 형식의 질문을 피해야 한다.

17 자료 수집 방법

A는 실험법, B는 질문지법, C는 면접법이다. 인위적으로 통제된 상황에서 변수의 효과를 관찰하는 방법은 실험법이므로 첫 번째 질문에 대한 옳은 답은 'O'이다. 다수를 대상으로 한 자료 수집에 주로 사용되는 방법은 질문지법이므로 두 번째 질문에 대한 옳은 답은 'O'이다. 연구자가 현상이 실제로 발생한 현지에 가서 연구해야 하는 방법은 참여 관찰법이므로 세 번째 질문에 대한 옳은 답은 '×'이다. 면접법은 질문지법에 비해 연구자와 연구 대상자 사이의 신뢰감 형성이 중요하므로 네 번째 질문에 대한 옳은 답은 'O'이다.

18 자료 수집 방법

ㄱ. 질문지법과 면접법은 언어적 상호 작용이 필수적이므로 (가)에는 "언어적 상호 작용이 필수적인가?"가 들어갈 수 있다.
ㄷ. 구조화·표준화된 자료 수집 방법은 질문지법이므로 A만 '예'라고 답할 수 있다.
ㄹ. 심층적인 자료를 수집하는 데 주로 사용되는 것은 면접법, 참여 관찰법이므로 A는 참여 관찰법, C는 질문지법이 된다.

오답 선택지 풀이 ㄴ. (나)가 "질적 자료 수집 방법인가?"이면 A~C 중 면접법, 참여 관찰법에 해당하는 2개의 '예'가 있어야 한다.

19 참여 관찰법과 면접법

(가)에서는 참여 관찰법, (나)에서는 면접법을 통해 자료를 수집하였다. 면접법은 연구자와 연구 대상자 간의 정서적 교감을 중시하며 참여 관찰법에 비해 언어적 상호 작용에 대한 의존도가 높다. 연구자가 직접 참여하여 관찰하면서 자료를 수집하는 참여 관찰법은 자료의 실제성, 즉 생생한 자료를 확보하기에 유리하다. 참여 관찰법과 면접법 모두 심층적인 자료 수집에 유리하여 질적 연구에서 주로 활용된다.

오답 선택지 풀이 ① 참여 관찰법은 비구조화·비표준화된 방법이다.

20 질문지법과 면접법

(가)의 연구에서는 연구 대상자가 1,000명이나 되고, 조사 대상자들에게 구조화된 도구에 기재하도록 하였다는 점에서 질문지법이 사용되었다. (나)의 연구에서는 10명이라는 소수의 연구 대상자라는 점, 돌봄 대상 노인들과 종사자들 각각으로부터 자료를 수집하였다는 점에서 면접법이 사용되었다.
⑤ 질문지법은 연구 대상자들을 상대로 질문지를 돌리고 각 질문 문항에 대해 응답자의 반응을 기재하게 하면 되므로 조사가 용이하다.

이에 비해 면접법은 연구 대상자를 찾아내는 것이 쉽지 않고 연구 대상자와 직접 대화를 통해 자료를 수집한다는 점에서 조사가 쉽지 않다.

오답 선택지 풀이 ① 질문지법이 면접법에 비해서 경제성이 높다.
② 자료 수집 상황에 대한 통제 정도는 질문지법이 면접법보다 높다.
③ 수집한 자료의 심층성 정도는 면접법이 질문지법보다 높다.
④ 연구자의 주관적 가치가 개입될 가능성은 면접법이 질문지법보다 높다.

21 질적 연구 방법

(1) 직관적 통찰
(2) | 모범 답안 | 사회·문화 현상은 자연 현상과 달리 인간의 동기나 가치 등과 같은 주관적 요인의 영향을 받기 때문이다.

채점 기준	배점
사회·문화 현상이 자연 현상과 다르다는 것과 인간의 동기나 가치와 같은 주관적 요인의 영향을 받는다는 내용을 모두 정확하게 서술한 경우	상
사회·문화 현상이 자연 현상과 다르다는 것과 인간의 동기나 가치와 같은 주관적 요인의 영향을 받는다는 내용 중 한 가지만 정확하게 서술한 경우	중
사회·문화 현상이 자연 현상과 다르다는 내용만 서술한 경우	하

22 실험법

(1) 실험법
(2) | 모범 답안 | 실험 집단과 통제 집단은 동질적인 집단으로 구성해야 하는데, 남학생 학급과 여학생 학급으로 구분하여 동질적이지 않은 집단이 선정되었다.

채점 기준	배점
실험 집단과 통제 집단이 동질적인 집단으로 구성되어야 한다는 것과 남학생 학급과 여학생 학급으로 구분하는 것이 동질적이지 않다는 내용을 모두 정확하게 서술한 경우	상
실험 집단과 통제 집단이 동질적인 집단으로 구성되어야 한다는 것과 남학생 학급과 여학생 학급으로 구분하는 것이 동질적이지 않다는 내용 중 한 가지만 정확하게 서술한 경우	중
동질적이지 않은 집단이 선정되었다는 내용만 서술한 경우	하

23 자료 수집 방법

(1) (가): 참여 관찰법, (나): 문헌 연구법
(2) | 모범 답안 | 시·공간적 제약에서 자유로우며, 시간과 비용 측면에서 효율적이다.

채점 기준	배점
시·공간적 제약에서 자유롭다는 것과 시간과 비용 측면에서 효율적이라는 내용을 모두 정확하게 서술한 경우	상
시·공간적 제약에서 자유롭다는 것과 시간과 비용 측면에서 효율적이라는 내용 중 한 가지만 정확하게 서술한 경우	중
시간과 비용 측면에서 효율적이라는 내용만 서술한 경우	하

상위 4% 문제 본문 22~23쪽

01 ③ 02 ① 03 ② 04 ① 05 ③ 06 ⑤ 07 ②
08 ②

01 양적 연구 방법

자료 분석

연구자 갑은 ㉠ <u>행복감</u>에 소득 수준과 물질주의 가치관이 미치
    ↳ 종속 변수   ↳ 독립 변수
는 영향을 연구하고자, 전국의 ㉡ <u>30세 이상 성인</u> 중 <u>1,000명</u>을
              ↳ 모집단   ↳ 표본
대상으로 설문 조사를 하였다. 분석 결과 삶에 대한 만족도는
㉢ <u>월평균 수입 정도</u>와 정(+)의 관계이지만, ㉣ <u>삶에서 돈이 중</u>
  ↳ 소득 수준을 파악하기 위한 조작적 정의
<u>요하다고 생각하는 정도</u>와는 ㉤ 부(−)의 관계를 보였다. 연구자
↳ 물질주의 가치관을 파악하기 위한 조작적 정의
을은 중학교에서 학생들의 생활에 대해 참여 관찰을 실시한 결
과 ㉥ <u>행복감</u>이 높은 학생이 <u>학교 활동</u>에 더 열심히 참여하는
   ↳ 독립 변수   ↳ 종속 변수
것을 발견하였다. 두 연구 결과를 종합하여, 병은 ㉦ <u>학생의 가계</u>
<u>소득 수준</u>이 높을수록 학교 활동도 열심히 한다고 결론지었다.

오답 **선택지 풀이** ① 갑의 연구에서 행복감은 종속 변수이지만, 을의 연
구에서 행복감은 독립 변수이다.

② 직접 자료를 수집한 연구 대상은 30세 이상 성인 중 1,000명이므로
1,000명이 표본이다.

④ 갑이 세운 가설은 제시되어 있지 않지만 독립 변수와 종속 변수와의 관
계를 밝히려 했다는 점에서 가설을 세웠음을 알 수 있다. 그리고 자료 수
집과 분석을 통해 가설 검증이 이루어진 것을 확인할 수 있다.

⑤ 병은 갑과 을의 연구 결과를 종합하여 자료를 수집하였으므로 귀납적 과
정을 거쳤다. 그리고 학생의 가계 소득 수준과 학교 활동 간의 관계를 밝
히는 자료는 제시되어 있지 않으므로 타당한 결론으로 볼 수 없다.

02 양적 연구 방법

칭찬의 효과를 알아보기 위한 양적 연구가 이루어졌고, 이 연구
를 위해 사용한 자료 수집 방법은 실험법이다.

ㄱ. 제시된 연구는 실험법을 통해 양적 자료를 수집하는 양적
연구 과정이다.

ㄴ. 제시된 연구에서 사용한 자료 수집 방법은 실험법이다.

오답 **선택지 풀이** ㄷ. 실험법에서는 독립 변수 이외에는 다른 어떤 변수
도 실험에 영향을 주어서는 안 된다. 다른 변수가 영향을 줄 경우 실험
결과가 왜곡될 수 있기 때문이다.

ㄹ. ㉠은 실험 집단, ㉡은 통제 집단이다.

03 양적 연구 방법

자료 분석

연구자 갑은 고등학생의 ㉠ <u>학교생활 만족도</u>에 ㉡ <u>자율 동아리</u>
             ↳ 종속 변수   ↳ 독립 변수
<u>활동</u>이 미치는 영향을 알아보기 위한 연구를 진행하였다. 먼저
갑은 ㉢ <u>A고등학교 전체 학생</u> 중 ㉣ <u>600명</u>을 성별, 학년별 비율
          ↳ ㉢, ㉣은 모두 표본에 해당한다.
에 따라 추출하였다. 그리고 이들을 대상으로 구조화된 질문지
를 활용하여 교우 관계, 교육 활동, 학업 성적 등에 대한 만족도
를 조사한 후, ㉤ <u>자율 동아리 활동 참여 집단</u>과 ㉥ <u>미참여 집단</u>
으로 구분하여 자료를 분석하였다. 그 결과 자율 동아리 활동
참여 집단의 만족도가 더 높게 나타났다.

교우 관계, 교육 활동, 학업 성적 등에 대한 만족도에는 연구 대상의 주관적 가치
가 반영되며, 질문지라는 구조화된 도구를 사용하여 이를 측정한 후 "자율 동아
리 활동 참여가 학교생활 만족도를 높인다."라는 결론을 도출하였다. 따라서 양
적 연구 방법이 활용되었음을 알 수 있다.

오답 **선택지 풀이** ㄴ. ㉣은 표본 집단이지만, ㉢은 모집단이 아니다. 모집
단은 모든 고등학생이다.

ㄷ. 실험법을 통해 자료를 수집한 것이 아니기 때문에 실험 집단과 통제 집
단으로 나눌 수 없다.

04 양적 연구 방법

① "비행 친구와의 교제가 많을수록 비행 경험이 많을 것이다."
라는 가설을 설정하고 연구한 결과 비행 친구와의 교제가 많은
경우에 교제가 적은 경우보다 비행 횟수가 유의미하게 많아졌
으므로 가설은 인용되었다.

오답 **선택지 풀이** ② 질문지법을 통해 자료를 수집하였으므로, 실험 집단
이 존재하지 않는다.

③ 연구자가 연구 목적을 위해 조사 대상자로부터 직접 조사하여 얻은 자료
이므로 1차 자료이다.

④ ㉣은 ㉠ 가설의 종속 변수를, ㉤은 ㉠ 가설의 독립 변수를 조작적으로 정
의한 것이다.

⑤ ㉡과 ㉢이 청소년이라는 모집단을 대표할 수 없으므로 연구 결과를 일반
화할 수 없다.

05 자료 수집 방법

자료 분석

연구 조건	적합한 자료 수집 방법
면대면 대화를 통해 깊이 있는 정보를 수집한다. ↳ 면접법의 장점	A
일상생활에서 나타나는 연구 대상의 행동을 관찰한다. ↳ 참여 관찰법의 특징	B
대규모 집단을 대상으로 계량화된 자료를 수집한다. ↳ 질문지법의 특징	C
인위적으로 통제된 상황에서 변수의 효과를 관찰한다. ↳ 실험법의 특징	D

③ 질문지법은 일반적으로 문자를 통해 자료를 수집하므로 문
맹자에게 사용하기 어렵다. 하지만 실험법은 독립 변인을 인위
적으로 처치한 후 그로 인해 나타나는 종속 변인의 변화를 측정
하므로 문맹자를 대상으로 사용 가능하다.

오답 **선택지 풀이** ① 예상하지 못한 변수의 통제가 어렵다는 것은 참여
관찰법이 갖는 단점이다.

② 시간과 비용 측면에서의 효율성이 높다는 것은 질문지법이 갖는 장점이다.

④ 연구자의 주관적 가치가 개입될 가능성이 높다는 것은 면접법과 참여 관
찰법이 갖는 단점이다.

⑤ 양적 연구에 주로 사용되는 것은 질문지법과 실험법이며, 질적 연구에 주
로 사용되는 것은 면접법과 참여 관찰법이다.

06 자료 수집 방법

A는 질문지법, B, C는 (가)의 질문에 따라 면접법 또는 참여 관
찰법이 된다.

⑤ 생생한 자료의 수집이 용이한 것은 참여 관찰법이므로 (가)
가 "생생한 자료의 수집이 용이한가?"라면 B는 면접법, C는 참
여 관찰법이 된다. 참여 관찰법은 면접법과 달리 의사소통이 곤
란한 연구 대상자에게 사용할 수 있다.

오답 **선택지 풀이** ① 인위적으로 통제된 상황에서 변수의 효과를 관찰하
는 자료 수집 방법은 실험법이다. A는 질문지법이다.

② 연구 대상자와의 언어적 상호 작용이 필수적인 것은 면접법이므로 B는

참여 관찰법. C는 면접법이다. 2차 자료 수집이 용이한 것은 문헌 연구법이다.

③ 연구 대상자의 반응에 유연한 대처가 가능한 것은 면접법이므로 B는 참여 관찰법, C는 면접법이다. 면접법과 참여 관찰법 모두 연구자의 편견이 개입될 가능성이 크다.

④ 조사하려는 현상이 나타날 때까지 기다려야 하는 것은 참여 관찰법이므로 B는 면접법, C는 참여 관찰법이다. 시·공간적 제약에서 자유로운 자료 수집 방법은 문헌 연구법이다.

07 면접법과 참여 관찰법

자료 분석

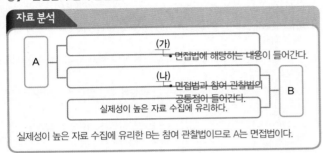

실제성이 높은 자료 수집에 유리한 B는 참여 관찰법이므로 A는 면접법이다.

ㄱ. 면접법은 참여 관찰법보다 조사자와 조사 대상자 간의 친밀감 형성을 중시한다.

ㄷ. (가)에는 면접법에만 해당하는 내용이 들어가야 하므로 '조사 대상자의 반응에 유연하게 대처할 수 있다.'가 적절하다.

오답 **선택지 풀이** ㄴ. 자료 수집을 위해 언어적 상호 작용이 필수적인 것은 면접법이다.

ㄹ. 인위적으로 통제된 상황에서 변수의 효과를 관찰하여 자료를 수집하는 방법은 실험법이다.

08 질문지법

제시된 사례에서 갑은 다수의 사람들을 대상으로 조사자의 의도대로 구성된 답변 중에서 선택하게 하는 조사를 실시하고자 한다. 이러한 목적을 달성하는 데 적합한 자료 수집 방법은 질문지법이다.

ㄱ. 질문지법은 표본을 선정하여 자료를 수집한다.

ㄷ. 질문지법은 표본 집단 간의 자료를 수집하여 통계적으로 비교 분석하기에 적합하다.

오답 **선택지 풀이** ㄴ. 질문지법은 조사자의 주관적 편견이 개입될 가능성이 낮다.

ㄹ. 인위적인 조작과 통제로 인해 나타나는 변화를 알아보고자 하는 자료 수집 방법은 실험법이다.

03 사회·문화 현상의 탐구 절차와 윤리

개념 확인 문제 본문 26쪽

01 사생활, 개인 정보, 조작, 출처, 익명성 **02** (1) ㄱ (2) ㄷ (3) ㄹ
(4) ㄴ **03** 가치 개입, 가치 중립 **04** (1) ○ (2) ○ (3) ×

시험에 꼭 나오는 문제 본문 26~28쪽

01 ④ **02** ⑤ **03** ② **04** ② **05** ④ **06** ① **07** ④
08 ② **09~11** 해설 참조

01 연구 단계별 가치 개입과 가치 중립

양적 연구 과정에서 자료 수집 및 분석 단계 다음은 ㉠ 가설 검증 단계이다. 결론 적용 및 대안 모색 단계는 연구자의 ㉡ 가치 개입이 가능하고, 자료 수집 및 분석, 가설 검증 단계에서는 엄격한 가치 중립이 요구된다. 가치가 개입되면 연구 결과가 ㉢ 왜곡될 수 있기 때문이다.

02 양적 연구의 탐구 절차

제시된 자료의 연구 과정에서 가설 검증 단계가 있으므로 양적 연구임을 알 수 있다. (가)는 가설 설정, (다)는 자료 분석 단계에 해당하고 차별 경험은 독립 변수, 학교생활 만족도는 종속 변수이다. 자료 수집 방법으로 질문지법을 사용하였으며, 가설 검증 결과 가설은 수용되었다.

① 가설을 검증하기 위해 양적 자료를 수집할 수 있는 질문지법을 사용한 것은 적절하다.

② 연구 설계 단계에서는 핵심 개념에 대한 조작적 정의가 이루어진다. 학교생활 만족도를 점수화한 내용을 통해 개념의 조작적 정의가 이루어졌음을 유추할 수 있다.

③ 가설 설정 단계에서는 연구자의 가치 개입이 불가피하지만, 자료 분석 단계에서 연구자는 연구의 객관성을 확보하기 위해 가치 중립적 태도를 지녀야 한다.

④ ○○지역 고등학교 다문화 가정 자녀 중 자발적으로 참여한 100명의 학생들을 대상으로 수집한 자료를 통해 얻은 연구 결과는 표본의 대표성이 없어 일반화하기 어렵다.

오답 **선택지 풀이** ⑤ 차별 경험과 학교생활 만족도 간의 상관관계를 파악하고자 하였다.

유사 선택지 문제

02 ❶ 종속, 독립 ❷ 연역적

03 객관적 태도

제시문은 연구자가 연구 과정에서 자신의 가치나 이해관계를 떠나 제3자의 관점을 지향해야 한다는 내용이므로 객관적 태도를 요구하고 있다.

오답 **선택지 풀이** ① 성찰적 태도는 자신이 연구 절차나 방법, 연구 윤리 등을 제대로 지키며 탐구하고 있는지 되짚어 보는 태도이다.

③ 개방적 태도는 자신의 주장과 다른 주장이 존재할 수 있음을 인정하고

자신의 주장에 대한 비판을 허용하는 태도이다.

⑤ 상대주의적 태도는 사회·문화 현상이 발생한 맥락이나 배경을 이해하려는 태도이다.

04 사회·문화 현상의 탐구 태도

갑에게는 자신의 주장과 다른 주장이 존재할 수 있음을 받아들이고, 비판을 허용하는 개방적 태도가 필요하다. 을에게는 사회·문화 현상은 그것이 발생한 맥락이나 배경 속에서 의미가 있다는 것을 인정하는 상대주의적 태도가 필요하다.

05 연구 결과의 활용과 연구자의 윤리

자료 분석

과학을 탐구하는 사람은 자신의 연구 주제나 연구 결과가 사회에 미칠 영향에 대해서 책임을 져야 해.

연구자에게 그런 것까지 책임지라고 해서는 안 돼. 연구 결과를 악용하는 사람이 문제인 거야.

갑은 연구 주제나 연구의 목적에 대한 적절한 가치 판단이 필요하다는 입장이고, 을은 연구자는 진리를 밝혀내기만 하면 되고 연구 자체에 대해 연구자의 윤리를 다했다면 연구가 사회에 미칠 영향에 대한 가치 개입은 필요 없다는 입장이다.

ㄴ. 연구자가 자신의 연구가 미칠 수 있는 사회적 악영향을 예측할 수 없다면, 그 연구가 사회에 미친 나쁜 영향에 대해 연구자에게 책임을 묻기 어렵다.

ㄹ. 연구 주제나 목적이 보편적 가치를 벗어나서는 안 된다는 것은 연구 주제나 목적에 대한 적절한 가치 판단이 필요하다는 주장과 일맥상통한다.

오답 선택지 풀이 ㄱ. 연구 과정에서의 객관적 태도는 갑과 을이 모두 동의하고 강조할 수 있는 주장이다.

ㄷ. 과학적 탐구에 따른 연구 결과는 그 자체로는 선악을 가질 수 없다는 주장은 을의 입장에 해당한다.

유사 선택지 문제

05 ❶ 을 ❷ ○

06 연구 과정상의 연구 윤리

○○연구소는 연구 과정에서 성매매 당사자들의 동의를 받지 않았고, 성매매 당사자들의 실명을 그대로 노출시켰으므로 연구 대상자와 관련된 연구 윤리를 지키지 않았다.

① 연구자는 연구 대상자의 개인 정보를 보호해야 하며, 연구 목적 이외의 용도로 활용해서는 안 된다. 그리고 연구 결과의 공표로 인해 조사 대상자나 제3자의 인권을 침해하는 문제가 발생하지 않도록 익명성을 보장하면서 공표해야 한다.

오답 선택지 풀이 ②, ③, ④, ⑤는 연구자가 지켜야 할 연구 윤리에 해당하지만, 제시된 연구와는 관련이 없다.

올쏘 만점 노트 사회·문화 현상의 연구와 연구자 윤리

연구 대상자와 관련된 윤리	연구 대상자의 자발적 동의를 얻고, 개인 정보 및 사생활 보장 등으로 인권을 보호해야 함
연구 과정 및 연구 결과 발표와 관련된 윤리	연구 과정과 결과의 공표에 있어서 연구자의 정직성이 필요함

07 연구자가 지켜야 할 연구 윤리

(가)는 연구 대상자의 자발적인 참여와 관련된 연구 윤리로서 ㄱ. 본인에게 알리지 않고 가족을 통해 본인의 정보를 얻은 경우, ㄷ. 연구 대상자의 거부 의사에도 불구하고 면접을 계속한 경우, ㄹ. 부작용에 대해 설명하지 않고 임상 실험 참가자를 모집한 경우는 모두 이러한 윤리를 위반한 사례이다.

(나)는 수집한 자료를 연구 이외의 용도로 활용해서는 안 된다는 연구 윤리로서 ㄴ. 연구에서 수집한 자료를 보험 회사에 제공한 경우는 이러한 윤리를 위반한 사례이다.

08 연구 태도 및 연구 윤리 관점에서 연구 사례 평가

항목들은 모두 연구 태도 및 윤리 관점에서 진단해 봐야 하는 것들이다. 주의해야 할 것은 다른 항목들이 'O' 표시가 되어야 바람직한 연구 태도 및 윤리에 해당하는 것과 달리 두 번째 항목과 네 번째 항목의 경우 '×' 표시가 되어야 바람직한 연구 태도 및 윤리에 해당한다는 점이다.

ㄱ. A는 주어진 모든 항목에서 연구 태도 및 윤리가 적절하게 지켜졌다.

ㄷ. C에서는 자료 수집 및 분석에서 의도적 누락과 왜곡이 있었으므로 A와 달리 연구 결과를 신뢰할 수 없다.

오답 선택지 풀이 ㄴ. 연구 대상자에게 피해를 주지 않고 적절한 보상과 혜택을 준 A가 그렇지 않은 B보다 연구 대상자의 자발적 참여를 끌어내기에 유리하다.

ㄹ. 상대주의적 태도를 점검하는 항목은 제시되어 있지 않으므로 그러한 관점에서 세 연구를 비교할 수 없다.

09 사회·문화 현상의 탐구 절차

(1) (가) – (라) – (나) – (다)

(2) | 모범 답안 | 연구는 연구자의 관심으로부터 시작되므로 (가) 문제 제기와 (라) 가설 설정 단계는 연구자의 의도와 가치가 개입될 수밖에 없고, (나) 자료 수집과 (다) 자료 분석 및 검증 단계는 연구 결과의 왜곡을 방지하기 위해 엄격한 가치 중립이 요구된다.

채점 기준	배점
가치 개입과 가치 중립이 필요한 단계를 구분하고 그 까닭을 모두 정확하게 서술한 경우	상
가치 개입과 가치 중립이 필요한 단계를 잘 구분하였으나 그 까닭의 서술이 미흡한 경우	중
가치 개입과 가치 중립이 필요한 단계만 구분한 경우	하

10 연구 과정상의 윤리

| 모범 답안 | 갑은 연구 결과 공표 시 발생할 학교의 명예 실추를 우려하여 최종 보고서 내용에서 수집한 자료를 누락시켰으므로 결과 발표 단계에서 연구자의 가치 중립 태도를 지키지 못하였다.

채점 기준	배점
결과 발표 단계에서 갑이 가치 중립 태도를 지키지 못하였다는 내용을 정확하게 서술한 경우	상
갑이 자신의 가치를 개입시켜 최종 보고서 결과에서 내용을 누락시켰다고 서술한 경우	중
갑이 연구자의 윤리를 지키지 못하였다는 내용만 제시한 경우	하

11 사회·문화 현상의 탐구 태도

(1) ㉠: 개방적 태도, ㉡: 상대주의적 태도

(2) | 모범 답안 | 개방적 태도는 연구자의 주관성이 개입될 수 있는 사회 과학에서 상호 비판을 허용함으로써 연구의 객관성을 확보하는 데 기여할 수 있다.

채점 기준	배점
사회 과학은 연구자의 주관성이 개입될 수 있다는 것과 개방적 태도가 상호 비판을 허용함으로써 연구의 객관성을 확보하는 데 기여할 수 있다는 내용을 모두 정확하게 서술한 경우	상
사회 과학은 연구자의 주관성이 개입될 수 있다는 점과 개방적 태도가 상호 비판을 허용함으로써 연구의 객관성을 확보하는 데 기여할 수 있다는 내용 중 한 가지만 정확하게 서술한 경우	중
개방적 태도가 연구의 객관성을 확보하는 데 기여할 수 있다는 내용만 서술한 경우	하

상위 4% 문제 본문 29쪽

01 ④ **02** ③ **03** ② **04** ①

01 양적 연구의 분석

자료 분석

- 연구 주제 설정: 정보 격차 문제를 파악하기 위해 A지역 고등학생의 인터넷 이용 형태에 부모의 경제 수준 및 부모의 인터넷 이용 형태가 미치는 영향을 탐구하기로 하였다.
- (가) ㉠ 부모의 경제 수준이 높을수록 자녀의 정보 지향적 인터넷 이용 정도가 높아지고, ㉡ 부모의 정보 지향적 인터넷
  └ㆍ㉠, ㉡은 독립 변수이다.
  이용 정도가 높을수록 자녀의 정보 지향적 인터넷 이용 정
  └ㆍ종속 변수이다.
  도가 높아질 것이라고 가설을 설정하였다.
- (나) A지역에서 선정된 6개 ㉢ 고등학교 학생 1,000명 중 ㉣ 부모도 응답 가능한 300명을 대상으로 구조화된 질문지를
  └ㆍ㉢, ㉣은 표본이다.
  통해 자료를 수집하였다.
- (다) 경제 수준은 ㉤ 월평균 소득으로, 정보 지향적 인터넷 이용
  └ㆍ㉤은 ㉠의 조작적 정의이다.
  정도는 ㉥ 인터넷 이용 시간 중 정보 검색 시간 비중으로
  측정하기로 하였다.
  └ㆍ㉡의 조작적 정의는 인터넷 이용 시간 중
  정보 검색 시간 비중이다.
- (라) 부모의 월평균 소득에 따라 자녀의 정보 검색 시간 비중은 통계적으로 유의미한 차이가 나타나지 않았다. 반면 부모의 정보 검색 시간 비중이 높을수록 자녀의 정보 검색 시간 비중은 통계적으로 유의미하게 높아지는 것으로 나타났다. → 가설을 검증하였다.

④ 가설의 검증이란 설정된 가설이 참인지, 거짓인지를 알아내는 것을 말한다. (라)에 따르면 연구자가 설정한 첫 번째 가설은 거짓으로, 두 번째 가설은 참으로 밝혀졌다.

오답 선택지 풀이 ① ㉠, ㉡은 모두 독립 변수이다.

② ㉣은 표본이지만 ㉢은 모집단이 아니다. 모집단은 A지역 고등학생 전체이다.

③ 경제 수준은 월평균 소득으로 측정할 수 있으므로 ㉤은 ㉠의 조작적 정의이다. 그러나 부모의 정보 지향적 인터넷 이용 정도는 인터넷 이용 시

간 중 정보 검색 시간 비중으로 측정할 수 있으므로, ㉥은 ㉡의 조작적 정의가 아니다.

⑤ (가)-(다)-(나)-(라) 순서로 연구가 진행되었다.

02 개방적 태도와 객관적 태도

사회·문화 현상의 연구 태도 중 A는 개방적 태도, B는 객관적 태도이다.

ㄴ. 객관적 태도는 연구자의 주관적 가치관이나 이해관계를 배제하고 제3자의 관점에서 현상을 연구하는 태도이다.

ㄷ. 연구 결과에는 연구자의 주관적 가치관이나 이해관계가 개입될 수 있다. 따라서 개방적 태도를 갖는 것은 객관적 태도가 결여되어 나타나는 연구의 한계를 보완하는 데 기여한다.

오답 선택지 풀이 ㄱ. 개방적 태도는 절대적인 진리가 존재하기 어렵다는 잠정적 진리관을 바탕으로 한다.

ㄹ. 개방적 태도와 객관적 태도는 사회 과학자뿐만 아니라 자연 과학자에게도 필요한 태도이다.

03 연구자가 연구 과정에서 지켜야 할 윤리

연구자 갑은 '클래식 음악이 집중력에 미치는 영향'을 주제로 연구하면서 클래식 음악의 효과를 체험하기 원하는 학생들에게 연구 설비를 제공하였으므로 연구 대상자의 자발적 참여 기회를 보장하였다.

오답 선택지 풀이 ①, ③ 언론사의 요청으로 연구 대상자의 명단과 관련 자료를 제공하였으므로 연구 대상자의 사적인 정보를 보호하지 않았을 뿐만 아니라 수집한 자료를 연구 이외의 목적으로 사용하였다.

④ 다른 연구자가 새롭게 개발한 연구 설계를 활용하면서 출처를 밝히지 않고 마치 자신이 만든 것처럼 기술하였다.

⑤ 자신의 예상에 부합하지 않는 기록은 제외하고 자신의 예상에 부합하는 자료만을 분석하였다.

04 연구자가 연구 과정에서 지켜야 할 윤리

ㄱ. 제시문에 따르면, 연구자는 연구와 관련된 내용 일체를 연구 대상자에게 알리지 않았다. 즉, 연구 대상자에게 연구와 관련된 정보를 제공하지 않은 채 결과를 발표하였다. 연구 내용이 실험에 영향을 줄 수 있을 때는, 실험이 끝난 이후에 연구 대상자에게 연구 내용을 알리고 연구 결과 발표에 대한 동의를 얻어야 한다.

ㄴ. 을은 아름다운 여성이고 병은 평범한 외모의 남성이다. 실험 대상자들이 옷차림 이외에 성별이나 용모와 같은 다른 변수에 영향을 받을 수 있는데, 제시된 연구는 이를 고려하지 않았다.

오답 선택지 풀이 ㄷ. 사생활 관련 정보를 연구 목적 이외의 용도로 활용하였다는 내용은 없다.

ㄹ. 연구 대상자 모두에게 옷차림이 서로 다른 두 사람이 길을 물어보았다. 즉 연구 대상자 모두에게 독립 변수를 처치하였으므로 실험 집단만 있고 통제 집단은 존재하지 않는다.

04 사회적 존재로서의 인간

개념 확인 문제
본문 32쪽

01 사회, 실재, 사회 구조, 의지, 의식　02 (1) ㄱ (2) ㄴ (3) ㄱ (4) ㄴ
03 성취 지위, 역할, 역할 갈등　04 (1) ㉠, ㉢ (2) ㉢ (3) ㉡

시험에 꼭 나오는 문제
본문 32~37쪽

01 ②	02 ③	03 ②	04 ②	05 ③	06 ④	07 ①
08 ②	09 ③	10 ②	11 ①	12 ③	13 ①	14 ②
15 ①	16 ⑤	17 ⑤	18 ⑤	19 ③	20 ⑤	

21~22 해설 참조

01 사회 구조의 특징
밑줄 친 '이것'은 사회 구조이다. 사회 구조란 한 사회의 개인과 집단이 사회적 관계를 맺는 방식이 정형화되어 안정된 틀을 갖추고 있는 상태를 말한다. 사회 구조의 특징으로는 안정성, 변동성, 강제성, 지속성이 있다.
② 사회 구조는 사회 구성원의 가치관이나 신념, 사회 정책의 변화에 따라 그 성격이 달라지는 변동성도 지니지만, 동시에 일정한 상태로 유지되는 속성이 있기 때문에 구성원의 의지에 따라 자유롭게 변화한다고 보기는 어렵다.
① 사회 구조의 특징 중 강제성이다.
③, ④ 사회 구조의 특징 중 안정성이다.
⑤ 사회 구조의 특징 중 지속성이다.

02 사회 구조의 특징
제시문에서 갑은 평소 호화로운 혼인 문화에 대해 거부감을 갖고 있었지만 자신의 결혼을 앞두고 주위 사람들의 시선을 무시할 수 없었고, 결국 기존의 혼인 문화를 따르게 되었다. 이를 통해 사회 구조가 구성원들의 행동을 구속하는 힘을 갖고 있음을 알 수 있다. 이는 사회 구조의 특징 중 강제성과 관련이 깊다.
오답 **선택지 풀이** ① 제시문을 통해 사회 구조가 쉽게 달라지지 않고 유지된다는 특징을 파악할 수 있으나 영속적으로 유지되고 계승된다고는 보기 어렵다.
②, ⑤ 제시된 내용만으로는 단정할 수 없다.
④ 제시문에는 개인이 사회 구조에 구속당하는 모습이 나타나 있다.

03 사회 구조의 특징
(가)의 사례에서는 나이가 어린 사람이 사회 구조의 영향으로 인해 본인의 의지와 상관없이 특정 행동을 해야 함을 파악할 수 있다. 이는 사회 구조의 특징 중 강제성과 관련이 깊다. (나)의 사례에서는 학교 대부분이 소재 지역에 상관없이 운영 측면에 있어 유사한 부분이 많음을 알 수 있다. 이는 사회 구조의 특징 중 안정성과 관련이 깊다.
오답 **선택지 풀이** ①, ③, ④, ⑤ (가), (나) 사례는 사회 구조의 특징 중 변동성, 지속성과는 거리가 멀다.

04 개인과 사회의 관계를 바라보는 관점
자료 분석

> 결혼, 가족, 종교의 본질은 각각의 제도에 대응되는 개인의 성적 욕구, 부모의 애정, 종교적 본능 등으로 구성된 것이다. 이 경우 개별 구성원의 심리 상태는 유일하게 관찰 가능한 대상이 된다. 따라서 사회·문화 현상에 대한 연구는 개인의 정신 상태에 집중해야 한다.

밑줄 친 부분에서 보듯이 사회·문화 현상을 탐구하고 연구할 때 개인의 상태와 특성에 집중해야 한다고 주장하고 있으므로 개인과 사회의 관계를 사회 명목론의 입장에서 이해하고 있음을 알 수 있다.

제시문에 나타난 개인과 사회의 관계를 바라보는 관점은 사회 명목론이다. 사회 명목론은 사회보다 개인을 우선시하는 관점으로, 사회가 개인의 외부에 별도로 존재하는 것이 아니라 단순히 이름만 존재한다고 본다.
ㄱ. 사회 명목론은 개인의 속성이 사회의 속성을 결정한다고 본다.
ㄷ. 사회 명목론은 개인들이 옳다고 믿기 때문에 사회 규범이 존재한다고 본다.
오답 **선택지 풀이** ㄴ. 사회는 개인의 삶을 규제하고 구속한다는 진술은 사회 실재론의 입장이다.
ㄹ. 개인은 사회와의 관련 속에서만 존재 의미를 지닌다는 진술은 사회 실재론의 입장이다.

유사 선택지 문제

04 ❶ ✕ ❷ ✕ ❸ ○ ❹ ○

05 개인과 사회의 관계를 바라보는 관점
제시된 자료에서 갑은 사회가 개개인의 속성으로 환원될 수 있다고 주장하므로 사회 명목론, 을은 사회가 개개인으로 환원할 수 없는 고유한 성격을 가진다고 주장하므로 사회 실재론에 해당한다.
③ 사회 실재론은 사회 명목론과 달리 사회·문화 현상을 분석함에 있어 거시적 요인, 즉 사회 구조적 측면을 중시한다.
오답 **선택지 풀이** ① 인간의 능동적인 행위를 설명하기 곤란하다는 비판을 받는 것은 사회 실재론이다.
② 개인의 발전이 곧 사회의 발전이라고 보는 것은 사회 명목론이다.
④ 사회 명목론과 달리 사회 실재론은 개인이 사회 구조 속에서만 존재 의미를 갖는다고 본다.
⑤ '도덕심은 개인적 양심에서 나오는 것이 아니라 사회로부터 주어지는 것'이라는 주장에 대해 사회 명목론은 동의하지 않고, 사회 실재론은 동의할 것이므로 해당 내용은 (가)에 들어갈 수 없다.

올쏘 만점 노트 그림으로 살펴보는 사회 실재론과 사회 명목론

사회 실재론	사회 명목론
A+B + C+D → (A B C D)	A + B + C + D = (A B / C D)
부분의 합보다 전체가 크다.	부분의 합은 전체와 같다.

06 사회 실재론

대화에서 갑은 개인이 사회라는 유기체의 한 부분으로, 사회를 떠나서 존재할 수 없다고 보므로 사회 실재론에 해당한다. 따라서 (가)에는 사회 실재론에 부합하는 진술이 들어가야 한다.
④ 배우자를 선택할 때 배우자의 인성(개인적 측면)보다 가문(사회 구조적 측면)을 보아야 한다는 주장은 사회 실재론에 부합한다.

오답 선택지 풀이 ①, ②, ③, ⑤는 사회 명목론에 부합하는 진술이다.

07 사회 명목론

제시문은 사회 계약설에 대한 내용이다. 사회 계약설은 개인과 사회의 관계를 바라보는 관점 중 사회 명목론과 관련 있다.
① 사회 명목론에서는 개인의 속성이 사회의 속성을 결정한다고 본다.

오답 선택지 풀이 ②, ③, ④, ⑤는 사회 실재론에 부합하는 진술이다.

08 개인과 사회의 관계를 바라보는 관점

제시된 그림에서 A는 사회가 구성원들의 합 이상이라고 보므로 사회 실재론, B는 사회가 개개인의 필요에 의해 구성되고 유지된다고 보므로 사회 명목론이다.
ㄱ. 개인의 행위로는 설명되지 않는 사회적 실체가 존재한다고 보는 것은 사회 실재론이다.
ㄷ. 사회 명목론과 달리 사회 실재론은 사회 구조를 개인이 저항하기 어려운 불가항력적 존재로 본다.

오답 선택지 풀이 ㄴ. 사회 명목론은 개인의 성공이 사회 전체의 성공으로 이어진다고 본다.
ㄹ. 사회 실재론은 사회 정책으로 인간 행동을 바꿀 수 있다고 보고, 사회 명목론은 사회 정책으로 인간 행동을 바꿀 수 없다고 본다. 따라서 사회 실재론과 사회 명목론 모두 부정적인 대답이 나와야 하는 (가)에는 해당 질문이 들어갈 수 없다.

09 사회 실재론

대화에서 갑 교수는 사회가 개인의 심리만으로 설명할 수 없는 특징을 지닌다고 보므로 사회 실재론의 입장이다.
③ 사회 실재론에서는 사회를 하나의 유기체로 간주하며, 사회가 개인의 행동을 구속한다고 본다.

오답 선택지 풀이 ① 사회 실재론은 사회가 개개인의 속성으로 환원될 수 없다고 본다.
② 사회 계약설은 사회 명목론과 관련 있다.
④ 개인을 사회를 변화시키는 능동적 존재로 보는 것은 사회 명목론이다.
⑤ 사회 실재론은 사회 구조에 초점을 두고 사회·문화 현상을 이해한다.

10 개인과 사회의 관계를 바라보는 관점

그림에서 A는 개개인이 자유 의지에 따라 행동한다고 보므로 사회 명목론, B는 개인의 자유 의지를 과소평가한다는 비판을 받으므로 사회 실재론이다.
ㄱ. 사회 실재론은 집합적 속성이 개인적 속성의 총합과 다르다고 보므로 해당 내용은 (가)에 들어갈 수 있다.
ㄷ. 사회가 개인의 행동을 제약할 수 있음을 간과한다고 비판받는 것은 사회 명목론이므로 해당 내용은 (나)에 들어갈 수 없다.

오답 선택지 풀이 ㄴ. 개인의 능동성이 사회 규범의 구속성보다 우선한다고 보는 것은 사회 명목론이므로 해당 내용은 (가)에 들어갈 수 없다.
ㄹ. 사회·문화 현상의 분석 단위로서 개인의 의식, 심리 상태 등을 간과한다는 비판을 받는 것은 사회 실재론이므로 해당 내용은 (나)에 들어갈 수 없다.

11 사회화의 유형

A는 사회 변화에 적응하기 위해 새롭게 등장한 정보나 가치 등을 습득하는 과정이므로 재사회화이다. B는 미래에 속하게 될 집단에서 요구되는 행동 양식을 미리 학습하는 과정이므로 예기 사회화이다.
ㄱ. 재사회화의 사례로는 정보 사회에 적응하기 위한 노년층의 스마트폰 사용 교육, 직장 내 재교육 등을 들 수 있다.
ㄴ. 예기 사회화의 사례로는 이민자를 대상으로 한 사전 교육, 대학교 신입생 오리엔테이션 등을 들 수 있다.

오답 선택지 풀이 ㄷ. A는 재사회화, B는 예기 사회화이다.
ㄹ. 재사회화와 예기 사회화는 대체로 2차적 사회화 기관에서 이루어진다.

올쏘 만점 노트 사회화의 유형	
재사회화	• 의미: 사회 변화에 적응하기 위해 새롭게 등장한 정보나 가치 등을 습득하는 과정 • 사례: 노인을 대상으로 한 평생 교육, 직장 내 재교육 등
예기 사회화	• 의미: 미래에 속하게 될 집단에서 요구되는 행동 양식을 미리 학습하는 과정 • 사례: 신입생 예비 교육, 신입 사원 연수 등

12 사회화의 유형

그림의 (가)에는 결혼 이주민의 재사회화가, (나)에는 이민을 계획하고 있는 사람들의 예기 사회화가 나타나 있다.
③ (가), (나) 모두에 공식적이고 체계화된 사회화가 나타나 있다.

13 사회화 기관의 유형

사회화 기관의 유형 중 사회화의 내용에 따라 분류되는 것은 1차적 사회화 기관과 2차적 사회화 기관이다. 한편 설립 목적에 따라 분류되는 것은 공식적 사회화 기관과 비공식적 사회화 기관이다. 시민 단체는 2차적 사회화 기관이면서 비공식적 사회화 기관이므로 B는 2차적 사회화 기관이고 D는 비공식적 사회화 기관이다. 따라서 나머지인 A는 1차적 사회화 기관, C는 공식적 사회화 기관이 된다.

14 사회화 기관

제시된 표의 분류에 의하면 (가)는 공식적 사회화 기관이면서 2차적 사회화 기관, (나)는 공식적 사회화 기관이면서 1차적 사회화 기관, (다)는 비공식적 사회화 기관이면서 2차적 사회화 기관, (라)는 비공식적 사회화 기관이면서 1차적 사회화 기관이다.
ㄱ. 직업 훈련소는 공식적 사회화 기관이면서 2차적 사회화 기관이므로 (가)에 해당한다.
ㄷ. 대중 매체는 비공식적 사회화 기관이면서 2차적 사회화 기관이므로 (다)에 해당한다.

오답 선택지 풀이 ㄴ. 가족은 (라)에 해당한다.
ㄹ. 재사회화는 대체로 2차적 사회화 기관에서 이루어진다.

15 사회화 기관

A는 아동이 최초로 속하게 되는 사회화 기관이므로 가족이고, B는 특히 청소년기 사회화 과정에서 중시되므로 또래 집단이다.
ㄱ, ㄴ. 가족과 또래 집단은 사회화를 목적으로 설립되지는 않았으나 부수적으로 사회화를 수행하므로 비공식적 사회화 기관에 해당한다.

오답 선택지 풀이 ㄷ. 가족은 아동기의 사회화를, 또래 집단은 청소년기의 사회화를 주로 담당한다.
ㄹ. 가족과 또래 집단 모두 개인의 자아 정체성 형성에 큰 영향을 미치는 사회화 기관이다.

16 역할과 역할 행동

개인의 행동에 관한 사회적 평가는 역할 행동을 기준으로 이루어지는 것이 일반적이므로 (가)는 역할 행동 또는 역할 수행이고, (나)는 역할이 된다.
ㄷ. 역할 갈등은 한 개인에게 요구되는 두 가지 이상의 역할들이 충돌할 때 나타나는 심리적 갈등을 의미한다.
ㄹ. 보상은 역할 행동에 대해 이루어지므로 (가)는 역할 행동, (나)는 역할이다.

오답 선택지 풀이 ㄱ, ㄴ. 동일한 지위를 지녔다고 할지라도 개인마다 그에 따른 역할을 수행하는 방식, 즉 역할 행동은 다르게 나타날 수 있다.

17 사회화 기관의 유형

자료 분석

〈자료 1〉
공식적·2차적 사회화 기관
갑은 다니던 ㉠대학교를 자퇴하고 ㉡직업 교육 훈련원에서 특수 용접 기술을 배우고 있다. 고된 교육과 연습에 지쳐 휴게실에서 쉬고 있던 갑은 ㉢TV에 나오는 드라마 속 대학생의 모습에 비애를 느끼기도 했다. 그러나 늘 응원해 주는 ㉣가족을 생각하며 마음을 다잡았다.
공식적·2차적 사회화 기관
비공식적·2차적 사회화 기관
비공식적·1차적 사회화 기관

〈자료 2〉
• A∼C는 사회화 기관의 유형이다.
• A와 달리 B, C는 사회화를 부수적으로 수행한다.
• C와 달리 A, B는 전문적인 사회화를 담당한다.

사회화를 부수적으로 수행하는 것은 비공식적 사회화 기관이며, 전문적인 사회화를 담당하는 것은 2차적 사회화 기관이다. 따라서 A는 공식적 사회화 기관이면서 2차적 사회화 기관, B는 비공식적 사회화 기관이면서 2차적 사회화 기관, C는 비공식적 사회화 기관이면서 1차적 사회화 기관이다.

공식적·2차적 사회화 기관인 ㉠과 ㉡은 A, 대중 매체의 일종으로 비공식적·2차적 사회화 기관인 ㉢은 B, 비공식적·1차적 사회화 기관인 ㉣은 C에 연결된다.

유사 선택지 문제

17 ❶ × ❷ ○ ❸ ×

18 다양한 사회학적 개념

제시된 첫 번째 사례에서는 예기 사회화(신입생 오리엔테이션), 성취 지위(대학생), 역할 행동(신입생 오리엔테이션을 받음), 2차적 사회화 기관(대학교)이 나타나 있다. 두 번째 사례에는 재

사회화(새로운 지식과 경험을 쌓음), 성취 지위(회사원), 역할 행동(기업 영업에 필요한 지식과 경험을 쌓으며 노력함), 2차적 사회화 기관(기업)이 나타나 있다. 따라서 두 사례에 공통으로 나타난 사회학적 개념은 ㄴ, ㄷ, ㄹ이다.

19 다양한 사회학적 개념

③ 갑이 육군에 지원할 것인지 해병대에 지원할 것인지를 놓고 고민하는 것은 역할 간 충돌이 아니므로 ㉣은 역할 갈등이 아니다. 반면 축구 동아리의 회장인 을은 동아리 구성원으로서 경기에 출전해야 하는 역할과 가족으로서 사촌 누나의 결혼식에 참석해야 하는 역할이 서로 충돌하여 나타나는 역할 갈등 상황에 처해있다.

오답 선택지 풀이 ① ㉠은 갑의 역할이고, ㉤은 을의 역할이다.
② ㉡, ㉢, ㉥ 모두 비공식적 사회화 기관이다.
④ ㉡, ㉢, ㉥ 모두에서 재사회화가 이루어질 수 있다.
⑤ ㉦은 서로 다른 지위에 요구되는 역할이 서로 충돌하는 상황이다.

20 역할 갈등

ㄷ. 개인적 차원의 역할 갈등 해결책으로는 역할의 우선순위를 매겨 더 중요하다고 생각하는 역할부터 수행하는 것을 들 수 있다.
ㄹ. 사회적 차원의 역할 갈등 해결책으로는 역할 간 중요성에 대한 사회적 합의 마련, 한 개인이 여러 가지 역할을 수행할 수 있도록 제도적 장치와 지원 방안 마련 등을 들 수 있다.

오답 선택지 풀이 ㄱ. (가)는 역할 갈등, (나)는 역할이다.
ㄴ. 체험 활동을 박물관으로 갈지 고궁으로 갈지 고민하고 있는 교사의 상황은 역할 간 충돌이 아니므로 역할 갈등에 해당하지 않는다.

21 개인과 사회의 관계를 바라보는 관점

(1) | 모범 답안 | 사회는 개인의 외부에 실제로 존재하며, 독자적인 특성을 지니고 있다고 본다. 사회는 개인들의 합 이상이며, 개인은 사회를 구성하는 요소라고 본다. 사회는 안정적인 구조를 이루고 있고, 개인으로 환원될 수 없는 고유한 성격을 지니고 있다고 본다.

채점 기준	배점
개인과 사회의 관계를 바라보는 관점 중 사회 실재론의 특징을 세 가지 모두 정확하게 서술한 경우	상
개인과 사회의 관계를 바라보는 관점 중 사회 실재론의 특징을 두 가지만 정확하게 서술한 경우	중
개인과 사회의 관계를 바라보는 관점 중 사회 실재론의 특징을 한 가지만 정확하게 서술한 경우	하

(2) | 모범 답안 | 사회는 단지 개인들이 모여 있는 것으로, 실제로 존재하지 않는다고 본다. 사회는 개인들의 집합체에 붙여진 이름에 불과하다고 본다. 개인의 행동은 사회와 관계없이 자신의 자율적인 의지에 따라 이루어진다고 본다.

채점 기준	배점
개인과 사회의 관계를 바라보는 관점 중 사회 명목론의 특징을 세 가지 모두 정확하게 서술한 경우	상
개인과 사회의 관계를 바라보는 관점 중 사회 명목론의 특징을 두 가지만 정확하게 서술한 경우	중
개인과 사회의 관계를 바라보는 관점 중 사회 명목론의 특징을 한 가지만 정확하게 서술한 경우	하

(3) | 모범 답안 | (가) 전체를 위한 개인의 희생을 정당화하고 조장할 우려가 있다. 인간의 주체적이고 능동적인 행위를 설명하기 어렵다.
(나) 극단적인 이기주의로 흐를 우려가 있다. 사회 제도나 사회 구조가 개인의 행위에 미치는 영향력을 간과한다. 개인의 행위나 심리 상태만으로는 설명할 수 없는 사회·문화 현상들이 존재한다.

채점 기준	배점
(가)와 (나)에 나타난 개인과 사회의 관계를 바라보는 관점의 한계를 각각 한 가지씩 정확하게 서술한 경우	상
(가)와 (나)에 나타난 개인과 사회의 관계를 바라보는 관점의 한계를 각각 한 가지씩 대체로 정확하게 서술한 경우	중
(가)와 (나)에 나타난 개인과 사회의 관계를 바라보는 관점의 한계 중 한 가지만 정확하게 서술한 경우	하

22 역할 갈등

(1) (나)

(2) | 모범 답안 | (가)에는 갑에게 기대되는 두 가지 이상의 역할이 나타나지 않으므로 역할 갈등에 해당하지 않는다. (나)에는 병역 의무라는 국민으로서의 역할과 새 앨범 활동이라는 소속사 가수로서의 역할 사이에서 갈등하는 상황이 나타나 있으므로 역할 갈등에 해당한다.

채점 기준	배점
(가), (나)의 역할 갈등 해당 여부를 이유와 함께 모두 정확하게 서술한 경우	상
(가), (나) 중 한 가지에 대해서만 역할 갈등 해당 여부를 이유와 함께 정확하게 서술한 경우	중
(가), (나) 중 한 가지에 대해서만 역할 갈등 해당 여부를 이유와 함께 서술하였으나 그 내용이 미흡한 경우	하

상위 4% 문제 본문 38~39쪽

01 ④ 02 ③ 03 ② 04 ② 05 ④ 06 ④ 07 ②
08 ⑤

01 개인과 사회의 관계를 바라보는 관점

대화에서 갑은 사회가 지니는 특성에 따라 개인의 행위가 달라진다고 보므로 사회 실재론의 관점이다. 사회 실재론은 사회·문화 현상을 이해하거나 사회 문제의 원인을 파악할 때 개인의 특성보다는 사회 제도나 사회 구조적인 측면을 중시한다. 반면 을은 개인의 행위에 대한 이해를 통해서만 사회·문화 현상에 대한 이해가 가능하다고 보므로 사회 명목론의 관점이다. 사회 명목론은 개인을 사회를 변화시키는 능동적 존재로 본다.
ㄱ. 사회 실재론은 사회가 발전해야 개인도 발전한다고 본다.
ㄷ. 사회 실재론과 달리 사회 명목론은 개인의 주체적·능동적 측면을 중시한다.
ㄹ. 사회 명목론과 달리 사회 실재론은 사회가 개인의 외부에 실제로 존재한다고 본다.
오답 선택지 풀이 ㄴ. 개인의 행동이 사회에 의해 구조화된다고 보는 입장은 사회 실재론이다.

02 개인과 사회의 관계를 바라보는 관점

자료 분석

개인과 사회의 관계를 바라보는 관점 A, B
- A: 사회·문화 현상은 개인의 의식이나 사고, 감정 등과는 별개로, 그 자체가 독립적으로 존재하면서 개인에게 영향력을 행사한다. → 사회 실재론
- B: 사회·문화 현상은 개인 간에 서로 [→ 사회 명목론] 다양한 상호 작용을 하는 과정에서 발생하는 것에 불과하다. 따라서 사회·문화 현상은 개인 간의 상호 작용으로 환원될 수 있다.

질문	대답	
	A	B
개인의 행동이 사회에 의해 구조화된다고 보는가? → 사회 실재론: 예 / 사회 명목론: 아니요	(가)	(나)
개인에 대한 사회 구조의 영향력을 간과한다는 비판을 받는가? → 사회 실재론: 아니요 / 사회 명목론: 예	(다)	(라)

사회 실재론은 개인의 행동이 사회에 의해 구조화된다고 보는데 반해 사회 명목론은 개인에 대한 사회 구조의 영향력을 간과한다는 비판을 받으므로, (가)는 '예', (나)는 '아니요', (다)는 '아니요', (라)는 '예'이다.

03 개인과 사회의 관계를 바라보는 관점

자료 분석

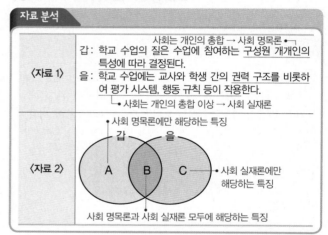

〈자료 1〉	사회는 개인의 총합 → 사회 명목론 ● 갑: 학교 수업의 질은 수업에 참여하는 구성원 개개인의 특성에 따라 결정된다. 을: 학교 수업에는 교사와 학생 간의 권력 구조를 비롯하여 평가 시스템, 행동 규칙 등이 작용한다. → 사회는 개인의 총합 이상 → 사회 실재론

ㄱ. 사회 명목론은 사회 규범이 개인들에 의해 형성되고 변화한다고 본다.
ㄷ. 사회 실재론은 전체로서의 사회의 특성이 개인의 특성을 형성한다고 본다.

오답 선택지 풀이 ㄴ. 개인의 행위가 사회 구조에 구속된다고 보는 것은 사회 실재론이므로, 해당 진술은 C에 해당한다.
ㄹ. 사회는 단지 개인들의 집합체를 가리키는 말에 불과하다고 보는 것은 사회 명목론이므로, 해당 진술은 A에 해당한다.

04 개인과 사회의 관계를 바라보는 관점

표의 (가), (나)에는 사회 명목론과 사회 실재론을 구분할 수 있는 질문이, (다)에는 사회 명목론과 사회 실재론의 공통점을 파악할 수 있는 질문이 들어가야 한다.
② (가)가 '사회 문제의 해결을 위해서는 의식 개혁보다 제도 개선이 중요하다고 보는가?'이면, A는 사회 실재론, B는 사회 명목론이다. 사회 명목론은 사회·문화 현상이 개인의 자율적 의지에 의해 형성된다고 본다.

오답 선택지 풀이 ① (가)가 '사회는 이름만 존재할 뿐 실체가 없다고 보는가?'이면, A는 사회 명목론이다.

③ (나)가 '사회의 이익보다 개인의 이익이 우선한다고 보는가?'이면, B는 사회 명목론이다. 사회 명목론은 사회 계약설과 관련이 깊다. 사회 실재론이 사회 유기체설과 관련이 깊다.

④ (나)가 '사회는 개인의 외부에 실제로 존재한다고 보는가?'이면, A는 사회 명목론이다. 사회의 구속력이 개인의 자유 의지보다 우위에 있다고 보는 것은 사회 실재론이다.

⑤ 사회 실재론과 달리 사회 명목론만 사회가 개인들 간의 계약에 의한 합의로 만들어진다고 보므로 해당 질문은 (다)에 들어갈 수 없다.

05 사회 실재론

제시문의 "사회 환경에 따라 한 개인의 아비투스가 결정된다.", "사회 구조에 의해 형성된 취향 등은 인간의 의사 결정에도 영향을 미치게 된다."라는 문장을 통해 사회 실재론의 입장에서 개인과 사회의 관계를 바라보고 있음을 파악할 수 있다.

ㄴ. 사회 실재론은 인간의 주체적이고 능동적인 행위를 설명하기 곤란하며, 전체를 위한 개인의 희생을 정당화할 우려가 있다는 비판을 받는다.

ㄹ. 사회 실재론은 개인의 행위에 대해 사회 구조 및 제도가 미치는 영향력을 지나치게 강조한다는 비판을 받는다.

오답 선택지 풀이 ㄱ. 극단적인 이기주의로 흐를 수 있음을 간과한다는 것은 사회 명목론에 대한 비판이다.

ㄷ. 개인의 행위나 심리 상태만으로는 설명할 수 없는 사회·문화 현상들이 존재한다는 것은 사회 명목론에 대한 비판이다.

06 사회화 기관의 유형

자료 분석

- A~D는 각각 공식적 사회화 기관, 비공식적 사회화 기관, 1차적 사회화 기관, 2차적 사회화 기관 중 하나이다.
- 가족은 A, D에, 연수원은 B, C에, 정당은 B, D에 해당한다.
  가족은 비공식적 사회화 기관이자 1차적 사회화 기관이다. 연수원은 공식적 사회화 기관이자 2차적 사회화 기관이다. 정당은 비공식적 사회화 기관이자 2차적 사회화 기관이다. 따라서 A는 1차적 사회화 기관, B는 2차적 사회화 기관, C는 공식적 사회화 기관, D는 비공식적 사회화 기관이다.
- ⎿ (가) ⏌를 기준으로 분류할 때 A와 B를 구분할 수 있다.
  (가)에는 1차적 사회화 기관과 2차적 사회화 기관을 구분할 수 있는 내용이 들어가야 한다.
- ⎿ (나) ⏌를 기준으로 분류할 때 C와 D를 구분할 수 있다.
  (나)에는 공식적 사회화 기관과 비공식적 사회화 기관을 구분할 수 있는 내용이 들어가야 한다.

④ 2차적 사회화 기관과 비교하여 1차적 사회화 기관은 주로 기초적인 수준의 사회화를 담당하므로 해당 내용은 (가)에 들어갈 수 있다.

오답 선택지 풀이 ① 또래 집단은 1차적 사회화 기관이므로 A의 사례이다.

② 대중 매체는 비공식적 사회화 기관이므로 D의 사례이다. C의 사례로는 학교, 직업 훈련소를 들 수 있다.

③ 1차적 사회화 기관과 공식적 사회화 기관 모두에서 새로운 지식과 기술의 습득이 이루어진다.

⑤ 공식적 사회화 기관과 비공식적 사회화 기관 모두 자아 정체성 및 사회적 소속감 형성에 영향을 미치므로 해당 질문은 (나)에 들어갈 수 없다.

07 지위와 역할, 역할 갈등

자료 분석

역할 행동에 따라 보상으로 얻은 성취 지위 ●

┌─● 갑의 역할 행동

Scene #1. 갑은 열심히 공부한 결과 평소 꿈꾸던 회계사가 되어 ○○ 기업에 근무하게 된다.

Scene #2. 가난한 집안 출신인 을은 노력 끝에 검사가 되어 승승장구하며 갑과 결혼하게 된다. ●─ 을의 역할 행동

Scene #3. ○○ 기업 회장 병은 무리한 해외 투자로 막대한 손실을 입게 되어 고민하던 중 이를 숨기고 거짓 회계 장부를 작성할 것을 갑에게 지시한다.

Scene #4. 을은 아내인 갑이 불법 회계 장부를 작성하는 것을 보고 모른 척 넘어가야 할지 수사해야 할지 고민한다.

병의 고민은 두 가지 이상의 역할이 동시에 요구되어 나타나는 상황 때문이 아니므로 역할 갈등이 아니다. 그에 반해 을의 고민은 남편으로서의 역할과 검사로서의 역할이 충돌하여 발생한 것이므로 역할 갈등에 해당한다.

② 을은 남편이라는 성취 지위에서 요구되는 역할과 검사라는 성취 지위에서 요구되는 역할 사이에서 발생하는 역할 갈등을 경험하고 있다.

오답 선택지 풀이 ① 갑은 회계사이면서 ○○ 기업의 직원이며, 을의 아내이므로 하나 이상의 성취 지위를 갖고 있다.

③ 병은 역할 갈등을 경험하고 있지 않다.

④ 갑과 을 모두 역할 행동에 따른 보상을 받았다.

⑤ 갑, 을, 병 중 공식적 사회화 기관에 소속된 사람은 없다.

08 사회화, 지위와 역할, 역할 갈등

⑤ 을이 농사를 지을지 사업을 할지 고민하는 것은 두 가지 이상의 역할이 동시에 요구되어 나타나는 상황이 아니므로 역할 갈등이 아니다. 갑은 종합 병원의 원장이라는 지위에 따른 역할과 가족 내에서 아내와 엄마라는 지위에 따른 역할 사이에서 고민하고 있다. 즉 역할 갈등을 경험하고 있음을 알 수 있다.

오답 선택지 풀이 ① 병원은 비공식적 사회화 기관이므로 갑은 비공식적 사회화 기관의 구성원이다.

② 을은 농기계 전문 수리 회사를 창업하여 전국 규모로 키운 것에 대해 우수 경영인상을 받았는데, 이는 역할 행동에 따른 보상이다.

③ 갑은 병원장으로서 업무 수행을 위해 조직 관리를 위한 연수를 받았는데 이는 갑의 재사회화로 볼 수 있다. 그에 반해 을은 주어진 내용만으로는 재사회화를 경험했는지 여부를 알 수 없다.

④ 갑과 을 모두 성취 지위를 갖고 있다.

올쏘 만점 노트 **역할 갈등과 역할 긴장**

역할 갈등	• 양상: 한 개인이 둘 이상의 지위를 가지고 있을 때 각각의 지위에 요구되는 역할 간 충돌 발생 • 사례: 가족 모임과 회사의 중요한 일정이 겹쳐 고민하는 상황
역할 긴장	• 양상: 하나의 지위에 상반된 역할이 요구되어 역할 간 충돌 발생 • 사례: 자유로운 학급 운영을 희망하는 학생들과 엄격한 학급 문화 조성을 요구하는 학부모 사이에서 고민하는 담임 교사의 상황

05 사회 집단과 사회 조직

01 소속감, 소속 집단, 소속 집단, 외집단, 내집단 **02** (1) ㄷ (2) ㄱ (3) ㄹ (4) ㄴ **03** 이익 사회, 공식 조직, 자발적 결사체 **04** (1) 목적 전치 (2) 관료제 조직 (3) 관료제 조직

01 ④ **02** ② **03** ⑤ **04** ④ **05** ② **06** ⑤ **07** ③
08 ② **09** ④ **10** ① **11** ⑤ **12** ② **13** ⑤ **14** ③
15 ③ **16** ② **17~19** 해설 참조

01 사회 집단

제시된 자료에서 (가), (나)는 사회 집단에 해당하지만 (다)는 사회 집단에 해당하지 않는다. 사회 집단이 되기 위해서는 '두 사람 이상, 소속감과 공동체 의식, 구성원 간 지속적인 상호 작용'의 요건을 모두 갖추어야 한다.
ㄴ. (가)와 달리 (나)는 자발적 결사체이므로 '자발적 결사체인가?'의 질문으로 (가)와 (나)를 구분할 수 있다.
ㄹ. (가)와 달리 (다)는 사회 집단이 아니므로, '소속감과 공동체 의식을 갖고 지속적인 상호 작용을 하는가?'의 질문으로 (가)와 (다)를 구분할 수 있다.

오답 선택지 풀이 ㄱ. (다)는 우연히 같은 장소에 있는 사람들일 뿐이므로 사회 집단에 해당하지 않는다.
ㄷ. 선택 의지에 따라 인위적으로 형성된 집단은 이익 사회이다. (가)와 (나) 모두 이익 사회이므로 해당 질문으로는 (가), (나)를 구분할 수 없다.

올쏘 만점 노트 사회 집단의 의미

사회 집단, 사회적 범주, 군중은 둘 이상의 사람들이 모였다는 점에서 유사하다. 그러나 사회적 범주는 사회 인구학적으로 공통점이 있는 사람들의 분류를 의미하는 개념으로, 소속감과 공동체 의식을 가지고 지속적인 상호 작용을 하는 사회 집단과는 차이가 있다. 군중은 공동체 의식과 지속적인 상호 작용 없이 같은 장소에 동시에 모여 있는 사람들을 가리킨다.

02 내집단과 외집단

제시된 자료의 "'우리'는 무조건 좋은 것이고 '남'은 무조건 좋지 않은 것이라는 의미를 함축하고 있는 것이다."라는 문장을 통해 우리 사회의 내집단 의식과 외집단에 대한 경계심을 파악할 수 있다. 따라서 제시된 자료는 '내집단과 외집단'을 설명하기에 적절하다.

오답 선택지 풀이 ①, ③, ④, ⑤의 사회학적 개념은 제시된 자료로 설명하기에는 적절하지 않다.

올쏘 만점 노트 소속 집단과 내집단의 관계

한 개인이 실제로 소속된 집단을 소속 집단이라고 한다. 대부분의 경우 소속 집단이 내집단이 되지만, 소속 집단에 대한 거부감이 강할 경우 내집단으로 받아들이지 않을 수 있다. 이 경우 소속 집단과 내집단은 불일치하게 된다.

03 사회 집단과 사회 조직

자료 분석

갑(경찰)	을(회사원)	병(대학생)	정(고등학생)
• 경찰청 • 야간 대학원 • ㉠ 향우회 • 가족	• 회사 • 사내 야구 동호회 • ㉡ 노동조합 • 환경 단체 • 가족	• 대학교 • 대학교 동아리 • ㉢ 고등학교 총동문회 • 가족	• 고등학교 • 고등학교 자율 동아리 • 가족

• 갑: 경찰청(2차 집단, 이익 사회, 공식 조직)
　야간 대학원(2차 집단, 이익 사회, 공식 조직)
　향우회(이익 사회, 자발적 결사체)
　가족(1차 집단, 공동 사회)
• 을: 회사(2차 집단, 이익 사회, 공식 조직)
　사내 야구 동호회(이익 사회, 비공식 조직, 자발적 결사체)
　노동조합(이익 사회, 공식 조직, 자발적 결사체)
　환경 단체(이익 사회, 공식 조직, 자발적 결사체)
　가족(1차 집단, 공동 사회)
• 병: 대학교(2차 집단, 이익 사회, 공식 조직)
　대학교 동아리(이익 사회, 비공식 조직, 자발적 결사체)
　고등학교 총동문회(이익 사회, 공식 조직, 자발적 결사체)
　가족(1차 집단, 공동 사회)
• 정: 고등학교(2차 집단, 이익 사회, 공식 조직)
　고등학교 자율 동아리(이익 사회, 비공식 조직, 자발적 결사체)
　가족(1차 집단, 공동 사회)

ㄷ. 소속된 자발적 결사체의 개수는 갑이 1개(향우회), 을이 3개(사내 야구 동호회, 노동조합, 환경 단체), 병이 2개(대학교 동아리, 고등학교 총동문회), 정이 1개(고등학교 자율 동아리)이므로 을이 제일 많다.
ㄹ. 갑은 경찰청과 야간 대학원, 을은 회사, 병은 대학교, 정은 고등학교에 각각 소속되어 있으므로, 갑, 을, 병, 정 모두 2차 집단과 공식 조직에 소속되어 있다.

오답 선택지 풀이 ㄱ. 향우회는 선택 의지에 의해 형성된 이익 사회이다.
ㄴ. 노동조합과 고등학교 총동문회 모두 공식 조직이다.

유사 선택지 문제

03 ❶ ○ ❷ ○ ❸ ×

04 준거 집단

제시문의 밑줄 친 부분 '수험생들이 명문대 학과 점퍼를 사 입고 대학생처럼 행동하고 싶어 하는 것'은 명문대를 자신의 준거 집단으로 삼았기 때문이다.
④ 준거 집단은 한 개인이 자신의 신념이나 태도 등을 정하는 기준으로 삼거나 행동 또는 판단의 근거로 여기는 집단으로, 개인의 태도를 결정하는 데 영향을 준다.

오답 선택지 풀이 ① 본질 의지에 의해 형성된 사회 집단은 공동 사회이다.
② 소속 집단의 범위 안에서 설정되는 사회 집단은 비공식 조직이다.
③ 구성원 간 전인격적 관계를 형성하는 사회 집단은 1차 집단이다.
⑤ 공식적인 방식을 통해 구성원을 제재하는 사회 집단은 2차 집단이다.

올쏘 만점 노트 준거 집단

준거 집단과 소속 집단의 일치 여부는 개인의 만족도에 영향을 미친다. 준거 집단이 소속 집단이면 소속 집단에 대한 만족감이 높고 자신감과 안정감을 느낀다. 준거 집단이 소속 집단과 일치하지 않으면 불만을 느껴 준거 집단으로 옮겨 가려고 노력할 수도 있다.

05 사회 집단과 사회 조직

제시된 그림에서 A는 공식 조직과 자발적 결사체 어디에도 해당하지 않고, B는 공식 조직이지만 자발적 결사체에는 해당하지 않으며, C는 공식 조직인 동시에 자발적 결사체이다.

② 가족은 공식 조직도 아니고 자발적 결사체에도 해당하지 않으며, 회사는 공식 조직이지만 자발적 결사체에는 해당하지 않는다. 또한 시민 단체는 공식 조직이면서 자발적 결사체에 해당한다.

06 사회 집단과 사회 조직

모든 비공식 조직과 자발적 결사체는 이익 사회에 포함되며, 모든 비공식 조직은 자발적 결사체에 포함된다. 따라서 제시된 그림의 A는 이익 사회, B는 자발적 결사체, C는 비공식 조직이다.

⑤ 노동조합은 자발적 결사체이지만 공식 조직이므로 '노동조합을 사례로 들 수 있는가?'의 질문으로 B와 C를 구분할 수 있다.

오답 **선택지 풀이** ① 이익 사회는 구성원의 선택 의지에 따라 인위적으로 형성된 사회 집단이므로 공식 조직, 비공식 조직, 자발적 결사체 모두 이익 사회에 해당한다.

② 비공식 조직은 공식 조직 내 구성원들이 '친밀한' 인간관계를 기초로 형성하는 사회 집단이므로 2차 집단보다 1차 집단의 성격이 강하다.

③ 자발적 결사체의 주된 특징이 가입과 탈퇴가 자유롭다는 것이고, 비공식 조직 역시 대체로 그런 편이다.

④ 가족은 자연 발생적으로 형성되는 공동 사회이므로 이익 사회와 자발적 결사체를 구분하기 위한 사례로 적절하지 않다.

07 사회 집단과 사회 조직

제시된 자료에서 공식 조직, 비공식 조직으로 구분하는 질문에 대해 A의 응답만이 다르므로 A는 비공식 조직인 ○○ 고등학교 교직원 마라톤 동호회이고, B와 C는 공식 조직인 ○○ 고등학교와 ○○ 고등학교 인문 사회부 중 하나임을 알 수 있다.

ㄴ. ○○ 고등학교, ○○ 고등학교 인문 사회부, ○○ 고등학교 교직원 마라톤 동호회 모두 구성원들의 선택 의지에 의해 결합된 이익 사회이므로, '공동 사회인가?'라는 질문에 대해 '아니요'라는 같은 응답이 나온다. 따라서 (가)에는 해당 질문이 들어갈 수 있다.

ㄷ. ○○ 고등학교(B, C 중 하나)와 ○○ 고등학교 인문 사회부(B, C 중 하나)는 모두 공식 조직이므로 (나)에는 해당 질문이 들어갈 수 있다.

오답 **선택지 풀이** ㄱ. A는 ○○ 고등학교 교직원 마라톤 동호회이다.

ㄹ. ○○ 고등학교 교직원 마라톤 동호회와 달리 ○○ 고등학교와 ○○ 고등학교 인문 사회부는 자발적 결사체가 아니므로 (나)가 '자발적 결사체인가?'이면, B, C는 각각 ○○ 고등학교와 ○○ 고등학교 인문 사회부 중 하나이다. 그러나 B와 C가 정확히 무엇인지는 알 수 없다.

08 사회 집단과 사회 조직

제시된 자료에서 (가)에는 비공식 조직, (나)에는 자발적 결사체, (다)에는 공동 사회의 개수가 각각 들어가야 한다.

② 비공식 조직은 1개(회사 내 축구단), 자발적 결사체는 3개(회사 내 축구단, 초등학교 총동창회, 환경 시민 연대), 공동 사회는 1개(가족)이다.

09 자발적 결사체

밑줄 친 '△△ 연대 회의'는 시민 단체로, 자발적 결사체에 해당한다.

④ △△ 연대 회의는 이사회, 사무국 등으로 구성되어 있어 공식 조직의 성격이 강하게 나타나므로 규칙과 절차보다 구성원 간 유대가 중시된다고 보기 어렵다.

①, ②, ③, ⑤는 모두 시민 단체의 특징이다.

올쏘 만점 노트 자발적 결사체의 종류

친목 집단	구성원 간 취미나 여가를 공유하고 친밀감과 유대감을 갖기 위해 결성
이익 집단	구성원의 특정 이익을 추구하기 위해 결성
시민 단체	사회 문제의 해결이나 공익 추구를 위해 결성

10 사회 집단과 사회 조직

제시된 자료에서 ㉠은 이익 사회, 공식 조직이고, ㉡은 이익 사회, 비공식 조직, 자발적 결사체이며, ㉢은 이익 사회, 공식 조직, 자발적 결사체에 해당한다.

① ㉠, ㉢은 공식 조직이므로 ㉡보다 조직 규범의 공식성이 높다.

오답 **선택지 풀이** ② ㉠~㉢ 모두 특정 목적에 따라 형성된 집단이므로 해당 내용은 (가)에 들어갈 수 없다.

③ 자발적 결사체는 가입과 탈퇴의 자유가 비교적 높은데, ㉡, ㉢은 자발적 결사체이므로 해당 내용은 (나)에 들어갈 수 없다.

④ 사내 산악회는 △△ 주식회사나 △△ 주식회사 노동조합보다 인간관계의 친밀성이 높으므로 해당 내용은 (다)에 들어갈 수 없다.

⑤ ㉠~㉢ 모두 구성원의 집단에 대한 소속감이 높다고 볼 수 있으므로 해당 내용은 (다)에 들어갈 수 없다.

11 관료제와 탈관료제

제시된 자료에서 A 회사는 탈관료제, B 회사는 관료제를 각각 적용하여 운영하고 있다.

⑤ 연공서열에 따른 보상을 중시하는 관료제와 비교해 탈관료제는 능력과 실적에 따른 보상을 중시한다.

오답 **선택지 풀이** ① 부서 간 경계의 명확성은 관료제가 더 높다.

② 조직 운영의 예측 가능성은 관료제가 더 높다.

③ 환경 변화에 대한 적응력은 관료제에 비해 탈관료제가 높다.

④ 구성원 개인별 업무 세분화의 정도는 탈관료제에 비해 관료제가 높다.

12 관료제와 탈관료제

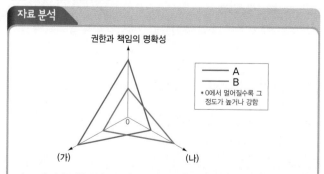

자료 분석

A는 B에 비해 권한과 책임의 명확성이 높으므로 A가 관료제, B는 탈관료제이다. (가)에는 탈관료제에 비해 관료제에서 강하게 나타나는 특성이, (나)에는 관료제에 비해 탈관료제에서 강하게 나타나는 특성이 들어가야 한다.

ㄱ. 업무의 표준화는 규칙과 절차에 따라 업무 수행이 이루어지는 관료제에서 강하게 나타나는 특징이므로 옳은 설명이다.

ㄹ. 관료제 조직은 연공서열에 따른 보상을 중시하고, 탈관료제 조직은 능력과 성과에 따른 보상을 중시하므로 옳은 설명이다.

오답 선택지 풀이 ㄴ. 업무가 세분화·전문화된 관료제 조직은 복잡한 업무를 효율적으로 처리하는 데 유리하므로 틀린 설명이다.

ㄷ. 목적 전치 현상은 관료제 조직에서 나타날 가능성이 높은 문제점이다.

유사 선택지 문제

12 ❶ B ❷ A ❸ ×

13 관료제와 탈관료제

제시된 대화에서 □□ 기업은 규정에 따른 업무 처리를 중시하므로 관료제, ◇◇ 기업은 탄력적 업무 처리를 중시하므로 탈관료제에 따라 운영되고 있음을 알 수 있다. 따라서 (가)에는 관료제 조직에는 해당하지만 탈관료제 조직에는 해당하지 않는 특징을 묻는 질문이 들어가야 한다.

ㄴ. 관료제는 탈관료제에 비해 연공서열에 따른 승진과 보상을 중시한다.

ㄷ. 관료제는 탈관료제에 비해 대부분의 권한이 조직의 상층부에 집중된다.

ㄹ. 관료제는 탈관료제에 비해 지위에 따라 구성원의 권한과 책임이 명확하다.

오답 선택지 풀이 ㄱ. 주로 상향식 의사 결정 방식을 따르는 것은 탈관료제이므로 해당 질문은 (가)에 들어갈 수 없다.

14 관료제의 역기능

관료제 조직에서 나타날 수 있는 문제점으로는 목적 전치 현상, 인간 소외 현상, 변화에 대한 적응력 부족, 무사 안일주의와 복지부동 등을 들 수 있다.

을. 관료제에서는 규약과 절차를 지나치게 강조하여 애초 의도했던 목적 달성이 제대로 이루어지지 못할 수 있다.

병. 관료제에서는 구성원들이 정해진 업무만 하는 과정에서 자율성을 발휘하지 못해 인간 소외 현상이 발생할 수 있다.

오답 선택지 풀이 갑. 관료제에서는 의사 결정 권한이 상층부에 집중된다. 정. 과업 수행에 있어 책임 소재가 불분명하여 불필요한 오해와 갈등이 발생할 수 있는 것은 탈관료제의 문제점이다.

15 관료제와 탈관료제

제시된 표에서 B는 중간 관리층의 역할 비중이 높으므로 관료제이고, A는 탈관료제이다.

ㄴ. 관료제는 업무 처리가 표준화되어 있고, 정해진 규칙과 절차에 따라 업무가 이루어지기 때문에 조직의 안정성 유지에 용이하다.

ㄷ. 관료제와 탈관료제 모두 효율적인 과업 수행을 지향하므로 해당 내용은 (가)에 들어갈 수 있다.

오답 선택지 풀이 ㄱ. 탈관료제 조직은 관료제 조직보다 구성원의 재량권 범위가 넓다.

ㄹ. 탈관료제는 조직의 외부 환경 변화에 능동적이고 유연하게 대처할 수 있으므로 해당 내용은 (나)에 들어갈 수 있다.

16 탈관료제

제시된 조직은 탈관료제의 대표적인 사례들이다.

ㄱ. 탈관료제는 민주적이며 상향식 의사 결정이 이루어지므로 구성원 간의 합의를 통한 의사 결정이 중시된다.

ㄷ. 탈관료제는 능력과 성과에 따른 보상 방식을 중시한다.

오답 선택지 풀이 ㄴ. 수직적 계층화, 수평적 분업화를 이룬 조직 형태는 관료제이다.

ㄹ. 탈관료제는 구성원의 재량권이 넓으므로 구성원의 자의적 판단을 최대한 배제한다고 보기 어렵다.

올쏘 만점 노트 탈관료제 조직의 유형

팀제 조직	• 일시적인 업무를 위해 신속하게 구성되고 해체되는 조직 • 빠른 사회 변화에 대한 적응력이 높고 조직 결성과 해체가 신축적임
네트워크형 조직	• 각각의 전문가들이 평등한 구성원으로서 점과 점으로 이어지는 수평적 조직 • 네트워크를 통해 구성원들이 가진 자원과 정보를 공유하여 조직의 유연성과 적응력이 높음

17 사회 집단

| 모범 답안 | 구성원 간 소속감과 공동체 의식, 지속적인 상호 작용

채점 기준	배점
사회 집단의 구성 요건으로 구성원 간 소속감과 공동체 의식, 지속적인 상호 작용을 정확하게 서술한 경우	상
사회 집단의 구성 요건으로 구성원 간 소속감과 공동체 의식, 지속적인 상호 작용 중 한 가지만 정확하게 서술한 경우	중
사회 집단의 구성 요건으로 구성원 간 소속감과 공동체 의식, 지속적인 상호 작용 중 한 가지만 대체로 정확하게 서술한 경우	하

18 비공식 조직

(1) 비공식 조직

(2) | 모범 답안 | 순기능: 구성원의 만족감과 사기 증진, 공식 조직 내에서의 긴장감과 소외감 해소, 공식적인 과업 수행의 능률과 조직의 효율성을 높이는 데 기여할 수 있다.

역기능: 공식 조직과 비공식 조직의 목표가 다를 때 공식 조직의 효율성을 저해할 수 있고, 개인적 친분 관계가 공식 조직의 업무나 인사에 부정적인 영향을 미칠 수 있다.

채점 기준	배점
비공식 조직의 순기능과 역기능을 각각 두 가지씩 정확하게 서술한 경우	상
비공식 조직의 순기능과 역기능을 각각 두 가지씩 대체로 정확하게 서술한 경우	중
비공식 조직의 순기능과 역기능을 각각 한 가지씩만 정확하게 서술한 경우	하

19 관료제

(1) 관료제

(2) | 모범 답안 | 업무의 세분화·전문화, 규칙과 절차에 따른 업무 수행, 위계의 서열화, 연공서열 중시 등

채점 기준	배점
관료제의 특징 세 가지를 정확하게 서술한 경우	상
관료제의 특징 두 가지만 정확하게 서술한 경우	중
관료제의 특징 한 가지만 정확하게 서술한 경우	하

(3) | 모범 답안 | 목적 전치 현상, 경직된 조직 운영, 인간 소외 현상, 무사 안일주의 등

채점 기준	배점
관료제의 역기능 세 가지를 정확하게 서술한 경우	상
관료제의 역기능 두 가지만 정확하게 서술한 경우	중
관료제의 역기능 한 가지만 정확하게 서술한 경우	하

상위 4% 문제

본문 47쪽

01 ④ **02** ① **03** ④ **04** ③

01 사회 집단과 사회 조직

자료 분석

유형	의미
A	구성원의 <u>선택 의지</u>에 따라 인위적으로 형성된 집단
B	구성원의 선택과 무관하게 <u>본질 의지</u>에 따라 자연적으로 형성된 집단
C	공통의 이익이나 목표를 추구하는 사람들이 모여 자발적으로 형성한 사회 집단
D	E 안에서 구성원 간의 친밀한 인간관계에 바탕을 두고 자발적으로 형성한 사회 집단
E	구성원의 지위와 책임이 명확하게 규정되고, 정해진 절차에 의해 특정 목적을 달성하기 위한 조직

밑줄 친 부분을 통해 A는 이익 사회, B는 공동 사회, C는 자발적 결사체, D는 비공식 조직, E는 공식 조직임을 알 수 있다.

④ 모든 비공식 조직은 자발적 결사체에 포함되므로, 자발적 결사체에 해당하지 않는 비공식 조직의 사례는 존재하지 않는다.

오답 선택지 풀이 ① 1차적 사회화 기관이면서 공동 사회에 해당하는 사례로 가족이 있다.

② 기업은 가입과 탈퇴가 자유로운 사회 조직이 아니므로 탈관료제로 운영된다고 해서 자발적 결사체에 해당하는 것은 아니다.

③ '경주 김씨 종친회'는 이익 사회에만 해당한다.

⑤ 공식 조직 중에는 자발적 결사체인 경우도 있고 아닌 경우도 있다.

02 관료제와 탈관료제

① (가)가 '상황에 따른 유연한 업무 처리보다 표준화된 업무 처리 절차를 중시하는가?'이면 A는 관료제, B는 탈관료제이다. 따라서 A는 B보다 목적 전치 현상이 나타날 가능성이 높다.

오답 선택지 풀이 ② (가)가 '엄격한 위계질서를 강조하는가?'이면, A는 관료제, B는 탈관료제이다. 관료제는 탈관료제보다 구성원의 과업이 세분화된다.

③ (가)가 '규약에 따른 과업 수행보다 창의적인 과업 수행을 중시하는가?'이면, A는 탈관료제, B는 관료제이다. 관료제는 외부 환경 변화에 유연하게 대처하기 어렵다.

④ (나)가 '능력보다 경력을 중시하는 보상 체계를 따르는가?'이면, A는 탈관료제, B는 관료제이다. 관료제는 주로 하향식 의사 결정 방식을 따른다.

⑤ (나)가 '조직의 운영에서 유연성보다 안정성을 중시하는가?'이면, A는 탈관료제, B는 관료제이다. 관료제와 탈관료제 모두 공식적 통제 방식으로 갈등을 해결한다.

03 사회 집단과 사회 조직

제시된 자료에서 모든 C는 A에 포함되므로, A는 자발적 결사체, C는 비공식 조직이다. 따라서 B는 공식 조직이다.

④ 회사 내 노동조합은 자발적 결사체이지만 비공식 조직은 아니므로 (가)에 들어갈 수 있다.

오답 선택지 풀이 ① 자발적 결사체는 가입과 탈퇴가 자유롭다.

② 비공식 조직은 이익 사회의 성격이 강하다.

③ 자발적 결사체와 공식 조직 모두 이익 사회에 포함된다.

⑤ 시민 단체는 자발적 결사체이면서 공식 조직이므로 (나)에 들어갈 수 있다.

04 관료제와 탈관료제

자료 분석

- 그림은 A, B를 특성에 따라 구분한 것이다.
- A, B는 각각 관료제와 탈관료제 중 하나이다.
- A는 B에 비해 직무 수행의 자율성이 높다.

탈관료제는 구성원에게 부여되는 재량권의 범위가 넓어 직무 수행의 자율성이 높다. 따라서 A는 탈관료제, B는 관료제이다.

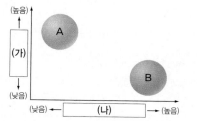

(가)에는 탈관료제가 관료제에 비해, (나)에는 관료제가 탈관료제에 비해 강하게 나타나는 특성이 들어가야 한다.

③ 탈관료제는 관료제에 비해 능력과 실적에 따른 보상을 중시하며, 관료제는 탈관료제에 비해 연공서열에 따른 보상을 중시한다.

오답 선택지 풀이 ① 탈관료제는 관료제에 비해 조직 운영의 예측 가능성이 낮고, 관료제는 탈관료제에 비해 규정과 절차를 중시한다.

② 탈관료제는 관료제에 비해 구성원 개인별 업무의 세분화 정도가 낮고, 관료제와 탈관료제 모두 조직 운영의 효율성을 강조한다.

④ 관료제와 탈관료제 모두 지위 획득의 공정한 기회가 보장되며, 관료제는 탈관료제에 비해 하향식 의사 결정 방식을 중시한다.

⑤ 탈관료제는 관료제에 비해 소수에 의한 권력 독점과 남용의 가능성이 낮고, 관료제는 탈관료제에 비해 환경 변화에 대한 유연한 대처가 어렵다.

06 일탈 행동의 이해

본문 50쪽

01 아노미, 문화적, 제도적, 문화적, 제도적　　02 (1) ㄹ (2) ㄱ
(3) ㄷ, ㄹ (4) ㄴ　03 (1) 낙인 이론 (2) 낙인 이론 (3) 뒤르켐의 아노미
이론 (4) 뒤르켐의 아노미 이론　04 (1) ⓒ (2) ⓐ (3) ⓑ

본문 50~52쪽

01 ①　02 ①　03 ④　04 ③　05 ③　06 ⑤　07 ③
08 ②　09~11 해설 참조

01 일탈 행동

제시된 자료에 따르면 총을 쏘는 행위는 상황에 따라 정상적인 행위가 될 수도 있고 그렇지 않을 수도 있다. 또한 흡연은 시대에 따라 규제의 대상이 되지 않기도 하고 규제의 대상이 되기도 한다. 이는 모두 일탈 행동의 상대성을 보여 준다.

올쏘 만점 노트　일탈 행동의 상대성을 보여 주는 사례

- 머리카락을 짧게 자르는 행동이 조선 시대에는 효의 가치에 어긋나는 행동이었지만, 현대 사회에서는 개성의 표현으로 보는 것
- 1970년대 우리 사회에서는 장발이나 미니스커트가 금지 대상이었지만, 오늘날에는 문제 삼지 않는 것
- 싱가포르에서는 껌을 씹는 행위가 법적 규제의 대상이지만, 우리나라에서는 아닌 것
- 스코틀랜드에서는 남자들이 킬트라는 치마를 입고 다녀도 이상하게 보지 않지만, 우리나라에서는 남자가 치마 입는 것을 자연스러운 행동으로 보지 않는 것
- 여성이 남성과 같이 교육을 받는 것이 우리나라에서는 아무런 문제가 아니지만, 일부 이슬람 국가에서는 사회적으로 용인되지 않는 것
- 수영장에서 수영복을 입는 것은 정상적인 행동으로 받아들여지지만, 길거리에서 수영복을 입는 것은 정상적인 행동으로 받아들여지지 않는 것

02 일탈 행동을 설명하는 이론

제시된 자료 중 A를 설명하기 위해 제시한 자료에서 에드와르도는 '못된 아이'라는 낙인을 통해 일탈 행동을 반복한다. 그리고 B를 설명하기 위해 제시한 자료에서 공자는 '악한 사람과 같이 있으면 그에게 동화되어 악한 사람이 된다.'라고 주장하였다. 따라서 A는 낙인 이론, B는 차별 교제 이론이다.

03 일탈 행동을 설명하는 이론

제시문에서 보편적인 규범의 통제력이 약해져 규범적 혼란을 겪는 것을 일탈 행동의 발생 원인이라고 보므로 뒤르켐의 아노미 이론이다.
④ 뒤르켐의 아노미 이론에서는 일탈 행동의 해결 방안으로 사회 규범의 통제력 회복, 지배적 규범의 마련 등을 제시한다.

오답 선택지 풀이 ① 일탈 행동이 후천적 학습, 즉 사회화의 결과라고 보는 것은 차별 교제 이론이다.
② 차별적인 제재가 일탈 행동을 반복시킨다고 보는 것은 낙인 이론이다.

---

③ 뒤르켐의 아노미 이론은 거시적 차원에서 일탈 행동을 분석한다.
⑤ 뒤르켐의 아노미 이론과는 거리가 먼 설명이다.

올쏘 만점 노트　그림으로 알아보는 아노미 이론

| 뒤르켐의 아노미 이론 | 급격한 사회 변동 → 규범의 붕괴 → 사회 구성원들의 가치관 혼란 → 일탈 |
| 머튼의 아노미 이론 | 문화적 목표와 이를 달성하기 위한 제도화된 수단 간의 괴리 → 일탈 |

04 일탈 행동을 설명하는 이론

자료 분석

(가) 하층에 속한 사람들이 일탈 행동을 많이 한다는 주장이 있지만, 하층에서도 일부만 일탈 행동을 한다. 이들이 일탈 행동을 하는 것은 일탈자와의 상호 작용을 통해 일탈적 가치와 태도를 수용하기 때문이다.
일탈자와의 상호 작용(사회화, 접촉, 교제 등)을 통한 일탈 행동과 그에 대한 우호적 가치의 학습이 일탈 행동의 발생 원인이라고 봄 → 차별 교제 이론 ●

(나) 경제적 성공을 강조하는 문화를 공유하는 사회에서 제도화된 수단이 부족한 특정 계층은 성공에 어려움을 겪게 되고, 이들은 불법적인 방법을 통해서라도 성공하려고 시도함으로써 일탈 행동을 하게 된다.
문화적 목표를 이루기 위한 제도적 수단이 부족하여 불법적인 방법을 사용하는 것이 일탈 행동의 발생 원인이라고 봄 → 머튼의 아노미 이론 ●

③ 일탈 행동의 해결책으로 차별 교제 이론에서는 일탈자와의 접촉 차단, 정상 집단과의 교류 촉진을 제시하며, 머튼의 아노미 이론에서는 문화적 목표를 이룰 수 있는 적절한 제도적 수단의 제공을 제시한다.

유사 선택지 문제

04 ❶ × ❷ ○ ❸ ×

05 일탈 행동을 설명하는 이론

자료 분석

- A~C는 각각 낙인 이론, 뒤르켐의 아노미 이론, 차별 교제 이론 중 하나이다.
- A는 B, C와 달리 일탈 행동이 상호 작용을 통해 학습된다고 본다. → A는 일탈 행동이 학습의 결과라고 보므로 차별 교제 이론이다.
- C는 A, B와 달리 부정적 자아의 내면화가 일탈 행동에 미치는 영향을 중시한다.
  → C는 부정적 자아의 내면화가 일탈 행동에 미치는 영향을 중시하므로 낙인 이론이다. 따라서 B는 뒤르켐의 아노미 이론이다.
- 그림은 A~C를 질문 (가), (나)에 따라 구분한 것이다.

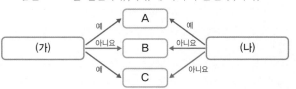

→ (가)에는 차별 교제 이론과 낙인 이론 모두에서 긍정의 대답이 나올 질문이, (나)에는 차별 교제 이론에서만 긍정의 대답이 나올 질문이 들어가야 한다.

ㄴ. 뒤르켐의 아노미 이론과 달리 차별 교제 이론과 낙인 이론은 타인들과의 상호 작용이 일탈 발생 과정에 미치는 영향을 중시하므로 해당 질문은 (가)에 들어갈 수 있다.

ㄷ. 뒤르켐의 아노미 이론, 낙인 이론과 달리 차별 교제 이론은 일탈 행동의 대책으로 정상 집단과의 교류 촉진을 제시하므로 해당 질문은 (나)에 들어갈 수 있다.

오답 선택지 풀이 ㄱ. 급격한 사회 변동으로 인해 일탈 행동이 발생한다고 보는 것은 뒤르켐의 아노미 이론이므로 해당 질문은 (가)에 들어갈 수 없다.

ㄹ. 일탈 행동보다 일탈 행동의 발생 과정에 초점을 맞추는 것은 낙인 이론이므로 해당 질문은 (나)에 들어갈 수 없다.

06 차별 교제 이론

제시된 대화에서 일탈 행동이 사회화의 결과로 나타난다고 보고 있으므로 차별 교제 이론이다.

⑤ 차별 교제 이론은 일탈 집단과의 접촉 및 교류를 차단해야 일탈 행동이 감소할 수 있다고 본다.

오답 선택지 풀이 ① 사회적 낙인의 신중한 접근을 강조하는 것은 낙인 이론이다.

② 일탈에 대한 보편적인 판단 기준이 없다고 보는 것은 낙인 이론이다.

③ 사회적 기회가 차단된 집단의 일탈을 설명하기 용이한 것은 머튼의 아노미 이론이다.

④ 일탈 행동보다 그에 대한 사회 구성원들의 평가를 중시하는 것은 낙인 이론이다.

07 낙인 이론

제시문의 A 이론은 일탈 행동 자체가 갖는 본질적인 특성보다 그 행위가 발생하는 상황과 여건에 주목하여 일탈자로 대우받으면서 새로운 자아가 형성됨을 이야기하므로 낙인 이론이다.

ㄴ. 낙인 이론은 일탈 행동에 대해 구성원마다 다른 기준을 적용하는 것, 즉 차별적인 제재를 하는 것이 일탈 행동의 발생 원인이라고 본다.

ㄷ. 낙인 이론은 일탈 행동 자체보다 그것으로 인해 발생하는 부정적 인식과 그 내면화 과정, 즉 사회적 평가를 더 강조한다.

오답 선택지 풀이 ㄱ. 낙인 이론은 일탈 행동을 규정하는 객관적 기준이 없다고 본다.

ㄹ. 목표와 수단의 불일치 상태로 인해 일탈 행동이 발생한다고 보는 것은 머튼의 아노미 이론이다.

08 일탈 행동을 설명하는 이론

〈자료 1〉의 설명에 의하면 A는 차별 교제 이론, B는 낙인 이론이다.

② 차별 교제 이론과 낙인 이론 모두 타인과의 상호 작용이 일탈 행동의 발생 과정에 미치는 영향을 중시하므로 해당 질문은 (가)에 들어갈 수 있다.

오답 선택지 풀이 ① 차별 교제 이론과 달리 낙인 이론은 일탈 행동을 정의하는 객관적인 기준이 없다고 보므로 해당 질문은 (다)에 들어갈 수 있다.

③ 차별 교제 이론과 낙인 이론 모두 미시적 관점에서 일탈 행동을 바라보므로 해당 질문은 (가)~(다) 어디에도 들어갈 수 없다.

④ 낙인 이론과 달리 차별 교제 이론은 일탈 행동의 해결 방안으로 정상 집단과의 교류 촉진을 중시하므로 해당 질문은 (나)에 들어갈 수 있다.

⑤ 급속한 사회 변동으로 인한 규범 및 가치관의 혼란을 일탈 행동의 원인으로 보는 것은 뒤르켐의 아노미 이론이므로 해당 질문은 (가)~(다) 어디에도 들어갈 수 없다.

올쏘 만점 노트 그림으로 알아보는 차별 교제 이론과 낙인 이론

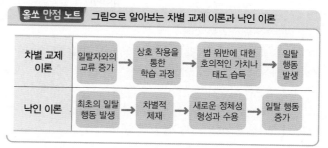

09 일탈 행동의 영향

(1) 일탈 행동

(2) | 모범 답안 | 긍정적 영향: 사회 변동이나 발전의 원동력으로 작용한다. 일탈 행동에 대처하는 과정에서 일탈 방지를 위한 사회적 합의나 대안이 형성될 수 있다. 사회 문제를 표출함으로써 이에 대한 대책을 마련할 수 있는 기회를 제공한다.

부정적 영향: 개인의 삶이 황폐화되고 사회적 자원이 낭비된다. 사회 구성원들의 규범 준수 동기나 의지가 약화된다. 사회 조직의 해체나 사회 질서의 붕괴로 사회 불안정이 초래될 수 있다.

채점 기준	배점
일탈 행동의 긍정적 · 부정적 영향을 각각 한 가지씩 정확하게 서술한 경우	상
일탈 행동의 긍정적 · 부정적 영향을 각각 한 가지씩 대체로 정확하게 서술한 경우	중
일탈 행동의 긍정적 · 부정적 영향 중 한 가지만 정확하게 서술한 경우	하

10 낙인 이론

(1) 낙인 이론

(2) | 모범 답안 | 1차적 일탈(최초의 일탈)이 발생하는 원인을 설명하지 못한다. 사회적으로 낙인이 찍히지 않은 상황에서도 일탈을 저지르는 사람에 대한 설명이 어렵다. 낙인이 찍힌 사람이 일탈 행동을 중단하는 경우를 설명하지 못한다.

채점 기준	배점
낙인 이론의 한계 두 가지를 정확하게 서술한 경우	상
낙인 이론의 한계 두 가지를 대체로 정확하게 서술한 경우	중
낙인 이론의 한계 한 가지만 정확하게 서술한 경우	하

11 머튼의 아노미 이론

(1) 머튼의 아노미 이론

(2) | 모범 답안 | 문화적 목표를 이룰 수 있는 적절한 제도적 수단을 제공한다.

채점 기준	배점
'문화적 목표'와 '제도적 수단'을 포함하여 일탈 행동의 해결책을 정확하게 서술한 경우	상
'문화적 목표'와 '제도적 수단' 중 하나만 포함하여 일탈 행동의 해결책을 서술한 경우	중
'문화적 목표'와 '제도적 수단'을 포함하지 않고 일탈 행동의 해결책을 미흡하게 서술한 경우	하

정답 및 해설

상위 4% 문제　　　　　　　　본문 53쪽

01 ①　**02** ④　**03** ④　**04** ③

01 일탈 행동을 설명하는 이론

제시된 자료에서 (가)는 '문제아'와의 교제로 인해 일탈이 발생한다고 보므로 차별 교제 이론이다. 반면 (나)는 '문제아'로 인식되는 것 때문에 일탈이 발생한다고 보므로 낙인 이론이다.

ㄱ. 차별 교제 이론은 일탈이 일탈자 또는 일탈 집단과의 접촉으로 이루어진 사회화의 산물임을 강조한다.

ㄴ. 낙인 이론은 최초의 일탈, 즉 1차적 일탈로 인해 낙인이 찍히고 그로 인해 발생하는 일탈인 2차적 일탈로 이어지는 과정에 주목한다.

오답 **선택지 풀이** ㄷ. 낙인 이론과 달리 차별 교제 이론은 일탈 행동의 객관적 기준이 존재하며, 특정 행동이 갖고 있는 본질적인 속성에 의해 일탈이 규정된다고 본다.

ㄹ. 차별 교제 이론과 낙인 이론 모두 타인들과의 상호 작용이 일탈에 미치는 영향을 중시한다.

02 일탈 행동을 설명하는 이론

자료 분석

• A~C는 각각 낙인 이론, 머튼의 아노미 이론, 차별 교제 이론이다.

• '사회 구성원 대다수의 반응에 의해 일탈 행동이 규정된다고 보는가?'의 질문에 대해 A는 긍정의 대답을, B와 C는 부정의 대답을 한다.

　→ '사회 구성원의 반응', 즉 낙인에 의해 일탈 행동이 규정된다고 보는 A는 낙인 이론이며, B와 C는 각각 머튼의 아노미 이론과 차별 교제 이론 중 하나이다.

• 질문 (가)에 대해 A는 ㉠, B는 ㉡, C는 ㉢의 대답을 한다.

　→ 질문 (가)의 내용에 따라 A~C의 대답은 달라지는데, 이때 B, C가 특정 이론으로 규정되지 않았다는 점에 유의한다.

④ 낙인 이론, 머튼의 아노미 이론과 달리 차별 교제 이론은 일탈 행동을 사회화의 결과로 보므로 (가)에 해당 질문이 들어가면 ㉠은 '아니요'이고 ㉡, ㉢ 중 하나는 '예'이다.

오답 **선택지 풀이** ① A는 낙인 이론이다.

② 일탈에 대한 규정이 상대적이라고 보는 것은 낙인 이론이다.

③ 낙인 이론은 미시적 관점에서 일탈 행동을 분석한다.

⑤ 차별 교제 이론과 낙인 이론은 타인과의 상호 작용이 일탈 행동의 발생 과정에 미치는 영향을 강조하므로, ㉠은 '예'이고 ㉡과 ㉢ 중 하나도 '예'이다.

03 일탈 행동을 설명하는 이론

④ 차별 교제 이론과 달리 낙인 이론은 일탈 행동을 규정하는 기준이 상대적이라고 보므로 해당 질문은 (다)에 들어갈 수 있다.

오답 **선택지 풀이** ① 차별 교제 이론과 달리 낙인 이론은 차별적 제재로 인해 일탈 행동이 발생한다고 보므로 해당 질문은 (가)가 아닌 (다)에 들어갈 수 있다.

② 사회의 지배적인 규범이 약화될 때 일탈 행동이 증가한다고 보는 것은 뒤르켐의 아노미 이론이므로 해당 질문은 (가)~(다) 어디에도 들어갈 수 없다.

③ 차별 교제 이론과 낙인 이론은 일탈 행동의 발생 원인으로 개인과 개인 간의 상호 작용 측면을 강조하므로 해당 질문은 (가)~(다) 어디에도 들어갈 수 없다.

⑤ 일탈 행동의 해결 방법으로 사회 규범의 통제력 강화를 주장하는 것은 뒤르켐의 아노미 이론이므로 해당 질문은 (가)~(다) 어디에도 들어갈 수 없다.

04 일탈 행동을 설명하는 이론

자료 분석

교사: 일탈 이론 A~C에 대해 발표해 보세요.

갑: A는 일탈에 대한 <u>사회적 반응과 이에 대한 당사자의 인식 및 행동</u>에 주목합니다.

　→ '사회 구성원의 반응', 즉 낙인에 대해 주목하므로 A는 낙인 이론이다.

을: B는 사회의 <u>지배적인 규범이 약화되거나 해체될 때 일탈 행동이 증가</u>한다고 봅니다.

　→ '지배적 규범의 약화 또는 해체', 즉 아노미에 의해 일탈 행동이 발생한다고 보는 B는 뒤르켐의 아노미 이론이다. 따라서 C는 차별 교제 이론이다.

병: C는 ┃　　　　　　　(가)　　　　　　　┃

교사: 갑, 을은 정확히 대답했지만, 병은 C를 A로 착각하고 있습니다.

　→ 병은 차별 교제 이론을 낙인 이론으로 착각하고 있으므로, (가)에는 낙인 이론에 대한 설명이 들어가야 한다.

ㄴ. 뒤르켐의 아노미 이론은 급속한 사회 변동으로 인한 규범의 부재, 즉 아노미 현상으로 일탈 행동이 발생한다고 본다.

ㄷ. 차별 교제 이론은 일탈 행동의 해결 방안으로 일탈자와의 교류 차단 및 정상 집단과의 교류 촉진을 중시한다.

오답 **선택지 풀이** ㄱ. 낙인 이론은 일탈을 규정하는 객관적 기준이 존재하지 않는다고 본다.

ㄹ. 일탈 행동의 해결 방안으로 합법적 목표를 달성할 수 있는 적절한 제도적 수단의 제공을 제시하는 것은 머튼의 아노미 이론이므로 해당 진술은 (가)에 들어갈 수 없다.

07 문화의 이해

💡 개념 확인 문제
본문 56쪽

01 (1) 좁은 (2) 보지 않는다 (3) 보편성 **02** ㉠ 학습성, ㉡ 변동성, ㉢ 전체성(총체성), ㉣ 축적성, ㉤ 공유성 **03** (1) ㉡ (2) ㉢ (3) ㉠ **04** (1) ㄱ (2) ㄹ (3) ㄴ (4) ㄷ

📝 시험에 꼭 나오는 문제
본문 56~61쪽

01 ⑤ **02** ④ **03** ③ **04** ② **05** ③ **06** ③ **07** ③
08 ① **09** ④ **10** ④ **11** ⑤ **12** ④ **13** ① **14** ④
15 ④ **16** ③ **17** ② **18** ⑤ **19** ④ **20** ④
21~23 해설 참조

01 문화의 의미

(가)는 좁은 의미의 문화, (나)는 넓은 의미의 문화이다.
⑤ 좁은 의미의 문화는 지식이나 기술의 발전 단계 또는 교양 수준의 높고 낮음이라는 평가적 의미를 내포한다.

오답 선택지 풀이 ① (나)는 삶의 방식 자체를 의미한다.
②, ③ (가)는 인간의 사회적·후천적인 생활 양식 중에서 예술적이고 교양 있거나 세련된 것을 가리킨다. (나)에 따르면 인간의 모든 행위가 문화이다.
④ (가)는 문화를 발전, 진화와 같은 개념으로 인식한다.

올쏘 만점 노트 문화의 어원

문화(culture)는 라틴어 'cultura'에서 온 말로, '밭을 경작하다.'라는 의미를 담고 있다. 문화의 어원을 통해 자연환경에 인위적인 힘을 가해 필요한 자원을 확보하려는 행위로부터 문화가 발달하였음을 알 수 있다.

02 문화의 의미

갑은 좁은 의미의 문화, 을은 넓은 의미의 문화 개념을 사용하고 있다.
④ 넓은 의미의 문화는 인간이 향유하고 있는 모든 생활 양식의 총체를 의미하므로 좁은 의미의 문화를 포함하는 개념이다. 따라서 넓은 의미의 문화는 좁은 의미의 문화에 비해 문화에 속하는 행위가 다양하다고 본다.

오답 선택지 풀이 ① 갑은 문화를 평가의 대상으로 본다.
② 을은 문화를 인간의 모든 생활 양식의 총체로 간주한다.
③ 갑은 문명과 문화의 의미를 동일시한다.
⑤ 갑과 을 모두 생물학적 본능에 의한 행동은 문화로 보지 않는다.

03 문화의 의미

(가)는 '좁은 의미의 문화', (나)는 '넓은 의미의 문화'이다.

오답 선택지 풀이 ① (나)에서의 '문화'가 대중문화에서의 '문화'와 같은 의미로 사용되었다.
② (가)에서의 '문화'가 고급스럽고 세련된 것이다.
④ (나)에서의 '문화'에 해당하는 것이 (가)에서의 '문화'에 해당하지 않을 수 있다.

⑤ (가), (나)에서의 '문화'는 모두 자연환경에 인위적인 힘을 가한 인간 행위의 결과로 본다.

04 문화의 속성

제시문은 중·고등학교의 학생복 문화가 시대 변화에 따라 조금씩 변화해 온 모습을 보여 준다. 이처럼 문화는 시간이 흐르면서 변화하는데, 이를 문화의 변동성이라고 한다.

오답 선택지 풀이 ① 문화의 학습성에 대한 설명이다.
③ 문화의 공유성에 대한 설명이다.
④ 문화의 축적성에 대한 설명이다.
⑤ 문화의 전체성(총체성)에 대한 설명이다.

05 문화의 속성

사례는 한 사회의 구성원 다수가 공통으로 가지고 있는 생활 양식이 존재함을 보여 준다. 이와 같은 문화의 속성을 문화의 공유성이라고 한다. 공통의 행동과 사고방식은 사회 구성원들이 서로의 행동을 예측하고 이해할 수 있게 함으로써 안정적인 사회생활을 하는 데 바탕이 된다.

오답 선택지 풀이 ① 문화의 축적성에 대한 설명이다.
② 문화의 학습성에 대한 설명이다.
④ 문화의 변동성에 대한 설명이다.
⑤ 문화의 전체성(총체성)에 대한 설명이다.

06 문화의 속성

한 사회의 문화 요소들은 독립적으로 존재하는 것이 아니라 상호 유기적인 관계를 유지하면서 하나로서의 전체를 이루고 있는데, 이를 문화의 전체성(총체성)이라고 한다.

오답 선택지 풀이 ① 문화의 학습성에 대한 설명이다.
② 문화의 변동성에 대한 설명이다.
④ 문화의 축적성에 대한 설명이다.
⑤ 문화의 공유성에 대한 설명이다.

07 문화의 속성

첫 번째 사례에는 축적성, 두 번째 사례에는 학습성, 세 번째 사례에는 전체성(총체성)이 뚜렷하게 드러나 있다.

올쏘 만점 노트 문화의 속성 개념

학습성	문화는 선천적·유전적으로 나타나는 행동이 아니라 후천적 학습에 의해 형성되는 생활 양식임
공유성	문화는 한 사회의 구성원 다수가 공통적으로 가지고 있는 생활 양식임
전체성 (총체성)	문화는 여러 구성 요소들이 상호 유기적으로 결합된 하나로서의 총체이므로 부분이 아닌 전체로서 의미를 갖는 생활 양식임
변동성	문화는 시간이 흐르면서 그 형태나 내용, 의미가 변화하는 생활 양식임
축적성	문화는 세대 간 전승되면서 새로운 요소가 추가되어 점점 더 풍부해지는 생활 양식임

08 문화의 속성

갑의 말에는 문화의 학습성, 을의 말에는 문화의 축적성, 병의 말에는 문화의 변동성이 나타난다.

09 문화의 속성

자료 분석

(가) 이탈리아에서 하얀 국화는 조문(弔問)의 의미로 사용된다. 만약 어떤 사람의 집 앞에 순백의 국화 화환이 놓여 있다면, 그것을 본 마을 사람들은 그 집에 사는 누군가가 죽은 것으로 생각할 것이다. 그리고 하얀 국화를 그 집 앞에 놓으며 애도를 표할 것이다.

문화는 한 사회의 구성원이 공통으로 가지는 생활 양식이라는 속성이 있는데, 이를 문화의 공유성이라고 한다. 즉 어느 한 개인에게만 나타나는 행동이나 사고방식을 문화라고 하지 않는다. 이러한 문화의 공유성 때문에 한 사회의 구성원은 특정한 상황에서 상대방이 어떻게 행동할 것인지 또는 서로에게 무엇을 기대하는지를 예측할 수 있으므로 원활한 사회생활이 이루어진다.

(나) 목초지가 넓었던 서유럽에서는 목축업이 발달했으며, 이에 따라 밀, 유제품, 육류를 중심으로 하는 식생활 문화가 형성되었다. 또한 양모를 활용하여 의복을 만들고, 농가 주택에는 치즈를 만들거나 가축을 도축하는 데 사용되는 공간이 있는 주거 문화가 형성되었다.

한 사회의 문화는 지식, 가치, 예술, 규범, 제도 등 수많은 요소로 구성되어 있고, 이러한 문화 요소는 별도로 기능하는 것이 아니라 서로 긴밀한 유기적 연관성을 지니고 있다. 이러한 문화의 속성을 문화의 전체성이라고 한다. 문화는 여러 구성 요소가 상호 유기적으로 결합한 하나의 총체이므로 부분이 아닌 전체로서 의미가 있는 생활 양식이다. 따라서 문화의 한 부분이나 요소가 변동하면 연쇄적으로 다른 부분에도 영향을 미치게 된다.

(가)에는 문화의 공유성, (나)에는 문화의 전체성(총체성)이 나타나 있다.

오답 선택지 풀이 ㄱ. 문화의 변동성에 대한 설명이다.
ㄷ. 문화의 학습성에 대한 설명이다.

유사 선택지 문제

09 ❶ × ❷ ○ ❸ (가)

올쏘 만점 노트 문화의 속성 사례

학습성	한국인으로 태어난 아이가 성장하면서 한국인으로서의 예절을 배움
공유성	'함 사세요!'라고 외치는 소리를 들으면 한국 사람들은 이웃집의 자녀가 결혼할 것이라고 생각함
전체성 (총체성)	우리 민족의 음식 문화는 이 땅의 기후는 물론 조상들의 종교적 신념, 가족에 대한 전통적 관념 등과 밀접하게 관련되어 있음
변동성	훈민정음의 자음은 원래 17자였으나 지금은 14자만 사용되고 있음
축적성	단순히 소금에 절여 먹던 김치에 고춧가루 등의 갖은 양념들이 추가되면서 오늘날 우리나라의 김치 문화가 더욱 풍부해짐

10 문화의 속성

문화의 공유성은 문화란 한 사회의 구성원들이 공통으로 가지고 있는 생활 양식임을 의미한다. 공유성은 한 사회의 구성원들이 그들만의 문화를 누리고 있다는 것이므로 이러한 특성으로 인해 우리는 서로 다른 사회를 구분할 수 있다.

오답 선택지 풀이 ①, ③ 문화의 학습성에 대한 설명이다. 선천적이고 본능적인 행위나 유전적 요인에 따른 행동은 문화로 보지 않는다.
② 문화의 보편적인 특성을 표현한 것이다.
⑤ 문화의 전체성(총체성)에 대한 설명이다.

올쏘 만점 노트 문화의 보편성과 특수성

시대와 공간을 초월하여 어느 사회에서나 공통적으로 나타나는 생활 양식이 있음을 일컬어 문화의 보편성이라고 한다. 동시에 문화는 각 사회가 처한 자연환경이나 사회적 상황에 따라 다양하게 나타나는데, 이를 문화의 특수성이라고 한다.

11 문화 이해의 관점

모둠 1은 총체론적 관점에서, 모둠 2는 비교론적 관점에서 조사 계획을 수립해 발표하였다.

올쏘 만점 노트 문화 이해의 관점

총체론적 관점	• 의미: 특정한 문화 요소를 이해하기 위해 다른 문화 요소나 전체와의 관련 속에서 문화의 의미를 파악함 • 근거: 한 사회의 문화는 다양한 요소들로 구성되어 있으며, 각 요소는 개별적으로 존재하는 것이 아니라 상호 유기적인 관계를 맺으면서 하나로서의 전체를 이루고 있기 때문임
비교론적 관점	• 의미: 서로 다른 문화를 비교하면서 공통점과 차이점을 분석함으로써 보편성과 특수성을 파악함 • 장점: 자문화를 객관적으로 이해할 수 있고, 다른 문화에 대한 이해의 폭을 넓힐 수 있음
상대론적 관점	• 의미: 해당 문화를 그 문화가 발생한 사회의 자연환경, 사회적 상황, 역사적 맥락 등을 고려하여 이해함 • 장점: 문화를 향유하는 사회 구성원들의 입장에서 접근하기 때문에 다른 문화를 편견 없이 이해할 수 있음

12 문화 이해의 관점

갑은 비교론적 관점, 을은 총체론적 관점에서 연구 주제에 접근하고 있다.

13 문화 이해의 관점

제시문은 한국과 중국, 일본의 젓가락 문화를 비교하여 그 차이를 설명하고 있다. 비교론적 관점은 서로 다른 문화 간 비교를 통해 문화의 보편성과 특수성을 파악하여 자기 문화에 대한 객관적 이해와 올바른 안목을 형성할 수 있게 한다.

오답 선택지 풀이 ㄷ. 자문화 중심주의에 대한 설명이다.
ㄹ. 총체론적 관점에 대한 설명이다.

14 문화 이해의 관점

제시문에서는 벼농사와 밥이라는 문화 요소가 사회의 다른 문화 요소와 유기적으로 연결되어 있음을 보여 주고 있다. 이는 총체론적 관점을 따른 것으로, 총체론적 관점에 의하면 문화 현상을 제대로 이해하기 위해서는 전체 문화의 맥락 속에서 그 의미를 파악해야 한다.

오답 선택지 풀이 ① 문화의 우열을 평가할 수 있다는 관점에 기초하여 문화의 상대성을 부정하는 태도이다.
②, ⑤ 비교론적 관점에 따른 설명이다.
③ 극단적 문화 상대주의를 경계하는 태도이다.

15 문화 이해의 관점

제시문은 산업화와 도시화에 따라 가족 문화가 연쇄적으로 변화하였음을 말하고 있다. 이를 통해 총체론적 관점을 도출할 수 있다.

오답 선택지 풀이 ①, ② 상대론적 관점에 따른 설명이다.

③ 문화 이해뿐만 아니라 연구에 있어서 객관적인 태도를 강조하는 표현이다.
⑤ 비교론적 관점에 따른 설명이다.

16 문화 이해의 태도

밑줄 친 문화 인식 태도는 자문화 중심주의이다.
③ 타 문화 요소의 수용이 용이한 것은 문화 사대주의의 순기능에 해당한다.

> **올쏘 만점 노트** 문화 이해 태도의 기능

자문화 중심주의	자기 집단의 문화적 우월성을 근거로 집단 구성원들 사이에 연대감과 충성심을 형성하도록 유도할 수는 있으나, 타 집단의 문화에 대해서는 배타 의식을 형성하게 하여 집단 간 갈등을 유발함
문화 사대주의	타 문화의 우수한 점을 받아들여 자국의 문화 발전에 기여할 수는 있으나, 자기 문화의 정체성이나 주체성을 상실할 우려가 있음
문화 상대주의	타 문화를 올바르게 이해함으로써 문화적 다양성을 보존하는 데 기여할 수 있으나, 극단적 문화 상대주의로 치우칠 경우 보편적 가치의 실현을 저해할 수 있음

17 문화 이해의 태도

제시문에는 문화 사대주의가 나타나 있다. 문화 사대주의는 특정 국가나 민족의 문화를 우월한 것으로 여기고 추종하며 자신이 속한 집단의 문화를 낮게 평가하는 태도이다.

오답 선택지 풀이 ㄴ. 비교론적 관점에 대한 설명이다.
ㄹ. 문화 상대주의에 대한 설명이다.

18 문화 이해의 태도

> **자료 분석**
>
> 자신의 문화와 다른 문화를 대할 때 (가)는 <u>자기 사회의 관점을 내세워 다른 사회의 문화가 지닌 가치를 업신여긴다.</u> 이와 달리
> └▶자문화 중심주의
> (나)는 <u>다른 사회의 관점을 내세워 자기 사회의 문화가 지닌 가치를 평가 절하한다.</u> 한편 (다)는 <u>자기 사회의 관점을 내세우지</u>
> └▶문화 사대주의
> <u>않고, 해당 문화가 존재하는 사회의 관점을 통해 문화의 의미를 파악하려고 노력한다.</u>
> └▶문화 상대주의
> • 자문화 중심주의는 자기 문화의 우수성을 내세워 타 문화를 낮게 평가하는 태도로, 자기 문화에 대한 자부심을 강화함으로써 사회 통합에 기여할 수 있다고 생각하는 관념이나 신념이다.
> • 문화 사대주의는 타 문화의 우수성을 내세워 자기 문화를 낮게 평가하는 태도로, 타 문화를 받아들이는 것은 자기 문화의 낙후성을 개선하고 선진 문물의 수용에 기여할 수 있다고 생각하는 관념이나 신념이다.
> • 문화 상대주의는 문화를 우열 평가가 아닌 이해의 대상으로 간주하며, 각 문화가 해당 사회의 맥락에서 갖는 고유한 의미를 존중하려는 태도이다.

⑤ 문화 제국주의로 변질될 가능성이 높은 문화 이해의 태도는 자문화 중심주의이다. 문화 제국주의는 주로 강대국이 주변의 약소국들을 문화적으로 지배하는 것을 의미한다. 즉 강대국이 세계를 대상으로 자국 문화의 우월함을 드러내거나 문화 산업을 통해 경제적·문화적 지배력을 행사하는 것이다.

오답 선택지 풀이 ① 타 문화 수용에 적극적인 태도는 문화 사대주의이다.
② 사회 구성원들의 결속력을 강화시키는 태도는 자문화 중심주의이다.
③ 타 문화와 문화적 마찰을 일으킬 가능성이 높은 태도는 자문화 중심주의이다.
④ 문화적 다양성 증진에 기여하는 태도는 문화 상대주의이다.

> **유사 선택지 문제**
>
> 18 ❶ 자문화 ❷ (가), (나) ❸ ○

19 문화 이해의 태도

갑은 문화 상대주의, 을은 자문화 중심주의, 병은 문화 사대주의의 태도를 취하고 있다.
④ 자문화 중심주의는 자기 문화를 기준으로, 문화 사대주의는 다른 사회의 문화를 기준으로 문화를 평가한다.

오답 선택지 풀이 ① 갑의 태도는 타 문화에 대한 객관적인 이해에 기여한다.
② 갑의 태도가 문화의 다양성을 보존하는 데 기여한다.
③ 병은 문화 사대주의적 태도를 지니고 있다.
⑤ 병의 태도가 자문화의 주체성을 상실할 수 있다.

20 문화 이해의 태도

갑의 태도는 문화 사대주의, 을의 태도는 자문화 중심주의에 해당한다. 자문화 중심주의는 자기 문화의 우수성을 내세워 다른 문화를 낮게 평가하는 태도이다.

오답 선택지 풀이 ① 을의 태도가 타 문화와 갈등을 유발한다는 비판을 받는다.
② 갑의 태도가 자기 문화의 정체성을 약화시킨다.
③ 갑과 을 모두 문화 간에 우열이 있다고 생각한다.
⑤ 타 문화의 수용에 대해 긍정적인 것은 갑뿐이다. 을은 타 문화의 수용에 대해 부정적이다.

21 문화의 속성

(1) ㉠: 학습성, ㉡: 공유성, ㉢: 전체성(총체성), ㉣: 변동성, ㉤: 축적성

(2) | 모범 답안 | 문화는 여러 구성 요소가 상호 유기적으로 결합하여 부분이 아닌 전체로서 의미가 있는 생활 양식이기 때문이다.

채점 기준	배점
문화 요소 간 상호 유기적 결합 등 총체론적 관점에 대한 설명을 정확하게 서술한 경우	상
총체론적 관점에 해당하는 설명을 서술하였으나 내용이 미흡한 경우	중
총체론적 관점에 해당하는 설명을 제대로 서술하지 못한 경우	하

22 문화 이해의 관점

(1) 비교론적 관점

(2) | 모범 답안 | 비교론적 관점으로 문화를 이해할 때 자기 문화의 특징을 더 명료하게 이해할 수 있으며, 다른 문화에 대해서도 더 잘 이해할 수 있기 때문이다.

채점 기준	배점
비교론적 관점이 자기 문화 이해와 다른 문화 이해에 도움이 된다는 점을 모두 서술한 경우	상
비교론적 관점이 자기 문화 이해와 다른 문화 이해에 도움이 된다는 점 중 하나만 서술한 경우	중
비교론적 관점의 이점에 대해 제대로 서술하지 못한 경우	하

23 문화 이해의 태도

(1) A: 문화 사대주의, B: 자문화 중심주의, C: 문화 상대주의

(2) | 모범 답안 | 모든 문화를 무조건 인정하려는 극단적 문화 상

정답 및 해설

대주의는 인간의 존엄성이나 생명 존중과 같은 보편적 가치의 실현을 저해할 수 있으므로 극단적 문화 상대주의에 빠지지 않도록 경계해야 한다.

채점 기준	배점
보편적 가치를 부정하는 문화까지 긍정해서는 안 된다는 점과 극단적 문화 상대주의를 경계해야 한다는 내용을 모두 언급한 경우	상
보편적 가치를 부정하는 문화까지 긍정해서는 안 된다는 점과 극단적 문화 상대주의를 경계해야 한다는 내용 중 하나만 언급한 경우	중
문화 상대주의가 유의해야 할 점을 미흡하게 서술한 경우	하

쓰음 상위 4% 문제 본문 62~63쪽

01 ③ 02 ④ 03 ④ 04 ② 05 ③ 06 ② 07 ②
08 ④

01 문화 관련 개념

제시문은 일본과 우리나라의 가옥이 환경의 차이로 인해 다르게 나타나고 있음을 보여 준다.
ㄴ. 일본과 우리나라가 각각의 독특한 자연환경과 역사적 배경 속에서 고유한 문화를 발전시켜 왔다는 내용이므로 문화의 특수성을 도출해 낼 수 있다.
ㄷ. 일본과 우리나라의 서로 다른 문화를 비교하면서 공통점과 차이점을 파악하였으므로 비교론적 관점을 도출해 낼 수 있다.

오답 선택지 풀이 ㄱ. 제시된 내용만으로는 공유성을 도출해 내기 어렵다.
ㄹ. 좁은 의미의 문화는 고상하거나 세련된 것, 고급스러운 것 등 특별한 의미를 가지고 있는 생활 양식을 가리킬 때 사용되는데, 제시문에는 인간의 모든 생활 양식을 의미하는 넓은 의미의 문화가 나타나 있다.

02 문화의 속성

자료 분석

뉴기니 고산 지대의 챔바가족은 이웃 부족과 정기적으로 전쟁을 하는데, 그 전쟁의 준비 단계에서 카이코(kaiko)라는 의례를 행한다. 이 의례는 동맹군으로 참가할 주위의 부족 집단들이 모여서 그동안 길러 온 돼지를 잡아 나누어 먹는 잔치이다. 이 의례에 대한 문화 인류학적 해석은 다음과 같다. 챔바가족은 고산 지대에서 이동식 원시 농경을 하여 주곡인 고구마와 타로 등 전분질이 많은 작물을 재배한다. 이러한 작물은 주민들에게 단백질을 충분히 공급하지 못하는데, 이를 해결하는 효과적인 방법은 돼지를 사육하여 잡아먹는 것이다. 번식률이 높은 돼지의 급격한 증가는 곧 사료의 부족을 낳게 되고, 이로 인해 사람의 식량이 부족해진다. 결국 <u>사람과 식량 그리고 돼지 사이의 수적 균형 관계가 깨질 때 전쟁과 카이코가 행해진다.</u>
밑줄 친 부분을 통해 '카이코'라는 의례를 이해하기 위해서는 먼저 챔바가족의 자연환경과 음식 문화를 알아야 함을 알 수 있다. 즉 카이코는 이들 부족의 식생활과 밀접한 관련이 있기 때문에 카이코를 전쟁 의식으로만 이해하면 올바른 이해라고 할 수 없는 것이다.

문화의 각 부분들은 상호 밀접한 관련을 가지면서 전체로서 하나의 체계를 이루고 있는데, 이를 문화의 속성 중 전체성이라 한다. 문화의 전체성에 의해 문화의 한 부분이나 요소가 변동하면 연쇄적으로 다른 부분에도 영향을 미치게 된다.

03 문화의 속성

'서로 다른 나라에서 자란 일란성 쌍둥이 형제의 사고방식 차이 비교'는 문화의 학습성을 조사하는 주제로 적절하다. 우리 전통 사회에서 중요하게 생각하였던 한식, 단오 등의 명절 의미가 퇴색한 것이나, 주거 양식이 한옥에서 아파트와 서양식 건축 형태로 바뀐 것 등이 문화의 변동성을 보여 준다.

04 문화의 속성

그림 속 상황은 문화의 공유성으로 인해 그 사회의 구성원들이 서로의 행동을 이해하고 예측할 수 있으며, 원활한 사회생활을 할 수 있음을 보여 준다.

오답 선택지 풀이 ㄴ. 문화의 축적성에 대한 설명이다.
ㄹ. 문화의 전체성(총체성)에 대한 설명이다.

05 문화 상대주의와 극단적 문화 상대주의

자료 분석

문화 상대주의는 돼지고기를 먹지 않는 이슬람교도나 소고기를 먹지 않는 힌두교도들을 '비합리적'이라거나 '무식하다.'라고 믿었던 기존의 편견을 바로잡는 데 기여하는 등 문화 이해의 올바른 지표를 제공해 주었다. 그러나 문화 상대주의가 극단적으로 나아갈 경우에는 '모든 것은 존재할 만한 이유가 있어서 존재한다. 그러므로 존재하는 것은 모두 유용한 것이다.'라는 결론에 도달할 수 있다. 그러나 <u>이는 문화를 이해하는 바람직한 자세가 아니다. 왜냐하면</u>
한 사회의 문화를 올바르게 이해하기 위해서는 그 사회의 자연환경과 역사적 맥락을 고려하여 각 사회의 문화가 지닌 고유한 특성과 가치를 인정하는 태도가 필요하다. 이러한 문화 이해의 태도를 문화 상대주의라고 한다. 오늘날과 같이 국제 교류가 활발한 상황에서 문화 상대주의는 세계의 문화적 다양성을 보존하는 데 이바지할 수 있다. 그러나 모든 문화를 무조건 존중해야 하는 것은 아니다. 예를 들어 가족이나 부족의 명예를 실추하였다는 이유로 구성원을 살해하는 명예 살인과 같이 인간의 존엄성을 훼손하는 문화까지 인정해 주어야 하는 것은 아니다. 모든 문화를 무조건 인정하려는 극단적 문화 상대주의는 인간의 존엄성이나 생명 존중과 같은 보편적 가치의 실현을 저해할 수 있다. 따라서 극단적 문화 상대주의에 빠지지 않도록 유의하면서 문화의 다양성을 이해하고 공존하기 위해 노력하는 자세가 중요하다.

문화 상대주의적 태도로 문화를 이해하는 것이 인간의 존엄성을 침해하거나 인간에게 고통을 주는 관습과 제도까지 모두 인정해야 하는 것은 아니다.

06 문화 이해의 태도

(가)는 자문화 중심주의, (나)는 문화 상대주의, (다)는 문화 사대주의이다.
ㄱ. 자문화 중심주의는 자기 문화의 우수성을 내세워 타 문화를 낮게 평가하는 태도이다.
ㄷ. 문화 사대주의는 타 문화의 우수성을 내세워 자기 문화를 낮게 평가하는 태도이다.

오답 선택지 풀이 ㄴ. (다)의 사례로 조선의 중화사상을 들 수 있다.
ㄹ. (가)의 태도를 가진 사람과 (다)의 태도를 가진 사람 모두 부정적으로 인식되는 문화가 존재한다.

07 문화 이해의 태도

A는 문화 상대주의, B는 문화 사대주의, C는 자문화 중심주의이다.

② 자문화 중심주의는 자기 문화의 우수성만을 강조한 나머지 국수주의로 흐르거나 문화 제국주의로 변질될 우려가 있다.

오답 선택지 풀이 ① B와 C가 특정 문화를 기준으로 문화를 평가한다는 공통점이 있다.

③ C는 B와 달리 자문화의 정체성 유지에 유리한 문화 이해 태도이다.

④ 인류 문화의 다양성을 유지하는 데에는 A의 태도가 유리하다.

⑤ B와 달리 C가 우리 문화의 상품화와 해외 진출에 대해 긍정적으로 보고 있다.

08 문화 이해의 태도

자료 분석

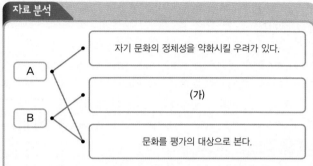

A와 B는 문화를 평가의 대상으로 바라보고 있으므로 각각 자문화 중심주의 또는 문화 사대주의 중 하나에 해당한다. 자기 문화의 정체성을 약화시킬 우려가 있는 태도가 A이므로 A는 문화 사대주의, B는 자문화 중심주의이다. 따라서 (가)에는 자문화 중심주의에만 해당하는 내용이 들어가야 한다.

④ 자문화 중심주의는 자기 문화에 대한 자부심과 집단 구성원 간의 결속력을 높이는 데 유리하다.

오답 선택지 풀이 ① 자문화 중심주의는 다른 문화의 수용에 적극적이지 않다.

② 극단적 문화 상대주의에 대한 설명이다.

③, ⑤ 문화 상대주의에 대한 설명이다.

---

08 현대 사회의 문화 양상

💡 **개념 확인 문제**　　　　　　　　　　　　　본문 66쪽

01 하위, 지역, 세대, 반, 대중, 대중 매체　　**02** (1) ㉠ (2) ㉢ (3) ㉡

03 (1) ○ (2) ○ (3) ×　　**04** (1) 인쇄 매체 (2) 뉴 미디어 (3) 영상 매체

05 A 영상 매체, B 뉴 미디어, C 인쇄 매체

🖋 **시험에 꼭 나오는 문제**　　　　　　　　본문 66~70쪽

01 ③　**02** ④　**03** ①　**04** ④　**05** ⑤　**06** ④　**07** ④
08 ③　**09** ⑤　**10** ③　**11** ⑤　**12** ⑤　**13** ②　**14** ⑤
15 ⑤　**16** ④　**17~19** 해설 참조

01 주류 문화와 하위문화

A는 주류 문화, B는 하위문화이다. 주류 문화는 사회 구성원 대부분이 공유하는 문화이고, 하위문화는 특정 집단의 구성원들끼리 공유하는 문화이다. 주류 문화와 하위문화가 추구하는 가치가 대립하는 경우가 있는데, 대표적으로 지배적인 문화에 저항하거나 대립하는 반문화를 예로 들 수 있다.

오답 선택지 풀이 ㄱ. 주류 문화를 분리한 것이 하위문화도 아니고, 하위문화를 다 합한다고 해서 주류 문화가 되는 것도 아니다.

ㄹ. 하위문화가 문화적 다양성을 높일 수는 있으나 주류 문화의 수를 늘린다고 단정할 수는 없다.

02 하위문화

(가)는 하위문화이다.

④ 하위문화는 주류 문화에 자극이 되고 역동성을 불러일으키기 때문에 전체 문화의 통일성을 높인다고는 볼 수 없다.

올쏘 만점 노트 하위문화의 범주

하위문화는 범주를 어떻게 설정하는가에 따라 상대적으로 파악될 수 있다. 예를 들어 지역을 범주로 한 하위문화나 세대를 범주로 한 하위문화를 생각해 볼 수 있다. 또한 지역을 범주로 한 경우에도 각국의 주류 문화를 생각하면 각국의 지역 문화는 하위문화가 되고, 지역 내 주류 문화를 생각하면 더 작은 지역의 문화가 하위문화가 된다.

03 하위문화

'이들'은 서로의 정보를 공유하고 소비를 장려하며 단체 행동을 함으로써 그들만의 문화를 창조하고 있다.

오답 선택지 풀이 ㄷ. 주류 문화가 아닌 하위문화를 창출하고 있다.

ㄹ. 사회가 다원화될수록 하위문화는 더욱 많아지고 다양해진다.

04 지역 문화

제시문에는 우리 사회가 지역의 다양성을 인정하면서도 '단일화'로 향하는 특성을 보인다는 점을 지적하고 있다. 사투리에는 지역의 문화와 전통, 역사가 살아 숨 쉬고, 지역민의 독특한 정서가 배어 있다. 그러나 최근 교통·통신의 발달과 대중 매체의 발달 등으로 지역의 문화적 특성이 약화되고 있다.

정답 및 해설

05 청소년 문화

청소년 문화는 기성세대의 문화에 대해 비판적이고 새로운 것을 추구하는 변화 지향적인 성격이 강하며, 때로는 대중 매체의 영향을 받아 충동적이거나 모방적인 성향을 보이기도 한다.
⑤ 신문 기사에는 청소년들이 그들만의 말을 만들어 내는 모습을 강조하고 있다.

오답 **선택지 풀이** ①, ②, ④는 청소년 문화의 일반적인 특성이지만 제시문에서 강조하는 내용과는 거리가 멀다.
③ 청소년 문화는 대중 매체나 대중문화의 영향을 많이 받는다.

06 청소년 문화

청소년 문화는 또래 집단의 영향력이 강하고 빠르게 변화하는 특징이 있다. 또한 생산 활동보다 소비 활동의 비중이 더 크며, 기존 문화에 대해 비판적이고 새로운 것을 추구하는 경향이 나타난다.

07 반문화

반문화는 특정 집단 구성원의 문화라는 점에서 하위문화에 속하고, 주류 문화를 거부한다는 특징을 지닌다.

오답 **선택지 풀이** ㄱ. 과거에 특정 계층이 즐겼던 클래식 음악과 같은 문화를 오늘날에는 모든 계층이 누릴 수 있게 된 것은 대중문화의 특징이다.
ㄷ. 반문화의 구성원들은 주류 문화의 가치관과 규범을 거부하거나 주류 문화에 저항하는 모습을 보인다.

올쏘 만점 노트 대중문화의 발달

근대 이전 사회는 엄격한 계급 질서에 의해 지배되었다. 권력자들은 그들끼리 지배 사회를 유지하면서 자유롭게 문화와 예술을 즐겼고, 이들에 의해 엘리트적인 고급문화의 전통이 형성되었다. 그런데 산업화와 도시화가 진행되고 대량 생산 체제가 형성되면서 다수가 즐길 수 있는 대중문화가 퍼지기 시작하였다. 의무 교육 제도의 도입으로 대중의 지적 수준이 향상되었고, 보통 선거의 실시로 대중의 사회적 영향력이 향상된 것도 대중문화 성장의 중요한 배경이다. 특히 텔레비전이나 라디오 같은 대중 매체의 발달은 대중문화의 생산과 보급에 중요한 기반이 되었다.

08 주류 문화와 하위문화

자료 분석

한 사회 구성원들이 전반적으로 공유하는 문화를 A 문화라 한다. ↳ 주류 문화
반면 사회의 일부 구성원들만 공유하여 다른 구성원들과 구분되는 생활 양식을 B 문화라고 한다. B 문화는 이를 공유하는 ↳ 하위문화
구성원들의 정체성을 보여 주는 문화로, 그들에게 중요한 삶의 양식이 된다. B 문화 중에는 그 사회의 지배적 문화에 저항하거나 대립하는 문화가 있는데, 이를 C 문화라 한다. ↳ 반문화

오답 **선택지 풀이** ① 하위문화가 집단 간 갈등을 초래하여 사회 통합을 저해할 수 있다.
② 세대 문화, 지역 문화는 하위문화에 해당하는 사례이다.
④ 하위문화와 반문화 모두 한 사회 내의 특정 집단이 공유하는 문화이다.
⑤ 사회 구성원에게 다양한 욕구 충족의 기회를 제공하는 것은 하위문화와 반문화이다.

유사 선택지 문제

08 ❶ 다양성 ❷ C ❸ ×

09 청소년 문화

세대 문화 중 하나인 청소년 문화는 청소년 집단이 공유하는 문화로, 하위문화에 해당한다.

올쏘 만점 노트 청소년 문화의 특징

청소년 문화는 기존의 틀에 얽매이지 않고 새로운 것을 추구하는 미래 지향적이고 변화 지향적인 경향이 있다. 그리고 청소년은 새로운 문화 요소를 빠르게 수용하므로 청소년 문화가 현대 사회의 문화 변동을 이끄는 역할을 하기도 한다. 하지만 청소년 문화는 대중 매체나 대중문화의 영향을 받아 충동적이고 소비 지향적인 성격을 띠기도 한다.

10 대중문화

제시문의 내용을 통해 밑줄 친 '이 문화'는 대중문화임을 알 수 있다. 대중문화는 대중 사회가 나타나면서 다수의 사회 구성원이 누리게 된 동질적인 문화를 가리킨다.
③ 대중문화는 문화의 생산자와 소비자가 명확히 구분된다. 구분이 약화되는 것은 정보 사회의 뉴 미디어의 특징에 해당한다.

올쏘 만점 노트 대중문화의 특징

대중문화는 산업 사회의 대량 생산 체제를 바탕으로 성립하였다. 대중문화는 대중 매체를 통해 대중에게 정서적 위안 및 오락 수단을 제공한다. 대중 사회의 대중은 일방향성의 대중 매체가 제공하는 대량의 정보를 일방적으로 수용할 수밖에 없으며, 이로 인해 대중은 획일적이고 탈개성적인 모습을 띠게 된다.

11 대중문화

쌍방향적 정보 전달은 대중문화의 역기능이 아니며, 오히려 쌍방향적 정보 전달은 대중의 수동적 태도를 완화한다. 대중문화는 오락 및 여가를 제공하여 삶의 활력소가 되지만, 한편으로는 오락 및 여가에 집중하게 하여 정치적 무관심을 유발할 수 있다.

12 대중문화

갑은 대중문화의 순기능에 주목하고, 을은 대중문화의 역기능에 주목하고 있다. 갑과 을의 관점과 별도로 대중문화는 그 자체로 사회 구성원의 생활 양식을 동질화하는 경향이 있다. 동일한 문화가 대량으로 생산되고 확산함으로써 사회 구성원들의 가치관과 생활 방식 등이 유사해지는 것이다.

13 대중문화

제시문은 대학 축제가 지나치게 상업화되고 있음을 지적하고 있다.

오답 **선택지 풀이** ① 대중문화는 동일한 정보나 지식을 대량으로 제공함으로써 사람들의 삶을 획일화한다는 비판을 받지만 제시된 글을 통해서는 알 수 없다.
③ 대중문화는 고급문화의 대중화에 기여하지만, 한편으로는 문화의 획일화로 대중의 문화적 수준을 평균화하여 질적 저하를 초래할 수 있다. 하지만 제시된 글을 통해서는 알 수 없다.
④ 자극적이고 선정적인 대중문화는 대중의 정치적 무관심을 조장하기도 한다. 하지만 제시된 글을 통해서는 알 수 없다.
⑤ 대중문화는 대중의 정치적 무관심과 탈의식화를 조장하여 지배층의 대중 조작 수단으로 악용되기도 한다. 하지만 제시된 글을 통해서는 알 수 없다.

14 대중문화

'삶의 양식'이라는 보편적인 문화의 개념을 염두에 두면, 매스 컬처라는 개념으로는 대중적 문화 현상의 많은 부분을 놓치게 된다. 따라서 일반적인 의미에서 대중문화의 개념은 파퓰러 컬처로서의 대중문화, 즉 다수가 소비·향유하는 문화라는 관점으로 접근하는 것이 타당하다.

올쏘 만점 노트 ▸ 대중문화를 보는 관점

대중문화를 매스 컬처라고 보는 관점은 대중이 출현한 근대 사회 이전의 엘리트 집단의 고급문화와 그 이후 대량 생산된 문화를 구분하여, 고급문화는 수준 높은 뛰어난 문화인 반면 대중문화는 수준 낮은 열등한 문화라는 인식을 기본으로 한다. 그러나 언제부터인지 매스 컬처라는 개념은 거의 쓰이지 않게 되었다. 오늘날에는 경멸적인 대중의 개념 대신 중립적이거나 긍정적인 함의를 지닌 대중성의 개념을 써서 '파퓰러 컬처(popular culture)'라는 용어를 보편적으로 사용한다. 대중문화를 파퓰러 컬처라고 보는 관점에서의 대중은 '열등한' 다수가 아닌 '다양한' 다수가 누리는 문화로 사회의 모든 문화를 포함하며, 고급문화 역시 대중문화의 일부분으로 포함된다.

15 대중 매체

자료 분석

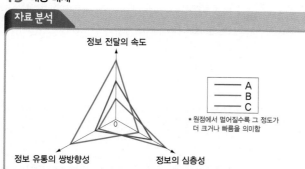

정보 전달의 속도

○ A ○ B ○ C
* 원점에서 멀어질수록 그 정도가 더 크거나 빠름을 의미함

정보 유통의 쌍방향성   정보의 심층성

A는 정보 전달의 속도와 정보의 심층성, 정보 유통의 쌍방향성이 모두 보통이다. B는 정보 전달의 속도가 가장 느리고, 정보의 심층성이 가장 높으므로 인쇄 매체이다. C는 정보 유통의 쌍방향성이 가장 크므로 뉴 미디어이다. 따라서 A는 영상 매체이다.

뉴 미디어는 누구나 정보 생산자가 될 수 있는 쌍방향적인 매체이므로 정보의 생산자와 소비자의 구분이 모호하다. 뉴 미디어는 수용자별로 자기가 편한 시간에 특정 정보에의 접근이 가능하기 때문에 정보 획득의 비동시성이 나타난다.

오답 선택지 풀이 ㄱ. A와 C 모두 영상 정보를 제공할 수 있다.
ㄴ. A가 B보다 정보 전달의 신속성이 높다.

유사 선택지 문제

15 ❶ 깊이 있는 ❷ C ❸ ✕

16 뉴 미디어

뉴 미디어는 정보 수용자가 정보의 생산 과정에 능동적이고 적극적으로 참여하는 매체이다.

올쏘 만점 노트 ▸ 뉴 미디어

뉴 미디어는 최근에 새롭게 등장한 정보 교환 및 통신 수단으로, 인터넷 신문, 블로그, 누리 소통망과 같은 소셜 미디어, IPTV(맞춤형 누리 방송) 등이 이에 해당한다. 뉴 미디어는 쌍방향 의사소통이 쉽고, 신속하게 정보를 주고받을 수 있으며, 정보의 재가공이 용이하다는 특징이 있다.

17 하위문화와 반문화

(1) A: 하위문화, B: 반문화

(2) |모범 답안| 순기능: 기존 문화의 보수성이나 문제점에 대한 성찰의 계기를 마련해 준다. 사회 변화의 원동력이 된다.
역기능: 집단 간 갈등을 조장하여 사회 혼란을 초래할 수 있다. 사회의 주류 문화와 대립하는 과정에서 충돌을 일으킬 수 있다.

채점 기준	배점
반문화의 순기능과 역기능을 모두 서술한 경우	상
반문화의 순기능과 역기능을 모두 서술하였으나 한 측면의 내용이 미흡한 경우	중
반문화의 순기능과 역기능 중 한 가지만 서술한 경우	하

18 뉴 미디어

(1) 뉴 미디어

(2) |모범 답안| 쌍방향 의사소통이 쉽고, 신속하게 정보를 주고받을 수 있으며, 정보의 재가공이 용이하다.

채점 기준	배점
뉴 미디어의 특징 두 가지를 정확하게 서술한 경우	상
뉴 미디어의 특징 두 가지를 서술하였으나 하나의 내용이 미흡한 경우	중
뉴 미디어의 특징을 한 가지만 서술한 경우	하

19 대중문화

(1) |모범 답안| 대중 매체의 광고 수입 의존도가 높아지면서 수입을 창출하기 위해서는 구독률이나 시청률을 높여야 하기 때문이다.

(2) |모범 답안| 문화의 질적 저하를 초래하고, 어린이나 청소년의 정서적 성장에 악영향을 미칠 수 있다.

채점 기준	배점
문화의 질적 저하 또는 청소년에게 미치는 악영향 등 상업성과 관련된 문제점을 서술한 경우	상
대중 매체의 문제점을 서술하였으나 상업성을 추구하는 것과 거리가 먼 경우	중
대중 매체의 문제점을 미흡하게 서술한 경우	하

 상위 4% 문제   본문 71쪽

01 ③   02 ④   03 ③   04 ③

01 주류 문화와 하위문화

(가) 문화는 주류 문화, (나) 문화는 하위문화이다.

③ 반문화는 한 사회의 지배적인 문화에 저항하고 대립하는 하위문화로, 지배 집단에 의해 일탈 문화로 규정되기도 한다.

오답 선택지 풀이 ① 세대 문화와 지역 문화는 (나) 문화에 해당한다.
② (가) 문화가 전체 사회 구성원의 문화 공유성을 높인다.
④ (나) 문화의 발달에 따라 (가) 문화는 다양해진다.
⑤ 한 사회 내에 있는 모든 하위문화를 합한다고 하여 주류 문화가 되지는 않는다.

정답 및 해설

02 주류 문화와 하위문화

자료 분석

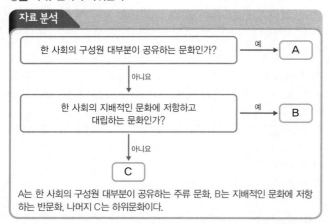

A는 한 사회의 구성원 대부분이 공유하는 주류 문화, B는 지배적인 문화에 저항하는 반문화, 나머지 C는 하위문화이다.

④ 하위문화와 반문화는 주류 문화에 영향을 미쳐 변동을 유발하기도 한다.

오답 선택지 풀이 ① 주류 문화와 하위문화 중 어느 것이 더 대중 매체의 영향을 많이 받는지는 알 수 없다.

② 기성세대 문화와 청소년 문화는 모두 하위문화에 포함된다.

③ 문화의 특수성을 설명하기에 적합한 것은 하위문화이다.

⑤ 하위문화와 반문화 모두 사회 변화에 따라 주류 문화가 되기도 한다.

03 대중문화를 바라보는 관점

갑은 대중문화가 오락과 휴식을 제공함으로써 대중들의 삶을 풍요롭게 한다고 본다. 이에 반해 을은 대중문화가 상업적 성격을 띠고 현실 도피를 유도한다는 점을 우려하고 있다.

오답 선택지 풀이 ㄱ. 기업의 이윤 추구로 인해 대중문화가 질적으로 하락하는 것을 경계하는 사람들도 있으나 갑의 주장 속에는 이러한 내용이 드러나 있지 않다.

ㄹ. 대중문화가 현실 도피를 유도한다는 주장에서 대중의 정치적 무관심을 조장한다고 볼 수는 있으나 여론 왜곡을 통한 대중 조작까지 추론하기는 어렵다.

04 대중 매체의 종류

자료 분석

정보 전달의 신속성	A<B, A<C
정보 전달자와 수용자 간의 상호 작용성	C>A, C>B
(가)	A<B

정보 전달의 신속성이 다른 두 매체보다 낮은 A는 인쇄 매체이다. 정보 전달자와 수용자 간의 상호 작용성이 가장 높은 C는 뉴 미디어이고, 나머지 B는 영상 매체이다.

③ 정보의 복제와 재가공이 용이한 대중 매체는 뉴 미디어이다.

오답 선택지 풀이 ① 인쇄 매체는 주로 활자를 통해 정보를 전달하기 때문에 생동감 있는 정보 전달에 한계가 있다.

② 문맹자의 활용 가능성이 가장 낮은 대중 매체는 인쇄 매체이다. 영상 매체는 시각 정보와 청각 정보 모두를 제공한다.

④ 인쇄 매체보다 영상 매체가 다수에 대한 정보 전달의 동시성이 강하다.

⑤ 인쇄 매체가 영상 매체보다 더 심층적인 정보 전달에 유리하므로 (가)에는 정보의 심층성이 들어갈 수 없다.

09 문화 변동의 이해

개념 확인 문제 본문 74쪽

01 ㉠ 발명, ㉡ 발견, ㉢ 직접 전파, ㉣ 간접 전파, ㉤ 자극 전파
02 (1) ㄴ (2) ㄷ (3) ㄹ (4) ㄱ   03 (1) ㉠ (2) ㉢ (3) ㉡   04 (가) 자극 전파, (나) 직접 전파, (다) 간접 전파

시험에 꼭 나오는 문제 본문 74~78쪽

01 ③ 02 ① 03 ① 04 ⑤ 05 ② 06 ④ 07 ②
08 ④ 09 ③ 10 ⑤ 11 ④ 12 ⑤ 13 ② 14 ⑤
15 ① 16 ③ 17~19 해설 참조

01 문화 변동의 요인

자료 분석

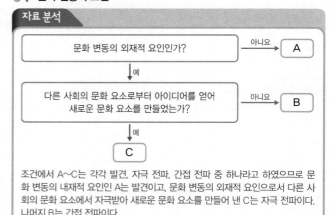

조건에서 A~C는 각각 발견, 자극 전파, 간접 전파 중 하나라고 하였으므로 문화 변동의 내재적 요인인 A는 발견이고, 문화 변동의 외재적 요인으로서 다른 사회의 문화 요소에서 자극받아 새로운 문화 요소를 만들어 낸 C는 자극 전파이다. 나머지 B는 간접 전파이다.

③ 외국 종교의 교리를 응용하여 신흥 종교를 창시한 사례는 자극 전파에 해당한다.

오답 선택지 풀이 ① 없었던 문화 요소를 새로 만들어 내는 것은 발명이다.

② 중국에서 우리나라로 한자가 전파된 것은 인적 교류에 의한 것이므로 직접 전파에 해당한다.

④ 서로 다른 문화권 구성원들 간의 직접적인 접촉에 의한 문화 변동은 직접 전파이다.

⑤ 문화 전파에 따른 문화 변동은 물질문화와 비물질문화 모두에서 나타날 수 있다.

유사 선택지 문제

01 ❶ ✕ ❷ 발명 ❸ ○

02 문화 변동의 요인

ㄱ. 부대찌개의 재료 중 햄, 베이컨 등은 한국 전쟁 당시 국내에 들어와 있던 미군에게 획득한 것이므로 직접 전파에 해당한다.

ㄴ. 문화 융합은 전통문화 요소와 외래문화 요소가 결합하여 두 문화 요소의 성격을 지니면서도 새로운 성격을 지닌 제3의 문화가 형성되는 현상이다.

오답 선택지 풀이 ㄷ. 부대찌개는 외재적 변동 요인인 직접 전파에 의해 나타나게 되었다.

ㄹ. 외국인이 부대찌개를 즐겨 먹는다고 하여 우리 문화에 동화되었다고 볼 수는 없다.

03 문화 접변의 결과

(가)는 문화 동화, (나)는 문화 융합, (다)는 문화 공존이다.

ㄱ. 문화 동화는 환경 변화에 대한 특정 사회의 적응 및 발전을 돕기도 한다.

ㄴ. 불교와 우리 민족의 토착 신앙이 결합된 산신각은 문화 융합의 사례로 볼 수 있다.

오답 **선택지 풀이** ㄷ. 문화 동화의 경우 기존의 문화 요소가 사라져 버리기 때문에 구성원들의 정체성 혼란을 일으킬 수 있고, 인류의 문화적 다양성이라는 가치가 훼손될 우려가 있다.

ㄹ. 문화 동화와 문화 공존 모두 새로운 문화 요소는 등장하지 않는다.

올쏘 만점 노트 사례로 이해하는 문화 변동의 결과

• 문화 동화: 아메리카 원주민 부족들이 유럽의 백인 문화와 접촉하면서 자기 문화를 상실한 것
• 문화 공존: 우리 사회 내부에 천주교와 개신교, 불교 등이 종교 문화로서 함께 존재하고 있는 것
• 문화 융합: 우리나라에 불교가 전래된 후 전통적 민간 신앙인 칠성신을 모시는 칠성각이 절과 결합함으로써 새로운 불교문화로 자리 잡은 것

04 문화 변동의 결과

(가)에는 문화 융합, (나)에는 문화 공존이 나타나 있다. 문화 융합은 서로 다른 문화 요소가 결합하여 기존 문화 요소와 성격이 다른 새로운 문화가 형성된 것이다. 문화 공존은 외래문화가 유입되었지만 기존의 문화와 뒤섞이거나 흡수되지 않고, 한 사회의 문화 체계 속에서 고유문화와 나란히 존재하는 현상이다.

오답 **선택지 풀이** ① (가)에는 문화 융합이 나타났다.

② (나)에는 문화의 외재적 변동이 나타났다.

③ (나)에는 문화 공존이 나타났다.

④ (가), (나) 모두 제시된 내용만으로는 자발적 문화 접변 여부를 판단할 수 없다.

05 문화 변동의 요인과 양상

자료 분석

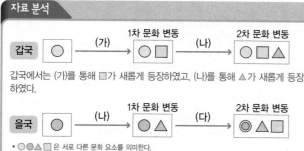

갑국에서는 (가)를 통해 □가 새롭게 등장하였고, (나)를 통해 △가 새롭게 등장하였다.

* ○□△◎은 서로 다른 문화 요소를 의미한다.
** ◎은 ○와 ●가 결합한 제3의 문화 요소이다.

을국에서는 (나)를 통해 △가 새롭게 등장하였고, (다)를 통해 ◎와 □가 등장하였다. ◎은 ○와 ●가 결합한 제3의 문화 요소이므로 문화 융합이 이루어졌음을 알 수 있다. 아울러 문화 융합은 문화 접변의 결과로서 나타나므로 (다)는 직접 전파에 해당한다. 따라서 (가)와 (나)는 발명 또는 발견 중 하나에 각각 해당한다.

ㄱ. 을국에서 ◎가 나타나게 된 것은 문화 융합에 해당한다.

ㄷ. 갑국에서는 (가)와 (나)를 통해 □와 △가 나타났고, 을국에서는 (나)를 통해 △가 나타났으므로 옳은 분석이다.

오답 **선택지 풀이** ㄴ. (다)가 직접 전파이므로 을국은 갑국으로부터 ○와 □를 얻게 되었다. 그런데 □가 발견된 것인지 발명된 것인지는 알 수 없다.

ㄹ. 갑국에서는 내재적 변동만 나타났다.

유사 선택지 문제

05 ❶ × ❷ ○ ❸ 남아 있다

06 문화와 관련된 개념

ㄴ. 나바호 인디언은 외래문화와 고유의 문화를 결합하여 새로운 제3의 문화 요소를 창출하였으므로 문화 융합 개념을 찾을 수 있다.

ㄹ. 나바호 인디언은 스스로 다른 사회의 문화 요소를 받아들였기 때문에 자발적 문화 접변에 해당한다.

오답 **선택지 풀이** ㄱ. "에스파냐인과의 빈번한 접촉"이라는 표현을 통해 문화 요소가 직접 전파되었음을 알 수 있다.

ㄷ. 문화 지체 현상은 급속히 변동하는 물질문화를 비물질문화가 따라가지 못해 나타나는 문화 요소 간의 부조화 및 괴리 현상으로, 제시문과는 관련이 없다.

07 문화 변동의 요인과 양상

ㄱ. 갑국에는 을국과의 교류를 통해 제3의 문화 요소가 등장하였다.

ㄷ. 갑국과 을국 모두 교류(전파)를 통해 문화 변동이 나타났다.

오답 **선택지 풀이** ㄴ. 을국의 의복 문화에서는 문화 동화가 나타났지만 음식 문화에서는 문화 공존이 나타났다.

ㄹ. 을국의 문화 요소 변동이 이루어진 것이 자발적인지 강제적인지 여부는 제시된 자료만으로는 파악할 수 없다.

08 문화 접변의 결과

〈자료 1〉에서 새로운 문화 요소가 등장하는 것은 문화 융합이고, 전통문화의 정체성이 보존되는 것은 문화 융합과 문화 공존이다. 따라서 A는 문화 동화, B는 문화 융합, C는 문화 공존이다. 이를 〈자료 2〉의 사례와 연관 지어 보면 (가)는 문화 공존이므로 C, (나)는 문화 동화이므로 A, (다)는 문화 융합이므로 B에 해당한다.

09 문화 변동의 요인

(가)에는 A만의 특징, (나)에는 B만의 특징, (다)에는 A와 B의 공통된 특징이 들어가야 한다.

ㄴ. 간접 전파는 책이나 영화, 인터넷과 같은 매체를 매개로 이루어지는 전파이다.

ㄷ. 발명과 발견은 모두 문화 변동의 내재적 요인이다.

오답 **선택지 풀이** ㄱ. A가 발명, B가 자극 전파라면, (다)에 '새로운 문화 요소가 등장한다.'가 들어갈 수 있다.

ㄹ. '외래문화를 자발적으로 수용했다.'는 발견과 자극 전파의 공통점에 해당하지 않는다.

10 문화 변동의 양상

(가)는 자발적 문화 접변, (나)는 강제적 문화 접변이다. 자발적 문화 접변은 이민과 같이 다른 두 사회가 지속적으로 접촉하는 과정에서 사회 구성원들이 바람직하거나 필요하다고 느껴 스스로 다른 사회의 문화 요소를 받아들임으로써 나타나는 문화 변동을 의미한다. 강제적 문화 접변은 무력에 의한 정복이나 식민 통치와 같은 상황에서 물리적 강제력을 통해 지배 사회의 문화

요소를 피지배 사회의 문화 체계 속에 이식함으로써 나타나는 문화 변동을 의미한다.

오답 **선택지 풀이** ① (가), (나) 모두 외재적 변동에 해당한다.
②, ③ (가)와 (나)는 문화 변동의 자발성 유무로 구분될 뿐 문화 변동의 결과가 어떻게 나타날지는 파악할 수 없다.
④ 새로운 문화에 대한 거부나 복고 운동은 (가)보다 (나)에서 나타나기 쉽다.

11 문화 변동의 요인과 양상

ㄴ. 고려는 원나라의 식민 지배를 당하며 왕실의 호칭과 격이 낮아지는 강제적 문화 접변을 겪었다.
ㄹ. 고려와 원나라 모두 사회 구성원 간의 직접적인 접촉에 의한 문화 변동을 겪었다.

오답 **선택지 풀이** ㄱ. 고려가 자문화의 정체성을 상실하였는지 여부는 제시된 내용만으로는 파악할 수 없다.
ㄷ. 원나라에서 문화 융합이 나타났는지는 제시된 내용만으로는 파악할 수 없다.

12 문화 접변의 결과

(가)는 문화 동화, (나)는 문화 공존, (다)는 문화 융합이다. 문화 융합은 한 사회의 기존 문화가 외래문화와 접촉한 결과, 두 문화 요소의 성격을 지니면서도 두 문화 요소와는 다른 성격도 지닌 새로운 문화가 등장하는 현상을 말한다.

오답 **선택지 풀이** ① 불교문화와 헬레니즘 문화가 만나 간다라 미술이 성립된 것은 (다)의 사례이다.
② 서양 의학이 국내에 전파된 후에도 여전히 한의원과 서양식 병원이 함께 존재하는 것은 (나)의 사례이다.
③ 청소년 문화나 지역 문화와 같이 특정 집단이 공유하는 문화는 하위문화에 해당한다.
④ 미국의 지배를 받은 필리핀에서 영어와 타갈로그어를 같이 사용하는 것은 (나)의 사례이다.

올쏘 만점 노트 문화 융합 사례 – 간다라 미술

기원전 4세기경 인도의 간다라 지방은 알렉산드로스 대왕의 동방 원정으로 서양의 문화와 인도의 문화가 만나 독특한 미술이 나타났는데, 이를 간다라 미술이라고 한다. 불상의 머리카락이 물결 모양의 장발이라는 점과 눈언저리가 깊고 콧대가 우뚝한 것이 마치 서양 사람과 비슷하다.

13 문화 변동의 요인

〈자료 1〉에 나타난 문화 변동 요인은 간접 전파이다. 간접 전파는 문화 변동의 외재적 요인 중 하나로, 책이나 영화, 인터넷과 같은 매체를 매개로 이루어지는 문화 전파이다.

오답 **선택지 풀이** ㄴ. '물리적 강제력을 통해 이식되었는가?'는 강제적 문화 접변의 특징인데, 제시된 자료 속 사례에서는 자발적인 문화 접변이 이루어지고 있다.
ㄷ. '매개체를 통해 전파되었는가?'에 대한 대답은 긍정이므로 A에 들어가야 한다.

14 문화 변동의 요인

(가)는 자극 전파, (나)는 직접 전파이다. 자극 전파는 서로 다른 문화 체계 간에 문화 요소와 관련된 추상적인 개념이나 아이디어가 전파되어 새로운 문화 요소의 등장을 자극하는 현상이다. 그 사례로는 다른 사회에서 아이디어를 얻어 새로운 문화 요소를 발명하는 것을 들 수 있다. 직접 전파란 문화 요소를 제공하는 사회와 그것을 수용하는 사회 구성원들 간의 직접적인 접촉 과정에서 문화 요소가 전달되어 정착되는 현상이다. 그 사례로는 교역, 전쟁, 정복, 부족 간 혼인 등에 의해 나타나는 문화 요소의 전파를 들 수 있다.

15 문화 변동에 따른 문제

급속한 문화 변동으로 인해 전통적인 규범의 통제력이 약화되고 새로운 규범이 미처 확립되지 않아 사회적 혼란이 발생하는 것을 아노미 현상이라고 한다.

오답 **선택지 풀이** ㄷ. 비물질문화보다 물질문화의 변동 속도가 빠르기 때문에 나타나는 현상은 문화 지체이다.
ㄹ. 강제적 문화 접변에 대한 설명이다.

16 문화 변동에 따른 문제

문화 지체 현상이란 물질문화의 빠른 변동 속도를 비물질문화의 변동 속도가 뒤따르지 못해 나타나는 문화 요소 간의 부조화 현상이다.

오답 **선택지 풀이** ① 문화 지체 현상의 원인은 물질문화와 비물질문화의 변동 속도 차이에서 비롯된다.
② 문화 지체 현상을 완화하려면 뒤처진 의식과 규범 및 제도를 개선하기 위해 노력해야 한다.
④ 물질문화보다 비물질문화가 더 빨리 변동한 사례이다.
⑤ 아노미에 대한 설명이다.

올쏘 만점 노트 문화 지체 현상

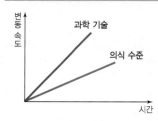

과학 기술은 빠르게 발달하는데, 의식 수준이 이를 따라가지 못하면 부조화 현상이 나타날 수 있다.
• 물질문화: 인간의 삶을 영위하기 위해 만들고 사용하는 각종 재화나 그것을 제작하거나 사용하는 기술을 말한다.
• 비물질문화: 사회를 유지하기 위해 만든 규범 및 제도와 사회 구성원들의 사고방식이나 가치 체계를 말한다.

17 문화 접변의 결과

⑴ (가): 문화 융합, (나): 문화 공존, (다): 문화 동화

⑵ | 모범 답안 | 문화 융합과 문화 공존은 자기 문화의 정체성을 유지하고 있지만, 문화 동화는 자기 문화의 정체성을 상실하게 된다.

채점 기준	배점
(가), (나)와 (다)를 구별하는 기준으로 자기 문화의 정체성 유지 여부를 언급한 경우	상
(가), (나)와 (다)를 구별하는 기준으로 자기 문화의 정체성 유지 여부를 언급하지 않은 경우	하

18 문화 접변의 양상

(1) 자발적 문화 접변

(2) | 모범 답안 | 강제적 문화 접변은 문화 제공자(외부 사회)의 필요와 의지로부터 시작되지만, 자발적 문화 접변은 문화 수용자의 필요와 의지로부터 시작된다.

채점 기준	배점
강제적 문화 접변이 문화 제공자의 필요와 의지로부터 시작되는 것과 자발적 문화 접변이 문화 수용자의 필요와 의지로부터 시작된다는 것을 모두 서술한 경우	상
강제적 문화 접변이 문화 제공자의 필요와 의지로부터 시작되는 것과 자발적 문화 접변이 문화 수용자의 필요와 의지로부터 시작된다는 것 중 하나만 서술한 경우	중
강제적 문화 접변과 자발적 문화 접변의 특징을 모두 미흡하게 서술한 경우	하

19 문화 변동에 따른 문제와 대응 방안

(1) A: 아노미, B: 문화 지체

(2) | 모범 답안 | A: 변화된 사회에 부합하는 새로운 규범을 정립한다.

B: 물질문화의 변동에 대한 비판적인 검토를 바탕으로 뒤처진 의식과 규범 및 제도를 개선하고자 노력한다.

채점 기준	배점
아노미와 문화 지체에 대한 대응 방안을 모두 정확하게 서술한 경우	상
아노미와 문화 지체에 대한 대응 방안 중 하나만 정확하게 서술한 경우	중
아노미와 문화 지체에 대한 대응 방안을 미흡하게 서술한 경우	하

상위 4% 문제
본문 79쪽

01 ⑤ 02 ③ 03 ⑤ 04 ⑤

01 문화 변동의 양상

자료 분석

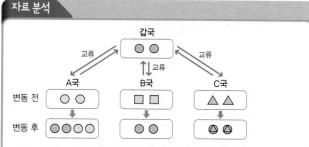

*□ 안의 기호는 각국의 문화 요소이며, ▲은 ●와 △가 혼합되어 나타난 것이다.

A국은 갑국과의 교류를 통해 ●● 문화 요소를 전달받았고, 그 결과 기존에 지니고 있던 ○○ 문화 요소와 공존하고 있다. B국은 갑국과의 교류를 통해 ●● 문화 요소를 전달받은 후 이전의 문화 요소인 □□가 사라지고 갑국의 문화 요소만 남았다. C국은 갑국의 ●● 문화 요소와 자국의 △△ 문화 요소가 혼합된 문화 요소가 등장하였다. 따라서 A국은 문화 공존, B국은 문화 동화, C국은 문화 융합에 해당한다.

⑤ 문화 공존과 문화 융합 모두 자국 문화의 정체성이 유지된다는 공통점이 있다.

오답 선택지 풀이 ① A국에서는 문화 공존이 나타났다.
② 갑국의 ●● 문화 요소가 내재적 변동에 의한 것인지는 제시된 자료만으로 파악할 수 없다.

③ C국에서는 문화 융합이 나타났다.
④ A국과 B국 모두 갑국과의 문화 접변을 경험하였다.

02 문화 변동의 요인

A는 직접 전파, B는 간접 전파, C는 발명, D는 발견이다. 발견은 불, 전기, 지하자원 등 존재하고 있었지만 알려지지 않았던 사물이나 원리 등을 찾아내는 행위나 그 결과물을 의미한다.

오답 선택지 풀이 ① 직접 전파가 결혼, 교류 등을 통해 이루어진 경우는 자발적 문화 접변에 해당하지만 전쟁, 정복 등을 통해 이루어진 경우는 강제적 문화 접변에 해당한다.
② 자극 전파에 대한 설명이다.
④ 서로 다른 문화 간 대중 매체를 통한 접촉에서 나타나는 것은 간접 전파이다.
⑤ C와 D는 모두 새로운 문화 요소 추가의 원인이 된다.

03 문화 변동의 요인과 양상

자료 분석

(가) 신라는 고유의 문자를 가지지 못한 사회였다. 그런데 <u>중국의 한자를 접한 설총은 한자의 음을 빌려 와서 우리말을 표현하는 이두를 개발하였다.</u>
다른 사회의 문화 요소에서 아이디어를 얻어 새로운 문화 요소를 발명하는 자극 전파가 나타났다.

(나) 재즈는 <u>미국 흑인이 즐기던 아프리카 음악의 감각에, 유럽 전통 음악인 행진곡과 같은 멜로디와 금관 악기 연주 기법 등이 결합한 것이다.</u> 그래서 유럽의 전통 음악과 달리 재즈는 리듬감의 활용, 그에 따른 즉흥 연주, 연주자의 개성을 살린 연주 등 흑인 음악의 요소가 나타난다.
서로 다른 문화 요소가 결합하여 기존 문화 요소와 성격이 다른 새로운 문화가 형성된 문화 융합이 나타났다.

(가)와 (나)는 문화 변동이 외재적 요인에 의해 나타난다는 점, 새로운 문화 요소가 나타난다는 점에서 공통적이다. 하지만 (가)의 자극 전파는 타 문화에서 아이디어를 얻어 기존에 없던 새로운 문화 요소가 만들어지는 문화 변동 요인인 데 비해, (나)의 문화 융합은 외래문화와 기존의 문화가 결합하여 새로운 문화가 형성되는 문화 접변의 결과라는 점에서 차이가 있다.

⑤ 자극 전파는 타 문화에서 아이디어를 얻어 기존에 없던 새로운 문화 요소가 만들어지는 데 비해, 문화 융합은 외래문화와 기존의 문화가 결합하여 새로운 문화가 형성된다는 점에서 차이가 있다.

오답 선택지 풀이 ①, ④ 강제적 문화 접변과 자발적 문화 접변을 구분하기 위한 질문이다.
② 문화 동화와 문화 공존, 문화 융합을 구분하기 위한 질문이다.
③ 직접 전파와 간접 전파를 구분하기 위한 질문이다.

04 문화 지체

제시문의 필자는 문화 지체를 연구 주제로 삼고 있다. 물질문화는 사회 구성원들이 비교적 쉽게 새로운 것을 수용하여 변동 속도가 빠른 데 비해 비물질문화는 수용되는 데 시간이 걸려 변동 속도가 느리다. 이처럼 비물질문화가 물질문화의 변동 속도를 따라잡지 못해 나타나는 부조화의 문제가 문화 지체이다.

IV. 사회 계층과 불평등

10 사회 불평등 현상과 사회 계층의 이해

개념 확인 문제
본문 82쪽

01 차등, 동기, 균등, 사회 발전　**02** (1) ㄷ (2) ㄴ (3) ㄹ (4) ㄱ
03 다원적 불평등론, 다양한　**04** (1) ㉡ (2) ㉠ (3) ㉢

시험에 꼭 나오는 문제
본문82~87쪽

01 ④	**02** ⑤	**03** ②	**04** ④	**05** ①	**06** ⑤	**07** ③
08 ⑤	**09** ②	**10** ④	**11** ①	**12** ③	**13** ③	**14** ①
15 ⑤	**16** ④	**17** ③	**18** ⑤	**19** ④	**20** ②	**21** ②
22 ①	**23~25** 해설 참조					

01 사회 불평등 현상
밑줄 친 '이것'은 사회 불평등 현상이다. 부, 권력, 명예 등과 같은 사회적 자원은 희소하기 때문에 누구나 원하는 만큼 그것을 가질 수 없다. 따라서 사람들은 희소한 자원을 더 많이 가지기 위해 경쟁하거나 대립하고, 그 결과 사회적 자원이 차등적으로 분배되어 사회 불평등 현상이 발생한다.

오답 선택지 풀이 ① 사회 불평등 현상은 사회 구성원 간에 갈등이나 상대적 박탈감을 유발하여 사회 통합을 저해한다.
② 오늘날에는 주로 개인의 노력이나 능력 등 후천적인 요인에 의해 사회 불평등 현상이 발생한다.
③ 과거 전통 사회에서도 사회 불평등 현상이 존재하였다.
⑤ 사회 불평등 현상은 어느 사회에서나 볼 수 있지만, 그 구체적인 양상은 시대와 사회에 따라 다양하게 나타난다.

02 사회 불평등 현상
제시된 그림을 통해 조선 시대에는 신분에 따라 사회 불평등이 심했음을 알 수 있다. 사회 불평등 현상은 사회적 희소가치가 차등 분배되면서 나타난다. 이러한 사회 불평등 현상은 정도의 차이만 있을 뿐 어느 시대, 어느 사회에서나 나타나는 보편적인 현상이며 사회 구성원의 가치관과 생활양식 등에 많은 영향을 끼친다.

오답 선택지 풀이 ⑤ 사회 불평등 현상은 주로 개인의 능력과 노력의 차이에 의해 발생하지만, 부모의 사회적 지위, 경제적 능력, 신분 제도 등 선천적인 요인에 의해 발생하기도 한다.

03 사회 불평등의 유형
(가)는 정치적 불평등, (나)는 경제적 불평등이 사회·문화적 불평등으로 이어지는 사례이다.
ㄱ. 정치적 불평등은 권력의 소유와 행사의 차이로 나타나는 불평등으로, 권력이 불평등하게 분배되어 권력을 가진 집단이 권력을 가지지 못한 집단을 지배한다.
ㄷ. 고려 시대의 음서 제도는 개인의 노력보다는 부모의 권력에 의해 관직 등용의 혜택을 받는 것이므로 선천적 요인이 강한 영향을 주고 있다.

오답 선택지 풀이 ㄴ. (나)는 경제적 불평등이 사회·문화적 불평등에 영향을 주는 모습을 보여 준다.
ㄹ. 정치적 불평등은 권력, 경제적 불평등은 부와 같은 사회적 가치의 희소성으로 인해 나타난다.

04 경제적 불평등
④ 정규직과 비정규직 등 고용 형태에 따라 임금 차이를 두면 정규직과 비정규직 간 경제적 불평등이 발생한다. 경제적 불평등은 주거, 교육, 건강 등 사회·문화적 생활의 기회 차이로 이어질 수 있다.

오답 선택지 풀이 ① 권력의 소유와 행사의 차이로 나타나는 것은 정치적 불평등이다.
② 시간당 임금을 높이더라도 정규직과 비정규직 간 임금 차이가 존재하므로 불평등 현상을 해소할 수 없다.
③ 정규직과 비정규직 근로자가 부모의 지위나 신분 제도, 성별 등의 선천적인 조건의 차이에 의해 발생한다고 보기는 어렵다.
⑤ 개인의 업무 성과를 기준으로 하지 않고 단순히 고용 형태만으로 임금 차이를 두는 것은 불공정한 분배 방식으로서 비정규직 근로자의 불만을 유발하여 사회 갈등의 요인이 될 수 있다.

05 사회 불평등 현상을 보는 관점
갑은 사회 불평등 현상을 기능론의 관점에서, 을은 갈등론의 관점에서 보고 있다. 기능론은 사회에는 기능적으로 중요한 일과 그렇지 않은 일이 존재한다고 전제한다. 따라서 기능적으로 중요한 일을 하는 사람에게 더 많은 보상을 주어야 하므로 사회적 자원을 차등적으로 분배하는 것이 당연하다고 여긴다.

오답 선택지 풀이 ② 갈등론은 사회 불평등 현상이 사회 구성원 모두의 합의가 아니라 일부 지배 계층만의 합의에 의한 것이라고 여긴다.
③ 사회 불평등 현상을 극복해야 할 대상이라고 주장하는 것은 갈등론이다. 기능론은 사회 불평등을 자연스러운 현상이라고 여긴다.
④ 사회 불평등 현상이 성취동기를 자극하여 사회 발전을 촉진시킨다고 보는 것은 기능론이다.
⑤ 갈등론은 사회 불평등 현상이 지배 집단에 의해 어쩔 수 없이 발생한 것이므로 보편적이지만 필수적인 것은 아니라고 여긴다.

06 사회 불평등 현상을 보는 갈등론의 관점
제시문은 성과급 제도가 자본가가 노동자를 통제하는 수단일뿐 노동자에게는 아무 도움을 주지 않고 오히려 갈등을 야기한다는 내용으로, 성과급 제도를 통한 사회 불평등 현상을 갈등론의 관점에서 보고 있다. 갈등론에서는 사회적 희소가치의 배분 기준은 지배 집단인 자본가 계급의 합의에 의해 자의적으로 정해지기 때문에 자본가에게만 유리하게 적용된다고 본다.

오답 선택지 풀이 ①, ②, ③, ④는 모두 기능론의 입장이다.

올쏘 만점 노트 | 기능론과 갈등론

기능론	• 사회 구성원들이 합의한 기준에 의해 개인의 자질과 노력에 따라 희소가치를 배분 → 차등 분배 중시 • 사회 불평등은 개인과 사회가 최선의 기능을 하도록 하는 장치 → 동기 부여와 인재 충원으로 사회 발전에 기여
갈등론	• 지배 집단에 유리한 기준에 의해 희소가치를 강제적으로 배분 → 균등 분배 중시 • 사회 불평등은 개인과 사회가 최선의 기능을 하는 데 장애 요소 → 상대적 박탈감과 집단 갈등을 유발하여 사회 발전 저해

07 사회 불평등 현상을 보는 기능론의 관점

자료를 보면 교육 수준에 따라 소득의 차이가 크게 나타난다. 이에 대해 갑은 교육 수준이 높은 사람은 전문적이고 중요한 일을 담당하기 때문에 교육 수준이 낮은 사람에 비해 더 많은 소득을 얻는 것이 당연하다고 주장한다. 즉, 사회에는 기능적으로 중요한 일과 그렇지 않은 일이 존재하며 기능적 중요도에 따라 차등 분배가 이루어져야 함을 강조하므로 기능론의 관점에서 사회 불평등 현상을 보고 있다.

ㄴ, ㄷ. 기능론에서는 능력이나 성과에 따른 차등 보상을 통해 개인의 성취동기를 자극함으로써 사회 불평등 현상이 자연스럽게 나타나며, 이러한 사회 불평등 현상은 건전한 경쟁과 창의를 유발하여 사회 발전에 기여한다고 본다.

오답 **선택지 풀이** ㄱ. 기능론에서는 사회 불평등 현상이 자연스러운 현상이며 사회가 최적의 기능을 수행하는 데 기여한다고 본다. 사회 불평등 현상을 극복해야 할 대상으로 보는 것은 갈등론이다.

ㄹ. 사회적 희소가치의 배분에 대해 지배층이 합의한 기준이 있다고 보는 것은 갈등론이다. 기능론은 사회적 희소가치의 배분에 대해 사회 구성원 모두가 합의한 기준이 있다고 본다.

08 사회 불평등 현상을 설명하는 계급론

밑줄 친 'A 이론'은 사회 불평등 현상을 지배·피지배 계급으로 설명하는 마르크스의 계급론이다.

⑤ 마르크스의 계급론은 생산 수단의 소유 여부라는 경제적 측면만을 기준으로 자본가 계급과 노동자 계급으로 양분한다. 따라서 각 계급에 속한 사람들은 다른 계급에 대해 강한 적대 의식을 가지고 있지만, 자신의 계급에 대해서는 강한 연대 의식을 가진다고 주장한다.

오답 **선택지 풀이** ①, ②, ③, ④는 베버의 다원적 불평등론에 관한 내용이다.

09 사회 불평등 현상을 설명하는 이론

자료 분석

갑은 부자이지만 권력은 전혀 없다. 즉, 경제적으로는 상층이지만, 정치적으로는 하층이다. 이러한 갑의 계층적 상황을 보다
↳ 지위 불일치 현상이 나타났다.
잘 설명하는 것은 A가 아니라 B이다.
↳ A는 계급론, B는 다원적 불평등론이다.

② 계급론은 위계 구분 기준으로 생산 수단의 소유라는 경제적 요인만을 적용한다. 즉, 생산 수단을 가지면 자본가 계급이고 없으면 노동자 계급이다.

오답 **선택지 풀이** ① 계급론은 생산 수단의 소유 여부에 따라 계급이 양분되어 서로 다른 계급 간에는 적대적이고 대립적인 관계가 형성된다. 따라서 사회 이동의 가능성이 거의 없다고 본다.

③ 다원적 불평등론은 다양한 요인의 불평등 현상이 합쳐져서 사회 불평등 현상이 나타난다고 본다. 다른 불평등이 경제적 불평등에 종속된다고 보는 것은 계급론이다.

④ 다원적 불평등론은 사회 불평등 현상이 서열화·범주화되어 있어서 동일한 계층적 위치에 있는 사람들 사이의 연대 의식이 크지 않다. 같은 계급에 속한 사람들 간의 연대 의식을 강조하는 것은 계급론이다.

⑤ 사회 불평등 현상을 연속선상에 서열화된 것으로 보는 것은 다원적 불평등론이다. 계급론은 생산 수단의 소유 여부에 따라 자본가 계급과 노동자 계급으로 양분된다고 본다.

유사 선택지 문제

09 ❶ 생산 수단 ❷ × ❸ 경제적

10 사회 불평등 현상을 설명하는 이론

지위 불일치 현상을 설명하기에 유리한 것은 다원적 불평등론이다. 따라서 A는 다원적 불평등론, B는 계급론이다.

① 다원적 불평등론은 계층이 다양한 요인에 의해 형성되며 연속적으로 서열화되어 있다고 본다.

② 계급론은 생산 수단의 소유 여부에 의해서 자본가 계급과 노동자 계급으로 나뉘며, 두 계급 간에는 지배와 피지배 관계가 형성되어 있다고 본다.

③ 다원적 불평등론은 다양한 요인에 의해 계층이 존재하며, 그 계층은 서열화·범주화되어 있으므로 중간 계층의 존재를 폭넓게 인정한다. 계급론은 자본가 계급과 노동자 계급으로만 양분되어 있다고 여기므로 중간 계층의 존재를 인정하지 않는다.

⑤ (나)에는 계급론만의 특징이 들어가야 한다. 계급론은 지배 계급인 자본가 계급과 피지배 계급인 노동자 계급으로 양분되어 서로 적대 의식을 갖고 대립한다고 본다.

오답 **선택지 풀이** ④ (가)에는 계급론과 다원적 불평등론의 공통점이 들어가야 한다. 계급론과 다원적 불평등론은 모두 경제적 요인이 사회 불평등의 요인이라고 본다. 계층 간 수직 이동이 극히 제한적이라고 보는 것은 계급론이다. 다원적 불평등론은 다양한 요인에 의해 서열화된 계층 간 이동이 자유롭게 이루어질 수 있다고 여긴다.

올쏘 만점 노트 계급론과 다원적 불평등론

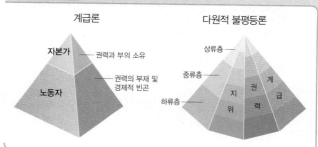

11 사회 계층의 영향

학력이 높고 부유한 사람은 대체로 상층에 속한다. 학력이 낮고 가난한 사람은 대체로 하층에 속한다. 상층과 하층 등 계층에 따라 좋아하는 음악의 장르가 다르다는 것은 계층이 생활양식에 영향을 미치고 있음을 나타낸다.

오답 **선택지 풀이** ② 경제적 부와 교육 수준은 대체로 정(+)의 관계에 있지만 제시문에서는 계층과 선호 음악과의 관계를 이야기하고 있다.

③ 교육 수준은 계층을 형성하는 중요한 요인이지만 제시문에서 강조하는 내용은 아니다.

④ 한번 형성된 계층 구조는 비교적 오래 유지되지만 제시문에서는 계층과 생활양식의 관계에 관해 이야기하고 있다.

⑤ 상층과 하층 모두 음악에 관심이 많은 편이지만 선호하는 음악의 장르가 다르다는 것을 보여 준다.

12 사회 계층 구조

③ B시기는 중층이 가장 많은 다이아몬드형 계층 구조가 형성

되었다. 따라서 중층이 상층과 하층 사이에서 완충 작용을 하여 사회의 안정을 가져올 것이다.

오답 **선택지 풀이** ① A시기는 하층>중층>상층으로 피라미드형 계층 구조이다. 타원형 계층 구조는 세계화나 정보화의 영향으로 중층이 가장 많은 형태이다.
② B시기는 하층이 급격하게 줄었으므로 상승 이동에 의한 계층 구조의 변화가 활발하게 전개되었다.
④, ⑤ C시기는 상층과 하층이 다같이 증가하면서 중층이 줄어들고 있다. 즉, 계층의 양극화 현상이 나타나므로 모래시계형 계층 구조가 된다. 이러한 계층 구조에서는 중층의 완충 작용이 줄어들어 계층 간 갈등이 심화될 수 있다. C시기에 빈곤의 세대 간 대물림 현상이 약화되는지는 알 수 없다.

올쏘 만점 노트 각 계층의 구성원 비율에 따른 계층 구조

〈피라미드형 계층 구조〉

• 하층의 비율이 가장 높고, 상층의 비율이 가장 낮은 형태의 계층 구조
• 전근대적인 신분 사회나 오늘날의 저개발국 등에서 주로 나타남

〈다이아몬드형 계층 구조〉

• 상층이나 하층보다 중층의 비율이 높은 계층 구조
• 상대적으로 높은 비율을 차지하는 중층이 상층과 하층 사이에서 완충 역할을 하여 사회가 비교적 안정되어 있음

〈타원형 계층 구조〉

• 세계화와 정보화로 계층 간 격차가 완화되어 중층의 비율이 증가함
• 중층이 사회 통합에 이바지하는 정도가 커지고 사회적 안정도가 높아짐

〈모래시계형 계층 구조〉

• 중층의 비율이 현저히 낮고 압도적 다수가 하층을 차지하는 계층 구조
• 부의 분배가 양극화되고 중층의 비율이 낮아 사회적 안정도는 매우 낮아짐

13 사회 이동의 유형

갑은 억대의 매출액을 올리던 게임업체 사장에서 실업자로 전락했으므로 상층에서 하층으로 계층이 하강 이동하였다. 계층의 상승 이동과 하강 이동은 수직 이동에 해당한다. 또한 갑의 개인적인 사유에 의한 이동이므로 개인적 이동에 해당한다.

오답 **선택지 풀이** ㄱ. 수평 이동은 회사 내에서 총무부 사원이 영업부 사원으로 이동하는 것처럼 같은 계층 내에서의 위치 변화이다.
ㄹ. 구조적 이동은 혁명, 전쟁, 산업화 등 급격한 사회 변동으로 인해 기존의 계층 구조가 변화함으로써 생기는 위치 변화이다.

14 계층 구조의 유형

A는 수직 이동은 없고 수평 이동만 존재하므로 폐쇄적 계층 구조, B는 수직 이동과 수평 이동이 모두 존재하므로 개방적 계층 구조이다.

① 폐쇄적 계층 구조에서는 부모의 계층 구조가 그대로 자녀에게 세습되는 경우가 대부분이므로 부모의 지위가 자녀의 계층 형성에 큰 영향을 준다.

오답 **선택지 풀이** ② 개방적 계층 구조에서는 주로 개인의 노력이나 능력에 의해 사회 계층 이동이 이루어진다.
③ 폐쇄적 계층 구조라고 해서 개방적 계층 구조보다 안정된 사회라고 보기는 어렵다. 사회 안정은 중층의 비율이 가장 높을 때 가능하다.
④ 개방적 계층 구조와 폐쇄적 계층 구조에서는 공통적으로 수평 이동이 발생하지만 어느 것이 더 많이 발생하는지는 알 수 없다.
⑤ 개방적 계층 구조와 폐쇄적 계층 구조 모두 계층 구성원의 비율은 알 수 없다.

15 계층 구조의 유형

병: 정보화를 낙관적으로 보는 사람은 정보화의 진전으로 계층 간의 정보 격차가 줄어들어 중층이 늘어나는 타원형 계층 구조가 형성된다고 말한다.
정: 사회 보장 제도가 발달할수록 하층에 대한 복지 혜택이 많아지므로 이들이 중층으로 이동하여 다이아몬드형 계층 구조가 나타난다.

오답 **선택지 풀이** 갑: 폐쇄적 계층 구조는 수직 이동만 불가능하고 수평 이동은 가능하다.
을: 구성원의 비율에서 중층이 다른 계층보다 많아야 완충 작용을 하여 안정적인 사회가 된다.

16 계층 구조의 변화

④ 2000년에서부터 2018년에 이르기까지 중층은 점차 줄어들고 상층과 하층이 늘어나고 있다. 이런 상황이 지속되면 중층이 가장 적은 모래시계형 계층 구조가 될 가능성이 크다. 중층은 상층과 하층 사이에서 완충 작용을 하여 사회의 안정을 유지시킨다. 그런데 중층이 줄어들면 사회 안정이 저해될 우려가 있으므로 중층이 하층으로 떨어지지 않도록 사회 안전망을 확충할 필요가 있다.

오답 **선택지 풀이** ① 수평 이동은 어느 계층 구조에서나 나타날 수 있다.
② 중층이 줄어들고 있지만 여전히 중층이 가장 많은 다이아몬드형 계층 구조이다.
③ 중층이 줄어들고 있는 것을 보고 계층 대물림 현상이 약화되고 있다고 판단할 수는 없다.
⑤ 사회 보장 제도의 효과가 나타난다면 하층이 줄어들어야 한다.

17 세대 간 이동

자료 분석

상승 이동 58% (단위: %)

구분		부모의 계층			
		상층	중층	하층	계
자녀의 계층	상층	②2	8	10	20
	중층	6	14	40	60
	하층	2	8	10	20
	계	10	30	60	100

하강 이동 16%   계층 대물림 26%

③ 자녀 계층 대비 부모와 자녀의 계층 일치 비율은 상층이 2/20, 중층이 14/60, 하층이 10/20으로 하층이 가장 높다.

오답 선택지 풀이 ① 계층이 상승 이동한 비율은 58%, 하강 이동한 비율은 16%로 상승 이동한 비율이 더 높다.

② 부모 계층 대비 부모와 자녀의 계층 일치 비율은 상층은 2/10, 중층은 14/30, 하층은 10/60으로 하층이 가장 낮다.

④ 자녀 하층 중에서 부모의 계층을 세습한 비율은 10/20이므로 50%이다.

⑤ 부모 세대 계층 구조는 피라미드형, 자녀 세대 계층 구조는 다이아몬드형이므로 자녀 세대의 계층 구조가 사회 통합에 유리하다.

유사 선택지 문제

17 ❶ ○ ❷ 피라미드형, 다이아몬드형

18 계층을 연구하는 방법

사회 계층을 연구하는 방법 중에서 (가)는 주관적 방법, (나)는 평판적 방법, (다)는 객관적 방법이다.

① 주관적 방법은 개인에게 자신의 계층적 위치를 물어보는 것이므로 사람마다 다르게 답할 수 있다.

② 평판적 방법은 주로 면접법을 통해서 그 지역 유력 인사의 계층적 위치를 파악하는 데 유리하다.

③ 객관적 방법에서는 주로 직업, 학력, 수입 등의 객관적 통계를 가지고 계층적 위치를 정한다.

④ 자신의 계층적 위치를 스스로 말하는 것은 주관적이므로 다른 사람이 평가해 주는 계층적 위치가 더 객관적이다.

오답 선택지 풀이 ⑤ 대규모 조사에서 자주 활용되는 것은 통계적 수치로 계층적 위치를 판단하는 객관적 방법이다.

19 계층 구조의 변화

그림에서 다이아몬드형 계층 구조가 타원형 계층 구조로 변화하였다. 이것은 정보화의 진전으로 누구나 쉽게 정보에 접근하게 되면서 계층 간 정보 격차가 크게 줄어들어 사회 구성원 대부분이 중층이 되기 때문이다.

오답 선택지 풀이 ① 급격한 경기 침체로 실업자가 증가한다면 하층이 크게 늘어난다.

② 인플레이션이 발생하여 빈부 격차가 크게 벌어졌다면 상층과 하층이 늘어나고 중층이 줄어드는 모래시계형 계층 구조로 변화할 것이다.

③ 자녀의 취업에 부모의 경제적 지위가 큰 영향을 주었다면 계층의 대물림 현상이 일어난다. 그러나 이러한 현상은 계층 구성원의 비율이 어떠한지는 알려주지 않는다.

⑤ 2차 산업의 발달로 사회 전반에 관료제 조직이 발달하였다면 중층의 비율이 늘어나면서 다이아몬드형 계층 구조로 변화한다.

20 사회 이동의 유형

① 가난한 농부의 아들로 태어났으므로 갑의 아버지는 하층이다. 갑은 성장하여 대통령이 되었으므로 상층이 되었다. 즉 세대 간 상승 이동을 한 경우이다.

③ 병은 사장이었지만 부도를 맞아 택배 기사로 취업했으므로 수직 이동 중에서 하강 이동을 했다.

④ 정은 자신의 생애에서 수직 이동을 했으므로 세대 내 이동의 사례이다.

⑤ 무는 자신의 노력이나 능력과는 관계없이 신분제 폐지라는 사회 구조의 변화 때문에 노비에서 평민이 되었으므로 구조적 이동의 사례이다.

오답 선택지 풀이 ② 도시에서 살던 을이 농촌으로 이사하여 농사를 짓고 있는 것은 지리적 이동이지 동일 계층의 수평 이동으로 보기는 어렵다.

21 계층 구조의 변화

그림을 토대로 갑국과 을국의 2010년과 2015년의 계층 비율을 구하면 다음 표와 같다.

구분	2010년		2015년	
	갑국	을국	갑국	을국
상층	10%	20%	25%	30%
중층	30%	60%	50%	10%
하층	60%	20%	25%	60%

ㄱ. 갑국의 계층 구조는 2010년에는 피라미드형이었지만 2015년에는 다이아몬드형이 되어 훨씬 안정적으로 변하였다.

ㄷ. 2010년의 중층 비율을 보면 갑국은 30%, 을국은 60%로 갑국이 더 낮다.

오답 선택지 풀이 ㄴ. 을국은 2010년에는 다이아몬드형이었지만 2015년에는 중층이 가장 적은 모래시계형으로 계층 구조가 변화하였다.

ㄹ. 갑국은 중층 30%가 모두 상층으로 이동하더라도 25%이고, 모두 하층으로 이동하더라도 25%이다. 그러나 을국은 60%의 중층이 모두 상층으로 이동하더라도 30%인 데 비해 모두 하층으로 이동하면 60%이다. 따라서 갑국은 중층의 상승 이동과 하강 이동 중 어느 것이 더 많은지 알 수 없으나 을국은 하강 이동이 훨씬 많음을 알 수 있다.

22 세대 간 이동

부모의 계층 구조가 피라미드형이므로 하층이 가장 많고 상층이 가장 적은 형태이다. 따라서 A는 중층, B는 하층, C는 상층이다. 제시된 자료를 토대로 세대 간 계층 이동표를 만들면 다음과 같다.

(단위: %)

구분		부모의 계층			
		상층	중층	하층	계
자녀의 계층	상층	7	3	6	16
	중층	2	18	24	44
	하층	1	9	30	40
	계	10	30	60	100

① 세대 간 상승 이동은 33%(3+6+24), 하강 이동은 12%(2+1+9)로 상승 이동이 하강 이동보다 더 많다.

오답 선택지 풀이 ② 세대 간 수직 이동은 상승 이동과 하강 이동의 합인 45%이고, 계층을 대물림한 경우는 55%로 대물림한 비율이 더 많다.

③ 자녀 세대 중 부모가 상층이고 자녀가 하층인 비율은 1%이다.

④ 부모 세대 계층 중 세대 간에 계층을 대물림한 비율은 상층 7/10, 중층 18/30, 하층 30/60으로 상층에서 가장 높다.

⑤ 자녀 세대의 계층 구조는 다이아몬드형, 부모 세대의 계층 구조는 피라미드형이다. 다이아몬드형은 중층이 가장 많으므로 양극화 현상이 심하지 않다.

23 사회 불평등 현상을 보는 관점

(1) 기능론

(2) **| 모범 답안 |** 기능적으로 중요한 일을 하는 사람에게 더 많은 보상을 주어야 하므로 사회적 자원을 차등적으로 분배하는 것이 당연하다고 여긴다.

채점 기준	배점
기능적으로 중요한 일을 하는 사람에게 더 많은 보상을 주어야 한다는 내용과 사회적 자원의 차등적 분배를 논리적으로 연결하여 정확하게 서술한 경우	상
기능적으로 중요한 일을 하는 사람에게 더 많은 보상을 주어야 한다는 내용만을 서술한 경우	중
기능론의 다른 특징을 서술한 경우	하

24 계층 구조

(1) A: 다이아몬드형, B: 타원형

(2) | 모범 답안 | 계층 간 지식과 정보의 획득 및 접근에 격차가 발생하여 기존의 불평등이 더욱 심화되어 모래시계형 계층 구조가 형성될 것이라고 전망한다.

채점 기준	배점
정보화 진전에 따라 정보의 획득 및 접근에 격차가 발생하며 모래시계형 계층 구조가 형성될 것으로 전망한다고 서술한 경우	상
정보화 진전에 따라 중층의 비율이 낮아져서 모래시계형 계층 구조가 형성될 것으로 전망한다고 서술한 경우	중
정보화 진전에 따라 정보의 획득 및 접근에 격차가 발생한다고 서술한 경우	하

25 사회 이동의 유형

(1) 구조적 이동

(2) | 모범 답안 | 혁명, 전쟁, 산업 구조의 변화 등 급격한 사회 변동으로 기존의 계층 구조가 변화하여 생기는 계층적 위치 변화이다.

채점 기준	배점
혁명, 전쟁, 산업 구조의 변화 등 구조적 이동의 원인을 정확하게 서술한 경우	상
급격한 사회 변동으로 기존의 계층 구조가 변화하여 발생한다고 서술한 경우	중
사회 구조의 변동 때문에 계층 구조가 변화한다고만 서술한 경우	하

상위 4% 문제 　　　　　　　　　　　 본문 88~89쪽

01 ①　02 ③　03 ⑤　04 ②　05 ④　06 ⑤　07 ②
08 ③

01 사회 불평등 현상을 보는 관점

미국의 근로자와 최고 경영자의 연봉 격차가 큰 것에 대해 갑은 기능론, 을은 갈등론의 관점으로 보고 있다.

① 기능론은 사회에 기능적으로 중요한 일과 그렇지 않은 일이 존재한다고 본다. 따라서 기능적으로 중요한 일을 하는 사람에게 더 많은 보상을 주어야 하므로 사회적 자원을 차등적으로 분배하는 것이 당연하다고 주장한다.

오답 선택지 풀이 ② 갈등론에서는 사회 구성원이 담당하고 있는 일의 기능적 중요성을 정확히 판단하기 어렵기 때문에 일에 따라 차등적인 보상을 하는 것은 오히려 사람들 간의 갈등을 유발하여 사회 발전을 저해한다고 본다.

③ 기능론은 사회가 모든 사회 구성원의 합의에 의해 유지된다고 본다.

④ 기능론에서는 사회 불평등이 필수 불가결하며 보편적인 현상이라고 본다. 반면 갈등론은 사회 불평등을 극복해야 할 대상이라고 본다.

⑤ 기능론에서는 사회 불평등 현상이 성취동기를 자극하여 사회 발전을 촉진시킨다고 본다. 반면 갈등론에서는 서로 다른 계층 간에 상대적 박탈감을 유발한다고 본다.

02 사회 불평등 현상을 보는 관점

자료 분석

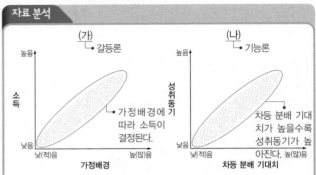

(가)는 개인의 노력이나 능력이 아니라 부모의 지위에 따라 자녀의 소득이 영향을 받으므로 기득권층의 이익 추구에 따라 사회 불평등이 발생한다고 보는 갈등론의 관점을 보여 준다. (나)는 성과에 따라 보상을 차등 분배하면 열심히 일하려는 동기가 높아지므로 사회 발전이 촉진된다는 기능론의 입장을 보여 준다.

③ 기능론은 사회에는 중요한 일과 그렇지 않은 일이 있고, 사회적 중요도에 따라 보수가 차등 지급되는 것은 당연한 결과라고 본다. 따라서 기능적 중요도에 따라 차등 분배가 이루어짐으로써 사회 불평등이 나타나는 것은 합리적인 결과라고 본다.

오답 선택지 풀이 ① 사회적 희소가치의 배분에 대해 사회 구성원들 간에 합의된 기준이 있다고 보는 것은 기능론이다.

② 사회 불평등이 사회가 최적으로 기능하기 위해 필요하다고 보는 것은 기능론이다. 갈등론은 사회 불평등을 극복해야 할 대상으로 본다.

④ 기능론에서는 사회 불평등 현상을 보편적이며 불가피하다고 본다.

⑤ 갈등론에서는 부모의 사회 경제적 지위와 같은 선천적 요인에 의해 계층이 형성될 가능성이 높다고 본다.

03 사회 불평등 현상을 설명하는 이론

자료 분석

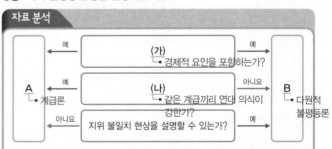

지위 불일치 현상을 설명할 수 있는 것은 다원적 불평등론이다. 따라서 A는 마르크스의 계급론, B는 베버의 다원적 불평등론이다. (가)에는 계급론과 다원적 불평등론의 공통점이 들어가야 한다. 두 이론 모두 경제적 요인을 포함하고 있다. (나)에는 계급론만의 특징이 들어가야 한다. 계급론은 같은 계급끼리는 강한 연대 의식을 가지지만, 서로 다른 계급에 대해서는 적대감을 가지고 있다고 본다.

오답 선택지 풀이 ① 중간 계급의 존재를 설명하기에 용이한 것은 다원적 불평등론이다.

② 갈등과 대립이 사회 변혁의 원동력이 된다고 보는 것은 계급론이다.

③ 정치적 불평등이 경제적 불평등에 종속됨을 강조하는 것은 계급론이다.

④ (가)에는 계급론과 다원적 불평등론의 공통점이 들어가야 한다. 사회 불평등 현상을 자본가 계급과 노동자 계급으로 나누어 이분법적으로 구

분하는 것은 계급론이므로 '사회 불평등 현상을 이분법적으로 구분하는가?'는 (가)에 들어갈 수 없다.

04 다원적 불평등론

밑줄 친 A 이론은 생산 수단의 소유 여부, 소득이나 부의 크기, 파당이나 지위 등 여러 가지 요인에 의해 계급이 결정된다고 보고 있으므로 다원적 불평등론이다. 다원적 불평등론은 다양한 지위에 의해 계층이 형성된다고 여기므로 다차원적으로 계층을 보고 있으며, 경제적 계급, 사회적 위신 등이 서로 불일치하는 지위 불일치 현상을 설명하기에 유리하다. 또한 이러한 불평등 현상이 연속적으로 범주화된 상태라고 본다.

오답 **선택지 풀이** 계층 간 수직 이동이 극히 제한적이라고 보거나 동일 집단 구성원 간에 강한 연대 의식을 강조하는 것은 계급론이다.

05 계층 구조의 변화

제시된 도표를 토대로 갑국과 을국의 t년과 t+1년의 계층 비율을 구하면 다음 표와 같다.

구분	t년		t+1년	
	갑국	을국	갑국	을국
상층	25%	10%	40%	25%
중층	25%	30%	20%	50%
하층	50%	60%	40%	25%

ㄴ. 을국은 t년에는 피라미드형 계층 구조였으나 t+1년에는 중층의 비율이 가장 높은 다이아몬드형 계층 구조로 변화하였다. 이에 따라 중층이 상층과 하층 간의 완충 작용을 하여 갈등을 줄여줌으로써 사회 안정을 꾀하고 있다.

ㄹ. t+1년에 을국은 중층의 비율이 가장 높은 다이아몬드형 계층 구조이지만, 갑국은 중층의 비율이 가장 낮은 모래시계형 계층 구조로 변화하였다. 중층이 적으면 상층과 하층 간의 갈등과 대립이 심하고 사회가 불안정해지기 쉽다. 따라서 갑국은 하층을 중층으로 끌어올리기 위한 사회 안전망 확보가 필요하다.

오답 **선택지 풀이** ㄱ. 제시된 도표는 t년과 t+1년의 계층 구조를 보여 주며 사회 이동이 어느 계층에서 활발하게 이루어졌는지는 알 수 없다.

ㄷ. 갑국과 을국 모두 사회 이동에 따라 계층 구조가 바뀌었으므로 개방적 계층 구조가 나타나고 있다.

06 계층 구조의 유형

(가)는 중층이 가장 적은 모래시계형, (나)는 중층이 가장 많은 다이아몬드형, (다)는 상층, 중층, 하층의 비율이 모두 같다.

⑤ (다) → (나)는 중층의 비율이 높아지면서 상층과 하층 간의 대립과 갈등이 줄어들고 사회가 안정적인 모습을 갖게 됨을 나타낸다.

오답 **선택지 풀이** ① (가) → (나)는 중층의 비율이 높아졌으므로 계층의 양극화가 약화된 것이다.

② (가) → (다)는 중층이 많아지고 상층과 하층이 줄어들어 계층 구성원 비율이 같아지는 현상이다. 그렇다고 하여 계층의 대물림 현상이 사라지는 것은 아니다.

③ (나) → (가)는 중층이 줄어들어 모래시계형 계층 구조로 변화되는 현상이다. 이는 정보화를 비관적으로 볼 때, 즉 계층 간 정보 격차가 심해질 때 나타난다.

④ (다) → (가)는 계층 구성원의 비율이 변화하였으므로 계층 이동이 자유로운 개방적 계층 구조이다.

07 세대 간 이동

〈부모 세대와 자녀 세대 간 계층 이동 현황〉에서 자녀 세대 해당 계층 대비 부모 세대보다 계층이 높은 비율을 보면 B가 0%이다. 부모 세대보다 계층이 높은 자녀 세대가 없다는 것이므로 B는 하층임을 의미한다. A는 C보다 높은 계층이므로 A는 상층, C는 중층이다. 자료를 토대로 세대 간 이동 구성 표를 작성하면 다음과 같다.

(단위 : %)

구분		부모의 계층			
		상층	중층	하층	계
자녀의 계층	상층	15	10	5	30
	중층	0	30	10	40
	하층	5	10	15	30
	계	20	50	30	100

② 상층 부모를 둔 하층 자녀는 5%, 하층 부모를 둔 상층 자녀는 5%로 비율이 같다.

오답 **선택지 풀이** ① 부모 세대 계층 구조와 자녀 세대 계층 구조는 모두 중층이 가장 많은 다이아몬드형이다.

③ 세대 간 계층을 대물림한 사람은 60%(15+30+15), 세대 간 계층 이동한 사람은 40%로 계층 대물림 비율이 더 높다.

④ 세대 간 상승 이동한 사람은 25%(10+5+10), 세대 간 하강 이동한 사람은 15%(0+5+10)로 2배를 넘지 않는다.

⑤ 자녀 세대 계층 대비 부모 세대와 계층이 일치하는 비율은 상층 15/30, 중층 30/40, 하층 15/30으로 중층이 가장 높다.

08 세대 간 이동

자료 분석

〈갑국의 세대 간 계층 구성비〉

상승 이동 (단위: %)

구분		부모의 계층			
		상층	중층	하층	계
자녀의 계층	상층	12	3	㉠ 5	㉡ 20
	중층	15	5	30	50
	하층	3	12	15	30
	계	30	㉢ 20	50	100

하강 이동 ● 계층 대물림

① ㉠은 부모는 하층, 자녀는 상층이므로 세대 간 상승 이동에 해당한다.

② ㉡과 ㉢의 값은 20으로 같다.

④ 부모의 계층 구조는 모래시계형, 자녀의 계층 구조는 다이아몬드형이므로 자녀의 계층 구조가 안정적이다.

⑤ 부모가 하층인 경우는 50%이고, 그 30%인 15%가 자녀도 하층이다.

오답 **선택지 풀이** ③ 계층 대물림 비율은 32%(12+5+15), 계층 이동 비율은 68%로 계층 이동 비율이 계층 대물림 비율보다 높다.

11 다양한 불평등 양상

개념 확인 문제 본문 92쪽

01 절대적, 최저 생계비, 중위 소득, 50% **02** (1) ㄹ (2) ㄱ (3) ㄷ
(4) ㄴ **03** 가부장제, 성 불평등 **04** (1) ⓛ (2) ㉠ (3) ㉢

시험에 꼭 나오는 문제 본문 92~96쪽

01 ②	02 ①	03 ④	04 ⑤	05 ③	06 ①	07 ⑤
08 ③	09 ②	10 ①	11 ④	12 ③	13 ①	14 ③
15 ④	16 ③	17~19 해설 참조				

01 사회적 소수자

갑은 베트남 여성, 을은 탈북 주민, 병은 이슬람교를 믿는 학생
이다. 이들은 신체적 또는 문화적 특징 때문에 주류 집단으로부
터 차별을 받으며, 스스로 차별받는 집단으로 인식하고 있으므
로 사회적 소수자이다.

오답 **선택지 풀이** ① 갑, 을, 병이 일탈 행위를 하고 있다는 근거가 없다.
③ 갑은 농촌 출신으로서 그대로 농촌에 거주하고 있으므로 계층의 이동이
없다. 을은 장교에서 비정규직 근로자로 바뀌었으므로 사회 계층이 하강
이동하였다. 그러나 병은 계층의 이동이 있었는지 알 수 없다.
④ 갑, 을, 병 모두 절대적 빈곤 가구에 해당한다는 근거가 없다.
⑤ 갑은 인종이 다르므로 외상상 한국인과는 다른 특징을 갖고 있지만, 을과
병은 같은 인종으로서 신체적 특징은 다르지 않다.

02 사회적 소수자 성립 요건

밑줄 친 A는 사회적 소수자이다. 사회적 소수자는 신체적 또는
문화적 특성 때문에 사회의 다른 구성원으로부터 차별을 받으며,
자신이 차별받는 집단에 속해 있다는 의식을 지닌 사람들이다.

오답 **선택지 풀이** ① 사회적 소수자라고 해서 구성원의 수가 적음을 의미
하지는 않는다. 사회적 소수자를 규정하는 핵심 기준은 수가 아니라 사
회적 영향력의 크기이다. 남아프리카 공화국에서 소수의 백인에 의해 차
별을 받았던 다수의 흑인과 유색 인종이나 남성들에 의해 차별을 받는
다수의 여성도 사회적 소수자로 볼 수 있다.

올쏘 만점 노트 사회적 소수자 성립 요건

식별 가능성	신체적으로나 문화적으로 다른 집단과 구별되는 뚜렷한 차이가 있음
권력의 열세	정치권력을 포함한 사회적 권한의 행사에서 지배 집단보다 열세에 있음
사회적 차별	사회적 소수자 집단의 구성원이라는 이유만으로 차별의 대상이 됨
집합적 정체성	스스로 차별받는 집단의 구성원이라는 인식 또는 소속감이 있음

03 사회적 소수자의 상대성

ㄱ. A국에서는 장애인이 사회적 소수자였지만, B국에서는 그렇
지 않았다.
ㄷ. 갑은 A국에서는 장애인이라는 이유로 차별을 받았지만 B국
에서는 그렇지 않았다. 즉, 사회적 소수자는 시대, 장소, 소속 집

단의 범주 등에 따라 사회적으로 만들어지는 상대적인 개념이다.
ㄹ. A국에서 갑은 장애인에 속한다는 사실만으로 차별의 대상
이 되었다. 즉, 사회적 소수자는 집단의 구성원이라는 이유만으
로 차별의 대상이 될 수 있다.

오답 **선택지 풀이** ㄴ. A국과 B국에서 장애인 비율은 비슷했지만, A국은
장애인을 사회적 소수자로 대우했고, B국은 그렇지 않았다. 즉, 사회적
소수자는 반드시 수적으로 열세에 놓여야 하는 것은 아니다.

04 사회적 소수자에 대한 인식

제시된 조사 결과 표에서 점수가 높을수록 사회적 소수자 집단
에 대해 느끼는 거리감이 작다.
⑤ 개발도상국 출신 이주 노동자와 선진국 출신 이주 노동자에
대한 호감 정도의 격차가 장년층의 경우는 1.05이지만, 노년층
은 0.97이다. 즉, 이주 노동자의 출신 국가에 따라 호감을 느끼
는 정도의 차이는 장년층이 노년층보다 크다.

오답 **선택지 풀이** ① 청소년층은 다른 연령층에 비해 점수가 가장 높다.
즉, 청소년층은 우리 사회의 소수자 집단에 대한 사회적 거리를 가장 가
깝게 느낀다.
② 소수자 집단 중에서 탈북 주민의 점수가 가장 높다. 즉, 우리 사회 구성원
대부분은 탈북 주민에 대해 사회적 거리감이 가장 작다.
③ 동일 민족으로 분류되는 소수자 집단은 탈북 주민이다. 탈북 주민에 대해
서는 연령이 높을수록 점수가 높다. 즉, 연령이 높을수록 탈북 주민에 대
해서 긍정적인 생각을 갖고 있다.
④ 청년층이 노년층에 비해 장애인에 대해 사회적 거리를 멀게 느낀다. 그러
나 청년층과 노년층의 인구를 알 수 없으므로 장애인에 대해 사회적 거리
를 멀게 느끼는 사람의 수가 청년층이 노년층보다 많은지 알 수 없다.

05 사회적 소수자 차별 해결 방안

제시문의 차별 수업에서 사회적 소수자로 차별을 경험한 사람
이 다른 사회적 소수자를 너그럽게 대하게 된다는 내용을 통해
사회적 소수자 차별 문제는 사람들의 편견 때문이었음을 알 수
있다. 따라서 사회적 소수자를 편견과 차별의 대상으로 여겨서
는 안 되며, 동등한 사회 구성원으로 존중하고 공존하는 방법을
찾아야 한다.

오답 **선택지 풀이** ① 사회적 소수자는 법이나 제도로 명확히 규정할 수
없다.
② 사회적 소수자를 우대해야 할 필요성에 대해서는 언급하고 있지 않다.
④ 소수자 우대 정책이나 이로 인한 역차별 문제에 대한 언급은 제시문에
나와 있지 않다.
⑤ 사회적 소수자를 차별하는 제도가 아니라 사회적 소수자를 바라보는 개
인적 인식의 문제점을 제시하고 있다.

06 사회적 소수자 차별 해결 방안

ㄱ. (가)는 장애인의 정치 참여를 보장하기 위해서는 1층에 투표
소를 설치하는 등 사회적 소수자에 대한 제도적 차원의 대책이
필요함을 보여 준다.
ㄴ. (나)에서는 종교나 다른 이유 등으로 특정 음식을 먹지 못하
는 사회적 소수자에 대한 배려가 중요함을 보여 준다.

오답 **선택지 풀이** ㄷ. (가)는 신체적 특징, (나)는 문화적 특징 때문에 차별
을 받고 있다. 권력의 열세는 (가)와 (나) 모두에서 공통적인 특징이다.
ㄹ. (가)와 (나)는 사회적 소수자를 배려하는 마음가짐이나 제도를 개선하는
방향으로 해소할 수 있는 사례이다.

07 성 불평등 현상의 원인

자료는 가정에서 남자아이와 여자아이를 키우는 방식이 다름을 나타낸다. 이러한 양육 방식으로 여자아이는 여성다움을, 남자아이는 남성다움을 유지하도록 요구받는 차별적 사회화를 통해 여성성과 남성성에 대한 성 역할 고정관념을 형성시킨다. 차별적 사회화는 정치, 경제 및 일상생활의 다양한 영역에서 성 불평등 현상을 나타나게 하는 요인이 된다.

오답 선택지 풀이 ① 자료에서 남성 중심적인 가부장제를 찾아볼 수 없다.
② 자료에서는 남자아이와 여자아이의 양육 방식이 다르다는 것만 나와 있을 뿐이지, 남녀의 불평등한 역할 때문에 가족 간에 대립이 발생한다는 내용을 찾아 볼 수 없다.
③ 자료에서 여성 스스로의 소극적인 문제 인식을 찾아볼 수 없다.
④ 자료에서 남성과 여성의 가족 내 역할이 모호한지는 알 수 없다.

올쏘 만점 노트 성 불평등 현상의 원인

가부장제	남성은 주로 지배적·주도적인 일을 하고 여성은 보조하는 업무를 담당하는 식의 차별적인 분업이 지속되어 옴
차별적 사회화	개인은 몸가짐, 말투, 머리 모양, 옷 등에서 성별에 따른 기준을 적용받으며 그 사회가 용인하는 여성다움 혹은 남성다움을 학습하면서 성장함

08 남녀의 임금 격차 문제

남녀의 임금 격차 문제에 대해 갑은 남녀의 역할에 차이가 있으므로 당연한 현상이라고 보고, 을은 남성 지배 중심의 구조적인 문제 때문에 나타난다고 본다.
③ 을은 남성 중심적인 가부장제로 인해 성별 분업 체계가 만들어지면서 임금 격차와 같은 성 불평등 현상을 당연한 것으로 여기게 하였다고 주장한다.

오답 선택지 풀이 ① 갑은 남녀 임금 격차를 문제로 인식하지 않으므로 성 불평등 문제를 긍정적으로 본다.
② 갑은 성별 분업 체계가 자연스러운 현상으로 오히려 사회 통합에 기여한다고 본다.
④ 을은 개인의 능력에 따라 임금 수준이 결정되는 것이 아니라 성별에 따라 임금 수준이 결정된다고 본다.
⑤ 갑은 남성과 여성 간의 합리적 차이를 인정하지만, 을은 그 차이가 남성 중심의 가부장제에서 비롯된 구조적 문제라고 본다.

09 성 불평등 현상

자료 분석

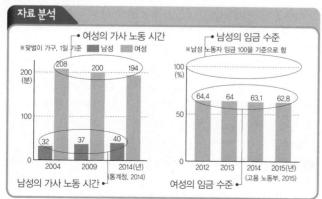

ㄱ. 맞벌이 가구 남성의 가사 노동 시간에 비해 여성의 가사 노

동 시간이 훨씬 많다. 그러나 그 격차는 점차 줄어들고 있다.
ㄷ. 같은 일을 하는데 단지 성이 다르다는 이유로 남성에게 더 많은 임금을 지급하는 것은 남성 중심의 사회 구조 때문이라고 볼 수 있다.

오답 선택지 풀이 ㄴ. 남성 노동자 임금이 100만 원일 때 여성 노동자 임금은 60만 원이 조금 넘는 정도이다.
ㄹ. 부부의 가사 노동 시간 격차는 점차 줄어드는 데 비해 남녀의 임금 격차는 점점 커지고 있다. 따라서 가사 노동 시간보다 임금 차이에서 성 불평등 현상이 심각해지고 있다.

유사 선택지 문제

09 ❶ 성 불평등 ❷ 64 ❸ ×

10 성 불평등 현상의 원인

제시문에서는 성 불평등 현상이 남성 중심적인 가부장제에서 비롯되었다고 보고 있다. 가정 내 의사 결정 권한을 남성이 주도하고 지배하는 가부장제는 남성 중심의 지배 구조를 사회 전반으로 확산한다. 이 때문에 가사 노동과 육아 등을 여성의 역할로 한정하거나, 직업 세계에서 여성은 주로 남성을 보조하는 업무를 담당하도록 하는 등의 성 불평등을 당연한 것으로 여기게 되었다.

오답 선택지 풀이 ② 차별적 사회화에 대한 내용은 언급되어 있지 않다.
③ 제시문에서는 남녀의 성 역할 차이가 성 불평등 현상을 초래하였음을 말하고 있다. 이러한 성 역할 차이가 사회 통합에 기여하였다는 내용은 찾을 수 없다.
④ 성 역할 차이가 성 불평등 문제를 야기한 것이므로 성별 분업 체계를 명확히 구분하면 오히려 성 불평등 문제가 악화된다.
⑤ 여성 우대 정책에 관한 내용은 제시문에서 찾아볼 수 없다.

11 절대적 빈곤과 상대적 빈곤

자료 분석

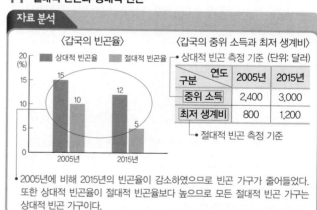

• 2005년에 비해 2015년의 빈곤율이 감소하였으므로 빈곤 가구가 줄어들었다. 또한 상대적 빈곤율이 절대적 빈곤율보다 높으므로 모든 절대적 빈곤 가구는 상대적 빈곤 가구이다.

④ 2015년의 절대적 빈곤선은 최저 생계비인 1,200달러이고, 2005년의 상대적 빈곤선은 중위 소득의 50%인 1,200달러로 같다.

오답 선택지 풀이 ① 절대적 빈곤율은 최저 생계비 미만인 가구의 비율이다. 2005년 갑국의 전체 가구 중 소득 800달러 미만인 가구는 절대적 빈곤율에 해당하는 10%이다.
② 2015년 갑국의 상대적 빈곤율은 12%, 절대적 빈곤율은 5%이다. 절대적 빈곤 가구이면서 상대적 빈곤 가구는 5%, 절대적 빈곤 가구가 아니면서 상대적 빈곤 가구는 7%이다.

③ 2005년보다 2015년에 중위 소득과 최저 생계비가 높다. 그렇지만 최상위 소득을 알 수 없으므로 최상위 소득과 최저 생계비 간의 격차가 더 커졌는지 알 수 없다.
⑤ 2005년과 2015년에 모두 상대적 빈곤율이 절대적 빈곤율보다 높으므로 모든 절대적 빈곤 가구는 상대적 빈곤 가구에 해당한다.

유사 선택지 문제

11 ❶ 절대적 빈곤선 ❷ 1/2 ❸ ×

12 절대적 빈곤과 상대적 빈곤

A는 절대적 빈곤, B는 상대적 빈곤이다.
① 최저 생계비는 절대적 빈곤율을 측정하는 지표이므로 최저 생계비를 높게 설정하면 절대적 빈곤에 해당하는 금액인 절대적 빈곤선도 높아진다.
② 상대적 빈곤율은 소득의 불평등 정도를 나타낸다. 가장 부자부터 가난한 사람 순으로 세웠을 때 중간에 위치한 소득인 중위 소득의 일정 비율로 상대적 빈곤율을 측정한다. 이 비율이 높다면 상대적 빈곤 가구가 많아짐을 의미하므로 소득 불평등의 정도가 크다.
④ '중위 소득의 일정 비율'에 해당하는 금액은 상대적 빈곤선을 의미하고 최저 생계비는 절대적 빈곤선에 해당한다. 상대적 빈곤선이 절대적 빈곤선보다 높으면 모든 절대적 빈곤 가구는 상대적 빈곤 가구에 속한다.
⑤ 절대적 빈곤 상태에서는 인간다운 생활을 하지 못하므로 사회 갈등의 원인이 된다. 상대적 빈곤은 다른 사람의 평균적인 소득 수준에 비해 빈곤한 정도이므로 사회적 불만과 갈등을 유발할 수 있다. 결국 오늘날에는 절대적 빈곤과 상대적 빈곤 모두 사회 문제가 된다.

오답 선택지 풀이 ③ 절대적 빈곤은 최저 생계비로, 상대적 빈곤은 중위 소득으로 측정하는데 두 측정치 모두 객관적 기준에 의한 것이다.

올쏘 만점 노트 절대적 빈곤과 상대적 빈곤

절대적 빈곤	• 인간이 최소한의 생활을 유지하는 데 필요한 자원이나 소득이 절대적으로 부족한 상태 • 우리나라의 경우 가구 소득이 최저 생계비(절대적 빈곤선) 미만인 가구를 절대적 빈곤율로 정하여 측정함
상대적 빈곤	• 사회 구성원 대다수가 누리는 생활수준을 영위하지 못하는 상태 • 우리나라의 경우 가구 소득이 중위 소득의 50%(상대적 빈곤선) 미만인 가구를 상대적 빈곤율로 정하여 측정함

13 절대적 빈곤과 상대적 빈곤

① 2010년 갑국은 절대적 빈곤 가구 대비 상대적 빈곤 가구의 비율이 1이므로 절대적 빈곤 가구와 상대적 빈곤 가구의 비율이 같다. 이것은 최저 생계비와 중위 소득의 50%에 해당하는 금액이 일치함을 의미한다. 최저 생계비는 절대적 빈곤율을, 중위 소득의 50%는 상대적 빈곤율을 측정하는 지표이므로 갑국의 절대적 빈곤선과 상대적 빈곤선이 같다.

오답 선택지 풀이 ② 2018년 갑국의 절대적 빈곤 가구의 비율이 1일 때 상대적 빈곤 가구는 0.50이다. 절대적 빈곤 가구보다 상대적 빈곤 가구가 적다. 따라서 절대적 빈곤 가구 중에서도 상대적 빈곤 가구가 아닌 가구

가 존재한다.
③ 2010년 을국은 상대적 빈곤 가구가 절대적 빈곤 가구보다 3배 많다. 절대적 빈곤율은 최저 생계비로, 상대적 빈곤율은 중위 소득의 50%로 측정하므로 최저 생계비는 중위 소득의 50%보다 낮다.
④ 2018년 을국은 상대적 빈곤 가구가 절대적 빈곤 가구보다 2배 많다. 그러나 상대적 빈곤선과 절대적 빈곤선을 알 수 없으므로 중위 소득이 최저 생계비의 4배인지를 파악할 수 없다.
⑤ 제시된 표는 절대적 빈곤 가구에 대한 상대적 빈곤 가구의 상대적 비율일 뿐이지 전체 빈곤 가구의 수를 알 수 없으므로 빈곤 가구가 줄어들었는지 알 수 없다.

14 빈곤 문제의 해결 방안

제시된 자료에서 하위 20% 대비 상위 20% 가계의 소득 배율이 커졌다는 것은 빈부 격차가 심화되었다는 의미이다. 빈부 격차를 줄이기 위해서는 빈곤층에 대한 지원을 확대해야 한다.
ㄴ. 실업자에 대한 직업 훈련을 확대하면 실업자가 취업을 하여 소득을 얻을 수 있으므로 빈부 격차가 줄어든다.
ㄷ. 근로 빈곤층에 대한 생계비 지원을 확대하면 빈곤층이 빈곤에서 탈출할 수 있게 된다.

오답 선택지 풀이 ㄱ. 소득에 부과하는 세율을 인하하면 부자들의 소득이 그만큼 늘어나므로 빈부 격차가 커진다.
ㄹ. 집안의 경제력을 기준으로 하지 않고 학업 성적이 우수한 학생에게 장학금을 지급할 경우 빈부 격차를 줄이기는 어렵다.

15 빈곤의 유형

A는 절대적 빈곤, B는 상대적 빈곤이다.
① 평균 가구 소득이 높아지면 최저 생계비 미만에 해당하는 절대적 빈곤율은 줄어든다.
② 상대적 빈곤은 그 나라의 평균적인 소득 수준을 기준으로 빈곤 정도를 측정하므로 후진국뿐만 아니라 선진국에서도 나타날 수 있다.
③ 상대적 박탈감은 남의 소득 수준과 비교해서 빈곤 정도를 느끼는 것이므로 절대적 빈곤보다 상대적 빈곤을 통해 설명하기에 적합하다.
⑤ 절대적 빈곤을 판단하는 최저 생계비는 시대에 따라 달라질 수 있다. 상대적 빈곤을 판단하는 중위 소득도 그 사회의 일반적인 소득 수준에 따라 달라질 수 있다.

오답 선택지 풀이 ④ 국민 기초 생활 보장 제도는 일정 수준 이하의 빈곤층을 대상으로 최소한의 인간다운 생활을 보장하는 것이 목표이다. 따라서 최저 생계비 미만에 해당하는 절대적 빈곤을 해결하는 대책이다.

16 절대적 빈곤과 상대적 빈곤

③ 갑국은 2018년에 상대적 빈곤율과 절대적 빈곤율이 같다. 즉, 상대적 빈곤 가구의 비율과 절대적 빈곤 가구의 비율이 같다. 상대적 빈곤은 중위 소득의 50%로 측정하고, 절대적 빈곤은 최저 생계비로 측정하는데 두 빈곤율이 같으므로 두 빈곤선도 같다. 즉, 중위 소득의 50%와 최저 생계비가 같다.

오답 선택지 풀이 ① 2010년 상대적 빈곤율은 절대적 빈곤율의 1/2배이다. 이것은 상대적 빈곤 가구가 절대적 빈곤 가구의 1/2배라는 것이지 중위 소득의 50%가 최저 생계비의 1/2배라는 뜻은 아니다.
② 갑국은 2010년에 비해 2015년에 상대적 빈곤율이 늘어났다. 이것은 상대

적 빈곤 가구가 늘어났다는 의미이지 중위 소득이 상승했다는 의미는 아니다.

④ 2010년 이후 갑국의 절대적 빈곤율은 낮아지고 있다. 이것은 절대 빈곤 가구의 비율이 낮아진다는 것이지 최저 생계비가 낮아진다는 의미는 아니다. 최저 생계비가 낮아지더라도 절대 빈곤 가구는 증가할 수도 있다.

⑤ 2015년 갑국의 상대적 빈곤율이 절대적 빈곤율보다 높다. 즉, 상대적 빈곤 가구가 절대적 빈곤 가구보다 많다. 따라서 모든 절대적 빈곤 가구가 상대적 빈곤 가구에 해당한다.

17 사회적 소수자

(1) 사회적 소수자

(2) | 모범 답안 | 사회적 소수자에 대한 편견과 고정관념을 극복하고, 사회적 소수자를 동등한 사회 구성원으로 인정하고 존중하며 더불어 살아가려는 관용의 자세를 함양해야 한다.

채점 기준	배점
사회적 소수자에 대한 편견 극복, 동등한 사회 구성원으로 존중, 배려와 관용 정신으로 대해야 한다는 내용 등을 정확하게 서술한 경우	상
사회적 소수자에 대한 편견을 극복해야 한다는 내용만을 서술한 경우	중
사회적 소수자 문제 해결을 위한 제도적 대책을 서술한 경우	하

18 성 불평등 현상

(1) 가부장제

(2) | 모범 답안 | 가부장제 사회 구조를 없애기 위해 남녀 동등 임금 체계, 업무에서의 남녀 차별 금지 등을 법률로 규정한다.

채점 기준	배점
가부장제 사회 구조를 타파하기 위한 제도나 법률 제정 등을 예를 들어 서술한 경우	상
가부장제 사회 구조를 타파하기 위한 제도나 법률 제정이 필요하다고만 서술한 경우	중
남녀 차별을 금지해야 한다고 서술한 경우	하

19 빈곤의 유형

(1) A: 절대적 빈곤, B: 상대적 빈곤

(2) | 모범 답안 | 절대적 빈곤보다 상대적 빈곤의 문제가 더 심각해지고 그로 인한 상대적 박탈감이 사회 문제가 될 수 있다.

채점 기준	배점
절대적 빈곤보다 상대적 빈곤이 심각해지고, 상대적 박탈감이 사회 문제가 된다고 서술한 경우	상
절대적 빈곤보다 상대적 빈곤이 심각해진다고 서술한 경우	중
빈곤 가구가 늘어난다고만 서술한 경우	하

상위 4% 문제

본문 97쪽

01 ② **02** ① **03** ② **04** ③

01 사회적 소수자 문제 가설 검증 자료

모둠 1: 장애인 고용 비율이 높은 직장인지는 전체 직원 수와 사업장별 장애인 수를 조사하면 알 수 있고, 직원 개개인의 노동 생산성은 사업장 매출액을 직원 수로 나누면 된다.

모둠 3: 정규직과 비정규직 노동자 간 임금 격차는 정규직 노동자와 비정규직 노동자의 임금 수준을 비교해 보면 알 수 있다. 또한 비정규직 노동자의 직장 만족도는 비정규직 노동자와 정규직 노동자를 대상으로 직장 만족도를 조사해서 비교해 보면 된다.

오답 **선택지 풀이** 모둠 2: 외국인 노동자가 많은 직장인지는 전체 직원 수와 외국인 직원 수로 파악할 수 있다. 외국인 노동자의 인권 침해 사건은 인권 침해 통계 자료로 파악하는데, 제시된 자료에서 국적별 외국인 노동자 수는 필요하지 않다. 또한 전체 직원 수가 제시되어 있지 않아 외국인 노동자의 비율을 알 수 없다.

모둠 4: 차별적 사회화를 겪었는지 남성을 대상으로 질문지를 구성하여 물어보면 된다. 또한 여성에 대한 차별 의식도 이와 관련된 문항을 만들어서 물어보면 된다. 맞벌이 부부의 가사 노동 시간은 여성에 대한 차별 의식이라기보다는 성 불평등 현상 자체를 알아보는 것이고, 가부장제에 대한 태도와 차별적 사회화는 전혀 다른 개념이므로 부적절하다.

02 성 불평등 현상

'유리 천장 지수'는 각 나라별 여성들의 고위직 진출을 가로막는 방해 요소를 수치화한 것으로, 여성의 고등 교육 이수율, 여성의 경제 활동 참가율, 남녀 임금 격차, 관리자 중 여성 비율 등의 항목을 종합하여 수치화한다. 100점 만점으로, 지수가 낮을수록 장벽이 높음을 의미한다.

오답 **선택지 풀이** ① 여성의 출산율은 여성의 지위 상승과는 전혀 관련이 없다.

03 빈곤 탈출률과 빈곤 진입률

자료 분석

〈갑국의 빈곤 탈출률과 빈곤 진입률〉

(단위: %)

구분	2016년	2017년	2018년
빈곤 탈출률	20	15	8
빈곤 진입률	5	10	8

* 빈곤 탈출률: 이전 연도 빈곤층 가구 중 조사 연도에 비빈곤층인 가구의 비율
** 빈곤 진입률: 이전 연도 비빈곤층 가구 중 조사 연도에 빈곤층인 가구의 비율
*** 2015년 빈곤층 가구 수는 총가구수의 20%이다.

2015년 전체 가구 수를 1,000가구로 가정하고 탈출률과 진입률에 따라 빈곤층 가구와 비빈곤층 가구 수를 정리하는 것이 핵심이다. 2015년에 빈곤층 가구 수는 총가구수의 20%라고 하였으므로 1,000가구 중에서 빈곤층 가구는 200가구, 비빈곤층 가구는 800가구가 된다. 2016년에는 빈곤층 200가구 중에서 20%인 40가구가 빈곤층에서 탈출했고, 비빈곤층 800가구 중에서 5%인 40가구가 빈곤층에 진입했다. 결국 2016년에는 2015년과 같이 빈곤층 200가구, 비빈곤층 800가구가 된다. 이런 방식으로 2017년과 2018년도 구해서 표로 만들면 이해하기 쉽다.

2015년 전체 가구 수를 1,000가구로 가정하고 제시된 표에 따라 빈곤층 가구와 비빈곤층 가구 수를 정리하면 다음과 같다.

(단위: 가구)

구분	2015년	2016년	2017년	2018년
빈곤층 탈출 가구 수		40	30	20
빈곤층 진입 가구 수		40	80	60
비빈곤층 가구 수	800	800	750	710
빈곤층 가구 수	200	200	250	290

ㄱ. 빈곤층 가구 수는 2018년에 290가구, 2017년에는 250가구

이므로 빈곤층 가구는 증가하였다.

ㄹ. 2016년 빈곤층 가구는 200가구이고, 이 중에서 2017년에는 15%인 30가구, 2018년에는 8%인 20가구가 탈출하였다. 따라서 2016년에 빈곤층이었던 가구 중에서 2017년, 2018년에도 모두 빈곤층인 가구는 150가구로서 75%이다.

오답 선택지 풀이 ㄴ. 2017년에 빈곤층 진입 가구는 80가구, 빈곤층 탈출 가구는 30가구로 빈곤층 진입 가구가 빈곤층 탈출 가구보다 많다.

ㄷ. 2015년 비빈곤층 800가구 중에서 5%인 40가구가 새롭게 빈곤층으로 진입했고, 2015년 빈곤층 200가구 중에서 20%인 40가구가 빈곤층에서 탈출했다. 따라서 2016년에는 빈곤층 200가구 중에서 160가구는 2015년에도 빈곤층이었고, 40가구는 2015년에는 빈곤층이 아니었다. 결국 2016년 빈곤층 200가구 중에서 2015년에 빈곤층이 아니었던 가구는 40가구이므로 20%에 해당한다.

04 빈곤의 유형

자료 분석

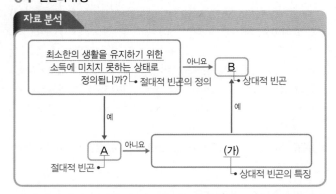

③ 우리나라에서 절대적 빈곤은 최저 생계비로, 상대적 빈곤은 중위 소득의 50%로 측정한다. 최저 생계비와 중위 소득은 객관화된 기준이다.

오답 선택지 풀이 ① 해당 사회의 소득 분포를 고려하여 파악하는 것은 상대적 빈곤이다.

② 소득 수준이 높은 국가에서도 상대적 빈곤은 나타난다.

④ 절대적 빈곤율과 상대적 빈곤율은 중복되므로 둘 중에서 큰 쪽이 그 나라의 전체 빈곤율이 된다.

⑤ (가)에는 상대적 빈곤의 특징이 들어가야 한다. 실제 소득 규모와 상관없이 개인이 체감하는 빈곤 상태를 의미하는 것은 주관적 빈곤이다. (가)에는 '그 나라의 소득 분포와 관련하여 중위 소득의 일정 비율 미만을 빈곤으로 정의합니까?'가 들어갈 수 있다.

12 사회 복지와 복지 제도

개념 확인 문제 　　　　　　　　　　　　　　본문 100쪽

01 구빈법, 비스마르크, 사회 보장법, 베버리지, 생산적 　**02** (1) ㄷ
(2) ㄴ (3) ㄱ 　**03** 근로 장려 세제, 차등 　**04** (1) ㉠ (2) ㉡ (3) ㉢

시험에 꼭 나오는 문제 　　　　　　　　　　본문 100~104쪽

01 ② 　**02** ④ 　**03** ② 　**04** ① 　**05** ③ 　**06** ④ 　**07** ②
08 ① 　**09** ⑤ 　**10** ② 　**11** ④ 　**12** ③ 　**13** ① 　**14** ③
15 ④ 　**16** ⑤ 　**17~19** 해설 참조

01 복지 국가의 등장 과정

① 산업 혁명 이후 자본주의가 성장하면서 많은 사람이 물질적 풍요를 누리게 되었지만 빈부 격차 심화, 노동 조건 악화 등 국민의 안전한 삶을 위협하는 다양한 사회적 위험도 나타났다. 이러한 문제를 해결하기 위해 등장한 것이 사회 복지 이념이다.

③ 1919년 독일 바이마르 헌법에서는 최초로 사회권을 규정하여 국민의 인간다운 생활을 국가가 보장해야 함을 제시하였다.

④ 미국에서는 뉴딜 정책의 하나로 시행된 사회 보장법(1935년)에서 처음으로 '사회 보장'이라는 용어를 사용했으며, 이 법은 미국 사회 복지 제도의 근간이 되었다.

⑤ 영국은 1942년 펴낸 베버리지 보고서에서 완전 고용 보장, 포괄적 의료 보험 제도, 아동 수당 도입, 사회 보험의 통합 관리, 복지 비용에서 개인과 정부의 공동 참여 등 포괄적이고 체계적인 사회 보장 제도를 수립해야 한다는 내용을 제시하였다.

오답 선택지 풀이 ② 1601년에 영국에서 제정된 '엘리자베스 구빈법'은 빈민을 구제하고 부랑을 억제하기 위한 최초의 법으로 볼 수 있다. 근대적 사회 보험이 처음 실시된 것은 1883년 독일 비스마르크 시대이다.

올쏘 만점 노트 　복지 제도의 발달 과정

엘리자베스 구빈법(1601년)	자유방임주의 영향을 받아 빈곤이나 질병의 책임이 개인에게 있다고 보고 자치 원칙을 강조함
비스마르크의 사회 보험 제도(1883년)	자본주의 발달 과정에서 빈곤 등 사회 문제가 심화되자 국가가 개입한 사회 보험이 등장함
미국 사회 보장법(1935년)	대공황을 극복하는 과정에서 뉴딜 정책의 일환으로 사회 보장 제도의 기틀을 마련함
영국 베버리지 보고서(1942년)	'요람에서 무덤까지' 삶의 질 보장에 대한 국가적 책임을 인식함
영국 '제3의 길'(2000년대)	지나친 복지 중심 정책의 문제점에 대한 논란이 확산되자 '복지병'을 극복하기 위해 생산적 복지를 추구함

02 우리나라 전통 사회의 사회 복지

고구려의 진대법, 고려의 구제도감과 혜민국, 조선의 의창 등은 국가적 차원에서 실시한 사회 복지 제도이다. 이는 사회 복지의 책임이 개인이 아니라 국가에 있음을 전제로 한 것이다.

오답 선택지 풀이 ① 제시된 복지 제도는 백성의 배고픔이나 아픔 등을 해결하기 위한 것으로서 사후 구제에 중점을 두었다. 사회 보장의 영역을 미래까지 넓히고 있지는 않다.

② 빈곤의 원인을 개인의 게으름이라고 보았다면 국가가 이러한 복지 제도를 시행하지 않았을 것이다.

③ 제시된 제도들은 백성의 배고픔이나 아픔을 사후적으로 구제하기 위한 것이다. 여가 활동과는 거리가 멀다.

⑤ 자료에서 백성의 도덕적 해이와 관련된 내용을 찾을 수 없다.

03 사회 보험

제시된 법률은 국민연금법이다. 국민연금은 가입자, 사용자, 국가로부터 일정액의 보험료를 받고, 이를 재원으로 사회적 위험에 노출되어 소득이 중단되거나 상실될 가능성이 있는 사람들에게 다양한 급여를 제공한다. 이러한 방식은 사회 복지 제도 중에서 사회 보험에 해당한다.

ㄱ. 사회 보험은 모든 국민을 대상으로 실시하며, 강제 가입을 원칙으로 한다.

ㄷ. 사회 보험은 가입자가 보험료를 부담하여 재원을 마련하고 이 재원을 바탕으로 수혜자에게 지급하는 방식이므로 가입자 간 상호 부조의 성격을 갖는다.

오답 선택지 풀이 ㄴ. 사회 보험은 수혜자, 국가, 사업자가 함께 보험료를 부담한다.

ㄹ. 사회 보험은 국민에게 발생하는 질병, 장애, 노령, 실업, 사망 등의 사회적 위험을 보험 방식으로 대처함으로써 국민이 안전한 삶을 누리는 데 필요한 건강과 소득을 보장하는 제도이다. 일정한 기준 이하의 빈곤자를 보호하고자 하는 것은 공공 부조이다.

올쏘 만점 노트 사회 보험

의미	국민에게 발생하는 질병, 장애, 노령, 실업, 사망 등의 사회적 위험을 보험 방식으로 대처함으로써 국민이 안전한 삶을 누리는 데 필요한 건강과 소득을 보장하는 제도
종류	국민 건강 보험, 국민연금, 노인 장기 요양 보험, 고용 보험, 산업 재해 보상 보험 등

04 사회 복지 제도

A는 공공 부조, B는 사회 보험이다.

① 기초 연금은 일정한 수준 이하의 빈곤 노인에게만 금전적 지원을 하는 것이므로 공공 부조에 해당한다.

오답 선택지 풀이 ② 사회 보험의 수혜자는 대상 요건에 해당하면 강제적으로 가입해야 하고 마음대로 탈퇴할 수 없다.

③ 공공 부조와 사회 보험 모두 금전적 지원 방식이다.

④ 공공 부조는 수혜자가 비용을 부담하지 않으므로 사회 보험에 비해 소득 재분배 효과가 크다.

⑤ 공공 부조는 일정한 수준 이하의 빈곤층만을 대상으로 하므로 선별적 복지의 성격을 가진다. 이에 비해 사회 보험은 모든 사람을 대상으로 하므로 보편적 복지의 성격을 가진다.

05 사회 보험과 공공 부조

고용 보험은 갑자기 실직을 당했을 때 일정 기간 보험금을 지급함으로써 생계를 유지할 수 있도록 돕는 제도로, 사회 보험에 해당한다. 국민 기초 생활 보장 제도는 일정 수준 이하의 빈곤층을 대상으로 최소한의 인간다운 생활을 국가가 보장해 주는 것으로, 공공 부조에 해당한다.

③ 사회 보험은 가입자가 평소에 조금씩 보험료를 내서 재원을 마련하였다가 사안이 발생하면 수혜자가 보험금으로 받는 방식

이므로 상호 부조의 성격이 강하다. 이에 비해 공공 부조는 수혜자가 비용을 부담하지 않고 국가로부터 일방적으로 도움을 받는 방식이므로 상호 부조의 성격이 약하다.

오답 선택지 풀이 ① 사회 보험은 가입과 탈퇴가 자유롭지 않다. 자격 요건에 해당하는 사람은 강제로 가입해야 한다.

② 공공 부조는 국가가 예산으로 수혜자에게 혜택을 준다. 수혜자가 비용을 부담하지 않는다.

④ 사회 보험은 국민 누구나 가입하여 혜택을 누리는 방식이고, 공공 부조는 일정 수준 이하의 빈곤층을 대상으로 최소한의 인간다운 생활을 국가가 보장하는 방식이므로 사회 보험에 비해 공공 부조가 사회적 약자 보호의 성격이 강하다.

⑤ 사회 보험과 공공 부조 모두 소득 분배 개선의 효과가 있지만 공공 부조가 더 크다.

06 국민 기초 생활 보장 제도

국민 기초 생활 보장 제도는 일정 수준 이하의 빈곤층에 대해 국가가 금전적 지원을 하는 공공 부조이다. 기존에는 최저 생계비 이하의 소득 등 특정 기준에 부합하는 가구에게 생계·의료·주거·교육 급여를 일괄 지원하였으나 2015년 7월 1일부터는 맞춤형 급여를 실시하고 있다. 맞춤형 급여에서는 소득이 중위 소득의 50% 이하에 해당하는 가구를 소득 수준에 따라 4단계로 구분하고 가구의 소득 수준이 한 단계씩 낮아질수록 교육 급여, 주거 급여, 의료 급여, 생계 급여가 순서대로 하나씩 추가되도록 하였다.

① 주거 급여는 중위 소득 43% 이하가 대상이나 의료 급여는 40% 이하가 대상이다. 따라서 주거 급여를 받는 가구가 의료 급여를 받는 가구보다 많다.

② 과거에는 최저 생계비를 선정 기준으로 하였으나 개편 후에는 중위 소득을 선정 기준으로 하였다. 최저 생계비는 절대적 빈곤을 측정하는 기준이지만, 중위 소득은 상대적 빈곤을 측정하는 기준이다. 따라서 이번 급여 방식 개편에서 선정 기준이 절대적 빈곤층에서 상대적 빈곤층으로 변경되었다.

③ 중위 소득이 200만 원일 경우 80만 원은 40%에 해당하므로 주거 급여, 교육 급여, 의료 급여를 받을 수 있다.

⑤ 과거에는 최저 생계비 이하이면 모든 급여를 포괄적으로 지원했으나 최근에는 중위 소득의 일정 비율을 기준으로 급여의 방식을 다양하게 나누었다.

오답 선택지 풀이 ④ 중위 소득이 300만 원일 경우 100만 원 소득은 33%에 해당한다. 이 경우 교육 급여, 주거 급여, 의료 급여를 받지만, 생계 급여는 받지 못한다.

올쏘 만점 노트 공공 부조

의미	생활 유지 능력이 없거나 생활이 어려운 국민의 최저 생활을 보장하고 자립을 지원하기 위해 금전적·물질적 급여를 제공하는 제도
종류	국민 기초 생활 보장 제도, 의료 급여 제도, 기초 연금 제도 등

07 사회 복지 제도

사회 복지 제도에서 금전적 지원을 원칙으로 하는 것은 사회 보험과 공공 부조이다. 비금전적 지원을 원칙으로 하는 것은 사회

서비스이다. 따라서 A는 사회 서비스이고, B와 C는 사회 보험과 공공 부조 중 하나이다.

ㄱ. 소득 재분배 효과는 사회 보험과 공공 부조 모두에 있으므로 (가)에 '소득 재분배 효과가 있는가?'는 들어갈 수 없다.

ㄷ. B가 강제 가입의 원칙이 적용되는 제도라면, B는 사회 보험, C는 공공 부조이다. 기초 연금은 일정 수준 이하의 빈곤 노인에게 금전을 지급하는 방식이므로 공공 부조에 해당한다.

오답 선택지 풀이 ㄴ. 사회 보험, 공공 부조와 더불어 사회 서비스도 국가가 재정을 투입하여 취약 계층을 돕는 경우가 있으므로 국가의 재정 부담을 증대시킨다.

ㄹ. (가)가 '사후 구제적 성격이 강한가?'이면, C는 공공 부조, B는 사회 보험이다. 사회 보험이 공공 부조보다 수혜 대상자의 범위가 넓다.

올쏘 만점 노트 사회 서비스

의미	도움이 필요한 모든 국민에게 복지, 보건 의료, 교육, 고용, 주거, 문화, 환경 등의 분야에서 인간다운 생활을 보장하고 국민의 삶의 질이 향상되도록 서비스를 제공하는 제도
종류	노인 돌봄, 산모·신생아 건강 관리 지원, 간병 방문 지원 등

08 사회 보험과 공공 부조

첫 번째 제도는 국민 건강 보험으로 사회 보험에 해당한다. 두 번째 제도는 기초 연금으로 공공 부조에 해당한다. 따라서 A는 사회 보험, B는 공공 부조이다.

① 사회 보험과 공공 부조 모두 소득 재분배 효과가 있다. 다만 공공 부조가 사회 보험에 비해 소득 재분배 효과가 크다.

오답 선택지 풀이 ② 강제 가입을 원칙으로 하는 것은 사회 보험이다. 공공 부조는 생활 유지 능력이 없거나 생활이 어려운 국민을 대상으로 한다.

③ 사회 보험과 공공 부조 모두 금전적 지원이 원칙이다.

④ 국가가 비용을 전부 부담하는 것은 공공 부조이다. 사회 보험은 본인, 사업자, 국가가 비용을 분담한다.

⑤ 민간 부문이 운영 주체가 될 수 있는 것은 사회 서비스이다. 사회 보험과 공공 부조는 모두 국가가 운영 주체이다.

09 사회 보장 제도

자료 분석

유형	사례
A 공공 부조	갑(67세)은 가구 소득 인정액이 선정 기준액 이하로 판정되어 매월 일정 금액을 정부로부터 받고 있다. → 국민 기초 생활 보장 제도
B 사회 서비스	독거 노인 을(68세)은 노인 돌보미가 주 1회 방문하여 제공하는 가사 지원, 활동 지원을 받고 있다. → 노인 돌봄 서비스
C 사회 보험	국민 건강 보험 가입자인 병(64세)은 노인성 질환인 치매로 일상 생활에 어려움을 겪고 있어, 정부로부터 장기 요양 급여를 받고 있다. → 노인 장기 요양 보험

⑤ 소득 재분배 효과는 공공 부조가 가장 크다. 공공 부조는 저소득 계층이 일방적으로 혜택을 받는 제도로, 국민들이 소득 수준에 비례하여 부담한 세금을 재원으로 하여 빈곤층에게 도움을 주는 방식이므로 소득 재분배 효과가 크다.

오답 선택지 풀이 ① 공공 부조는 국가가 빈곤층에게 일방적으로 혜택을 주는 방식이므로 상호 부조의 원리와는 관련이 적다. 상호 부조의 원리를 바탕으로 하는 것은 사회 보험이다.

② 사회 서비스에는 민간 부문이 참여할 수 있다.

③ 사회 보험은 소득 수준에 따라서 보험료를 부담하지만 그 혜택은 누구나 비슷하게 받는다. 즉, 혜택이 보험료 분담액에 비례하지 않는다.

④ 수혜 대상자의 범위는 사회 보험이 공공 부조보다 넓다.

유사 선택지 문제

09 ❶ 공공 부조 ❷ 비금전 ❸ ×

10 사회 보장 제도의 유형

국민 건강 보험은 사회 보험에 해당한다. 국민 기초 생활 보장 제도는 공공 부조에 해당한다. 따라서 A는 사회 보험, B는 공공 부조이다.

② 공공 부조는 일정 수준 이하의 빈곤층을 대상으로 하므로 사후 처방적 성격을 가진다.

오답 선택지 풀이 ① 사회 보험은 가입자, 사업자, 국가가 비용을 분담한다.

③ 사회 보험과 공공 부조는 모두 금전적 지원을 원칙으로 한다.

④ (가)에는 사회 보험 제도가 들어가야 한다. 국민연금, 고용 보험, 노인 장기 요양 보험, 산업 재해 보상 보험 등이 해당한다. 의료 급여는 공공 부조에 해당한다.

⑤ 국민연금은 사회 보험 제도이므로 (나)에 들어갈 수 없다.

11 근로 장려 세제

자료 분석

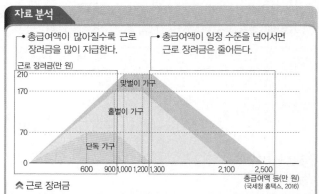

- 총급여액이 많아질수록 근로 장려금을 많이 지급한다.
- 총급여액이 일정 수준을 넘어서면 근로 장려금은 줄어든다.

▲ 근로 장려금

총급여액 등	근로 장려금 지급액
1,000만 원 미만	총급여액 등×210/1,000
1,000만 원 이상~1,300만 원 미만	210만 원
1,300만 원 이상~2,500만 원 미만	210만 원-(총급여액 등-1,300만 원)×210/1,200

▲ 맞벌이 가구의 근로 장려금 지급액 예시 (국세청 홈택스, 2016)

근로 장려 세제는 일정 요건을 충족하는 저소득 근로자 가구에 가구원 구성과 총급여액 등에 따라 산정된 근로 장려금을 지급하여 근로를 장려하고 실질 소득을 지원하는 근로 연계형 소득 지원 제도이다.

④ 맞벌이 가구의 경우 총급여액이 1,000만 원에서 1,300만 원 미만까지는 똑같이 210만 원을 지급한다.

오답 선택지 풀이 ① 근로 시간이 아니라 총급여액에 따라 근로 장려금을 차등 지급한다.

② 가구 형태, 총급여액 등에 따라 서로 다른 장려금을 지급함으로써 소득 격차를 줄인다.

③ 단독 가구가 받을 수 있는 근로 장려금의 최대 액수는 70만 원이다. 170만 원은 홑벌이 가구가 받을 수 있는 최대 액수이다.

⑤ 홑벌이 가구로서 총급여액이 900만 원에서 1,200만 원 미만까지는 170

만 원의 근로 장려금을 받지만, 1,200만 원을 초과하면 170만 원보다 적은 근로 장려금을 받는다.

> **유사 선택지 문제**
>
> 11 ❶ 차등 ❷ ○

12 복지 제도의 역할

복지 제도는 개인적 측면에서 질병과 실업, 빈곤 등의 사회적 위험에서 개인의 생존권을 보장하여 최소한의 인간다운 생활을 할 수 있도록 한다. 또한, 어려움에 처한 개인들이 자신의 잠재 능력을 최대한 발휘할 수 있도록 돕고 경제적·사회적으로 자립할 수 있는 기회를 제공한다. 사회적 측면에서 복지 제도는 빈곤을 포함한 사회적 위험에 공동으로 대비함으로써 사회 구성원 간의 연대 의식을 높이는 역할을 한다. 또한, 소득의 재분배를 통해 빈부 격차를 완화함으로써 사회 안정과 통합을 달성하는 데 기여한다. 궁극적으로 복지 제도는 모든 사회 구성원이 인간으로서의 존엄과 가치를 구현하고 행복한 삶을 살 수 있도록 도와준다.

오답 선택지 풀이 ③ 복지 제도는 부모의 지위에 따른 자녀의 계층 세습에서 탈출하도록 함으로써 개인의 능력 발휘를 통한 계층 이동을 촉진한다.

13 복지 제도의 한계

열심히 일한 개미가 낸 세금으로 게을러서 가난한 베짱이를 도와주는 복지 제도는 개미의 세금 부담이 가중된다는 것, 가난한 베짱이를 더욱 게으르게 만들 수 있다는 것, 베짱이가 일을 안 해도 된다고 생각하는 도덕적 해이 등을 불러올 수 있다.

오답 선택지 풀이 ① 복지 제도는 빈곤층을 도와줌으로써 빈곤층이 계층의 상향 이동을 하도록 해 준다.

14 복지 제도의 한계

국민 건강 보험은 크게 직장 보험과 지역 보험으로 나뉘는데, 직장 보험에 비해 지역 보험의 보험료가 높다. 그래서 소득이 높거나 재산이 많은 자영업자가 직장에 취업한 것처럼 허위 신고를 하여 보험료를 적게 내는 경우가 있다. 이는 직장 보험과 지역 보험의 보험료 격차를 줄이면 해결할 수 있는 문제이다.

오답 선택지 풀이 ① 국민 건강 보험의 적용 범위를 줄이면 사회 보험으로서의 의미가 없다.
② 국민 건강 보험의 관리를 민간 기업에게 맡길 경우 공공성보다는 사익 추구 경향이 높아질 우려가 있다.
④ 자영업자를 국민 건강 보험의 적용 대상에서 제외할 경우 의료 차별이 발생한다.
⑤ 국민 건강 보험 재정 관리를 강화하여 흑자로 전환시키는 것은 제시된 문제점의 해결 방안과는 거리가 멀다.

15 복지 제도의 한계

제시문에는 국민 기초 생활 수급자의 도덕적 해이 사례가 나타나 있다. 국민 기초 생활 보장 제도는 빈곤층에게 일방적인 도움을 주다 보니 형편이 넉넉한데도 정부의 도움을 받으려는 도덕적 해이 현상이 심각하다. 이러한 문제를 해결할 방안을 찾는 것이 시급하다.

오답 선택지 풀이 ① 국민 기초 생활 수급자는 최저 생활을 보장받지 못하고 있으므로 비용을 부담할 능력이 없다.
② 복지 제도의 운영을 민간에게 맡길 경우 재원 마련이나 급여 제공 등에서 사익을 추구할 우려가 있다.
③ 세금을 더 걷어 복지 비용을 충당하기보다는 복지 제도의 혜택이 꼭 필요한 사람에게 적용되도록 하는 것이 더 중요하다.
⑤ 금전적 지원을 비금전적 지원 방식으로 대체한다고 해서 제시된 문제가 해결되는 것은 아니다.

16 생산적 복지

경제적 효율성과 사회적 약자 보호를 동시에 지향하는 '제3의 길'을 지향하기 위해서는 생산적 복지 방식을 추구해야 한다. 복지에만 치중할 경우 사회적 약자의 도덕적 해이가 우려되고, 경제적 효율성만 치중할 경우 사회적 약자가 피해를 입게 된다. 따라서 근로를 할수록 복지 비용을 늘려주는 방식으로 근로와 연계한 복지 정책을 시행한다면 빈곤층이 스스로 빈곤에서 벗어날 수 있을 것이다.

오답 선택지 풀이 ① 사회 복지에 대한 정부의 개입을 줄일 경우 사회적 약자에 대한 복지 혜택이 축소될 수 있다.
② 빈곤층에게 여가 생활에 필요한 급여까지 제공하는 것은 생산적 복지와는 거리가 멀다.
③ 생산적 복지는 빈곤층을 대상으로 선별적으로 실시되어야 효과적이다.
④ 생산적 복지는 근로와 복지를 연계시킨 방식이다. 조세 제도의 개혁을 강조한 것은 아니다.

> **올쏘 만점 노트** 생산적 복지
>
> | 의미 | 빈곤층이 자활 사업에 참여하거나 노동을 하는 것을 조건으로 지원을 해 주는 새로운 형태의 복지 |
> |---|---|
> | 특징 | • 복지 축소: 복지 급여 삭감, 급여 자격 조건 강화 등
• 복지 수급자들의 자립 지원: 직업 교육, 취업 지원 등 |
> | 종류 | 근로 장려 세제 |

17 복지 국가의 등장 과정

(1) 베버리지 보고서

(2) | 모범 답안 | 빈곤의 원인을 개인이 아닌 사회적 책임으로 인식하였다.

채점 기준	배점
빈곤의 원인을 개인이 아닌 사회적 책임으로 인식하였다고 서술한 경우	상
빈곤의 원인이 국가에 있다고 서술한 경우	중
빈곤의 원인이 아닌 다른 내용을 서술한 경우	하

18 복지 제도의 유형

(1) (가): 사회 보험, (나): 공공 부조

(2) | 모범 답안 | 사회 보험과 공공 부조 모두 금전적인 지원을 원칙으로 하며, 소득 재분배 효과가 있다.

채점 기준	배점
금전적 지원과 소득 재분배 효과 두 가지 내용을 모두 정확하게 서술한 경우	상
금전적 지원과 소득 재분배 효과 중 한 가지만 정확하게 서술한 경우	중
사회 보험과 공공 부조의 공통점이 아닌 차이점을 서술한 경우	하

정답 및 해설

19 생산적 복지

(1) 생산적 복지

(2) | 모범 답안 | 국가는 일할 능력이 있는 사람의 근로 의욕을 높여 경제 활동 참여를 장려함으로써 경제적 효율성을 달성하고 사회적 약자를 보호하고자 한다.

채점 기준	배점
근로 의욕 고취, 경제적 효율성 달성, 사회적 약자 보호 등을 논리적으로 서술한 경우	상
근로 의욕 고취, 경제적 효율성 달성, 사회적 약자 보호 등을 대체적으로 잘 연결하여 서술한 경우	중
근로 의욕 고취, 경제적 효율성 달성, 사회적 약자 보호 중에서 한 가지만을 포함하여 서술한 경우	하

올쏘 상위 4% 문제   본문 105쪽

01 ③   **02** ④   **03** ②   **04** ③

01 사회 보장 제도

자료 분석

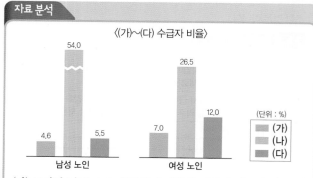

《(가)~(다) 수급자 비율》

(단위 : %)
■ (가)
■ (나)
■ (다)

(가) 국가가 가구 소득 인정액이 기준액 이하인 가구의 기초 생활을 보장하기 위해 급여를 지급하고, 자활을 지원하는 제도 → 국민 기초 생활 보장 제도로 공공 부조에 해당한다.

(나) 가입자와 고용주 등이 분담해서 마련한 기금을 통해 노령, 장애 등에 대한 연금 급여를 지급하여 생활 안정을 도모하는 제도 → 국민연금으로 사회 보험에 해당한다.

(다) 노인 돌보미가 주 1회 방문하여 제공하는 가사 지원, 활동 지원을 하는 제도 → 노인 돌보미 서비스로 사회 서비스에 해당한다.

③ 비금전적 지원이 원칙인 제도는 사회 서비스이다. 사회 서비스 혜택을 받는 노인은 남성이 5.5%, 여성이 12%로서 여성이 남성의 2배가 넘는다.

오답 선택지 풀이 ① 상호 부조 원리는 사회 보험에서 적용된다.

② 공공 부조는 사후 처방적 성격, 사회 보험은 사전 예방적 성격을 지닌다.

④ 국가가 비용을 전액 부담하는 제도는 공공 부조이다. 공공 부조 혜택을 보는 노인은 남성이 4.6%, 여성이 7.0%이다. 남녀 노인의 수가 같으므로 공공 부조 혜택을 받는 여성 노인이 남성 노인보다 많다.

⑤ 소득 재분배 효과가 있는 제도는 공공 부조와 사회 보험 모두이므로 두 제도의 수급자 비율을 모두 더하면 남성 노인은 50%가 넘고, 여성 노인은 30%가 넘는다.

02 사회 보장 제도

자료 분석

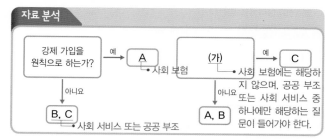

④ 민간 부문이 운용 주체가 될 수 있는 것은 사회 서비스뿐이므로 (가)에 들어갈 질문으로 적절하다.

오답 선택지 풀이 ① 금전적 지원을 원칙으로 하는 것은 사회 보험과 공공 부조이다. 따라서 (가)에 들어갈 수 없다.

② 상호 부조의 원리를 바탕으로 하는 것은 사회 보험이다. 따라서 (가)에 들어갈 수 없다.

③ 사회 보험은 복지 수혜자도 복지 비용을 부담한다. 따라서 (가)에 들어갈 수 없다.

⑤ 사회 보험과 공공 부조는 소득을 재분배하는 효과가 있다. 따라서 (가)에 들어갈 수 없다.

03 사회 복지의 역할

제시된 자료에 나오는 식당은 돈을 내는 사람과 음식을 먹는 사람이 다르다. 즉, 부자들이 돈을 내어 빈곤층을 도와주는 사회 복지의 한 단면을 보여 준다.

① 빈곤층은 복지 제도로 인해 최소한의 인간다운 생활을 할 수 있다.

③ 사회 복지가 시행되면 빈곤층은 삶의 용기를 얻고 어려움을 극복함으로써 개인의 삶을 지탱해 나갈 수 있다.

④ 부자들이 비용을 부담하여 빈곤층을 돕기 때문에 이러한 형태의 사회 복지는 계층 간 갈등과 대립을 해소하여 사회 통합을 촉진한다.

⑤ 사회 구성원 모두가 서로 힘을 합해 빈곤을 해결하면서 연대 의식을 함양하여 국가를 하나의 공동체로 유지해 준다.

오답 선택지 풀이 ② 사회적 위험은 스스로 해결하기보다 사회 구성원 모두가 힘을 합쳐서 해결해야 함을 알 수 있다.

04 근로 장려 세제

① 갑국은 근로 소득이 6,000달러인 경우 1,500달러의 근로 장려금을 지급받는데, 근로 소득이 11,000달러인 경우 1,500달러보다 적은 근로 장려금을 받는다.

② 을국은 근로 소득이 11,000달러인 경우 1,800달러의 근로 장려금을 받아 가계 소득은 12,800달러이다. 근로 소득이 20,000달러인 경우에는 근로 장려금을 받지 않지만 그래도 20,000달러인 경우의 가계 소득이 더 많다.

④ 근로 장려금은 세금으로 근로 소득이 낮은 빈곤층에 지급하므로 소득 재분배 효과가 발생한다.

⑤ 근로 장려 세제는 근로 소득에 따라 근로 장려금을 지급함으로써 근로 의욕을 높이려는 생산적 복지 이념을 반영하고 있다.

오답 선택지 풀이 ③ 근로 소득이 7,000달러인 경우, 근로 장려금 지급액은 갑국이 1,500달러이고 을국은 1,500달러와 1,800달러 사이로 을국이 더 많다.

V. 현대의 사회 변동

13 사회 변동과 사회 운동

💡 개념 확인 문제
본문 108쪽

01 진화론, 순환론, 기능론, 갈등론 **02** (1) ㄱ (2) ㄹ (3) ㄷ (4) ㄴ
03 순환론, 어렵다 **04** (1) ㉠ (2) ㉢ (3) ㉡

😀 시험에 꼭 나오는 문제
본문 108~110쪽

01 ① **02** ⑤ **03** ③ **04** ③ **05** ⑤ **06** ⑤ **07** ②
08 ③ **9~11** 해설 참조

01 사회 변동 요인

제시문에서는 농업 기술, 산업 혁명에 의한 기술, 정보 통신 기술과 같이 기술의 발전으로 사회가 단계적으로 발전하고 있다고 설명하고 있으며, 이는 진화론의 관점에 부합한다.

오답 **선택지 풀이** ㄷ. 사회 변동 속도는 사회마다 다르지만 이러한 사실을 제시문에서 파악할 수 없다.
ㄹ. 인구 변화가 아니라 기술 발전을 사회 변동 요인으로 강조하고 있다.

02 사회 변동 요인

ㄷ. 기본권에 대한 인식은 프랑스 혁명 같은 사회 변동을 초래하였으며, 이는 사회 변동 요인 중 가치관의 변화에 해당한다.
ㄹ. 가뭄에 따른 사회 변동은 변동 요인이 자연환경이다.

오답 **선택지 풀이** ㄱ. ㉠에 적절한 내용은 '기술'이다.
ㄴ. '노인 인구 증가에 따른 노인 복지 확대'는 인구 구조의 변동에 따른 사회 변동 사례이다.

03 진화론과 순환론

A는 진화론, B는 순환론이다. 진화론은 모든 사회가 발전과 진보라는 같은 방향으로 변화한다고 본다. 순환론은 현재가 순환 과정 중 어디에 위치하는지 설명하지 못하므로 미래의 변동 방향을 예측하고 대응하기에 적절하지 않다.

오답 **선택지 풀이** ㄱ. 순환론은 역사에서 흥망성쇠가 반복되는 사회 변동과 같이 장기간에 걸쳐 반복적으로 나타난 변동을 설명하기에 용이하다.
ㄹ. 순환론이 전제하는 순환 과정은 오랜 시간에 걸쳐 나타나는 것이므로 장기적 변동 과정을 설명하기에 적절하다.

유사 선택지 문제

03 ❶ A ❷ B ❸ A

04 기능론과 갈등론

사회 변동을 구조적 측면에서 설명한다는 점에서 A, B는 각각 기능론, 갈등론 중 하나이다. 급격한 사회 변동에 대해 부정적인 관점은 기능론이므로 A는 갈등론, B는 기능론이다.
③ 기능론은 일시적 불균형이 균형으로 회복되는 과정을 사회 변동으로 이해한다.

오답 **선택지 풀이** ① 진화론은 사회 변동을 진보와 발전으로 바라본다.

② 조화와 균형을 중시하는 기능론은 사회 구성원 간의 관계를 협력적으로 바라본다.
④ 진화론은 사회 변동을 단선적 진보로 이해한다.
⑤ 기능론과 갈등론 모두 사회 변동을 거시적 관점으로 이해한다.

05 기능론과 갈등론

A는 기능론, B는 갈등론이다. 기능론은 점진적 사회 변동을, 갈등론은 급진적 사회 변동을 설명하기에 용이하다. 기능론은 사회가 유기체와 유사하며 이로 인해 조화와 균형을 회복하려는 속성을 가진다고 본다.

오답 **선택지 풀이** ㄱ, ㄴ. 기능론은 협동과 조화를 중시하는 반면, 갈등론은 지배 계급과 피지배 계급 간의 대립과 투쟁을 강조한다.

06 진화론과 순환론

자료 분석

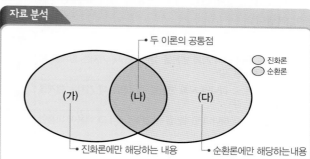

진화론과 순환론의 공통점인 사회 변동 방향에 대한 이론이라는 내용은 (나)에 적절하다. 사회 변동을 단선적 진보 과정으로 바라본다는 내용은 (가)에, 사회 변동을 흥망성쇠의 반복으로 바라본다는 내용은 (다)에 적절하다. 진화론은 단선적으로 사회 변동을 바라본다는 점에서 미래의 변동 방향에 대한 예측이 용이하다. 반면 순환론은 현재가 변동 과정 중 어디에 위치하는지 설명하지 못하므로 미래에 대한 예측 및 대응이 어렵다.

오답 **선택지 풀이** ① 순환론은 사회가 생성 – 성장 – 쇠퇴 –소멸의 과정을 반복하며 변동한다고 본다.
② 진화론은 단선적으로 사회 변동을 설명하므로 다양한 경로의 사회 변동을 설명하지 못한다.
③ 기능론과 갈등론은 사회 구조적 측면에서 사회 변동을 설명하는 관점이다.
④ 진화론은 서구 사회가 발전된 사회임을 전제한다는 점에서 서구 중심주의적 사고라는 비판을 받는다.

유사 선택지 문제

06 ❶ (가) ❷ (가) ❸ (다)

07 사회 운동의 특징

두 사례 모두 사회 변동을 이끌어 내기 위한 집단적 차원의 노력인 사회 운동에 해당한다. 사회 운동은 운동의 목표가 뚜렷하고 실천 방안이 구체적이라는 특징이 있다.

오답 **선택지 풀이** ㄴ. 제시된 사례는 제도 내에서 부분적 변화를 추구한다는 점에서 개혁적 사회 운동에 해당한다. 급격한 사회 변동에 대해 저항하는 사회 운동은 복고적 사회 운동이다.
ㄹ. 개인적 차원의 노력은 사회 운동으로 보기 어려우며, 제시된 사례에도 부합하지 않는다.

08 사회 운동의 유형

(가)는 사회 변동에 저항하는 행위라는 점에서 복고적 사회 운동, (나)는 사회 체제 자체의 변화를 추구한다는 점에서 혁명적 사회 운동에 해당한다.

오답 **선택지 풀이** ㄱ. (가)는 복고적 사회 운동에 해당한다.

ㄹ. (나)와 달리 (가)는 급격한 사회 변화에 저항하고 있다.

올쏘 만점 노트 사회 운동의 유형

개혁적 사회 운동	사회 체제 내에서 제도의 부분적 변화를 추구하는 활동
혁명적 사회 운동	사회 체제 자체의 변화를 추구하는 활동
복고적 사회 운동	급격한 사회 변화에 저항하는 활동

09 진화론과 순환론

(1) (가): 진화론, (나): 순환론

(2) | 모범 답안 | 진화론은 모든 사회가 단선적으로 변동한다고 여기므로 흥망성쇠가 반복되는 역사 속의 다양한 사회 변동을 설명하지 못한다. 순환론은 사회 변동의 방향에 대한 예측 및 대응이 어렵다.

채점 기준	배점
진화론과 순환론이 각각 사회 변동을 설명하는 데 가지는 한계를 모두 정확하게 서술한 경우	상
진화론과 순환론 중 하나만 사회 변동을 설명하는 데 가지는 한계를 적절하게 서술한 경우	중
진화론과 순환론 중 하나의 한계만을 서술하였으나 그 내용이 미흡한 경우	하

10 기능론과 갈등론

(1) (가): 기능론, (나): 갈등론

(2) | 모범 답안 | 기능론은 급격한 사회 변동을 설명하기 어려운 반면, 갈등론은 점진적 사회 변동을 설명하기 어렵다.

채점 기준	배점
사회 변동의 속도 측면에서 기능론과 갈등론의 한계를 각각 정확하게 서술한 경우	상
사회 변동의 속도 측면에서 기능론과 갈등론 중 하나의 한계만을 적절하게 서술한 경우	중
사회 변동의 속도 측면에서 기능론과 갈등론 중 하나의 한계만을 서술하였으나 그 내용이 미흡한 경우	하

11 사회 운동의 유형

(1) 혁명적 사회 운동

(2) | 모범 답안 | 급격한 사회 변동에 저항하는 활동으로, 공유 경제 서비스의 등장에 저항하는 기존 서비스업 종사자들의 저항 운동이 이에 해당한다.

채점 기준	배점
(나)에 들어갈 복고적 사회 운동의 내용을 쓰고, 그 사례도 정확하게 제시한 경우	상
(나)에 들어갈 복고적 사회 운동의 내용과 그 사례 중 한 가지만 적절하게 제시한 경우	중
(나)에 들어갈 복고적 사회 운동의 내용과 그 사례 중 한 가지만 제시하였으나 그 내용이 미흡한 경우	하

올쏘 상위 4% 문제   본문 111쪽

01 ②   02 ⑤   03 ④   04 ④

01 사회 변동에 대한 관점

사회 변동의 방향에 대한 관점으로는 진화론과 순환론이 있다. 사회 변동에 대한 구조적 관점으로는 기능론과 갈등론이 있다.

ㄱ. 진화론은 서구가 진보된 사회임을 전제한다는 점에서 서구 중심적이라는 비판을 받는다.

ㄷ. 진화론은 사회 변동을 진보와 발전으로 바라보며, 이에 따라 미래 사회에 대한 예측과 대응 또한 용이하다.

오답 선택지 풀이 ㄴ. 모순과 갈등으로 변동을 설명하는 갈등론이 기능론에 비해 급진적 사회 변동을 설명하기 용이하다.

ㄹ. 기능론은 일시적 불균형의 회복 과정을 사회 변동으로 이해한다. 반면 갈등론은 지배 집단과 피지배 집단 간 저항의 과정에서 변동이 나타난다고 본다.

02 진화론과 순환론

(가)는 진화론, (나)는 순환론이다.

⑤ 순환론은 모든 사회가 언젠가는 쇠퇴, 소멸한다고 여긴다는 점에서 운명론으로 사회 변동을 바라본다는 평가를 받는다.

오답 선택지 풀이 ①, ② 진화론은 일정한 방향으로, 순환론은 일정한 양상의 반복 형태로 사회 변동이 나타난다고 본다.

③ 순환론이 전제하는 순환 과정은 매우 오랜 시간에 걸쳐 일어나는 것으로, 순환론은 중·장기적 사회 변동을 설명하는 데 적절하다.

④ 순환론은 시간의 흐름에 따라 사회가 생성−성장−쇠퇴−소멸의 과정을 반복한다고 본다.

03 진화론과 순환론

ㄴ. 순환론은 현재가 순환 과정 중 어디에 위치하는지 설명하기 어려워 앞으로의 변동 방향을 예측하고 대응하기 곤란하다.

ㄹ. 순환론은 사회가 생성−성장−쇠퇴−소멸의 과정을 반복한다고 본다. 반면, 진화론은 발전이라는 일정한 방향으로 사회 변동이 나타나며, 서구 사회가 발전된 사회임을 전제하고 있다.

오답 선택지 풀이 ㄱ. 순환론은 역사 속 사회 변동과 같은 장기적 사회 변동을 설명하기 용이하다.

ㄷ. 진화론은 모든 사회가 발전과 진보라는 같은 방향으로 변화한다고 본다. 반면, 순환론은 시간의 흐름에 따라 다양한 형태로 사회 변동이 나타난다고 본다.

04 기능론과 갈등론

갑은 기능론, 을은 갈등론의 관점을 가지고 있다.

④ 갈등론은 불공정한 자원 배분으로 인해 지배 계급과 피지배 계급으로 나뉘고, 피지배 계급이 지배 계급에 저항하는 과정에서 사회 변동이 나타난다고 본다.

오답 선택지 풀이 ① 기능론은 사회 안정을 중시하는 반면, 갈등론은 안정보다 변화를 중시한다.

② 기능론은 점진적 사회 변동을 설명하기 용이한 반면, 갈등론은 급격한 사회 변동을 설명하기에 용이하다.

③ 사회 안정과 균형을 중시하는 기능론은 지배 계급의 입장을 대변하여 보수적이라는 평가를 받기도 한다.

⑤ 기능론과 갈등론 모두 사회 구조적 측면에서 사회 변동을 설명한다는 점에서 공통점을 가진다.

14 현대 사회의 변화와 지속 가능한 사회

개념 확인 문제
본문 114쪽

01 세계화, 정보화, 저출산, 고령화, 다문화 사회　**02** (1) ㄱ (2) ㄷ
(3) ㄴ (4) ㄹ　**03** 세계 시민, 지속 가능한 사회　**04** (1) ㉡ (2) ㉠ (3) ㉢

시험에 꼭 나오는 문제
본문 114~118쪽

01 ①　**02** ⑤　**03** ④　**04** ⑤　**05** ①　**06** ④　**07** ④
08 ④　**09** ⑤　**10** ④　**11** ③　**12** ⑤　**13** ②　**14** ④
15 ④　**16** ①　**17~19** 해설 참조

01 세계화의 영향

전 세계가 하나의 단일한 체계로 통합되는 현상을 세계화라고
한다. 세계화가 진행됨에 따라 WTO 등과 같은 국제기구의 역
할이 더욱 중시되고 있다.

오답 선택지 풀이 ② 세계화로 인해 여러 국가에 걸쳐 사업을 진행하는
다국적 기업은 더욱 확대될 것이다.
③ 국가 간 교역이 증가하여 노동의 국가 간 이동은 더욱 확대될 것이다.
④ 문화 교류가 확대되어 약소국의 문화적 정체성이 약화될 수 있다.
⑤ 국가 간 경쟁이 심화되어 선진국과 개발도상국 간 경제적 격차는 더욱
확대될 수 있다.

02 세계화의 영향

세계화로 서구 문화가 전파되고, 영어 중심으로 언어가 재편되
는 과정에서 약소국의 언어가 사라져 문화적 다양성이 약화되
며, 소수 집단의 문화적 정체성이 상실될 수 있음을 추론할 수
있다.

오답 선택지 풀이 ㄱ. 세계화 과정에서 국가 간 경제 격차가 확대될 수 있
으나 제시문과 관련이 없다.
ㄴ. 다국적 기업과 거대 자본의 영향력이 확대되어 개별 정부의 자율성이 침
해될 수 있으나 제시문과 관련이 없다.

03 정보 사회의 특징

자료 분석

기준	정도의 비교
면대면 접촉 비율	A사회>B사회
↳ 정보 사회는 정보 통신 기술의 발전으로 산업 사회에 비해 면대면 접촉 비율이 낮다.	
(가)	A사회<B사회
↳ 정보 사회의 특징	
(나)	A사회>B사회
↳ 산업 사회의 특징	

A사회는 산업 사회, B사회는 정보 사회이다. 정보 사회는 온라인을 통한 교류가
확대되므로 구성원 간 익명성 정도가 산업 사회보다 높다. 산업 사회에서는 대규
모 공장을 효율적으로 운영하기 위해 관료제가 본격적으로 등장하였다.

오답 선택지 풀이 ① 전자 상거래 비중은 정보 사회가 높으며, 가정과 일
터의 통합 정도는 재택 근무제 실시 등으로 정보 사회가 높다.
② 사회의 다원화 정도는 다품종 소량 생산이 가능한 정보 사회가 더 높다.
③ 산업 사회에 비해 정보 사회에서는 사회의 다원화 등의 영향으로 직업의
이질성이 높게 나타난다.

유사 선택지 문제

03 ❶ B사회　❷ A사회　❸ B사회

04 정보 사회의 특징

스마트폰 어플리케이션을 활용하여 필요한 물건을 주문하여 집
으로 배송 받을 수 있다. 이처럼 정보 통신 기술을 활용한 전자
상거래로 시간적·공간적 제약을 극복할 수 있다.

오답 선택지 풀이 ①, ④는 모두 정보 사회 소비자의 특징에 해당하나 제
시문과 관련이 없다.
② 정보 통신 기술이 발달하여 사회적 관계를 맺는 범위가 이전에 비해 넓
어졌으나 제시문과 관련이 없다.
③ 산업 사회에서는 소품종 대량 생산 방식이, 정보 사회에서는 다품종 소량
생산 방식이 일반적이다.

05 정보 사회의 문제점

경제적 격차가 정보 접근에의 차이, 정보 활용 능력에의 차이와
같은 정보 불평등으로 이어지는 현상을 정보 격차라고 한다.

오답 선택지 풀이 ㄷ. 기술과 같은 물질문화의 발전 속도를 비물질문화가
따라가지 못하는 현상은 문화 지체이다.
ㄹ. 정보 윤리가 확립되지 않아 발생하는 문제로는 저작권 침해, 사생활 침
해 등이 있다.

06 고령화 현상

갑국은 전체 인구에서 65세 이상 인구의 비중이 증가하고 있다.
노인 인구의 비중이 증가하면 노인 부양 부담이 증가하고, 노인
의 정치적 영향력이 확대될 수 있다.

오답 선택지 풀이 ㄱ. 노인 부양 부담이 증가하는 과정에서 부양을 하는
세대와 부양 받는 세대 간의 갈등이 심화될 수 있다.
ㄷ. 전체 인구가 증가한다면 15~64세 인구의 비율이 감소하더라도 경제 활
동 인구 규모는 증가할 수 있다.

올쏘 만점 노트 고령화 현상

의미	전체 인구에서 65세 이상 인구가 차지하는 비율이 높아지는 현상
요인	• 의료 기술이 발달하여 평균 수명 상승 • 출산율이 저하되어 고령화 정도가 가속화
영향	• 노인 인구가 증가하여 노년 부양비 증가 • 청장년층과 노년층의 세대 간 갈등 증가 • 노후 대비가 부족하여 노인 문제 발생

07 저출산 현상

제시된 도표는 저출산 현상을 보여 준다. 초혼 연령이 상승하면
서 더불어 첫 출산 연령이 높아져 둘째 이상을 출산하기 어려워
지고 있으며, 일과 가정을 양립하기 어려운 사회 분위기 때문에
여성들이 출산을 꺼려 출산율이 하락하고 있다.

오답 선택지 풀이 ㄱ. 비혼주의가 확산되고 독신이 증가하면서 출산율은
하락하고 있다.
ㄷ. 자녀 양육비 및 교육비 부담 증가는 출산율이 하락하는 요인이 된다.

08 다문화 사회에의 대응

필자는 다문화 사회에서 이주민과 우리 국민이 공존하기 위해
다른 문화에 대한 수용성을 강조하고 있다. 즉, 이질적 문화에

대해 상대주의적 태도로 바라보고 있음을 알 수 있다.

오답 선택지 풀이 ① 이주민과의 공존을 강조하고 있다.
② 공존을 강조하고 있으므로 자문화 중심주의적 가치를 가지고 있다고 보기 어렵다.
③ 이민자로 인한 전통문화의 정체성 약화를 우려하고 있는지 알 수 없다.
⑤ 다문화 사회가 우리 사회의 발전에 장애가 되기보다는 도움이 될 것으로 여기고 있다.

09 다문화 사회의 영향

제시된 도표는 외국인 주민 수 및 외국인 주민 비율이 지속적으로 높아지고 있음을 보여 준다. 국내 거주 외국인이 늘어나면 이질적인 문화 간 교류가 증가하여 문화 융합 현상이 나타날 기회가 많아진다. 반면, 이질적인 문화의 유입이 증가하여 전통문화의 정체성이 약화될 수 있다.

오답 선택지 풀이 ㄱ. 이질적 문화가 유입되어 문화의 동질성이 약화된다.
ㄴ. 다양한 문화가 유입되므로 국민의 문화 선택의 기회는 확대된다.

10 정보 사회의 특징

자료 분석

[(가)]는 제조업과 관련된 기술이 발달하여 등장하였다. <u>전체 산업에서 공업이 차지하는 비중이 빠르게 증가하였으며, 그 과</u> ← 산업 사회에서 나타나는 특징이다.
정에서 도시화 또한 빠른 속도로 진행되어 많은 사람들이 시골에서 도시로 이동하는 현상이 나타났다. [(나)]는 <u>정보와 관련된 IT 기술이 발달하여 등장하였다.</u> 정보의 가치가 높아지고 ← 정보 사회의 등장 배경이다.
정보의 생산, 유통, 소비가 활발하게 이루어지는 특징을 보인다. 이러한 [(나)]는 [(가)]에 비해 _____
← 산업 사회와 비교되는 정보 사회의 특징이 들어간다. 정보 사회는 산업 사회에 비해 정보 통신 기술이 발달하여 비대면 방식의 접촉 비중이 높게 나타난다.

오답 선택지 풀이 ① 산업 사회에서 관료제 조직의 비중이 더 높게 나타난다.
② 산업 사회에서는 소품종 대량 생산 방식이, 정보 사회에서는 다품종 소량 생산 방식이 일반적이다.
③ 산업 사회에서는 생산자와 소비자의 구분이 명확한 반면, 정보 사회에서는 양방향 소통이 활발하게 이루어져 생산자와 소비자의 구분이 명확하지 않다.
⑤ 사회 변화의 속도는 정보 사회가 산업 사회보다 빠르다.

유사 선택지 문제

10 ❶ (나) ❷ (가) ❸ (나)

11 고령화 현상

노년 부양비가 증가한 것은 15~64세 인구에 비해 65세 이상 인구의 비중이 증가하였음을 의미한다. 즉 고령화에 따른 현상이며, 노인 인구 비중이 증가하면 노인 복지에 소요되는 재정이 증가한다.

오답 선택지 풀이 ㄱ. 전체 인구의 증가 여부는 확인할 수 없다.
ㄹ. 15~64세 인구 대비 65세 이상 인구의 비중이 증가하고 있으므로, 전체 인구에서 65세 이상 인구의 비중이 감소하고 있다고 보기 어렵다.

12 정보 사회의 문제점

제시된 사례는 대면 접촉보다는 인터넷을 매개로 하는 간접적 접촉을 선호하고, 이러한 피상적 인간관계가 확대되어 인간 소외 현상이 나타남을 보여 준다.

오답 선택지 풀이 ①, ②, ③, ④는 정보 사회에서 나타날 수 있는 문제점에 해당하나, 제시된 사례와 관련이 없다.

13 지구 온난화 문제

지구 온난화 문제는 전 지구적으로 배출되고 있는 온실가스로 인해 발생하여 여러 국가에 걸쳐 그 피해가 나타나고 있으므로 문제 해결을 위해 전 지구적 차원의 노력이 필요하다.

오답 선택지 풀이 ㄴ. 특정 국가가 아니라 여러 국가가 원인을 제공하고 있다.
ㄹ. 개별 국가의 노력으로 해결이 어려운 전 지구적 차원의 문제이다.

14 식량 부족 문제

기아로 사망하는 사람이 있는 반면, 선진국에서는 버려지는 식량으로 인한 환경 오염을 걱정하고 있다는 점에서 식량 부족 문제는 생산의 부족이 아니라 분배 방식에 따른 문제임을 알 수 있다.

오답 선택지 풀이 ①, ②, ③, ⑤도 자원 문제에 대한 설명이지만, 제시문의 내용과는 거리가 멀다.

15 세계 시민

세계 공동체 의식을 가지고 노력하는 사람을 세계 시민이라고 한다. 세계 시민은 어느 한 국가의 국민이 아니라 지구 공동체의 일원으로 전 지구적 수준의 문제에 대해 관심을 가지고 행동하며, 인류의 보편적 가치를 추구하는 사람이다.

오답 선택지 풀이 ㄷ. 전 지구적 수준의 문제 해결을 위해서는 자국의 이익보다 세계 공동체의 입장에서 행동할 수 있어야 한다.

16 지속 가능한 사회

○○ 시민 단체는 현 세대와 미래 세대의 삶이 함께 보장될 수 있는 지속 가능한 사회를 위해 소비를 절제하자고 주장하고 있다. 적정량의 음식물 조리, 비닐봉지 대신 장바구니 사용은 이러한 주장에 부합한다.

오답 선택지 풀이 ㄷ. 자가용보다 대중교통을 이용하는 것이 사회 전체적으로 소비를 줄이는 방법이 된다.
ㄹ. 일회용품 사용은 소비 절제에 부합한다고 보기 어렵다.

17 정보 사회의 특징

⑴ A: 산업 사회, B: 농업 사회, C: 정보 사회
⑵ **| 모범 답안 |** (가)에는 '사회 조직의 관료제화'가 적절하다. 산업 사회는 대규모 공장을 효과적으로 운영하기 위해 관료제를 확대하였다. (나)에는 '가정과 일터의 결합 정도'가 적절하다. 농업 사회는 주거지와 일터인 농경지가 근거리에 있었다.

채점 기준	배점
(가), (나)에 해당하는 내용과 그 까닭을 모두 정확하게 서술한 경우	상
(가), (나)에 해당하는 내용만 모두 적절하게 서술한 경우	중
(가), (나)에 해당하는 내용 중 한 가지만 적절하게 서술한 경우	하

18 저출산·고령화 문제

(1) 저출산, 평균 수명 증가

(2) | 모범 답안 | 전체 인구에서 노인 인구의 비중이 증가하면 노인 부양 부담 가중, 세대 간 갈등이 나타날 수 있다. 이러한 문제를 해결하기 위해 출산과 양육에 대한 지원을 강화하여 출산율을 높여야 한다.

채점 기준	배점
문제점을 두 가지, 해결 방안을 한 가지 정확하게 제시한 경우	상
문제점을 한 가지, 해결 방안을 한 가지 적절하게 제시한 경우	중
문제점 및 해결 방안 중 한 가지만 적절하게 제시한 경우	하

19 지속 가능한 사회

(1) 지속 가능한 사회

(2) | 모범 답안 | 지속 가능한 사회를 위해 친환경 제품 사용, 재활용품 분리수거 등을 실천할 수 있다.

채점 기준	배점
개인적 차원의 실천 방안을 두 가지 정확하게 제시한 경우	상
개인적 차원의 실천 방안을 한 가지만 적절하게 제시한 경우	중
개인적 차원의 실천 방안을 한 가지 제시하였으나 그 내용이 미흡한 경우	하

상위 4% 문제 본문 119쪽

01 ④   02 ②   03 ③   04 ③

01 정보 사회의 특징

자료 분석

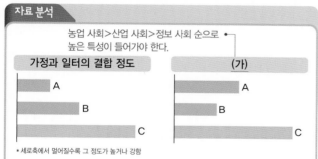

* 세로축에서 멀어질수록 그 정도가 높거나 강함

가정과 일터의 결합 정도는 일터인 농경지와 주거지가 근거리에 위치한 농업 사회에서 가장 높게 나타나며, 정보 통신 기술의 발달로 재택근무가 가능한 정보 사회에서 그 다음으로 높게 나타난다. 따라서 C는 농업 사회, B는 정보 사회, A는 산업 사회이다.

ㄴ. 면대면 접촉의 가능성은 농업 사회>산업 사회>정보 사회 순으로 나타난다.

ㄹ. 사회의 획일화 정도는 농업 사회>산업 사회>정보 사회 순으로 나타난다.

오답 선택지 풀이 ㄱ. 사회 변화 속도는 정보 사회>산업 사회>농업 사회 순으로 나타난다.

ㄷ. 사회의 관료제화 정도는 산업 사회>정보 사회>농업 사회 순으로 나타난다.

02 정보 사회의 특징

자료 분석

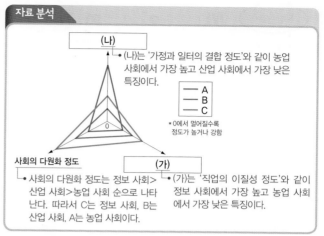

* (나)는 '가정과 일터의 결합 정도'와 같이 농업 사회에서 가장 높고 산업 사회에서 가장 낮은 특징이다.

* O에서 멀어질수록 정도가 높거나 강함

* 사회의 다원화 정도는 정보 사회>산업 사회>농업 사회 순으로 나타난다. 따라서 C는 정보 사회, B는 산업 사회, A는 농업 사회이다.

* (가)는 '직업의 이질성 정도'와 같이 정보 사회에서 가장 높고 농업 사회에서 가장 낮은 특징이다.

② 정보 사회에서는 쌍방향 소통이 가능한 뉴 미디어가 등장하여 산업 사회에 비해 양방향 의사소통 구조가 중시된다.

오답 선택지 풀이 ① 농업 사회에서는 모든 구성원이 농업에 종사하므로 산업 사회에 비해 직업의 동질성 정도가 높다.

③ 정보 통신 기술이 발전한 정보 사회는 농업 사회에 비해 비대면 접촉 정도가 높다.

④ 사회 조직의 관료제화 정도는 산업 사회에서 가장 높게 나타난다.

⑤ 가정과 일터의 결합 정도는 농업 사회에서 가장 높게 나타나지만, 가정과 일터의 분리 정도는 산업 사회에서 가장 높게 나타난다.

03 정보 격차

제시된 표는 일반 국민의 정보화 수준을 100이라 가정하였을 때 소외 계층의 정보화 수준을 상대적으로 나타낸 것이다.

ㄴ. 지수가 지속적으로 커지고 있으므로 정보화 수준이 높아지고 있음을 알 수 있다.

ㄷ. 접근 지수에 비해 역량 지수가 낮게 나타나고 있어 활용 능력에 대한 지원이 필요함을 알 수 있다.

오답 선택지 풀이 ㄱ. 지수가 높아지는 것은 일반인과 소외 계층의 정보화 수준 격차가 축소되고 있음을 의미한다.

ㄹ. 수치는 소외 계층 중 정보화 기기를 활용하는 비중을 나타낸 것이 아니라, 일반인 대비 상대적인 정보화 정도를 나타낸 것이다.

04 인구 구조의 변화

15~64세 인구가 제시된 기간에서 일정하다고 가정하고 있으므로 15~64세 인구를 100명으로 가정할 경우 제시된 연도의 노인 인구 및 유소년 인구를 계산할 수 있으며, 모든 연도의 전체 인구가 140명으로 동일함을 확인할 수 있다.

오답 선택지 풀이 ㄱ. 15~64세 인구를 100명으로 가정할 경우 2015년 유소년 인구는 15명, 2010년 유소년 인구는 20명이다.

ㄹ. 전체 인구에서 15~64세 인구의 비율은 제시된 기간에 항상 일정하다.

Memo